HISTOIRE DE FRANCE

DEPUIS LES ORIGINES JUSQU'À LA RÉVOLUTION

V

LOUIS VII. – PHILIPPE AUGUSTE. LOUIS VIII

Histoire de France depuis les origines
jusqu'à la Révolution

Histoire de France contemporaine
depuis la Révolution jusqu'à la paix de 1919

ERNEST LAVISSE

HISTOIRE
DE FRANCE

DEPUIS LES ORIGINES JUSQU'À LA RÉVOLUTION

TOME III. – PREMIÈRE PARTIE

LOUIS VII. – PHILIPPE AUGUSTE.
LOUIS VIII
(1137-1226)

par

ACHILLE LUCHAIRE

Présentation
d'YVES SASSIER

ÉDITIONS DES ÉQUATEURS

Courriel : editionsdesequateurs@wanadoo.fr
Site Internet : www.equateurs.fr

PRÉSENTATION

Présenter Achille Luchaire et son œuvre en évitant la redondance n'est pas simple : les belles pages d'Éric Bournazel au début du volume IV de cette *Histoire de France* ont déjà souligné tout l'apport de celui que Louis Halphen, au lendemain de sa mort, saluait comme «l'un de ceux qui s'employèrent avec le plus de suite et le plus de succès à introduire dans nos facultés les méthodes critiques et les habitudes de précision rigoureuse qui trop souvent étaient restées l'apanage exclusif de l'École des chartes et l'École des hautes études[1]». Le spécialiste du XIIe siècle, en particulier, fut et reste redevable à ce grand érudit : pendant huit décennies et jusqu'à la très remarquable édition, par Jean Dufour, des actes de Louis VI, tout chercheur souhaitant se lancer dans une étude sur le règne du cinquième Capétien eut ainsi l'utile secours de son *Louis VI le Gros, annales de sa vie et de son œuvre* paru en 1890. Aujourd'hui encore, son *Étude sur les actes de Louis VII* parue en 1885 reste incontournable lorsque l'on entreprend de «récolter» les diplômes de ce roi qui n'ont toujours pas fait l'objet d'une édition scientifique. Quant au règne de Philippe Auguste, il fut, pendant cinq ans, de 1895 à 1900, le thème de l'enseignement d'Achille Luchaire à la Sorbonne et l'on sait qu'il songea à écrire une histoire complète de ce roi. Le projet fut ajourné *sine die*, sans doute en raison de la parution des premiers fascicules du *Philipp II August, König von*

1. Hommage de Louis Halphen, *Revue historique*, t. 1, janvier-avril 1909, p. 444.

Frankreich du médiéviste allemand Alexander Cartellieri, mais il nous reste les belles pages de ce volume V : pas très loin de deux cents consacrées aux faits et gestes du personnage (livre II) – contre à peine quatre-vingts pour celui de Louis VII (livre Ier) – et presque autant à une ample étude de la société (livre III) à la jonction des XIIe et XIIIe siècles, c'est-à-dire au temps de Philippe II. Il nous reste aussi, fort heureusement, le texte des leçons professées en Sorbonne durant ces cinq ans, qui alimenta, bien sûr, de nombreux développements du volume V et fut publié après la mort de Luchaire (1908) sous le titre : *La Société française au temps de Philippe Auguste.*

L'historiographie du XIIe et des premières années du XIIIe – Luchaire publia aussi, entre 1904 et 1908, six volumes consacrés à Innocent III, le pape contemporain de Philippe Auguste – ne peut donc qu'avoir longtemps porté la profonde marque du grand historien. Celui-ci, comme l'a souligné É. Bournazel, n'ignorait rien des sources médiévales, publiées comme inédites. De multiples fragments de chroniques, de lettres, de chartes, de récits hagiographiques remarquablement choisis et traduits du latin dans un français magnifiquement ciselé, parsèment ses livres et viennent orner ses propos : Luchaire était un maître du récit, et un maître de l'illustration par la citation, une sorte d'artiste de l'histoire utilisant simultanément son extraordinaire talent de narrateur et celui des anciens à la manière d'un peintre mélangeant ses propres dons aux couleurs dont il dispose. Ne cherchons pas, chez lui, ces appréciations mesurées, pour ne pas dire neutres, à l'égard des acteurs de l'histoire qui marquent le plus souvent, de nos jours, notre propre façon d'écrire sur ces époques lointaines. A. Luchaire est de son siècle, celui du lent triomphe de la démocratie et de la laïcité à la française, et il partage avec certains historiens qui lui sont contemporains une manière d'écrire l'histoire d'un XIIe siècle à certains égards « révolutionnaire » sous l'éclairage des acquis de son propre temps. L'on sent, en lui, plus réfrénée sans doute que chez un Augustin Thierry, une profonde sympathie pour le mouvement communal et le dynamisme des bourgeoisies médiévales, le souci de décrire par le menu, comme pour les stigmatiser, les violences seigneuriales à l'égard du petit peuple et des clercs, celui aussi de dévoiler le mode de vie de prélats indignes et corrompus en même temps que ces envers de la croyance que peuvent devenir l'intolérance et la persécution à l'égard des déviants ou des adeptes des autres religions. Sous sa plume, ce grand XII⁰ siècle apparaît comme une époque d'une très grande dureté, de déchaînement de violence sans merci, de massacres (Vitry, Béziers, Marmande, etc.) et de malheur pour les plus humbles. Comment, d'ailleurs, un historien qui vit au temps de la démocratie et de la raison triomphantes et ne peut se douter que le XX⁰ siècle naissant connaîtra les paroxysmes de la haine raciale, du mépris pour la vie humaine et du « désenchantement du monde », pourrait-il écrire autrement l'histoire qu'en jugeant les sociétés anciennes au prisme de sa propre vision, alors partagée par tant d'autres, du progrès humain ? Sans doute l'écrivons-nous aujourd'hui différemment, taisant nos sympathies et nos antipathies, axant nos propos sur une analyse que nous croyons ou feignons de croire plus conforme à « l'esprit scientifique », parce qu'au tréfonds de nous-mêmes nous avons pris conscience de notre incapacité à dire ce qu'il faut entendre par « progrès », voire de l'insanité de ce vocable appliqué aux tragiques errances de l'*homo sapiens* des temps modernes. « Nous autres civilisations, nous savons maintenant que nous sommes mortelles. » Luchaire, lui, l'ignorait, ou tout au moins ne pouvait avoir cette lancinante inquiétude qui est désormais nôtre d'appartenir à cette humanité d'avant... la « planète des singes ». Ses jugements, dans son contexte, pouvaient, et même se devaient d'être plus péremptoires, voire plus « assassins » que les nôtres.

Achille Luchaire n'est pas tendre pour Louis VII (1137-1180), le premier des trois rois étudiés dans ce volume. Les mots sont durs : Louis le Jeune fut un homme faible, un immature « aussi dénué de sens politique et d'énergie guerrière que son rival [Henri II Plantagenêt] en était pourvu », incapable dès lors de se poser en acteur de son temps comme de maîtriser la marche des événements. Ce roi ne fut en somme qu'une ombre de roi, un « dévôt qui jeûne au pain et à l'eau tous les samedis et obéit docilement aux volontés de ses clercs », un « politique craintif et maladroit qui humilia la royauté devant les Plantagenêts ». Luchaire pointe ainsi d'un doigt méprisant un début de règne plutôt prometteur mais brouillon, une croisade catastrophique, un mariage raté avec Aliénor suivi d'une séparation considérée comme la plus impardonnable des fautes, d'innombrables échecs militaires face au trop talentueux Henri II, enfin la part trop belle faite à l'Église et à son chef entre les mains desquels ce bigot n'aurait été qu'un pantin dépourvu d'énergie propre.

La caricature n'est certes, souvent, que la légère déformation d'une image bien réelle, mais l'historien, ici, nous semble aller bien au-delà de ce que peuvent nous enseigner les sources, et la déformation est par trop grossière. Le sixième Capétien mérite sans aucun doute beaucoup mieux : dans l'avant-propos de son *Louis VII* paru il y a près de vingt ans[1], l'auteur de la présente introduction opposait au jugement d'Achille Luchaire ceux, bien plus modérés, de Marcel Pacaut, auteur d'un *Louis VII et son royaume* paru en 1964, et de Georges Duby. « Nous commençons, écrivait ce dernier en 1987[2], à nous en convaincre : ce roi ne fut pas le monarque débile dont l'histoire traditionnelle exagérait la faiblesse afin que parût plus éclatante la valeur de son père, protecteur des communes, et de son fils, vainqueur des Germains ». Luchaire lui-même, comme s'il avait senti ce qu'avait d'excessif son jugement, a parfois corrigé, sans les supprimer, ses incongruités de langage : parlant de la croisade ratée du roi de France, il reconnaît que, « dans cette expédition périlleuse, Louis VII ne s'est pas seulement conduit en homme vaillant, exposant sa vie pour sauver les siens. Il a toujours agi en chef de peuple prodiguant son argent aux pèlerins affamés, essayant même, chose plus difficile, de maintenir une discipline sévère ». Ailleurs, il semble vouloir atténuer les

---

1. Y. SASSIER, *Louis VII*, Paris, Fayard, 1991.
2. G. DUBY, *Le Moyen Âge : de Hugues Capet à Jeanne d'Arc*, Paris, 1987.

effets néfastes de l'excessive dévotion du roi : « On peut [...] dire que, sous Louis VII, grâce à l'accord du pouvoir royal et de la société ecclésiastique, s'opérèrent partout, au profit du souverain, de véritables conquêtes morales, prélude des conquêtes militaires et des progrès matériels auxquels le nom de Philippe Auguste restera éternellement attaché. » Mais ces constats ne suffisent pas. Les historiens ont soigneusement, depuis, montré toutes les avancées du règne ayant trait aux structures du gouvernement royal[1], ou insisté sur le retour en force de certaines des fonctions traditionnelles de la royauté[2] : la fonction pacificatrice, notamment, avec les multiples interventions du roi pour tenter de – et parfois réussir à – mettre fin aux exactions des princes et des sires contre les Églises et les populations paysannes, avec aussi l'apparition de mécanismes juridiques (pariage) permettant l'implantation permanente d'îlots de présence royale dans des zones où la royauté était absente depuis deux siècles et demi. Il faut ici rendre à César ce qui est à César et au père ce dont, trop souvent, on crédite le fils. Quant à « l'obéissance docile aux volontés des clercs », elle n'explique ni le soutien indéfectible du roi à Thomas Becket, « lâché » par la papauté, ni la grande modération – hélas vite effacée par les actes de cruauté de son « auguste » successeur – dont il fit preuve à l'égard des Juifs de son domaine en dépit de très fermes injonctions pontificales.

Laissons là les critiques. Elles ne peuvent occulter tout le plaisir que l'on éprouve à lire ou parcourir sans le moindre ennui les pages consacrées à Louis VII. Elles renferment quelques superbes portraits : celui de l'abbé Suger, présenté en « homme du juste milieu », ayant le « goût de la tranquillité », porté de ce fait à « exagérer la conciliation » ; celui d'un Bernard

---

1. É. BOURNAZEL, *Le Gouvernement capétien au XIIe siècle. Structures sociales et mutations institutionnelles*, Paris, 1975. Y. SASSIER, *Louis VII*, chap. 25 sur le gouvernement royal.

2. Y. SASSIER, *op. cit.*, chap. 23 sur le « *rex pacificus* » ; Y. SASSIER, *Royauté et idéologie au Moyen Âge, Bas-Empire, monde franc, France*, Paris, 2002 (chap. 5), où l'on montre tout ce que représentent ce XIIe siècle, et le règne de Louis VII, dans l'évolution de la réflexion sur le pouvoir, à peine évoquée par Luchaire.

de Clairvaux, rigide et sévère, représentant de « l'internationalité ecclésiastique » et ne pouvant de ce fait, se comporter en « serviteur dévoué des Capétiens ». Henri II d'Angleterre et bien d'autres acteurs de ce règne font de même l'objet de descriptions physiques et psychologiques hautes en couleur.

Avouons-le, ce plaisir de la lecture devient intense avec les règnes de Philippe et de son fils, là même où le récit historique se transforme en une sorte de roman historique. La vie de Philippe Auguste, ce monarque dépeint par Luchaire comme intelligent, énergique, roué, prompt à régner dès l'âge de quinze ans sans attendre la mort du père, mais anxieux, méfiant, dépourvu de toute culture et ne parlant pas le latin, est à elle seule une geste romanesque que notre auteur déroule d'un style alerte, rapide, efficace. Il faut tout lire de cette vie trépidante qui fait prendre conscience à quel point, en ce temps où l'État, forme abstraite et permanente du pouvoir, n'existe pas encore, la personnalité comme les actions d'un homme sont essentielles dans le destin d'un royaume et d'une nation. Songeons que, à elle seule, l'année 1214, celle de Bouvines, est l'un des moments les plus hasardeux de notre histoire, où le sort du Capétien, comme celui du royaume, s'est joué sur une bataille, face à une coalition aussi redoutable que celle qu'affrontera sept siècles plus tard Napoléon Ier. Le récit de Luchaire, enrichi par un entrecroisement de chroniques, est haletant, magnifique, grandiose : d'un côté, une armée française très inférieure en nombre et d'apparence hétéroclite, mais soudée autour de son roi et d'une poignée de princes fidèles ; de l'autre, une armée considérable mais hétéroclite aussi, dont les chefs ne sont pas d'accord sur la stratégie à suivre en vue d'une victoire totale impliquant, entre autres, la mise à mort programmée du roi de France. Luchaire décrit magnifiquement les moindres instants du repli de l'ost royal en vue d'attirer l'adversaire sur le terrain le plus propice ; il décrit l'état d'esprit comme les options stratégiques du roi. Puis il relate la bataille, dévoilant les faiblesses de milices communales peu aguerries, décrivant les prouesses du duc de Bourgogne, montrant Philippe jeté à terre, assailli par la piétaille des communes flamandes dont les longs couteaux cherchent vainement le défaut de sa cuirasse, secouru *in extremis* par les chevaliers de sa mesnie. Il relate la déroute de l'empereur et le combat désespéré du comte félon Renaud de Boulogne, cherchant sans la trouver cette mort qu'il réservait à son seigneur. Le style est superbe, flamboyant : le meilleur des correspondants de guerre n'aurait pas fait mieux.

Bien sûr, toutes les analyses qui parsèment l'ensemble du livre nécessitent d'être confrontées à celles d'historiens plus récents : on pense ici au *Dimanche de Bouvines* de G. Duby, à la belle biographie, parue en 1991 chez Fayard, de J.W. Baldwin sur le règne de Philippe Auguste, à celle de G. Sivéry sur Louis VIII. De même manque-t-il, dans ce livre, une analyse approfondie de ce qui caractérise la renaissance du XIIe siècle[1], ainsi qu'une étude des aspects idéologiques de la royauté. Les réalités sociales, d'ailleurs fort bien décrites dans le dernier livre du présent ouvrage, l'intéressent davantage que la marche des idées, laquelle n'a, il est vrai, fait l'objet de travaux importants – ceux de D. Bell[2] parmi bien d'autres – que depuis le milieu du XXe siècle. Il faut donc prendre cet ouvrage pour ce qu'il est : une étape importante, capitale même, dans le développement de notre connaissance du XIIe siècle ; importante, mais suivie d'autres étapes qui l'ont rendu quelque peu dépassé. Il reste l'immense plaisir, teinté d'étonnement et d'admiration face à la complexité du champ documentaire exploité par son auteur, qu'en procure la lecture.

Yves Sassier.

---

1. Étudiée notamment par C.H. HASKINS, *The Renaissance of the Twelfth Century*, Cambridge (Mass.), 1927, R.L. BENSON et G. CONSTABLE (éd.), *Renaissance and renewal in the Twelfth Century*, Cambridge (Mass.), 1977, D.E. LUSCOMBE et G.R. EVANS, « La renaissance du XIIe siècle », *Histoire de la pensée politique médiévale*, dir. J.H. BURNS, PUF, Paris, 1993.
2. D. BELL, *L'Idéal éthique de la royauté en France au Moyen Âge*, Genève-Paris, 1962.

LIVRE PREMIER

LOUIS VII[1]

CHAPITRE PREMIER

LES DÉBUTS DE LOUIS VII

I. LES CONFLITS AVEC L'ÉGLISE ET LA GUERRE DE CHAMPAGNE. — II. LA
SECONDE CROISADE. — III. SUGER ET LA RÉGENCE.

I. — LES CONFLITS AVEC L'ÉGLISE ET LA GUERRE DE CHAMPAGNE[2]

LOUIS VII, à son avènement (1ᵉʳ août 1137), avait seize ans. Son *LOUIS VII ET SON*
domaine comprenait la longue bande de territoire que les con- *DOMAINE.*
temporains appelaient la *Francia* et qui s'étendait du Vermandois au
Bourbonnais, sur les vallées moyennes de la Seine et de la Loire. En
outre, duc des Aquitains de par sa femme Aliénor, il dominait de
Châtellerault à Bayonne et du Pui à Bordeaux. Son sceau le repré-

1. SOURCES Les textes relatifs à l'histoire de Louis VII sont réunis dans les
tomes XII à XVI du recueil des *Historiens de France*. Les principales sources sont : l'*Historia Ludovici VII* (édit. Molinier, 1887), les chroniques anglaises publiées dans la Collection du Maître des Rôles (*Rerum Brit. med. ævi scriptores*), les actes de Louis VII
(Luchaire, *Études sur les actes de Louis VII*, 1885) et la correspondance du même roi,
publiée au t. XVI des *Historiens de France*.
OUVRAGES A CONSULTER. D. Hirsch, *Studien zur Geschichte König Ludwigs VII von Frankreich*, 1892 (pour la période antérieure à 1160). Otto Cartellieri, *Abt Suger von Saint-Denis*, 1898
(*Historische Studien*, p. p. Ebering, n° 11). A. Cartellieri, *Philipp II August*, livre I, 1898
(pour les dernières années du règne).
2. SOURCES. Le *Fragment inédit de la vie de Louis VII préparée par Suger*, publié par J. Lair
dans la Bibliothèque de l'Ecole des Chartes, t. XXXIV, 1873, les biographies de saint Bernard et sa correspondance, publiée au t. XV des *Historiens de France*.
OUVRAGES A CONSULTER. H. d'Arbois de Jubainville, *Histoire des ducs et des comtes de
Champagne* (1859-1869), t. II. Brial, *Examen critique des historiens qui ont parlé du différend
survenu l'an 1141 entre le roi Louis le Jeune et le pape Innocent II*, dans les Mémoires de
l'Académie des Inscriptions, t. VI, 1822. Vacandard, *Saint Bernard et la Royauté française*
dans la Revue des Questions historiques, t. XLIX, 1891. Dom Vaissète, *Histoire de Languedoc*,
nouv. édit., t. III. J. Thiel, *Die politische Thätigkeit des Abtes Bernhards von Clairvaux*, 1885.

sente assis sur un trône, avec de longs cheveux sur les épaules, la couronne sur la tête, un sceptre à la main droite, une fleur de lis à la main gauche. C'est l'attitude propre à la majesté royale, au roi sacré, au souverain de la France entière, au successeur de Charlemagne. Mais, sur le contre-sceau, Louis VII apparaît en costume ducal, portant l'épée et l'écu, cuirassé du haubert, coiffé du casque conique, fièrement campé sur un cheval au galop. Cela veut dire que l'Aquitaine, tout en appartenant au Roi, n'est pas absorbée dans la France et conserve son existence propre, avec son administration séparée. Le roi et le duc, en Louis VII, sont simplement juxtaposés. Ainsi l'ont voulu les seigneurs et les évêques du Midi qui avaient donné pour femme au fils de Louis le Gros l'héritière de leur dernier souverain, le duc d'Aquitaine Guillaume X.

PREMIERS ACTES DU RÈGNE. Les circonstances extérieures étaient exceptionnellement favorables. En 1137, les deux puissances voisines de la France, l'Angleterre et l'Allemagne, se trouvaient affaiblies par des troubles et des querelles de succession. L'empereur allemand Lothaire venait de mourir sans héritier mâle; son gendre, le duc de Saxe, disputait la couronne à Conrad de Hohenstaufen, que soutenaient le Pape et les archevêques. Les Normands et les Anglais, depuis la mort du roi Henri Ier Beauclerc (1135), étaient en pleine guerre civile. Étienne de Blois, soutenu par son frère Thibaut IV, comte de Champagne, luttait contre la fille d'Henri Ier, Mathilde, mariée au comte d'Anjou, Geoffroi le Bel. Pendant qu'on se battait à droite et à gauche du Capétien, celui-ci pouvait prendre tranquillement possession du royaume paternel et du fief conjugal. Une émeute des bourgeois d'Orléans, impatients de s'organiser en commune, une autre tentative communaliste des gens de Poitiers, la résistance insignifiante d'un petit seigneur de la Saintonge, furent les seules difficultés que rencontra Louis VII à son avènement. Il s'en tira par quelques exécutions rapides. Héritier du prestige qu'avaient donné à la Royauté les succès de Louis le Gros et d'un domaine beaucoup plus vaste que celui de ses prédécesseurs, ce jeune homme avait le droit de se faire l'illusion que les puissances féodales et ecclésiastiques n'étaient pas de force à lui tenir tête.

RETRAITE DE LA REINE-MÈRE. L'histoire traditionnelle ne connaît guère que le Louis VII d'après la croisade, le Roi dévot qui jeûne au pain et à l'eau tous les samedis et obéit docilement aux volontés de ses clercs, le politique craintif et maladroit qui humilia la Royauté devant les Plantagenêts. Mais Louis VII débutant a une autre allure : celle d'un prince autoritaire et actif, dont l'ambition inquiète s'attaque à plusieurs objets à la fois. Il se lance, avec une audace brouillonne, dans les entreprises les plus difficiles. Les conflits avec la haute féodalité, avec les évêques, avec le Pape semblent l'attirer. C'est lui, nous le montrerons, qui a pris l'initiative de la seconde croisade.

Peu de rois ont commencé aussi hardiment. A peine en possession de la couronne, il se débarrasse, non pas de la tutelle (il était majeur et sacré depuis 1131), mais de la surveillance de sa mère, la veuve de Louis le Gros, Adélaïde de Savoie. Celle-ci quitte le palais et se retire dans son domaine dotal. Elle renonçait si bien à sa situation de reine, qu'elle l'oublia tout à fait pour épouser un baron de quatrième ordre, le seigneur de Montmorenci. Suger, parlant à mots couverts de cette révolution de cour, attribue la retraite subite d'Adélaïde à un motif intéressé. Elle aurait été mécontente des prodigalités de son fils, qui jetait l'or sans compter, comme tous les jeunes nobles, et serait partie par crainte de voir s'épuiser le trésor royal et compromettre sa propre fortune. La vraie raison est que, peu de temps après la mort de Louis VI, le désaccord se mit entre les différentes personnalités du palais qui pouvaient prétendre à diriger le jeune Roi : l'influence de la reine-mère dut céder devant celle de l'abbé de Saint-Denis, le plus écouté des conseillers royaux. Suger, avec sa réserve ordinaire, se garde bien de dire qu'il a été une des causes principales du refroidissement survenu entre la mère et le fils. Mais sa phraséologie toujours obscure laisse entrevoir que la rupture n'eut pas lieu sans un échange d'explications assez vives. Lui-même se représente disant à Adélaïde et à ses partisans, qui menaçaient de quitter Louis VII : « Vous pouvez répudier la France, elle n'a jamais manqué d'épouseurs. » Entre sa mère et le ministre qui avait déjà si bien servi la Monarchie sous le règne précédent, Louis n'hésita pas. La Reine partit, et Suger continua à diriger le palais.

Il n'y domina pas cependant au point qu'il faille le considérer *SUGER.* comme l'inspirateur unique de la politique du jeune Roi pendant les dix premières années du règne. Les déterminations importantes de Louis VII, surtout quand il fit la guerre au pape Innocent II et au comte de Champagne, ont été prises en dehors de Suger. Ce moine si modéré, si prudent, si désireux de voir la Royauté vivre en paix avec le pouvoir ecclésiastique, était plutôt enclin à exagérer la conciliation. Son premier acte fut une concession impolitique à la haute féodalité. Sur son conseil, Louis VII sollicita l'appui du comte de Champagne, Thibaut IV. Le Roi et le haut baron se rencontrèrent à Auxerre (1138), au cours d'une chevauchée que Louis faisait dans la partie orientale de son royaume pour y recueillir les hommages des vassaux. Suger voulait assurer au Roi l'alliance d'un homme « connu de tous pour sa droiture et sa fidélité aux engagements pris. » Et il raconte qu'à l'entrevue d'Auxerre, Thibaut se montra ému jusqu'aux larmes, « déclarant qu'il remerciait Dieu de ce que le Roi acceptait si aimablement ses services et voulait bien renoncer aux sentiments d'animosité que ses prédécesseurs avaient l'habitude de témoigner aux comtes de Champagne. » Allusion inconvenante et injuste aux démêlés antérieurs de Thibaut avec la couronne. Le comte de Champagne oubliait que Louis le Gros, deux ans avant sa mort et toujours à l'instigation de Suger, s'était réconcilié avec lui, et, l'admettant au conseil royal, lui avait presque confié la tutelle de son héritier.

HOSTILITÉ DU COMTE DE CHAMPAGNE. Thibaut avait donné pendant trente ans, contre la Monarchie, des preuves d'une perfidie haineuse. Suger s'imagina peut-être faire un coup d'habileté en plaçant le Roi et le royaume sous la protection d'un feudataire que les clercs et les moines respectaient comme l'ami de saint Bernard et le soutien du clergé réformiste. L'illusion fut vite dissipée. En 1138, Louis VII, prêt à partir pour châtier l'insurrection des Poitevins, demande à Thibaut de lui venir en aide. Le comte se dérobe sous prétexte de consulter ses barons. On lui envoie Suger qui n'obtient de lui ni argent ni soldats. En 1141, le Roi, pour faire valoir les droits que ses prédécesseurs les ducs d'Aquitaine avaient revendiqués plusieurs fois sur Toulouse, organise une expédition contre le comte Alphonse-Jourdain. Thibaut ne se souciait pas de voir le Capétien accroître encore ses territoires et sa puissance. Au mépris de la loi de vassalité, il refuse d'envoyer à Louis VII même le minimum de son contingent militaire. Le Roi rompit avec ce prétendu allié.

LA REINE ALIÉNOR. L'abbé de Saint-Denis continuait à diriger les affaires courantes : mais, dans les questions de haute politique, Louis avait un conseiller auquel il n'était pas capable de résister. Sa jeune femme, Aliénor, lui inspirait une tendresse passionnée et jalouse, presque « immodérée [1]. » La Reine, habituée à la vie facile des cours du Midi, amie de la poésie et des poètes, coquette, légère et sensuelle, comme tant d'autres dames divinisées par les troubadours, ne trouvait pas dans ses traditions de famille le respect du Clergé et des choses saintes. Son grand-père Guillaume IX, le chansonnier, se moquait volontiers des clercs et résista ouvertement aux papes. Son père. Guillaume X, avait été l'adversaire d'Innocent II et de saint Bernard. Aliénor entraîna peu à peu son mari à des hardiesses inattendues de la part de cet ancien élève du cloître Notre-Dame, nourri dans le giron de l'Église.

Louis se montra plus hostile que son père aux libertés ecclésiastiques. Il refusa, chose grave, d'être un instrument entre les mains

---

1. *Amore immoderato.* Le mot a été dit par un contemporain, l'auteur de l'*Historia pontificalis*, c'est-à-dire probablement Jean de Salisbury. Et ce témoignage n'est pas unique.

des réformateurs. En 1138, un moine de Cluni avait été élu à l'évêché de Langres, et le Roi lui accorda l'investiture. Mais l'influence de saint Bernard lui fit substituer un prieur cistercien, pour lequel on demanda de nouveau l'approbation royale. Louis VII, mécontent de n'avoir pas été consulté, refusa tout d'abord de reconnaître le candidat de l'abbé de Clairvaux, et celui-ci dut écrire, à plusieurs reprises, des lettres pressantes : « Vos délais nous épouvantent, nous qui voyons le diocèse en proie à la rapine et à la dévastation. Cette terre de Langres est à vous : l'élection s'est faite selon les formes canoniques : l'élu vous est fidèle. Il ne le serait pas, s'il ne voulait pas tenir de vous ce qui vous appartient. Mais il n'a pas encore pris possession des biens du diocèse et il n'est pas entré dans votre ville. » Le Roi fit attendre son consentement. En 1139, à Reims, il favorise l'établissement de la commune, c'est-à-dire l'état des choses le plus contraire aux intérêts du clergé local, de même qu'en 1146 il fondera la commune de Sens, au détriment de l'archevêque et des abbés. En 1140, il pratique la candidature officielle dans l'abbaye de Morigni, si bien que les moines sont obligés de ruser pour conserver leur droit.

Ce fils aîné de l'Église n'entend pas que les élections et les consécrations d'évêques se fassent sans son aveu. En 1141, l'archevêque de Bordeaux, Geoffroi de Loroux, intronise un évêque de Poitiers sans que le gouvernement royal ait été prévenu. Louis VII empêche l'évêque de mettre le pied dans sa ville épiscopale et cite l'archevêque en justice. Scandale qui amène l'intervention de saint Bernard, et une lettre virulente où l'abbé de Clairvaux incrimine le conseiller de Louis VII, Joscelin, évêque de Soissons, et rappelle l'imprécation biblique : « Malheur à la terre dont le Roi ne sera qu'un enfant! »

L'émotion des chefs du parti réformiste s'accrut encore lorsqu'ils apprirent, en 1141, qu'à Bourges, où l'archevêché était vacant, le Roi osait opposer son candidat à celui que le clergé local avait choisi, et que le Pape lui-même désignait. Alors que partout la bonne cause triomphait et que le sacerdoce vivait en paix avec l'État, la querelle des Investitures menaçait de se rouvrir, en France, par le caprice d'un prince de vingt ans! Le candidat de Louis VII était un clerc de sa chapelle, le chancelier Cadurc; celui d'Innocent II, Pierre de La Châtre, cousin du chancelier de l'église romaine, Aimeri. Le Roi avait commencé par déclarer qu'il laisserait les électeurs de Bourges libres de nommer qui bon leur semblerait « à l'exclusion de Pierre de la Châtre. » Quand celui-ci eut été élu, Louis jura sur les reliques que, lui vivant, Pierre n'entrerait pas dans Bourges. La riposte fut prompte. Innocent II sacra lui-même Pierre de La Châtre, blâma Cadurc et défendit de lui conférer aucun bénéfice. Puis, voyant que

Bourges restait fermé à son candidat, il jeta l'interdit sur la terre du Roi. Louis VII n'était pas frappé d'excommunication personnelle : mais, partout où il passerait, les offices religieux cesseraient d'être célébrés. Même le bruit courut, invraisemblable d'ailleurs, que le Pape, non content de sévir contre le roi de France, l'avait bafoué : « Le Roi, aurait-il dit, est un enfant dont l'éducation est à faire : il faut l'empêcher de prendre de mauvaises habitudes. »

On sait quelle valeur le Moyen âge attribuait à un serment prêté sur les reliques et quelles conséquences, d'autre part, entraînait l'interdit. Du premier coup, le Pape et le Roi s'étaient avancés si loin qu'ils pouvaient difficilement reculer. Suger n'était pour rien dans une pareille aventure. Il avait plaidé, auprès de son maître, mais sans succès, la cause de Pierre de La Châtre. Sans doute la reine Aliénor l'emporta, ici encore, sur les scrupules religieux de son mari.

On eut par un nouvel incident la mesure de ce qu'elle pouvait. Le sénéchal de France, Raoul de Vermandois, répudie sa femme, nièce du comte Thibaut, pour épouser la sœur d'Aliénor, Pétronille d'Aquitaine. Trois évêques du domaine royal consentent à dissoudre le premier mariage, sous prétexte de consanguinité, et à bénir le second. Les partisans de la Réforme s'indignent. Un légat est envoyé en France, réunit un concile à Lagni et fait proclamer la validité du premier mariage de Raoul. Celui-ci refusant de se séparer de Pétronille, on les excommunie l'un et l'autre. La terre du comte de Vermandois est mise en interdit. Les évêques qui ont fait le second mariage sont frappés des peines ecclésiastiques. Le conflit religieux s'aggravait. Par surcroît, une crise politique allait s'ouvrir. Le comte Thibaut considéra comme un outrage personnel l'affront fait à sa nièce. Il était d'ailleurs favorable aux entreprises des réformistes et décidé, par principe et par habitude, à soutenir la politique du Saint-Siège. Il prit fait et cause pour Pierre de La Châtre et le reçut dans ses domaines. Il avait prêté sa ville de Lagni au concile qui excommunia le beau-frère du Roi. Cette conduite équivalait à une déclaration de guerre, et la guerre, en effet, suivit (1142).

Louis VII s'attaquait donc à la fois à Innocent II, triomphant du schisme, maître de l'Église, et au plus dangereux des hauts barons de France, car Thibaut trouvait un appui dans la plus grande puissance du siècle, saint Bernard. Celui-ci ne pouvait oublier que le comte de Champagne était le protecteur et le banquier de l'ordre de Cîteaux. Le Roi pensait-il que, dans cette querelle avec un vassal, il avait le droit de son côté et que Thibaut, refusant par deux fois le service militaire à son suzerain, puis devenant l'homme du Pape contre la dynastie, avait pris lui-même l'offensive? Le comte restait fidèle à son passé, à ses traditions d'ennemi acharné du pouvoir royal. Le Roi envahit rapidement la Champagne et prend Vitri, où treize cents personnes périssent dans l'église en feu. Son frère Robert, comte de Dreux, occupe militairement Reims et Châlons (1142-1143).

Surpris, le comte de Champagne eut une attitude piteuse et se défendit à peine. On ne retrouve plus ici l'homme qui avait tant de fois guerroyé contre Louis le Gros ou Geoffroi d'Anjou. Ses propres sujets le plaisantent, lui reprochant les donations et les aumônes qui lui valaient si fréquemment les louanges du Clergé. « Pourquoi, » disait-on, « le comte Thibaut n'a-t-il pas employé son temps et son argent à des choses plus utiles ? Il a ce qu'il mérite ; pour chevaliers, des moines, pour arbalétriers, des frères convers : il voit maintenant à quoi tout cela peut servir. » Dans une réunion à laquelle assistait saint Bernard, un évêque s'écrie : « Le comte Thibaut est entre les mains du Roi ; il n'y a personne qui puisse le sauver. — Permettez, répond un autre évêque, il y a quelqu'un qui peut le délivrer. — Qui donc ? — Dieu, qui est tout-puissant. — Oui, répond l'autre, s'il le veut bien, s'il prend la massue et frappe de tous côtés, mais jusqu'à présent il ne l'a pas fait. »

Le comte de Champagne fut sauvé par l'abbé de Clairvaux. Celui-ci prêchait d'ordinaire l'entente du pouvoir temporel et du pouvoir spirituel, l'union « des deux glaives, » mais sans désirer l'absorption de l'État dans l'Église ; il avait l'esprit plus large que la fraction intransigeante du parti de la Réforme. Il respectait d'ailleurs, dans la royauté française, une puissance établie par Dieu et tenant du sacre une inviolable dignité. S'il a traité durement, dans certaines lettres, les princes de la famille capétienne, il n'a pas ménagé davantage les cardinaux et les papes. Les saintes colères auxquelles il cédait parfois, pour défendre ce qu'il croyait être la vérité et la justice, le poussaient à parler comme un prophète de la Bible, avec une violence dont il s'excusait ensuite humblement. Mais ce représentant de l'internationalité ecclésiastique ne pouvait être et ne fut jamais, nous l'avons montré déjà [1], le serviteur dévoué des Capétiens. Dans le conflit de 1142, il prit parti pour la Champagne contre la France royale, pour le vassal contre le suzerain, et Louis VII le lui a reproché. Bernard, en effet, excita le pape Innocent II à intervenir en faveur de Thibaut, tout en insistant auprès de Louis VII et de ses conseillers pour arrêter les hostilités.

Grâce à ses démarches pressantes et réitérées, le comte de Champagne conclut avec le roi de France (1143) le traité de Vitri, par lequel Louis VII rendait ses conquêtes, à condition que le comte prendrait

1. *Histoire de France*, t. II, seconde partie, p. 273.

l'engagement de faire rapporter l'excommunication lancée contre Raoul de Vermandois et sa seconde femme. Avant tout, il fallait empêcher la ruine complète du feudataire; l'excommunication est donc levée en effet, mais une fois Thibaut hors de danger, Raoul est de nouveau frappé d'anathème. La négociation n'était qu'une comédie destinée à sauver la Champagne et son suzerain. Et saint Bernard, dans une lettre adressée à Innocent II, approuve ce chef-d'œuvre de diplomatie : « Pour empêcher la désolation complète du pays et la ruine de tout un royaume divisé contre lui-même, votre fils très dévot (Thibaut), ami et défenseur de la liberté ecclésiastique, a été contraint de s'engager, sous la foi du serment, à faire lever la sentence d'excommunication prononcée par votre légat contre le tyran adultère (Raoul de Vermandois). Il a fait cette promesse, sur la prière et le conseil de plusieurs hommes fidèles et sages : car ils lui disaient que la levée de l'excommunication pouvait être obtenue de vous facilement, sans violer les lois de l'Église, et que, puisque cette excommunication était juste, vous auriez le droit de la renouveler immédiatement et de la confirmer à jamais. Ainsi la ruse sera déjouée par la ruse, la paix sera obtenue, et celui qui se glorifie dans sa malice, qui est puissant dans l'iniquité (Louis VII) n'en retirera aucun avantage. » Ici l'abbé de Clairvaux s'est montré plus politique qu'il ne convenait à sa grande âme.

LIGUE FÉODALE.   Louis VII, ainsi dupé, occupe de nouveau une partie de la Champagne et refuse de laisser pourvoir aux sièges épiscopaux vacants. En revanche, Thibaut essaye de former contre lui une ligue féodale. Il s'allie aux comtes de Flandre et de Soissons. On annonce les fiançailles de son fils aîné avec la fille du premier de ces deux seigneurs, et celles de sa fille avec le second. Ces deux mariages avaient, en pareille circonstance, une signification très claire. Louis VII les déclara illégaux en droit féodal, puisqu'ils avaient été conclus sans l'aveu du suzerain, et il chercha à les faire annuler par l'Église sous prétexte de parenté. Bernard essaya encore de justifier Thibaut. A l'entendre, les deux projets de mariage devaient rassurer le Roi au lieu de l'alarmer : « Le Roi reproche au comte, comme un crime, de vouloir marier ses enfants avec les barons du pays! l'affection mutuelle de ses vassaux lui est suspecte! il croit la Royauté menacée, quand les barons s'aiment et s'unissent entre eux! » Un autre contemporain a exposé la situation avec plus de franchise : « Le comte Thibaut, tout à fait exaspéré, détournait le plus qu'il pouvait les barons de France de la fidélité due au Roi. »

EMBARRAS DE   L'embarras de Bernard se reflète curieusement dans sa cor-
SAINT BERNARD. respondance. Il désire la paix pour l'Église et pour Thibaut, mais il

(8)

sait qu'il ne l'obtiendra pas si le Roi reste sous l'interdit, et il s'efforce d'amener Innocent II à faire trève de sévérités. Il plaide auprès de lui la cause du roi de France, fait valoir sa dignité, sa jeunesse. Repoussé de ce côté, il se retourne vers Louis VII et lui reproche sa conduite envers les églises. « Faites ce qu'il vous plaît, s'écrie-t-il, de votre royaume, de votre âme et de votre couronne ; nous, fils de l'Église, nous ne pouvons dissimuler les injures faites à notre mère, et je vous en avertis, nous nous lèverons et combattrons pour elle jusqu'à la mort, s'il le faut, non avec des boucliers et des épées, mais avec les seules armes qui nous conviennent, les prières et les larmes... Je vous le répète, si vous persistez dans cette attitude, vous n'attendrez pas longtemps la vengeance. » Il laisse enfin, dans une lettre à un cardinal, échapper cette parole grave, d'où sortira un jour le divorce d'Aliénor : « De quel front le Roi cherche-t-il à imposer aux autres un respect si rigoureux des empêchements de consanguinité, lui qui, notoirement, a épousé une femme qui était sa cousine au troisième ou quatrième degré ? »

On ne sait quelle aurait été l'issue de cette guerre religieuse et féodale, poursuivie, de part et d'autre, avec tant d'âpreté, si la disparition de l'un des adversaires n'était venue changer la face des choses. Le 24 septembre 1143, Innocent II mourait, et moins d'un an après, grâce aux efforts combinés de Suger et de saint Bernard, ainsi qu'à l'esprit conciliant du nouveau pape, Célestin II, la paix était conclue. L'interdit qui pesait sur le Roi et sur sa terre fut levé par le Pape, et Thibaut semble avoir abandonné ses projets de mariage. Louis VII, de son côté, dut évacuer la Champagne, et reconnaître Pierre de La Châtre comme archevêque de Bourges. Il lui fallut même se résigner à l'excommunication de Raoul et de Pétronille, dont le mariage ne fut validé par l'Église qu'au bout de quatre ans. En somme, la Royauté avait remporté les succès militaires, mais c'était la Papauté qui triomphait. *PAIX DÉFINITIVE AVEC LA CHAMPAGNE.*

Ce résultat fut attribué à l'effet de la vertu divine qui s'attachait aux actes de saint Bernard. Si nous en croyons les biographes de Clairvaux[1], le saint aurait, dans un jour d'inspiration, prophétisé que la paix serait conclue dans cinq mois. Ils nous montrent Bernard, au cours des négociations, rencontrant la reine Aliénor dans l'abbaye de Saint-Denis et lui reprochant de les entraver. Elle s'obstinait à faire demander par le Roi, comme condition *sine quâ non*, la levée de *SAINT BERNARD ET ALIÉNOR.*

---

1. Les Vies de saint Bernard ne sont, après tout, que des œuvres d'édification et des recueils de miracles où le narrateur enthousiaste tend, visiblement et toujours, à faire de son héros le centre de la politique générale et à lui attribuer tous les faits importants de l'histoire contemporaine.

l'excommunication de sa sœur et de son beau-frère. « Renoncez à cette
entreprise, lui dit le saint, et donnez au Roi de meilleurs conseils. »
Et comme elle se plaignait du chagrin qu'elle éprouvait de ne pas
⟨⟨⟨⟨ ⟨⟨⟨⟨⟨⟨⟨⟨⟨ ⟨⟨⟨⟨⟨⟨ ⟨⟨⟨⟨ ⟨⟨⟨ ⟨⟨ ⟨⟨⟨⟨⟨⟨⟨ ⟩ ⟨ ⟨⟨⟨⟨⟨⟨ ⟨⟨ ⟨⟨⟨ ⟨⟨ ⟨⟨⟨⟨
demande, ajouta Bernard, cessez de vous opposer à nos efforts, et je
prierai Dieu de vous accorder l'héritier que vous désirez. » Louis VII, au
moment de conclure la paix, rappela à saint Bernard sa promesse. Bientôt la Reine mit au monde une fille : le ciel ne l'avait exaucée qu'à demi.

Il est certain que Bernard a pris une grande part à la conclusion
du traité de paix, et l'on peut croire que son éloquence entraîna le
jeune Roi, comme elle agissait sur les foules. Mais, pour d'autres
raisons que l'abbé de Clairvaux, Suger convainquit son maître de la
nécessité d'en finir. Tous les hommes d'Église avaient intérêt à faire
cesser une lutte cruellement embarrassante pour eux-mêmes, puisqu'elle mettait leur devoir de sujets du roi en opposition avec leurs
sentiments de chrétiens. Au fond, Louis VII se soumit, parce qu'au
XIIe siècle une royauté en guerre avec l'Église, frappée d'anathème,
était dans l'impossibilité de gouverner.

L'ANJOU UNI
A LA NORMANDIE.
Pendant que la paix de 1144 se négociait, un événement politique
de la plus haute importance s'était passé dans la France de l'Ouest.
Étienne de Blois et son fils, Eustache de Boulogne, occupés en
Angleterre par leur lutte contre la fille d'Henri Ier, ne pouvaient plus
défendre la Normandie. Geoffroi le Bel, comte d'Anjou, s'en empara
et compléta sa conquête par la prise du château de Rouen (23 avril).
La puissance normande unie à l'angevine, le duché au comté, sujet
de réflexions sérieuses pour le roi de France ! Pouvait-il laisser
s'accomplir cette annexion ? mais comment s'y opposer, sans se
mettre sur les bras une nouvelle guerre ? Avec son tempérament de
soldat et ses appétits de conquérant, Geoffroi n'était pas homme à
se dérober, comme Thibaut de Champagne, et il avait pour allié son
beau-frère, le comte de Flandre, Thierri d'Alsace, à qui les forces
militaires ne manquaient pas. Louis VII fut assez habile, ne pouvant empêcher la conquête de la Normandie, pour en tirer profit. Il se
porte tout à coup avec son armée vers la frontière normande et fait
mine d'assiéger Driencourt, place forte qui n'était pas encore tombée
au pouvoir du comte d'Anjou. Celui-ci, pour ne pas être inquiété
dans sa prise de possession du duché, se résigne à un sacrifice. Il
cède au Roi le château de Gisors, une des clefs de la Normandie,
toujours disputée entre Normands et Français, ainsi que plusieurs
autres châteaux du Vexin. Louis VII se trouva ainsi, sans coup
férir, investi d'un territoire que ses prédécesseurs avaient vainement
réclamé à Guillaume le Conquérant.

En somme, ce débutant n'avait pas si mal réussi. Il n'avait battu en retraite que devant la puissance religieuse, ce qui, au Moyen âge, n'humiliait pas. On pouvait espérer beaucoup de la hardiesse et de l'activité de Louis VII, s'il les avait employées au seul service de la Royauté. Or, le jour de Noël 1145, alors qu'il réunissait sa cour, à Bourges, pour prendre la couronne solennellement, comme c'était l'usage aux grandes fêtes, il révéla à ses barons une résolution dont le secret avait été jusque-là bien gardé. Il était décidé à porter secours aux chrétiens de Syrie, fort en danger depuis qu'Édesse était tombée, juste un an auparavant, entre les mains des infidèles. C'était la première fois qu'un roi s'engageait à prendre la croix.

L'ASSEMBLÉE DE BOURGES.

II. — LA SECONDE CROISADE [1]

A qui faut-il attribuer l'initiative de cette nouvelle prise d'armes? Responsabilité grave, puisque l'expédition tourna en désastre. Les uns l'ont rejetée sur le pape Eugène III, d'autres sur saint Bernard, d'autres enfin sur le roi de France. Il semble que l'idée première de l'entreprise appartienne à Louis VII. C'est lui qui en a parlé avant tout autre, et sa résolution a entraîné celle de Bernard et du Pape. Mais quel motif détermina le roi de France?

L'AUTEUR DE LA SECONDE CROISADE.

L'opinion la plus générale veut qu'il soit parti en Terre Sainte sous le coup du remords de la catastrophe de Vitri. D'après certains contemporains, il accomplissait simplement un vœu de pèlerinage formé par son frère aîné, Philippe, mort avant d'avoir pu l'exécuter; d'après d'autres, il voulait expier le parjure qu'il avait commis en reconnaissant Pierre de La Châtre, la violation d'un serment prêté sur les reliques. L'historien de la seconde croisade, Odon de Deuil, donne pour raisons le zèle religieux du Roi et son désir de sauver la Terre Sainte, menacée de nouveau par le Musulman. La situation et le tempérament de Louis VII suffisent à expliquer son départ. Jeune,

MOBILES DE LOUIS VII.

1. Sources. Parmi les historiens latins, la Chronique d'Odon de Deuil, dans Migne, *Patrologie latine*, t. CLXXXV, col. 1205-1246. Les *Gesta Friderici imperatoris* (Frédéric Ier) d'Otton de Freisingen et Rahewin, dans les Scriptores rerum Germanicarum in usum scholarum, édit. Waitz, 1884, 2ᵉ édit. Jean de Salisbury, *Historia Pontificalis* (1148-1152), édit. Arndt, dans Pertz, Scriptores, t. XX. Les *Gesta Ludovici VII*, simple traduction des Chroniques de Saint-Denis, faite au XIVᵉ siècle, ont peu de valeur historique. — Parmi les historiens grecs, Cinname, le continuateur d'Anne Comnène, dans le *Recueil des Historiens des croisades*, Historiens grecs, t. I, 1875, et Nicétas, *ibid.*
Ouvrages a consulter. B. Kugler, *Studien zur Geschichte des zweiten Kreuzzuges*, 1866. Vacandard, *Saint Bernard et la seconde croisade*, dans la Revue des Questions historiques, t. XXXVIII, 1885. Hüffer, *Die Anfänge des zweiten Kreuzzuges*, dans Historisches Jahrbuch (Görres-Gesellschaft), t. VIII, 1887. W. Bernhardi, *Konrad III*, t. II, 1883. C. Neumann, *Bernard von Clairvaux und die Anfänge des zweiten Kreuzzuges*, 1882. Röhricht, *Geschichte des Königreichs Jerusalem (1100-1291)*, 1898.

ardent, avide de mouvement et de bruit, en même temps très dévot, plus puissant que ses prédécesseurs, maître de la plus grande partie de la France et d'un royaume où nul danger sérieux ne le menaçait, il rêvait une entreprise propre à satisfaire à la fois son désir de gloire et ses sentiments religieux. La première croisade avait été surtout une œuvre française. Il appartenait au roi de France d'en sauvegarder et d'en compléter les résultats.

EUGÈNE III ET LA CROISADE.   La proposition du roi de France, dans l'assemblée de Bourges, trouva les barons si peu enthousiastes qu'il dut leur assigner une nouvelle réunion pour les fêtes de Pâques de l'année suivante, à Vézelai. La Noblesse, décimée par la croisade précédente, reculait visiblement. L'idée ne plut pas davantage aux politiques qui pensaient, comme Suger, que l'absence du Roi n'était pas conciliable avec les intérêts de la Monarchie. Le biographe de l'abbé de Saint-Denis affirme que celui-ci se déclara, au début, contre le projet. Le Pape aussi commença par se tenir sur la réserve. Eugène III, circonspect et timide, avait assez de peine à se débattre avec les Romains, sujets toujours révoltés, et à défendre contre les Allemands les prérogatives de la puissance spirituelle. Quand il apprit la résolution de Louis VII, ne pouvant s'y opposer, il lança la bulle destinée à provoquer les prises de croix, régla les détails et les préparatifs de l'entreprise, mais n'y mit aucun enthousiasme. Il accueillit même assez froidement, un peu plus tard, la nouvelle que l'empereur d'Allemagne, Conrad III, s'était croisé et lui reprocha de s'être engagé, lui et son peuple, sans l'avoir consulté.

SAINT BERNARD A VÉZELAI.   Saint Bernard lui-même, tout d'abord, hésita. Il ne voulut entreprendre la prédication de la croisade que sur un ordre exprès du Pape. Mais, quand il eut adopté l'idée, il la fit sienne et s'y dévoua tout entier avec cette énergie brûlante qui rendait sa volonté irrésistible. Fort douteux lors de la réunion de Bourges, le succès de la croisade devint certain quand il l'eut prêchée à Vézelai (1146). On vit se reproduire alors, aux pieds de la tribune improvisée d'où il parlait à la foule, les scènes d'enthousiasme qui s'étaient produites à Clermont. L'étoffe pour les croix faisant défaut, Bernard déchira ses vêtements et en fit des croix pour ses auditeurs. L'oracle universel s'était prononcé, et le saint put écrire au Pape : « J'ai ouvert la bouche, j'ai parlé, et aussitôt les croisés se sont multipliés à l'infini. Les villages et les bourgs sont déserts. Vous trouveriez difficilement un homme contre sept femmes. On ne voit partout que des veuves dont les maris sont encore vivants. »

CONCEPTION DE BERNARD.   Bernard voulut donner à la croisade des proportions colossales. Il prit l'initiative d'offrir l'empereur Conrad III comme compagnon de route au roi de France. L'Empereur commença par résister : il avait d'excellents motifs pour ne pas quitter ses États. Mais l'éloquence du saint et les innombrables miracles qu'il sema sur sa route eurent raison de tous les obstacles. La diète de Spire, où l'Empereur céda au courant populaire et prit la croix, fut le pendant de l'assemblée de Vézelai. La croisade allemande y fut décidée.

Les vues du puissant agitateur allaient plus loin. Par ses lettres et ses circulaires enflammées, il associa tous les autres pays d'Occident, l'Angleterre entre autres, à la pensée commune. Il eut l'idée grandiose d'attaquer, à la fois, sur trois points différents, le monde infidèle ou païen que la première croisade avait entamé seulement en Syrie. Tandis que la grande armée se dirigerait sur la Terre Sainte, deux autres croisades particulières devaient agir, l'une le long de l'Elbe, contre les Slaves, l'autre en Portugal, contre les Musulmans d'Afrique, maîtres de Lisbonne. Toutes les forces de l'Europe latine mobilisées en même temps ; l'islamisme attaqué à l'Est par l'immense cavalerie qui s'ébranlait de France et d'Allemagne, à l'Ouest par une flotte d'Anglais et de Flamands ; le paganisme slave combattu par une armée de cent mille Allemands : tel fut le résultat de la propagande de saint Bernard et son miracle le plus authentique. Le roi de France a le premier pensé à la croisade, mais c'est l'abbé de Clairvaux qui l'a faite, parce que lui seul était capable de vaincre les résistances des féodaux et de pousser l'Europe entière sur l'Orient.

D'ailleurs la seconde croisade répondait à une nécessité évidente. La prise d'Edesse par l'émir de Mossoul, Zengui, compromettait sérieusement l'œuvre des premiers croisés, qui avait coûté tant de sang aux Latins. Antioche et Jérusalem étaient menacées. « Le monde tremble et s'agite, » s'écriait Bernard, « parce que le Roi du Ciel a perdu sa terre, la terre où jadis ses pieds ont posé. Les ennemis de la croix se disposent à profaner les lieux consacrés par le sang du Christ; ils lèvent les mains vers la montagne de Sion, et si le Seigneur ne veille, le jour est proche où ils se précipiteront sur la cité du Dieu vivant. »

La croisade de saint Bernard ne diffère pas seulement de celle d'Urbain II par la conception raisonnée d'une attaque d'ensemble dirigée contre les diverses parties du monde musulman et païen : on y voit un effort vers l'ordre, la régularité, la prudence. Le Pape défendit aux croisés d'emmener des chiens et des faucons, leur imposa même une forme particulière d'armes et de vêtements. Il aurait encore mieux fait de leur interdire de se faire suivre de leurs femmes et de leurs chambrières : mais ceci était difficile ; Louis VII donna l'exemple fâcheux de partir avec Aliénor.

Un autre progrès fut que les combattants réguliers de 1147 se présentèrent en masses moins nombreuses que les barons et les

CARACTÈRE DE LA SECONDE CROISADE.

chevaliers de 1095. L'armée de Louis VII ne comptait guère plus de 70 000 hommes d'armes; celle de Conrad III en avait à peu près autant. Il s'agissait, cette fois, d'armées presque nationales, marchant sous les ordres de leur roi. On ne vit plus de bandes désordonnées partir en avant et compromettre par leurs excès le sort des chevaliers qui devaient passer par la même route. « S'il en est parmi vous, » écrit Bernard aux Allemands, « qui veulent devancer l'armée du Royaume, ne souffrez pas cette audace. S'ils se disent envoyés par nous, niez-le. S'ils vous montrent des lettres de nous, tenez-les pour fausses ou falsifiées. Il importe qu'on élise pour chefs des hommes versés dans l'art de la guerre. Il faut que l'armée du Seigneur parte tout entière en même temps, pour être sur tous les points en force et à l'abri de toute attaque violente. N'avez-vous pas souvent entendu parler de ce moine nommé Pierre, si célèbre dans la première croisade? Il se lança dans de tels périls que sa troupe succomba, à un petit nombre près, anéantie par le fer ou la faim. Craignez qu'une faute semblable ne vous prépare le même sort. »

LES PÈLERINS DE 1147.

La croisade de 1147, mieux préparée, plus régulièrement organisée, eut, à certains, égards, un caractère moins populaire que la précédente. Pourtant, et par malheur, l'opinion chrétienne ne permettait pas de l'envisager exclusivement comme une simple opération militaire. Elle continuait d'y voir un pèlerinage, un moyen d'expiation pour les pécheurs. On laissa s'adjoindre aux chevaliers la foule des pénitents qu'attirait la perspective des indulgences accordées et des domaines promis. Saint Bernard lui-même dut faire appel à la multitude des pèlerins irréguliers ou même sans armes, la croisade étant faite pour sauver des âmes autant que pour repousser les ennemis de la foi. « N'est-ce pas une invention exquise et digne du Seigneur, » écrivait-il aux habitants de Spire, « d'admettre à son service des homicides, des ravisseurs, des adultères, des parjures et tant d'autres criminels à qui s'offre ainsi une occasion de salut? » Il en résulta que la chevalerie de France et d'Allemagne traîna encore à sa suite un trop grand nombre de gens de pied, de femmes et d'enfants. Il fallait faire marcher, défendre et nourrir ces non-valeurs, nécessité qui pesa lourdement sur l'expédition.

ITINÉRAIRE DES CROISÉS.

Louis VII, à l'assemblée d'Étampes, avait arrêté l'itinéraire. Le roi normand de Sicile, Roger II, voulait épargner aux Français la périlleuse et longue traversée de l'Allemagne, de la Hongrie, de la Grèce et de l'Asie Mineure. Il proposait de les transporter directement, par mer, en Terre Sainte. Le roi de France préféra la voie de terre, qu'avaient suivie Godefroi de Bouillon et la majorité des pèlerins de la grande croisade. Les choses avaient été réglées par Bernard de façon que Louis VII ne put se séparer de Conrad III. L'armée de France et celle d'Allemagne devaient effectuer leur marche et leurs opérations à peu de distance l'une de l'autre. D'ailleurs le roi de Sicile était en hostilité perpétuelle avec l'empereur de Constantinople, Manuel Comnène, et les croisés persistaient dans l'idée que l'alliance byzantine, l'union des chrétiens d'Orient et d'Occident, était la base nécessaire d'une expédition contre les Turcs.

En juin 1147, Louis VII partit de Metz avec les comtes de Dreux, de Soissons, de Nevers, de Toulouse et de Flandre. L'armée française se concentra à Mayence et rejoignit celle de Conrad à Ratisbonne. Elles arrivèrent ensemble dans l'empire grec. C'était la première fois que Français et Allemands se trouvaient en contact pour une expédition commune. Bernard pensait trouver dans leur coopération la garantie du succès final. Son espoir fut singulièrement déçu. Non seulement les armées de Louis et de Conrad marchèrent, en général, isolément : mais elles se donnèrent des marques d'antipathie dont les Grecs eux-mêmes ont été frappés. Au dire de leur historien, Cinname, « les Français méprisaient les Allemands, se moquaient de la pesanteur de leur armure, de la lenteur de leurs mouvements, et leur disaient dans leur langue : « Pousse, Allemand ! » Le chroniqueur français, Odon de Deuil, les représente comme des pillards et des ivrognes dont les excès en terre grecque compromirent, dès le début, l'expédition. Les deux armées se faisaient concurrence pour les marchés, pour l'approvisionnement. « Les Allemands, écrit Odon, ne voulaient pas souffrir que les nôtres achetassent quelque chose avant qu'eux-mêmes eussent pris amplement tout ce qu'ils désiraient. Il s'ensuivit une rixe, avec des clameurs épouvantables : car les uns n'entendant pas les autres, chacun criait à tue-tête et parlait sans résultat. »

FRANÇAIS ET ALLEMANDS.

La mésintelligence entre Latins et Grecs aggrava la situation. L'empereur Manuel ne se résignait à laisser les Occidentaux traverser son territoire et s'y approvisionner qu'avec l'espérance de bénéficier de leurs conquêtes. Quand il s'aperçut qu'il y fallait renoncer, ses défiances tournèrent presque à l'hostilité. Il est probable que les historiens latins de la croisade ont exagéré la perfidie de Byzance, trop portés à rejeter sur Manuel la responsabilité des mesures prises par ses fonctionnaires ou par les autorités locales. La vérité est néanmoins que les Grecs ont traité les croisés plus souvent en ennemis qu'en auxiliaires. Les guides qu'ils leur procuraient ont trahi et égaré ceux qu'ils étaient chargés de conduire. Les Grecs ont tout fait pour affamer les Latins au lieu de les approvisionner. Mais il est juste aussi qu'on tienne compte des frayeurs assez légitimes que leur causaient leurs frères d'Occident.

LES LATINS DANS L'EMPIRE GREC.

Un parent de Conrad s'étant arrêté dans un monastère, à Andrinople, y fut tué par quelques soldats grecs; le duc de Souabe brûla le monastère et égorgea tous les moines. Les historiens latins prétendent naturellement que les soldats de Manuel avaient agi par ordre, ce que nient les historiens grecs. Un jour, un pèlerin flamand, ébloui à la vue des tables couvertes d'or et d'argent qui servaient aux changeurs grecs, « se mit à crier : Haro! Haro! et enleva des tables tout ce qui lui convenait. Par son audace comme par l'appât du butin, il excita ses compatriotes à faire comme lui. Tandis qu'ils se répandaient de tous côtés, les autres, qui avaient de l'argent à sauver, se précipitaient aussi de toutes parts. Les cris et les transports de fureur allaient croissant, les tables furent renversées, l'or foulé aux pieds et volé. Redoutant la mort et dépouillés, les changeurs prirent la fuite. » Louis VII réclama au comte de Flandre le malfaiteur qui avait causé cette bagarre et le fit pendre sur-le-champ.

CONDUITE DE LOUIS VII. Non seulement certains Allemands traitaient l'Empire en pays conquis, mais l'empereur Manuel put savoir qu'un des chefs de l'armée française, l'évêque de Langres Godefroi, avait ouvertement proposé de s'emparer de Constantinople. Louis VII n'y consentit pas. Les armées chrétiennes passèrent en Asie Mineure où le pire destin les attendait. Dans cette expédition périlleuse, Louis VII ne s'est pas seulement conduit en homme vaillant, exposant sa vie pour sauver les siens; il a toujours agi en chef de peuple, prodiguant son argent aux pèlerins affamés, essayant même, chose plus difficile, de maintenir une discipline sévère parmi ses soldats. « Pour punir leurs excès, dit Odon de Deuil, il leur faisait souvent couper les oreilles, les mains et les pieds, mais ceci même ne suffisait pas à réprimer leurs transports furieux. »

DÉSASTRE DES ALLEMANDS. Cependant Conrad, poussé par les Grecs, eut l'idée malheureuse de se séparer de Louis VII et de marcher sur Iconium. Mais ses guides l'abandonnèrent et son principal corps d'armée fut attaqué par les Turcs près de Dorylée (octobre 1147). « Les Turcs avaient des chevaux forts, agiles et rafraîchis par un long repos. Ils étaient légèrement armés : la plupart n'avaient qu'un arc et des flèches. Au moment de fondre sur l'armée allemande, ils criaient, ils hurlaient, ils aboyaient comme des chiens; ils frappaient leurs tambours et faisaient résonner leurs autres instruments d'une manière horrible, afin de jeter, selon leur coutume, l'épouvante dans les rangs ennemis. Les soldats de l'Empereur, couverts de cuirasses, de cuissarts, de casques et de boucliers, avaient de la peine à supporter le poids de leurs armes, et leurs chevaux harassés étaient exténués de maigreur. Ils ne pouvaient poursuivre les Turcs qui lançaient leurs flèches sur eux presque à bout portant. » Après cette boucherie, où les Allemands perdirent le dixième de leur effectif, Conrad se décida à rejoindre Louis VII. Le roi de France le reçut « en frère, » mais l'Allemand, humilié de son désastre, rebroussa chemin et s'en retourna seul à Constantinople. Il se plaignit à l'empereur Manuel des railleries dont, à l'entendre, les Français ne cessaient de l'accabler. De là, il se fit transporter par mer à Saint-Jean-d'Acre.

L'armée française évita de s'engager dans l'intérieur de l'Asie Mineure, comme l'avaient fait les soldats de la première croisade. Elle suivit la côte, enleva le passage du Méandre, et, de Laodicée, se dirigea droit par la montagne sur le port d'Attalia. Mais, dans ce trajet, des fautes graves furent commises. L'avant-garde, commandée par un noble poitevin, Geoffroi de Rancon, pour arriver plus vite au campement dans la plaine, laissa fort en arrière le gros de l'armée. Les Turcs surprirent dans un défilé, où la défense était impossible, une foule énorme de pèlerins. Ceux qui ne furent pas massacrés roulèrent dans les précipices avec chevaux et bagages. Louis VII, presque isolé sur un rocher, adossé à un arbre, résista à plusieurs ennemis qui le prenaient pour un simple soldat. Enfin il trouva un cheval et rejoignit son avant-garde, où on le croyait mort. Il ne ramena à Attalia que les débris de ses troupes : mais alors la faim fit son œuvre, et le séjour d'Attalia équivalut à une catastrophe. *LAODICÉE ET ATTALIA.*

Louis VII fut obligé d'abandonner une partie de son armée, que les Grecs massacrèrent sur le rivage, et s'embarqua à Attalia pour Antioche. S'il avait pu demeurer dans cette ville et la prendre comme base d'opérations, peut-être, avec les chevaliers qui lui restaient, aurait-il fait œuvre utile et frappé un grand coup en rentrant dans Édesse. Mais les désastres de l'Asie Mineure n'avaient pas encore fait comprendre aux chrétiens l'absolue nécessité de l'union. Les princes établis en Syrie, les souverains de Jérusalem, de Tripoli, d'Antioche, divisés selon leur habitude, ne songèrent à profiter de la présence des croisés que pour les employer à satisfaire leurs intérêts particuliers. Raimond d'Aquitaine, prince d'Antioche, l'oncle de la reine de France, Aliénor, voulut faire de Louis VII l'instrument de ses projets de conquête. Il tenta vainement de l'empêcher de se rendre à Jérusalem. Le dévot Capétien était impatient de voir la ville sainte ; il eut, d'ailleurs, pour quitter précipitamment Antioche, une autre raison. *LOUIS VII A ANTIOCHE.*

Partant pour la croisade, il n'avait pas voulu se séparer d'Aliénor. Or, à Antioche (mars 1148), un grand scandale éclata brusquement. Raimond d'Aquitaine avait avec sa nièce des entretiens si fréquents et si longs que Louis VII, naturellement jaloux, en prit ombrage. Ses soupçons se fortifièrent lorsque, voulant partir d'Antioche pour aller à Jérusalem, il rencontra à la fois l'opposition d'Aliénor et celle du prince. « Celui-ci voulait, avec la permission du Roi, disait-il, garder sa nièce auprès de lui. La Reine déclara ouvertement à son mari qu'elle refusait de le suivre, qu'ils ne pouvaient plus vivre ensemble légalement par la raison qu'ils étaient parents au quatrième et cinquième degrés. Le Roi fut profondément troublé et, bien que très épris de la Reine, il aurait consenti à la séparation si ses conseillers et ses barons ne l'en avaient détourné. Un de ses palatins les plus intimes, Thierri Galeran, un eunuque que la Reine détestait et dont elle avait l'habitude de se moquer, persuada au Roi de ne pas la laisser plus longtemps à Antioche. Ses relations avec son oncle n'étaient peut-être pas complètement innocentes ; en tous cas, il ne fallait pas ajouter aux malheurs de la croisade le déshonneur de la couronne royale, si on le voyait revenir en France sans sa femme. Cet avis prévalut. Louis VII partit d'Antioche subitement, emmenant Aliénor de force, et tous deux arrivèrent à Jérusalem, dissimulant leurs sentiments, mais le cœur ulcéré [1]. »

SIÈGE DE DAMAS.   A Jérusalem, le roi de France joignit les débris de son armée à ceux de l'armée allemande, et, faute de mieux, combina avec Conrad III et le roi de Jérusalem, Baudouin III, une attaque sur Damas. La prise de cette place importante ne pouvait compenser le désastre déjà accompli et irréparable, mais elle aurait sauvé au moins l'honneur. Les malheureux croisés n'eurent même pas cette consolation. Établis devant Damas, dans les jardins et les vergers qui entouraient les murs, ils auraient pu, avec un peu de patience, emporter la ville. Dans une série d'engagements, Conrad fit des prodiges de valeur. On le représente coupant en deux avec son épée, depuis l'épaule jusqu'à la hanche, un Sarrasin armé de toutes pièces. Malheureusement les croisés cédèrent à l'idée funeste qu'on leur suggéra de tenter une attaque par un autre côté, moins propice ; ils se trouvèrent dans une plaine sablonneuse et brûlante, sans vivres et sans moyens de ravitaillement, au pied de remparts très hauts. Des renforts avaient pu pénétrer dans la ville ; bref, les rois se résolurent à lever le siège, et tout fut perdu.

TRAHISON DES LATINS DE SYRIE.   La trahison aussi fit peut-être son œuvre. On vit, s'il faut en croire les historiens arabes, quelque chose de plus honteux et de plus incompréhensible que tout ce qui s'était passé jusqu'alors : les musulmans assiégés négociant en secret avec les Latins de Syrie et achetant leur concours pour faire échouer le suprême effort de la croisade. « Les Français, dit la chronique syriaque d'Aboulfaradj, attaquèrent

1. *Historia Pontificalis,* de Jean de Salisbury.

hardiment la ville (Damas) et s'établirent près des eaux, dans les jardins qui entourent les murailles. Moyn-Eddin, qui la commandait, envoya secrètement des messagers au roi de Jérusalem et obtint de lui, à force d'argent et de prières, qu'il se retirât. Il donna au Roi deux cent mille pièces de cuivre légèrement recouvertes d'or. Il en donna cinquante mille autres de la même espèce au comte de Tibériade, et les chrétiens ne s'aperçurent de la fraude que lorsqu'ils eurent levé le siège. » D'après un autre historien, l'émir de Damas aurait fait croire aux Latins de Syrie que, si les croisés de Louis VII et de Conrad prenaient Damas, ils s'empareraient aussi de Jérusalem.

Les deux rois regagnèrent piteusement cette dernière ville. Conrad se hâta de rentrer dans ses États par la route de terre. Louis VII, après tant de fautes, commit encore celle de séjourner indéfiniment dans la ville sainte, croyant se dédommager de ses échecs par des œuvres pieuses et des visites à tous les sanctuaires. Il fallut les lettres pressantes de Suger pour lui rappeler qu'il avait un royaume à administrer et le déterminer à prendre la mer. Après s'être arrêtés quelque temps en Sicile et à Rome, Louis VII et Aliénor rentrèrent presque seuls en France. Il ne restait plus rien de la brillante armée que deux rois avaient enrôlée. La croisade de saint Bernard aboutissait à un échec lamentable et retentissant. Une banqueroute de l'homme de Dieu !

On ne comprit pas qu'une expédition prêchée par un saint, inaugurée par tant de miracles, pût finir en cet effondrement. L'abbé de Clairvaux lui-même accusa presque la Providence : « Il semble que le Seigneur, provoqué par nos péchés, ait oublié sa miséricorde et soit venu juger la terre avant le temps marqué. Il n'a pas épargné son peuple ; il n'a même pas épargné son nom, et les gentils s'écrient : Où est le Dieu des chrétiens ? Les enfants de l'Église ont péri dans le désert, frappés par le glaive ou consumés par la faim. L'esprit de division s'est répandu parmi les princes, et le Seigneur les a égarés dans des chemins impraticables. Nous annoncions la paix, et il n'y a pas de paix. Nous promettions le succès, et voici la désolation. Ah ! certes, les jugements de Dieu sont équitables : mais celui-ci est un grand abîme, et je puis déclarer bienheureux quiconque n'en sera pas scandalisé. » Le scandale alla jusqu'à ébranler la popularité du saint. « Je reçois volontiers, dit-il, les coups de langue de la médisance et les traits empoisonnés du blasphème, afin qu'ils n'arrivent pas jusqu'à Dieu. Je consens à être déshonoré, pourvu qu'on ne touche pas à sa gloire ! »

Certains chroniqueurs de France et surtout d'Allemagne mirent en doute les miracles qui avaient attesté la mission de Bernard. Bien grandes devaient être, pour s'exprimer ainsi, la surprise et la désolation du peuple chrétien. Cependant un petit groupe d'hommes intelligents, et parmi eux la plupart des historiens de la seconde croisade se bornèrent à expliquer le désastre par les vices des croisés, la désunion des chefs, la perfidie des Grecs et la trahison des chrétiens de Syrie. Otton de Freisingen, évêque et frère de l'empereur Conrad, démontre même, avec une rigueur toute scolastique, que si la croisade avait été mauvaise par son issue, elle avait été bonne pour le salut des âmes. N'avait-elle pas procuré le martyre aux chevaliers et aux pèlerins morts pour la croix?

Le plus malheureux était peut-être Louis VII, sorti de Terre Sainte avec son espérance de gloire anéantie et son bonheur domestique perdu. « Quant à la Reine votre femme, lui écrivait Suger, nous vous conseillons, si vous le voulez bien, de dissimuler votre rancune jusqu'à ce que, revenu chez vous, grâce à Dieu, vous puissiez régler cette affaire avec toutes les autres. » Vaincu et humilié, le Roi eut du moins cette consolation de retrouver son royaume aussi tranquille qu'il l'avait laissé. Suger l'avait administré, comme il gouvernait son abbaye, dans la perfection. Le moment est venu de mettre en lumière la grande figure de l'abbé de Saint-Denis, conseiller de deux rois capétiens et roi de fait pendant deux ans (1147-1149).

III. — SUGER ET LA RÉGENCE[1]

SUGER.

CE moine était un homme de très petite taille, mince, malingre, d'une santé débile. Parti de très bas, il avait pu arriver très haut par l'esprit de conduite, l'intelligence des affaires, le sens pratique et le travail. Il avait une mémoire extraordinaire et parlait bien : ses contemporains le comparaient à Cicéron ; et ce fut en effet comme avocat et chargé d'affaires de l'abbaye de Saint-Denis qu'il se fit sa place, de bonne heure, dans le palais capétien. Sous Louis VII comme sous Louis VI, son principal office fut la direction des affaires ecclésiastiques ; mais, à une époque où l'Église se mêlait de tout et pouvait tout, rien n'échappait à sa compétence, à son incroyable activité.

1. Sources. Dans les *Œuvres complètes de Suger*, publiées par Lecoy de la Marche, 1867 : la *Vita Sugerii* par le moine Guillaume, les deux traités de Suger ou mémoires sur son administration, le *Liber de rebus in administratione sua gestis* et le *Libellus de consecratione ecclesiae Sancti Dionysii*, les chartes et lettres de Suger. Les lettres sont publiées dans le t. XV des *Historiens de France*. Les *Gesta Ludovici regis cognomento Grossi*, ou *Vie de Louis le Gros*, éditée par A. Molinier, 1887.
Ouvrages a consulter. Otto Cartellieri, *Abt Suger von Saint-Denis*, 1898. A. Molinier, préface de son édition de la *Vie de Louis le Gros*, 1887. Luchaire, introd. à *Louis VI le Gros : Annales de sa vie et de son règne (1081-1137)*, 1890. Lecoy de la Marche, Introd. aux *Œuvres complètes de Suger*. D. Hirsch, *Studien zur Geschichte König Ludwigs VII von Frankreich*, 1892.

D'ailleurs, la connaissance des questions et des hommes, la modération du caractère, l'amour de la conciliation et de la paix, un désinté-
ressement absolu, tout contribuait à le désigner comme le ministre
nécessaire, fait pour gouverner à côté du Roi et pour le remplacer au
besoin.

Il s'en faut pourtant, nous l'avons vu, que Suger ait toujours
réussi à imposer aux souverains qu'il conseillait ses idées et ses pré-
férences politiques. De 1140 à 1147, l'influence qui prévalut auprès
de Louis VII ne fut pas la sienne, et même les actes les plus importants du jeune Roi, y compris la croisade, n'ont pas eu son assentiment. Il se fit l'agent et le soutien de la Royauté, mais il ne la domina
jamais. D'autre part, s'il fut le chef des Palatins et l'homme du Roi,
il demeura aussi l'homme de l'Église, dont il était, comme abbé de
Saint-Denis, un des plus riches et des plus puissants seigneurs. De
là, dans ses jugements et ses amitiés, une sorte d'indépendance qui
étonnerait, si l'on ne savait que l'Église, puissance universelle, était
supérieure aux haines des partis politiques et aux querelles des rois.

Homme de juste milieu, soucieux d'éviter les complications et
les conflits, Suger recherchait, dans la politique, le moyen de rester
en bons termes avec tout le monde, et le curieux est qu'il y parvint.
Il eut des amitiés un peu singulières. Lui, l'ecclésiastique modèle, fut
lié avec l'archidiacre Étienne de Garlande, ambitieux de mauvaises
mœurs, qui n'avait du clerc que la tonsure. Il demeura l'allié du haut
feudataire qui fit le plus de mal à ses deux rois et à la Royauté, le
comte Thibaut de Champagne. Il se montre, dans son histoire, très
favorable à la royauté anglo-normande, ennemie héréditaire des Capétiens. Il a fait un éloge pompeux du prince que Louis VI combattit
toute sa vie, Henri Beauclerc, et n'a jamais cessé d'entretenir avec lui
des relations affectueuses. Entre les Français et les Anglais, l'abbé
de Saint-Denis semble avoir pris l'attitude d'une puissance neutre,
amie des uns et des autres, attristée de les voir en lutte et toujours
prête à les concilier. En revanche, il a parlé avec mépris et colère
des Allemands et de leur empereur Henri V.

Son goût de la tranquillité et son esprit de modération expliquent
le peu que l'on sait de ses principes et de ses habitudes d'administrateur [1]. On entrevoit qu'il était très ferme dans l'exercice des
droits monarchiques, mais conservateur d'instinct et répugnant

*POLITIQUE
DE SUGER.*

*SES PRINCIPES
ADMINISTRATIFS.*

---

1. En écrivant l'histoire de Louis VI et même le commencement de celle de Louis VII,
il a parlé rarement de lui-même. Il se plaît à s'effacer derrière le groupe anonyme des
palatins, au point de faire illusion sur l'importance du rôle qu'il a joué. Pour avoir une
idée de sa politique, il faut recourir aux menus détails des lettres qu'il a écrites ou reçues
(la plupart ne sont relatives qu'aux cinq dernières années de sa vie) et au panégyrique,
trop vague et trop court, que lui a consacré Guillaume, un de ses moines.

aux mesures violentes. Il n'aimait pas à sévir contre les fonction-. naires, et ne les révoquait que lorsqu'il était impossible de les laisser en place. « Il n y a rien de plus dangereux, disait-il, que de changer inconsidérément le personnel administratif. Les officiers qu'on révoque emportent, en s'en allant, tout ce qu'ils peuvent, et ceux qui les remplacent, craignant d'être traités comme leurs devan- ciers, se dépêchent de voler pour faire fortune. »

SUGER, ABBÉ DE SAINT-DENIS. Le soin des affaires publiques ne lui fit jamais oublier son abbaye. Il en tripla et quadrupla les revenus par une administration originale. Au lieu de pressurer ses sujets, il allégeait leurs charges, les délivrait des exactions des prévôts, des avoués, des châtelains, nettoyait la terre de Saint-Denis des parasites féodaux qui la dévoraient. Des rachats opportuns, des traités adroitement rédigés, des échanges avantageux, parfois aussi l'armée royale employée à propos contre les brigands les plus incorrigibles, lui avaient permis de récupérer toutes les pro- priétés, tous les revenus, tous les droits lucratifs volés à l'abbaye. Il put repeupler et rendre à la culture une foule de localités changées en déserts.

SUGER ET LA CLASSE POPULAIRE. Dès 1125, il donnait un des plus anciens exemples de l'émanci- pation collective d'une localité tout entière, en affranchissant de la main-morte les habitants de la ville de Saint-Denis et certaines familles du bourg de Saint-Marcel. Il fut un des premiers, et peut-être le premier seigneur de l'Ile-de-France qui ait créé une ville neuve, appelant manants et nomades à la peupler par l'appât d'exemptions d'impôt et de privilèges considérables. Sa ville neuve de Vaucresson (1146) servit de modèle à celles que Louis VII devait multiplier sur tant de points du domaine royal : créations doublement précieuses puisqu'elles offraient un asile sûr aux populations déshéritées et enri- chissaient à la longue la seigneurie.

GOUTS ARTISTIQUES DE SUGER. Il a voulu laisser de magnifiques témoignages de son activité et de sa dévotion, augmenter le trésor religieux de Saint-Denis et rendre l'église digne de ses reliques. Convaincu que rien n'était trop beau pour orner la demeure du saint, protecteur spécial de la dynastie et du royaume, il achète, partout où il en peut trouver, des perles, des diamants, des pierres précieuses, fait venir de Lorraine les orfèvres les plus habiles, accumule les calices, les reliquaires, les croix, les étoffes somptueuses, revêt les autels d'or et de pierreries, réédifie enfin l'église elle-même sur un plan plus vaste et d'après les procédés de l'architecture nouvelle. On a vu [1] comment l'église de Saint-Denis fut solennellement consacrée en 1144; un vrai triomphe pour Suger,

---

1. *Histoire de France*, t. II, seconde partie, p. 409.

et peut-être le plus grand bonheur de sa vie: Pour l'honneur de Dieu, il avait le goût du luxe et des belles choses, et mit le zèle du connaisseur à se procurer des objets d'art. Avec un orgueil naïvement exprimé, il énumère une à une toutes ses richesses et compare son trésor à celui de Sainte-Sophie de Constantinople. Il donne le texte de toutes les inscriptions qu'il a fait graver, et son nom y revient souvent. On dirait qu'il a placé là toute sa gloire et qu'à ses yeux le reste ne compte pas.

Mais ses contemporains l'admiraient à d'autres titres. « Il était   *SUGER ÉCRIVAIN.* profondément instruit dans les études libérales, dissertait avec une rare subtilité sur les sujets de rhétorique, de dialectique et de théologie, plein de la lecture des livres saints et en même temps des poètes de l'antiquité, au point de réciter de mémoire jusqu'à vingt ou trente vers d'Horace. » Ce lettré aimait à puiser aux sources profanes. L'*Histoire de Louis le Gros* abonde en citations ou en réminiscences d'Horace, de Juvénal, d'Ovide, surtout de Lucain, que Suger savait par cœur, et dont il imitait tous les défauts : l'emphase, l'affectation, la concision poussée jusqu'à l'obscurité. Un style, en somme, point banal, très oratoire et mouvementé, mais pénible, rocailleux et incorrect. Suger n'est pas un écrivain, et il n'est historien qu'à moitié, car sa vie de Louis VI est plutôt une chrestomathie des actes de son héros, un livre d'édification pour les dévots de la Royauté et de l'Église. Pas de chronologie, de graves lacunes, et voulues, sur des faits qu'il nous importerait beaucoup de·connaître. Mais on peut le croire en tout ce qu'il affirme : car il a été témoin oculaire et acteur de la plupart des événements qu'il raconte. Le XIIe siècle a produit des historiens plus précis, plus instructifs, mais non pas plus autorisés ni plus intéressants.

Pour comprendre l'originalité de cette figure de moine, il faut   *SUGER ET LA* la replacer dans son temps. La Réforme ecclésiastique était alors à   *RÉFORME* l'apogée; le monachisme se transformait par l'observance ascétique;   *ECCLÉSIASTIQUE.* les apôtres de l'austérité et de la mortification essayaient de dégager l'Église de ses liens temporels pour l'élever à une hauteur de spiritualité inconnue avant eux. Et l'on voit ce religieux de·Saint-Denis vivre dans le palais des rois, au milieu du tourbillon des affaires, diriger le monde au lieu de le fuir, et, quand il sort du palais, s'absorber dans les intérêts matériels de sa·seigneurie! Cet abbé n'a laissé que des études d'administration et d'histoire; pas un· sermon, pas un traité de morale; pas un écrit théologique! Amateur éclairé des choses d'art, collectionneur ·d'objets précieux, il apprécie la beauté des formes et orne son église de tout· ce qui éblouit et charme l'imagination par les sens. Au milieu des saint Bernard, des Bruno, des

Robert d'Arbrissel, des Étienne de Muret, ces grands moines qui ont la haine de la matière et traitent l'homme en pur esprit, Suger est une exception. Il se place aussi loin que possible des écoles monastiques de Clairvaux et de la Chartreuse, où le religieux, voué à la vie sauvage, maudit la civilisation et dénude jusqu'aux églises. Au cœur de la période réformiste, il a représenté la modération dans le sentiment religieux, la conciliation de l'esprit et du corps, le goût de ce qui est naturel et humain.

COMMENT VIVAIT SUGER.

Au reste il a toujours vécu avec simplicité et comme un sage. En 1128, cédant en cela, comme tout le monde, à l'esprit de réforme, il soumet son abbaye à une règle plus sévère et diminue le train des abbés de Saint-Denis. Il est très sobre, « usant d'une nourriture qui n'était ni grossière ni recherchée, prenant de la viande quand il y était forcé par ses infirmités, buvant de l'eau rougie ou de l'eau claire, couchant dans une cellule assez étroite, sur un lit de paille recouvert d'une couverture de laine. » Il remplit sans exagération ses devoirs religieux, mais de façon à édifier ceux qui l'entourent. Saint Bernard, dont il était, à bien des égards, l'antithèse vivante, lui a rendu justice. « S'il y a, dans notre église de France, écrit-il au pape Eugène III, un vase d'honneur, et dans la cour du prince un serviteur fidèle comme David, c'est, à mon jugement, le vénérable abbé de Saint-Denis. Je le connais à fond, et je sais qu'il est fidèle et prudent dans les choses temporelles, fervent et humble dans les spirituelles. Mêlé aux unes et aux autres, il demeure, ce qui est on ne peut plus méritoire, à l'abri de toute accusation. » Tel était l'homme à qui Louis VII, partant pour un voyage dont on ne pouvait prévoir la durée, avait laissé le gouvernement de son État.

LA RÉGENCE.

La tâche était difficile. Il n'y avait pas si longtemps que des soulèvements féodaux avaient troublé le royaume. Avec un baronnage toujours remuant, savait-on ce qui adviendrait de la France, délaissée par un roi qui n'avait pas d'héritier mâle?

Suger n'était pas seul investi de la dignité de régent. On lui avait adjoint le plus haut dignitaire de l'Église française, l'archevêque de Reims, Samson Mauvoisin, et un haut baron, parent de Louis VII, le sénéchal de France, Raoul Ier, comte de Vermandois. Puis, à titre officieux, saint Bernard et le pape Eugène veillaient, l'un de Clairvaux, l'autre de Rome, aux intérêts généraux du royaume. Mais de ces auxiliaires, les uns étaient trop loin et trop haut, les autres, plus occupés de leurs avantages privés que de la chose publique. Le chef effectif du gouvernement intérimaire fut l'abbé de Saint-Denis.

La principale difficulté était de trouver les ressources nécessaires pour faire face aux dépenses du Roi en Orient. En 1146, Louis VII avait prélevé sur ses sujets, surtout sur les évêques et les abbés de sa dépendance, une imposition extraordinaire qui mécontenta le Clergé et les habitants des terres d'Église. Les prélats criaient misère, refusaient de payer, ou du moins demandaient répit sur répit. Les prévôts du Roi furent obligés de prendre des mesures de rigueur contre les récalcitrants. Un chroniqueur assure que Louis VII partit « au milieu des imprécations populaires; » un autre que l'expédition ne pouvait réussir puisqu'elle avait pour point de départ « l'oppression des pauvres et la spoliation des églises. »

LA QUESTION FINANCIÈRE.

Suger mit près de trois ans à recueillir les sommes exigées ou promises. Toutes les lettres que Louis VII lui adressait de la Bulgarie, de Constantinople ou de l'Asie Mineure se terminent par des demandes d'argent. Le Roi est contraint d'emprunter aux barons qui l'accompagnent, surtout aux Templiers, banquiers de la Féodalité et des rois. Comme le Temple n'ouvrait pas de crédits illimités, Louis VII insiste auprès de son ministre pour qu'on le rembourse. Suger trouve le moyen de suffire aux dépenses de France comme à celles d'Orient, usant, à la vérité, du trésor de Saint-Denis et de sa fortune particulière. Cependant il maintient en état les châteaux royaux, les tours et les murs des villes du domaine. Il paye la solde des chevaliers qui forment le cadre de la garde royale. Pour ne pas rompre avec les habitudes de somptuosité prises par le jeune souverain, « il fit largesse, dit son biographe, aux personnes que le Roi avait coutume de gratifier de vêtements et d'argent. »

En 1149, la situation financière, qui aurait pu être désastreuse avec un autre administrateur, était presque bonne. Suger put écrire à Louis, qui ne se décidait pas à quitter Jérusalem : « Nous avons remis aux Templiers, suivant votre ordre, l'argent que nous nous disposions à vous envoyer. De même, nous avons payé au comte Raoul les trois mille livres qu'il vous avait prêtées. Vos revenus judiciaires, vos tailles, vos reliefs féodaux, les produits en nature de votre domaine vous sont réservés pour votre retour. Par nos soins, vos maisons et vos palais sont en bon état : ceux qui tombaient en ruines ont été réparés. » Et il ajoute : « Votre terre et vos hommes, grâce à Dieu, jouissent d'une bonne paix. » Il avait en effet réussi à maintenir l'ordre, mais ce ne fut pas sans difficulté.

L'opposition qu'il eut à vaincre fut surtout celle du Clergé. Les prélats, et en particulier les archevêques, ne pardonnaient pas à Suger la haute situation qu'il avait conquise et trouvaient dur de recevoir les ordres d'un simple abbé. Il lui fallut aussi résister aux

OPPOSITION FAITE AU RÉGENT.

exigences de certains amis ou courtisans de Louis VII. Un des plus remuants, l'ex-chancelier Cadurc, ce clerc intrigant qui avait mis la France en feu en posant sa candidature au siège de Bourges contre Pierre de La Châtre, était au nombre des créanciers de Louis VII. Il se fit envoyer dans le duché d'Aquitaine, sous prétexte d'y récupérer le montant de la dette, et rançonna le pays sans vergogne. Geoffroi de Rancon, le chevalier poitevin dont la témérité avait causé le désastre de Laodicée, revenait de la croisade et prétendait que Louis VII, à qui il avait aussi prêté de l'argent, lui avait donné pleins pouvoirs sur le duché. L'Aquitaine, tiraillée entre des influences contraires, obéissait à peine aux prévôts que Suger lui envoyait.

Il se passa quelque chose de plus grave. Raoul de Vermandois, l'un des co-régents, donna l'exemple d'une guerre privée avec le comte de Clermont, intrigua avec Cadurc, et chercha à faire reconnaître son autorité dans les places fortes du Roi. Bourges devint le foyer de cette résistance. Il fallut que Suger mît Raoul en demeure de lui faire livrer la tour que Cadurc et les prévôts de la cité voulaient garder au nom du sénéchal.

MOUVEMENT
EN FAVEUR
DU FRÈRE DU ROI. Au printemps de 1149, on apprit le retour en France du frère de Louis VII, Robert, comte de Dreux. Il s'était brouillé avec le Roi en Syrie et l'avait quitté brusquement. Quand il eut mis le pied sur la terre française, il se fit, en sa faveur, dans les rangs de la Noblesse et même du Clergé, un mouvement qui tendait à le substituer au roi légitime. Cadurc, Raoul de Vermandois, Rotrou, comte du Perche, tous ceux qui jalousaient Suger ou que son administration mécontentait, se joignirent aux partisans de Robert pour le décider à se transformer en prétendant. Dans la situation critique où se trouvait Louis VII, discrédité par l'insuccès de la croisade et obstiné à rester en Orient, l'affaire pouvait être dangereuse. C'est alors que Suger, sérieusement inquiet, conjure le Roi de hâter son retour : « Les perturbateurs du royaume sont revenus, lui écrit-il, et vous, qui devriez être ici pour le défendre, vous restez comme prisonnier, en exil; vous avez livré la brebis au loup et l'État à ses ravisseurs. » En même temps, il convoque une assemblée générale des prélats et des barons et fait menacer d'excommunication par le Pape ceux qui ont pris part au complot. Le frère du Roi se résigne à faire amende honorable. Enfin Louis VII arrive. Il avait recommandé à son ministre de venir le premier à sa rencontre, lui parler en secret. Dès lors tout est sauvé. « Dès ce moment, ajoute le moine Guillaume, le prince et le peuple décernèrent à Suger le surnom de *père de la patrie.* »

RÉSULTAT
DE LA RÉGENCE. L'abbé de Saint-Denis n'avait pas eu besoin de verser une goutte de sang. Le pouvoir et le domaine du prince n'avaient subi aucune atteinte grave. Un fait aussi extraordinaire prouve que la féodalité de ce temps avait voulu, dans une certaine mesure, observer la loi religieuse qui ordonnait de respecter le bien des croisés. Il montre ensuite à quel point l'édifice monarchique était déjà solide et la dynastie capétienne enracinée, et enfin qu'en l'absence du Roi, la régence avait été bien exercée par Suger.

Cependant le lamentable échec de la croisade laissait une tache sur la royauté de France, et Suger n'en avait pas pris son parti. L'homme du Roi avait désapprouvé le départ de son maître : l'homme d'Église ne renonçait pas à l'espoir de délivrer la Terre Sainte. Il avait conçu un plan politique nouveau : allier la France au roi de Sicile, Roger II, réconcilier ce dernier avec l'empereur Conrad, rompre avec l'empire grec et se servir de la flotte sicilienne pour aller directement délivrer Antioche et reconquérir la Syrie. Une assemblée générale des clercs et des seigneurs laïques fut réunie à Chartres, le 7 mai 1150. Mais ni les barons ni surtout les évêques ne se souciaient de recommencer l'expérience. Le pape Eugène III s'inquiétait de la puissance que le projet de croisade attribuait aux Normands d'Italie. L'Empereur refusa de sacrifier au roi de Sicile l'alliance de Manuel Comnène. Saint Bernard soutint l'abbé de Saint-Denis, mais il avait si mal réussi avec sa propre croisade qu'il ne put vaincre l'indifférence et la tiédeur.

Suger, réduit à ne compter que sur lui-même, annonça l'intention de faire la croisade à ses frais sous sa direction personnelle, enrôla quelques milliers d'hommes, envoya des fonds à Jérusalem et se préparait à quitter la France quand Dieu appela ce vieillard de soixante-dix ans au pèlerinage suprême, celui dont on ne revient pas (13 janvier 1151).

« C'est un fait constant que du moment où l'abbé de Saint-Denis fut admis dans les conseils du prince jusqu'à l'instant où il cessa de vivre, le royaume jouit d'une prospérité continue, étendit amplement et utilement ses limites, triompha de ses ennemis et parvint à un haut degré de splendeur. Mais à peine cet homme fut-il enlevé du milieu des vivants que la France en pâtit grièvement. Ainsi la voit-on aujourd'hui, par le manque d'un tel conseiller, dépouillée du duché d'Aquitaine, l'une de ses plus importantes provinces. » L'histoire peut prendre à son compte ce jugement prononcé par le biographe de Suger.

LA PREMIÈRE LUTTE DES CAPÉTIENS ET DES PLANTAGENÊTS

I. LE DIVORCE DE LOUIS VII ET D'ALIÉNOR. FORMATION DE L'EMPIRE ANGEVIN. LES PREMIÈRES CONQUÊTES D'HENRI II. — II. LOUIS VII ET FRÉDÉRIC BARBEROUSSE. L'INCIDENT DE SAINT-JEAN-DE-LOSNE. — III. LE PAPE ALEXANDRE III EN FRANCE. HENRI PLANTAGENÊT. — IV. L'AFFAIRE DE THOMAS BECKET — V. LOUIS VII ET L'EXTENSION DU POUVOIR MORAL DE LA ROYAUTÉ. — VI. LA GUERRE DE 1173 ET LES DERNIÈRES ANNÉES DE LOUIS VII. — VII. LE GOUVERNEMENT DE LOUIS VII.

I. — LE DIVORCE DE LOUIS VII ET D'ALIÉNOR. FORMATION DE L'EMPIRE ANGEVIN. LES PREMIÈRES CONQUÊTES D'HENRI II [1]

A la mort de Suger, les malheurs se succèdent coup sur coup pour Louis VII; la Royauté recule très loin en arrière; son patrimoine est ramené aux limites de celui de Philippe Ier; l'avenir semble compromis.

Le renvoi de la reine Aliénor fut une faute politique des plus graves, commise, il est vrai, à une époque où les souverains ne savaient pas encore sacrifier leurs convenances personnelles à la raison d'État.

LE DIVORCE PRONONCÉ A BEAUGENCI.

« En 1152, » raconte un moine de Saint-Germain des Prés, « quelques-uns des parents du roi vinrent le trouver pour lui dire qu'il existait entre lui et la reine, un degré de consanguinité, et lui promirent de l'affirmer par serment : ce qu'apprenant, le Roi ne voulut pas garder plus longtemps sa femme, contre la loi canonique. C'est pourquoi

1. OUVRAGES A CONSULTER. L. Guerrier, *Le divorce de Louis VII et d'Éléonore d'Aquitaine au deuxième concile de Beaugency* (1152), dans les Mémoires de la Société d'Agriculture, Sciences, Belles-Lettres et Arts d'Orléans, t. XXIII, 1882. Vacandard, *Le divorce de Louis le Jeune*, dans la Revue des Questions historiques, t. XLVII, 1890. Elie Berger, *La formule « rex Francorum et dux Aquitanorum » dans les actes de Louis VII*, dans la Bibliothèque de l'École des Chartes, t. XLV, 1884. Tamizey de Larroque, *Observations sur l'histoire d'Éléonore de Guyenne*, dans la Revue d'Aquitaine, t. VIII, 1864. Kate Norgate, *England under the Angevin Kings*, 1887, t. I.

Hugue, archevêque de Sens, manda les deux époux en sa présence, au château de Beaugenci, où ils se réunirent le vendredi d'avant le dimanche des Rameaux (21 mars). Il s'y trouva aussi Samson, archevêque de Reims, Hugue, archevêque de Rouen, l'archevêque de Bordeaux, quelques-uns de leurs suffragants et une grande partie des princes et des barons du royaume. Quand ils furent assemblés, les parents du Roi prononcèrent le serment qu'ils avaient promis. Ainsi fut dissous entre eux le lien du mariage. Après quoi Aliénor regagna promptement sa terre d'Aquitaine. »

CAUSES DU DIVORCE.

Ce récit officieux nous apprend ce que le gouvernement royal voulait faire savoir ou laisser croire à l'opinion. Mais la scène de Beaugenci ne fut évidemment que la manifestation publique d'une résolution déjà prise, sur laquelle les deux intéressés s'étaient mis d'accord. La raison de consanguinité, où déjà quelques historiens du temps n'ont vu qu'un prétexte [1], ne suffirait pas à justifier une telle décision, car la loi canonique fut interprétée, en cette circonstance d'une façon plus rigoureuse que d'habitude. Si la dévotion méticuleuse de Louis VII a pu s'inquiéter d'une parenté fort lointaine, dénoncée depuis longtemps par certains rigoristes, sa religion se trouvait d'accord avec un autre mobile. Il voulut se séparer d'Aliénor parce qu'il jugea que sa dignité lui défendait de la garder plus longtemps à ses côtés. La Reine avait d'ailleurs un autre tort, dont il est curieux que les chroniqueurs du xiie siècle n'aient rien dit. Après quinze ans de mariage, elle n'avait pas encore donné au Capétien l'héritier mâle qui devait assurer l'avenir de la dynastie.

Une imposante réunion d'ecclésiastiques français s'étant déclarée pour le divorce, au nom d'une loi canonique, Bernard, peu favorable du reste à la Reine, ne pouvait intervenir et garda le silence. Le pape Eugène III, par raison politique, ne voulant ou ne pouvant pas heurter la volonté du roi de France, ferma les yeux.

MARIAGE D'ALIÉNOR ET D'HENRI PLANTAGENÊT.

Les conséquences du divorce furent désastreuses. Aliénor épousa le jeune Henri Plantagenêt, comte d'Anjou et duc de Normandie, deux mois à peine après la rupture (mai 1152). Louis s'obstina pourtant à garder, sur ses diplômes et sur son sceau, le titre de duc d'Aquitaine. Il représentait, comme tuteur, ses filles Marie et Alix, et celles-ci, malgré le second mariage de leur mère, conservaient des droits éventuels sur le duché. Du reste, il n'admettait pas la légitimité d'un mariage contracté sans le consentement du suzerain, en violation de la loi féodale. Il cita le comte d'Anjou devant sa cour, et comme

---

1. Le chroniqueur Gervais de Cantorbery n'hésite pas à dire que la raison alléguée fut peu sérieuse (*imago consanguinitatis*) et que le divorce fut obtenu par un serment plein d'artifice (*artificioso juramento*).

il fit défaut, prononça la confiscation de ses fiefs. Mais qu'importaient ces démonstrations judiciaires? La guerre seule pouvait dénouer cette crise.

COALITION
CONTRE LE
COMTE D'ANJOU.

En fait, elle avait commencé presque aussitôt après le mariage d'Henri et d'Aliénor, et dura un peu plus de deux ans. La situation du comte d'Anjou était grave. Les Aquitains remuaient dans le Midi. Son frère Geoffroi se révoltait, entraînant une partie des Angevins. En Normandie comme en Angleterre, Henri était toujours aux prises avec la maison de Blois. Enfin Louis VII avait formé contre son rival une coalition où entrèrent le nouveau comte de Champagne, Henri Ier le Libéral, Eustache, comte de Boulogne, fils d'Étienne de Blois, et le Capétien Robert, comte de Dreux, tous trois ennemis du Plantagenêt. Thierri d'Alsace, comte de Flandre, devait, un peu plus tard, s'adjoindre à la ligue. Les alliés avaient combiné un plan d'attaque et s'étaient partagé d'avance l'Anjou, la Normandie et l'Aquitaine. Si la ligue avait été dirigée par un homme énergique et prompt, Henri eût été perdu, la domination angevine étouffée dans son germe, et les destinées de la France s'engageaient dans une autre voie.

INERTIE
DE LOUIS VII.

On s'aperçut alors du changement profond qui s'était opéré en Louis VII, après les humiliations de la croisade. La vigueur dont il avait fait preuve au temps de sa guerre avec Innocent II et Thibaut de Champagne a disparu. Au lieu de pousser sa pointe au cœur de la Normandie et de l'Anjou, pour donner la main aux Angevins révoltés et aux partisans d'Étienne de Blois, il s'arrête au seuil de la Normandie, dans le Vexin, où il assiège des places frontières. Dès qu'Henri fait mine d'accourir, il recule et se retranche derrière Chaumont ou Mantes. Il donne au Plantagenêt le temps d'aller châtier ses barons rebelles, de rétablir l'ordre dans ses fiefs; après quoi, il accorde une trêve dont Henri profite aussitôt pour tenter un coup d'audace; il passe la Manche, se met à la tête de ses partisans et attaque Étienne de Blois qui lui disputait la couronne anglaise. Pendant six mois Louis VII le laisse tranquille; enfin il fait l'effort d'assiéger et de prendre Vernon. Mais quand Henri reparaît en Normandie, en avril 1154, la mort d'Eustache de Boulogne avait fait de lui l'héritier désigné d'Étienne. Il devenait virtuellement roi.

HENRI D'ANJOU
ROI
D'ANGLETERRE.

Louis VII oublia sa vengeance et signa la paix (août 1154), trop heureux de ne rien perdre de son domaine. Il restituait les deux seules forteresses qu'il eût prises, Vernon et Neufmarché, renonçait à porter le titre de duc d'Aquitaine et recevait une indemnité de 2000 marcs. Quatre mois après, Étienne de Blois mourait, et Henri d'Anjou, maître de trois comtés et de deux duchés, recevait, par surcroît, à Westminster, la couronne royale de Guillaume le

Conquérant. Au roi de Paris s'opposait le roi d'Angleterre, maître d'Angers, de Rouen et de Bordeaux. Et ce roi de vingt et un ans n'était pas seulement supérieur à Louis VII par la puissance : il l'emportait encore par l'esprit politique, le talent militaire, l'activité et l'énergie.

Le Plantagenêt avait tous les bonheurs. Un fils lui était né en 1153, que trois autres suivront de près [1]. Les Anglais le considéraient comme un sauveur. La guerre civile qui sévissait chez eux depuis vingt ans avait accumulé les ruines, favorisé le brigandage et l'anarchie. L'œuvre administrative et politique d'Henri Ier se trouvant anéantie, Henri II dut reconstituer la société et le gouvernement. De 1154 à 1158 il y travailla sans relâche, activement secondé par l'archevêque de Cantorbery, Théobald, et par deux conseillers intimes, Richard de Luci et Thomas Becket. Ce dernier, fils d'un riche marchand de Londres, archidiacre de Cantorbery, clerc de grande allure, beau, spirituel, éloquent, était son ami de cœur, le compagnon préféré de ses plaisirs et de ses travaux. Il devint bientôt chancelier, c'est-à-dire le premier des fonctionnaires du palais, chargé surtout des nominations ecclésiastiques et des relations avec le continent.

Quatre ans suffirent à Henri pour chasser de l'île les routiers que la guerre civile y avait fait pulluler, démolir les forteresses élevées par les nobles, changer les administrateurs des comtés, reprendre les biens et les châteaux de la couronne que les particuliers s'étaient attribués, réorganiser la cour du Roi et la cour de l'Échiquier. Il fallut réduire par la force quelques hauts barons, le comte d'Aumale, Roger de Hereford, Hugues Mortimer. Mais ces exécutions n'émurent pas l'opinion publique, qui demandait un pouvoir fort. L'Angevin, pour ne pas inquiéter ses sujets, avait accordé dès son avènement « la confirmation de toutes les libertés et coutumes dont ils avaient joui au temps d'Henri Ier, » promesse vague, et qui ne devait pas être tenue.

Henri avait besoin des ressources de tout son royaume. Il voulait d'abord soumettre l'île entière, en domptant les tribus à demi sauvages du pays de Galles et en faisant du roi d'Écosse un tributaire et un vassal obéissant. Il était résolu à conquérir l'Islande celtique. Sur le continent, l'ouest de la France lui appartenait, de la Somme aux Pyrénées, sauf la Péninsule Bretonne. Cette exception devait disparaître : il était logique que toutes les bouches des fleuves et tous les ports de la Manche et de l'Atlantique fussent

HENRI II ET LES ANGLAIS.

PLAN DE CONQUÊTES D'HENRI II.

1. Henri en 1155, Richard en 1157, Geoffroi en 1158, sans compter une fille, Mathilde, née en 1156.

soumis au maître des côtes anglaises. D'autre part, le duché de Normandie était une propriété incomplète, tant que Gisors et le Vexin, la
Marche Normande, resteraient au roi de France. Comme duc d'Aquitaine, Henri II avait aussi des prétentions, au Nord, sur l'Auvergne et
le Berri, au Sud-Est, sur la ville et le comté de Toulouse, que les
ancêtres d'Aliénor avaient plusieurs fois envahis.

Resserrer ainsi le roi Capétien dans le cercle de ses possessions
immédiates, annihiler son action sur le royaume, l'isoler par des
alliances habilement conclues avec les monarchies d'Europe, et
le rendre tellement impuissant que le plus léger effort devait suffire à le renverser, telle était l'ambition du Plantagenêt. Et de tous
les côtés il se mit à l'œuvre, avec cette rapidité d'action qui devait,
sur presque tous les points, le faire triompher.

SOUMISSION DE L'ÉCOSSE.
 Dès 1155, il réunit une grande assemblée à Winchester : il fait
part aux barons de son projet de conquérir l'Irlande ; mais sa mère,
l'impératrice Mathilde, l'oblige, pour des raisons que nous ignorons, à
différer l'entreprise : il se dédommage par une première incursion
dans le pays de Galles (1157). La même année, il oblige le roi
d'Écosse, Malcolm, à lui faire hommage à Chester, et parcourt, en
vainqueur, le Cumberland et le Northumberland.

GEOFFROI D'ANJOU.
 Mais déjà la terre ferme l'attirait, car Henri II est un continental,
un Angevin avant tout, aussi Français que le roi de France. L'Angleterre ne sera jamais pour lui qu'un point d'appui, une mine d'or, et
il préférera toujours ses châteaux de la Loire ou de la Seine au séjour
de Londres. Pour commencer, il veut être seul maître dans l'Anjou,
où son frère Geoffroi lui fait concurrence. Celui-ci invoque le testament paternel qui l'autorisait, dit-on, si son aîné devenait roi d'Angleterre, à rester en possession d'Angers et du Mans. Henri lui-même
avait juré de respecter cette décision. Mais il se fait relever de son
serment par Adrien IV, un pape anglais. Geoffroi, dépouillé de ses
châteaux de Mirebeau et de Chinon, abdique toute prétention et se
contente d'une rente. Et, par un heureux coup du sort, ce frère devient
l'instrument de la politique du Plantagenêt dans les pays voisins.

LES PLANTAGENÊTS EN BRETAGNE,
 La Bretagne était toujours troublée par les barons qui s'y dispu-
taient le titre de duc. Elle en vint, d'elle-même, à solliciter l'interven-
tion de l'étranger. En 1156, la ville de Nantes, repoussant à la fois
Houel, Eude et Conan IV, choisit, comme seigneur, Geoffroi d'Anjou.
Les Angevins mettent ainsi le pied en Bretagne ; ils n'en sortiront plus.
Quand Geoffroi meurt sans enfants en 1158, son frère, invoquant un
droit plus que douteux, réclame « l'héritage. » L'héritier légitime
était plutôt le comte Conan IV, mais le pauvre Breton, menacé par
Henri II, va le trouver à Avranches, où il tenait sa cour, entouré d'une

armée prête à entrer en campagne, et résigne entre ses mains le comté de Nantes. L'annexion de la Bretagne ne sera plus qu'une question d'années.

Pas un point de l'empire continental d'Henri II où l'on ne voie se préparer ou s'effectuer quelque conquête. Au comte de Blois et de Tours, Thibaut V, il prend Amboise et Freteval (traité de 1158); à Rotrou, comte du Perche, sa forteresse de Bonmoulin. Au commencement de 1159, Henri, qui avait célébré la Noël à Cherbourg, se transporte tout à coup sur la Garonne, à Blaye. Il y reçoit la visite du souverain de la Catalogne et de l'Aragon, le comte de Barcelone, Ramon-Bérenguer IV, qui signe avec lui un traité d'alliance, cimenté même par un mariage[1]. C'est que le Plantagenêt, résolu à faire valoir les droits plus ou moins fondés des ducs d'Aquitaine sur Toulouse, médite de s'emparer du Languedoc. Il s'est ménagé d'autres alliés que le Catalan, la plupart des grands barons du comté de Toulouse, entre autres le vicomte de Béziers, Raimond Trencavel et Guillaume, seigneur de Montpellier. Si les projets d'Henri réussissent, s'il vient à régner de Bayonne à Montpellier, comme il règne déjà de Bayonne à Rouen, c'est la fin de la souveraineté capétienne. Déjà il semble que Louis VII est déchu. Quand le comte de Flandre, Thierri d'Alsace, était parti, en 1157, pour Jérusalem, il avait laissé la garde de son comté et de son fils, non pas à son suzerain naturel, le roi de France, mais au chef de l'empire angevin.

Cependant Louis VII faisait pacifiquement de la politique matrimoniale. En 1154, il s'était remarié avec une fille du roi de Castille, Constance; en même temps il donnait sa propre sœur, appelée aussi Constance, au comte Raimond V, rétablissant ainsi entre la Royauté et le Languedoc des relations interrompues depuis le Xe siècle. Il devenait d'ailleurs plus dévot que jamais, multipliant les bonnes œuvres et redoublant de complaisance envers le Clergé.

En 1155, comme il se trouvait trop loin de Paris pour y rentrer avant la nuit, il s'arrête, pour coucher, à Créteil, village appartenant au chapitre de Notre-Dame, et y prend son gîte aux frais des habitants, suivant l'usage. Il avait oublié que cette localité ne faisait pas partie du domaine royal. Le lendemain, quand il veut entrer à Notre-Dame, il trouve les portes de la cathédrale fermées, demande une explication et reçoit des chanoines une très dure réprimande pour avoir violé les privilèges de l'Église. « Il resta là à prier devant les portes closes, comme un agneau très doux, ajoute le clerc de Notre-Dame qui nous fait connaître cet épisode. Il fut obligé de s'humilier et de donner

1. Une fille du prince espagnol est fiancée à l'un des fils d'Henri II, Richard, alors âgé de deux ans.

réparation publique de l'offense faite à Dieu ou du moins à ses représentants.

Il alla en Espagne faire un pèlerinage à Saint-Jacques de Compostelle, juste au moment où son rival se faisait couronner roi d'Angleterre. Au lieu d'essayer de rompre le cercle où l'ennemi peu à peu l'enfermait, il se tenait simplement sur la défensive du côté de la Normandie. Il dépensait son temps et sa peine à secourir les moines de Vézelai contre leur persécuteur, le comte de Nevers, les abbés et les évêques de Bourgogne contre le comte de Mâcon, le seigneur de Gien contre le comte de Sancerre. Peut-être croyait-il se dédommager en se donnant l'illusion de la puissance souveraine, lorsque, dans la grande assemblée de Soissons (4 juin 1155), il décréta une paix qui devait durer dix ans et s'étendre à toutes les églises, à tous les cultivateurs, à tous les marchands du royaume. Ce fut une vraie ordonnance, de portée générale, la première de cette nature qui fût sortie de la chancellerie d'un roi capétien : elle n'eut que le tort d'être inapplicable, et resta, par le fait, inappliquée.

Ce roi de France qui légiférait avec l'allure d'un empereur carolingien perdait la réalité de son pouvoir sur le royaume. Il poussa même la faiblesse ou l'aveuglement jusqu'à conclure alliance avec le vassal qui le dépouillait. Le 31 août 1158, il rencontrait Henri II sur la frontière du Vexin, près de Gisors, et signait un traité. Le fils aîné du roi d'Angleterre, Henri, âgé de trois ans, devait épouser la troisième fille de Louis VII, Marguerite, une enfant de six mois. Louis s'engageait à lui donner une dot, Gisors, Neauphle et le Vexin, pays qui resterait sous la garde des Templiers, en attendant que les fiancés atteignissent l'âge nubile. De son côté, Henri II promet à son fils une forte rente, la ville de Lincoln en Angleterre et celle d'Avranches en Normandie.

Un mois après, le roi d'Angleterre arrive à Paris, où il s'était fait précéder par son chancelier Thomas Becket et une ambassade fastueuse. Il est accueilli comme le meilleur des amis et des parents; on lui laisse emporter la petite Marguerite; on lui permet même d'user du droit très problématique que réclamaient les comtes d'Anjou d'exercer les fonctions de sénéchal de France, c'est-à-dire de chef de l'armée et du palais. Le premier emploi que fait Henri II de la libéralité de son allié est d'entrer, à titre de sénéchal, dans la Bretagne française et de mettre définitivement la main sur Nantes. Louis VII ne proteste pas et ne réclame rien. Il choisit même ce moment pour entreprendre un nouveau pèlerinage dans les États du Plantagenêt, au mont Saint-Michel. Pour faire honneur à son hôte et lui rendre ses politesses, Henri l'accompagne et le reconduit jusqu'à Rouen, après l'avoir comblé de prévenances et de cadeaux.

Première lutte des Capétiens et des Plantagenêts.

L'accord de 1158 n'était pour le roi d'Angleterre qu'un moyen de prendre une fille de France comme otage et de recouvrer sans coup férir le Vexin, cette clef de la Normandie dont les Français s'étaient saisis au prix de tant de peines. Louis VII aurait dû prévoir que les Templiers, chargés de la garde de Gisors, ne pourraient résister aux menaces ou à l'argent du roi d'Angleterre, et qu'il se trouverait ainsi avoir perdu à la fois sa fille et la dot. Pour lui ouvrir les yeux, il fallut qu'on lui montrât Henri II prêt à s'emparer de Toulouse et à exproprier Raimond V. Le danger était tellement évident et si proche que Louis VII se décida à l'action. Il était temps.

L'assemblée générale des barons et des chevaliers du domaine des Plantagenêts s'était réunie à Poitiers où Thomas Becket et le roi d'Écosse, Malcolm, rejoignirent Henri II. Celui-ci avait prélevé sur le clergé de tous ses États des sommes énormes pour subvenir aux frais de l'entreprise. Une armée formidable « comme on n'en avait jamais vu, » était réunie. Louis VII « le doux roi de France[1] » eut encore la naïveté de s'imaginer qu'il pourrait détourner l'orage. Il négocia, aux entrevues de Tours et d'Heudricourt, mais il était mal venu à contester les droits que le Plantagenêt prétendait faire valoir sur Toulouse. Lui-même, quand il était duc d'Aquitaine, les avait revendiqués au nom de la même femme, Aliénor. En juin 1159, l'armée anglaise entra dans le Languedoc, où les troupes du comte de Barcelone devaient aller la retrouver.

ENTREPRISE D'HENRI II SUR TOULOUSE.

Louis s'était résigné à secourir le comte de Toulouse. Il suivit de près son rival, avec des forces très insuffisantes, en homme toujours plus disposé à parlementer qu'à combattre. Pendant que les soldats d'Henri II prenaient l'une après l'autre les places de la région toulousaine et s'installaient même à Cahors, il essayait encore de négocier, dans une conférence inutile, près de Toulouse. N'osant ou ne pouvant livrer bataille, en pays plat, à un ennemi très supérieur, il s'enferma dans la ville avec Raimond V. Il arriva alors quelque chose d'imprévu ; soit que le roi d'Angleterre désespérât de prendre la ville, que les Toulousains défendirent avec énergie, soit qu'il se fît scrupule d'attaquer son suzerain, il résolut d'abandonner le siège tant que Louis VII séjournerait dans la ville. Comme le roi de France s'obstinait à n'en pas sortir, il se retira. Becket, qui avait traité ces scrupules de « superstitions vaines, » resta en Languedoc avec Henri d'Essex, le connétable, pour fortifier Cahors et garder le pays conquis.

LOUIS VII A TOULOUSE.

Louis VII avait sauvé son beau-frère, mais lui-même courait les plus grands périls. Pendant qu'il était à Toulouse, Thibaut V, comte

PÉRIL DE LOUIS VII.

1. *Mansuetus rex Galliae,* comme l'appelle l'historien de Cambrai, un contemporain, Lambert Waterlos.

de Blois et sénéchal de France, le premier fonctionnaire du palais, passait à l'ennemi et recevait d'Henri II la mission d'inquiéter les possessions du roi de France. Simon de Montfort, comte d'Evreux, grand propriétaire en pays normand comme en pays français, trahissait à son tour, ce qui permit aux Anglais de s'établir à quelques lieues de Paris, dans les châteaux de Montfort-l'Amauri, de Rochefort et d'Epernon. Henri II, revenu du Midi, envahit le pays de Beauvais et s'empara de Gerberoi. Le roi de France, cerné dans Paris, ne pouvait même plus communiquer facilement avec Orléans ou Etampes. La monarchie capétienne rétrogradait d'un siècle.

LOUIS
SE REMARIE
AVEC ADÈLE
DE CHAMPAGNE.

A ce moment, Louis perdit sa seconde femme, Constance, (4 oct. 1160), qui ne laissait à son mari qu'une fille. Au bout de cinq semaines de veuvage, il était déjà remarié avec Adèle de Champagne, union d'ailleurs politique, qui lui assurait l'appui des quatre princes champenois, fils de Thibaut le Grand. Henri, très irrité, riposta en faisant célébrer le mariage de son fils ainé avec la petite Marguerite de France. A eux deux, les mariés n'avaient que neuf ans. Mais le roi d'Angleterre était pressé de mettre la main sur la dot, c'est-à-dire sur le Vexin, livré par les Templiers. Que pouvait faire Louis VII contre un ennemi qui était en situation de marcher sur Paris et de frapper le coup décisif? Il signa une trève puis la paix définitive, acceptant tout ce qui s'était fait, abandonnant Gisors, sacrifiant même son beau-frère de Toulouse. Déchéance humiliante! mais il s'agissait de vivre et d'éviter le désastre suprême. C'est miracle que Louis VII y ait réussi.

II. — LOUIS VII ET FRÉDÉRIC BARBEROUSSE. L'INCIDENT DE SAINT-JEAN-DE-LOSNE[1]

FRANÇAIS
ET ALLEMANDS.

UN autre danger menaçait le Capétien. Jusqu'au milieu du XIIᵉ siècle, Français et Allemands, séparés par l'ancien royaume d'Arles et sa féodalité presque indépendante, n'étaient pas souvent entrés en contact. Ils ne s'ignoraient pas sans doute; quelquefois ils se menaçaient de loin; de temps à autre leurs rois se rencontraient pour parlementer sur les ponts ou dans les îles des cours d'eaux limitrophes. Aucun conflit grave ne s'était produit. Les Césars ger-

---

1. OUVRAGES A CONSULTER. Wissowa, *Politische Beziehungen zwischen England und Deutschland bis zum Untergange der Staufer*, 1889 (thèse). H. Reuter, *Geschichte Alexanders des Dritten und der Kirche seiner Zeit*, t. I, 1860-1864. H. Prutz, *Kaiser Friedrich I*, 1871-1874. Häffer, *Das Verhältniss des Königreiches Burgund zu Kaiser und Reich besonders unter Friedrich I*, 1874. P. Fournier, *Le royaume d'Arles*, 1891. Sternfeld, *Das Verhältniss des Arelats zu Kaiser und Reich*, 1881. D'Arbois de Jubainville, *Histoire des ducs et des comtes de Champagne*, t. II.

maniques, si occupés de leurs affaires intérieures et de leurs expéditions au delà des Alpes, ne pouvaient songer sérieusement à s'étendre
de l'autre côté de la Meuse ou de la Saône. Henri V avait fait, par
accident, en 1125, une démonstration guerrière qui s'arrêta vite quand
l'Allemagne s'aperçut qu'il existait en France une royauté nationale,
prête à repousser les envahisseurs. Cependant la croisade de Louis VII
et de Conrad III semblait avoir révélé comme une antipathie entre
les deux races. Et bientôt après, le moment vint où la politique
impériale commença à être dangereuse pour les Français et pour
leur roi.

En 1151, Frédéric Ier Barberousse fut élu empereur. Il avait toute
l'ambition impériale. Il voulait subordonner l'Église à l'État ; il regardait Rome comme la capitale de l'Empire, le Pape comme le premier
des évêques impériaux, l'Italie et la Sicile comme des annexes de
la Germanie. Sur le royaume d'Arles, ses prédécesseurs s'étaient con-
tentés d'exercer une suprématie nominale : il eut l'idée très arrêtée
de faire de la vallée du Rhône un pays d'obédience, rattaché par des
liens étroits à l'Empire. Peu lui importait qu'on parlât français dans
cette région de la Bourgogne, du Dauphiné et de la Provence, et que
le roi de France eût des prétentions sur les rives de la Saône et du
Rhône et sur la grande ville de Lyon. Frédéric savait la faiblesse de
Louis VII. La soumission du royaume d'Arles fut poursuivie avec une
passion tenace : fréquents voyages au delà du Jura, cours plénières
de Besançon et de Vienne où les barons et les évêques étaient tenus
de jurer fidélité, privilèges accordés aux moines et aux clercs. Agissant par tous les moyens, rigueurs ou caresses, sur cette féodalité
habituée à l'autonomie, il établit, pour la dominer, des vice-rois pris
dans la famille des comtes de Bourgogne ou dans celle de Zähringen,
représentants dévoués des intérêts impériaux.

FRÉDÉRIC Ier
ET LE ROYAUME
D'ARLES.

En 1156, le 10 juin, il se fiançait avec l'héritière d'un des comtes
bourguignons, Béatrix, et l'an d'après, à la diète solennelle de
Besançon (1157), Frédéric et sa femme parurent, entourés de la
noblesse et du clergé de la région, de la féodalité allemande et des
envoyés de la plupart des rois d'Europe : ce fut un vrai triomphe.
Louis VII, qui n'était déjà plus, en réalité, le roi de la France occiden-
tale, perdait maintenant tout espoir du côté de l'Est. Des feudataires
placés à la limite des deux États, comme les comtes de Mâcon et de
Chalon, le seigneur de Beaujeu, l'archevêque de Lyon, se faisaient
les sujets de l'Empire ; même de hauts barons bien français, parents
du roi de France, le comte de Champagne Henri le Libéral et le
duc de Bourgogne Eude II, devenaient en secret les alliés de Barberousse.

DIÈTE
DE BESANÇON.

Si Henri II et Frédéric se donnaient la main, c'était l'écrasement du roi de France. Or ce nouveau danger menaçait. Lors du mariage de Frédéric, Henri lui avait adressé, avec ses félicitations, des cadeaux de grand prix. Frédéric l'en avait remercié et lui avait proposé une alliance dont le Plantagenêt accepta l'idée avec empressement. Elle fut conclue, le 17 juillet 1157, à Wurzbourg. Le roi de France fit alors quelques préparatifs, au moins pour se défendre d'une invasion. A Troyes, en Champagne, neuf évêques français se réunirent à la tête des milices de leurs diocèses. Louis s'avança jusqu'à Dijon pour tâcher d'avoir une entrevue avec l'Empereur. Frédéric s'y refusa; les chanceliers des deux rois se rencontrèrent inutilement à la place de leurs maîtres. La situation devenait critique pour le roi de France, lorsque survint un événement qui peut-être le sauva en détachant brusquement Henri II de Frédéric.

A la mort d'Adrien IV (1159) deux papes sont élus en même temps, le cardinal Roland sous le nom d'Alexandre III, le cardinal Octavien sous celui de Victor IV. Victor est soutenu par le parti impérialiste, Alexandre, par la majorité des cardinaux, par le clergé hostile aux prétentions germaniques, et il trouve bientôt d'autres alliés, car l'éternelle rivalité des deux pouvoirs impérial et pontifical se compliquait de la question de l'indépendance des villes lombardes et de la commune romaine. Il s'agissait de savoir si les théories absolutistes que le César allemand et ses légistes avaient proclamées à Roncaglia recevraient leur application, si l'Italie serait une simple province de l'Empire, et si les cités italiennes subiraient la tyrannie de l'étranger. On eut ce spectacle nouveau : l'empereur d'Allemagne aux prises avec une ligue de bourgeois associés au Pape pour défendre leur liberté.

Lorsque Frédéric eut rasé Milan (1162) et forcé Alexandre III à laisser la place à l'antipape pour se retirer en France, il semblait que la Chrétienté n'eût plus qu'à s'incliner devant lui. Il s'aperçut alors que la conscience religieuse était une force incompressible. Rien de grand et de durable ne pouvait se faire, en ce temps-là, si l'on n'avait pour soi l'opinion du Clergé et des croyants. Du jour où Alexandre III fut hors d'Italie, à l'abri des atteintes de l'Empire, la Papauté reprit l'avantage. Le roi de France, qui lui donnait asile, trouva le prestige moral qui releva sa dynastie.

Avant de se réfugier en France, Alexandre III avait cherché à se concilier les deux souverains qui s'y partageaient le territoire et l'autorité. Il se préoccupa surtout de gagner le roi d'Angleterre, sachant bien que s'il parvenait à se faire reconnaître d'Henri II et à le séparer de Frédéric, le parti impérialiste serait gravement atteint. Il pouvait compter d'ailleurs sur l'adhésion du dévot Louis VII, intéressé à créer des difficultés à l'Empereur dans le royaume d'Arles, où une partie du Clergé repoussait l'antipape Victor.

Avant son avènement, Alexandre III était déjà en relation d'intimité avec l'évêque de Beauvais, Henri de France, frère du Roi. Il fit de ce prince son chargé d'affaires, et le porta au siège archiépiscopal de Reims, devenu vacant à la fin de l'année 1161. La diplomatie pontificale eut donc tout d'abord plein succès. Les rois de France et d'Angleterre ne s'étaient fait représenter que pour la forme au concile de Pavie (février 1160), où Frédéric avait convoqué l'épiscopat dévoué à la cause impériale et à l'antipape. Leurs délégués avaient mission de voir simplement « ce qui se passerait » et non pas de se déclarer pour Victor IV. Henri II à Neufmarché et Louis VII à Beauvais, firent proclamer solennellement par leurs évêques la légitimité d'Alexandre III. C'était le premier échec grave que la politique de Frédéric eût subi.

Quelques mois cependant après la déclaration du clergé français, on apprenait que Louis VII acceptait de s'entendre avec Frédéric pour discuter, dans une assemblée solennelle où se réuniraient la noblesse et le clergé de l'Europe entière, l'affaire de la double élection de 1159 et prendre, d'un commun accord, les mesures qui devaient mettre fin au schisme. Ce revirement inattendu était l'effet d'une imprudence commise par le Pape ou par ses légats. Les délégués du Pape, tenus de faire surtout plaisir au roi d'Angleterre, donnèrent leur assentiment à l'acte de déloyauté commis par Henri II, lorsqu'il fit procéder au mariage de la petite Marguerite de France avec son fils aîné. Louis VII s'en prit non seulement aux Templiers, gardiens infidèles des châteaux du Vexin, mais aux envoyés de Rome eux-mêmes, qui reçurent l'ordre de quitter sa terre et celle de ses barons.

ENTENTE DE LOUIS ET DE FRÉDÉRIC.

Sur ces entrefaites, Alexandre III débarqua à Maguelonne, puis se rendit à Montpellier, où les Languedociens lui firent une réception enthousiaste. Il y trouva deux envoyés du roi de France, chargés, sans doute, d'ajouter aux amabilités officielles quelques mots de représentation sur l'affaire du mariage. Alexandre les reçut assez mal et ne leur donna pas la réparation que Louis VII se croyait en droit d'attendre. Plus tard, lorsqu'il eut appris les bruits qui couraient sur le rapprochement du roi de France et de l'Empereur, il essaya de réparer la faute commise. Au lieu d'envoyer à Louis une députation de cardinaux, il pria l'archevêque de Reims, Henri de France, et deux autres évêques bien en cour d'être ses intermédiaires auprès de leur maître. Il était trop tard. Louis et Frédéric s'étaient mis d'accord, en principe, sur la nécessité d'une entrevue qui devait

ALEXANDRE III A MONTPELLIER.

avoir lieu sur un pont de la Saône, à Saint-Jean-de-Losne. Et, au grand effroi d'Alexandre et de ses partisans, les événements allaient se produire avec une rapidité que Louis VII lui-même n'avait ni désirée ni prévue.

LE PARTI ALLEMAND A LA COUR DE FRANCE.
Le roi de France, cet homme d'une candeur de colombe, comme l'appelle un chroniqueur, a été certainement dupe d'une intrigue. Il existait à sa cour un parti germanophile, dont les chefs étaient son beau-frère, Henri le Libéral, comte de Champagne, et Manassés de Garlande, évêque d'Orléans. Ils profitèrent de son dissentiment avec Alexandre pour l'engager, plus qu'il ne le souhaitait, du côté de Frédéric. Louis VII, qui n'avait aucun parti pris, voulait sincèrement examiner avec l'Empereur les prétentions des deux compétiteurs. L'évêque porta au comte de Champagne l'ordre de se rendre auprès de Frédéric et une lettre de créance, où il avait ajouté, de sa propre autorité et par un véritable abus de confiance, une phrase qui donnait au Champenois plein pouvoir d'engager le roi de France. Le comte se hâta de traiter.

NÉGOCIATION AVEC FRÉDÉRIC.
Il fut convenu que les deux princes se rencontreraient à Saint-Jean-de-Losne le 29 août 1162; chacun d'eux amènerait son pape; on choisirait des arbitres français et allemands pour juger de la validité des deux élections, et on s'en remettrait à leur sentence. Si l'un des deux papes refusait d'aller à l'entrevue, il serait considéré comme abdiquant. Dans le cas où Louis VII n'accepterait pas ce traité ou en violerait les clauses, Henri de Champagne jura qu'il se livrerait personnellement comme otage à l'Empereur et lui ferait hommage de son fief.

CONVENTION RELATIVE A LA CHAMPAGNE.
Cette convention pouvait aboutir à séparer la Champagne du royaume de France. Revenu auprès de son suzerain, le comte se garda de lui révéler tout d'abord l'engagement personnel qu'il avait pris : il lui remit simplement un exemplaire du traité où il n'était question que de la conférence et des clauses relatives à l'arbitrage. Louis VII accepta l'arrangement. Frédéric lui écrivit, des ruines de Milan, une lettre des plus affectueuses, terminée par ces mots : « Avec notre cher cousin, votre vassal, Henri, comte de Troyes, nous avons réglé amicalement et complètement tout ce qui est nécessaire pour conserver entre nous l'intégrité d'un attachement réciproque, et nous aurons soin de tenir religieusement nos promesses. »

Après ses succès d'Italie, Barberousse était persuadé que l'entrevue de Saint-Jean-de-Losne serait pour lui un triomphe. Il savait fort bien d'avance qu'Alexandre refuserait d'y assister. Il laissa les partisans de Victor IV dire partout que le roi de France était prêt à reconnaître l'antipape. Il écrivit, ou laissa écrire par son chancelier une lettre incroyable, adressée au propre frère de Louis VII, l'archevêque de Reims, Henri de France, où on l'avertissait que le roi de France devait aller sur la Saône, le 29 août, « pour faire adhésion solennelle au pape Victor ». On invitait même l'archevêque à comparaître, quatre jours auparavant, à Besançon, auprès de l'Empereur pour y délibérer « avec les autres fidèles de l'Empire. » Sous prétexte que le prélat avait une petite partie de sa province en terre allemande, Frédéric le convoquait d'office, comme un fonctionnaire impérial. Henri se contenta d'envoyer la lettre à son frère et de lui demander s'il était vrai que le comte de Champagne se fût engagé de sa part, comme le bruit en courait, à reconnaître l'antipape. D'autres partisans d'Alexandre, jusqu'aux consuls de Rome, écrivirent au Roi pour lui poser la même question. On ne sait pas s'il y répondit.

Louis VII se dirigea vers la Bourgogne. Il comptait conduire le Pape à l'entrevue et le rencontra dans l'abbaye de Souvigni, en Bourbonnais. Aux instances du roi de France, le Pape répondit par un refus qu'il était facile de prévoir. « Je m'étonne, » dit le Roi, « qu'ayant la conscience de votre droit, vous laissiez échapper l'occasion de le justifier par l'exposé public de votre cause. » Alexandre donna à Louis VII quatre cardinaux chargés d'assister à la conférence, mais n'ayant d'ailleurs aucun pouvoir pour accepter la sentence des futurs arbitres. Le Roi, déjà fort déconcerté, arriva à Dijon, où l'attendait le comte de Champagne. Ici l'incident tourne au comique. Le comte Henri rappelle au Roi les clauses du traité, constate qu'Alexandre III est défaillant, et conclut que la reconnaissance de Victor s'impose. Il ajoute que, si le Roi refuse de se conformer à la convention, il se verra obligé, par le serment qu'il a prêté à Frédéric, de transporter à l'Empereur l'hommage de tous ses fiefs français. — « Comment! » répond Louis VII, « vous avez présumé assez de vous-même pour prendre un pareil engagement à mon insu, sans me consulter? — C'est vous-même, seigneur, qui m'y avez autorisé, par l'entremise de l'évêque d'Orléans. » Et Henri lut la lettre royale qui lui donnait pleins pouvoirs. Louis VII se tourne alors vers l'évêque, lui demande des explications et n'obtient, comme on le pense, qu'une réponse embarrassée. Il commence à comprendre qu'il a été joué.

ENTREVUE DE SOUVIGNI ET DE DIJON.

Le jour de la conférence arrive (29 août). Il faisait encore nuit, lorsque l'empereur Frédéric et son pape, venant de Dole, se présentèrent sur le pont de Saint-Jean-de-Losne. Ils n'y trouvent encore personne et se retirent, satisfaits d'avoir observé la lettre du traité. L'Empereur laisse seulement quelques officiers de sa suite pour le représenter. Louis VII, à son tour, s'approche de Saint-Jean-de-

CONFÉRENCE DE SAINT-JEAN-DE-LOSNE.

Losne, mais ne se hasarde pas sur le pont, peut-être par crainte d'un guet-apens. Il y envoie ses barons, et notamment le comte Henri, parlementer avec les représentants de Frédéric. Le comte demande un délai : son suzerain ignorant les véritables termes du traité, il y aurait inconvenance à lui imposer par surprise la solution immédiate d'une affaire aussi grave. Les Impériaux refusent, Louis VII s'en retourne à Dijon et les cardinaux d'Alexandre III, qui l'avaient accompagné, reviennent trouver leur maître, persuadés que tout était fini. Ce n'était que le premier acte de l'imbroglio.

LOUIS VII ET LE COMTE DE CHAMPAGNE.

Le comte de Champagne est allé à Dole discuter avec Barberousse. Revenu auprès du roi de France : « Vous n'êtes pas délivré de vos engagements, dit-il à Louis VII ; si vous ne les observez pas, je serai obligé de faire hommage à l'Empereur. J'ai obtenu de lui, pour n'en pas venir à cette extrémité, la concession suivante : Un délai de trois semaines vous est accordé, à la condition expresse qu'au terme fixé pour la nouvelle entrevue vous amènerez à Saint-Jean-de-Losne le pape Alexandre et vous soumettrez, vous et lui, au jugement prononcé par les arbitres des deux royaumes; sinon vous vous engagez sous caution à vous rendre vous-même prisonnier, entre les mains de l'Empereur, à Besançon. » On aurait peine à croire, si le fait n'était bien attesté, que Louis VII ait accepté une pareille proposition et offert, en garantie, trois grands feudataires de son royaume : le duc de Bourgogne, le comte de Flandre et le comte de Nevers!

UNION D'ALEXANDRE III ET D'HENRI II.

Alors, ne pouvant plus compter sur le roi de France, tombé dans ce piège inextricable, Alexandre se tourna du côté d'Henri II. Il le détermina à intervenir en sa faveur, même par la force, dans le cas où Louis VII se soumettrait à l'Empereur. Lorsque Louis demanda, pour la seconde fois, à Alexandre, de comparaître avec lui à Saint-Jean-de-Losne, le Pape répondit, après un refus catégorique, que le roi d'Angleterre mettait toutes les forces de son royaume à sa disposition et n'avait pas de plus vif désir que de s'allier avec les Français pour défendre le véritable élu de l'Église. Mais Louis VII se défie de l'alliance de l'Anglais; il se croit engagé envers Frédéric et s'achemine de nouveau, la mort dans l'âme, vers le lieu du rendez-vous.

LOUIS VII A SAINT-JEAN-DE-LOSNE.

Le 22 septembre, à neuf heures du matin, il se présente à cheval sur le pont de Saint-Jean-de-Losne. Il attend jusqu'à midi. Ni Frédéric ni l'antipape ne paraissent, mais l'Empereur s'est fait représenter par Rainald de Dassel. Le roi de France et ses barons constatent que Frédéric est absent et rappellent au chancelier de l'Empire la promesse faite par son maître d'accepter un arbitrage sur la validité de l'élection de Victor. Le chancelier répond que l'Empereur n'a pris aucun engagement de cette espèce : « Lui et les évêques de l'Empire ont seuls qualité pour juger des élections pontificales; le roi de France et son clergé sont convoqués, uniquement, pour entendre le prononcé de la sentence impériale et promettre de s'y conformer. » A cette déclaration, aussi imprévue qu'outrecuidante, vrai coup de théâtre, Louis VII, heureux d'être tiré d'embarras, se tourne vers le comte de Champagne et le prie de répéter les clauses de la seconde convention conclue par lui-même avec l'Empereur. Cela fait, le Roi s'écrie : « Eh! bien, comte, vous êtes présent, vous êtes témoin, vous voyez que l'Empereur, qui, d'après vous, devait se trouver ici, est absent, et que ses représentants viennent, devant vous, de changer les termes du traité! — C'est vrai, répond le comte. — Alors je suis libéré de tout engagement? — Vous êtes libre, » réplique Henri. Louis VII s'adresse de même aux barons et aux évêques qui l'escortaient : « Vous avez vu et entendu tous comment j'ai accompli ce que j'avais à faire, croyez-vous que je sois encore lié par le traité? » Tous lui répondent : « Vous avez dégagé votre parole. » Aussitôt le roi de France tourne bride. Mais les Impériaux le suivent en courant, promettent que l'Empereur s'en tiendra à ses conventions premières, le supplient de revenir. Louis VII, après un dernier mot : « J'ai fait tout ce que je devais faire, » reprend au galop la route de Dijon.

Ainsi se termina la comédie jouée à Saint-Jean-de-Losne par ces deux rois, qui négocient pour entrer en conférence, se rapprochent, puis trouvent le moyen de ne jamais se rencontrer et de ne rien conclure. On comprend que Louis VII se soit montré irrésolu et craintif : mais comment expliquer la conduite de Frédéric Barberousse? Était-il en désaccord avec son chancelier Rainald, dont la politique finassière, pour vouloir trop gagner, a tout perdu? Sentait-il l'impossibilité de rester plus longtemps à Dole avec une armée qui avait épuisé les ressources du pays, devant la perspective d'une attaque possible d'Henri II? Quoi qu'il en soit, il se contenta de faire juger la validité de l'élection de son pape par l'assemblée de Dole. Résultat prévu : on proclama Victor vrai et légitime pape. Alexandre III fut excommunié, l'Empereur et son chancelier déclarèrent que les « petits rois (*reguli*), » comme les souverains de France et d'Angleterre, n'avaient pas le droit de se prononcer en un procès qui relevait uniquement de la justice impériale. En réalité, la cause de Victor IV était perdue. Alexandre, bientôt reconnu à titre définitif par Louis VII, allait rester en France et y établir pendant quelques années le siège de son gouvernement.

RÉSULTAT DE L'INCIDENT DE SAINT-JEAN-DE-LOSNE.

III. — *LE PAPE ALEXANDRE III EN FRANCE. HENRI PLANTAGENÊT* [1]

ALEXANDRE III
A SENS.

C'EST surtout à Henri II que le pape Alexandre devait sa victoire. Il semblait juste que le roi d'Angleterre tirât profit du service rendu. De fait, Alexandre III avait commencé par s'établir à Déols, en Berri, puis à Tours, c'est-à-dire dans les États du Plantagenêt, mais il n'y resta pas longtemps. En août 1163 il passait à Bourges, ville française et, en octobre, s'installait définitivement à Sens où se transporta l'administration romaine. Sens devait rester, pendant deux ans la capitale effective du monde chrétien. C'est qu'Alexandre avait jugé dangereux pour lui et pour l'Église de se mettre entre les mains du roi anglais, qui prenait des allures de despote et menaçait les libertés de ses clercs autant que celles de ses nobles. La querelle d'Henri II avec Thomas Becket avait commencé. Le conflit dont l'Angleterre était le théâtre fut l'événement qui décida Alexandre et ses cardinaux à se fixer en pays français.

LES
GOUVERNEMENTS
DE SENS
ET DE PARIS.

L'honneur était grand pour le roi aux fleurs de lis, mais il avait ses inconvénients et ses charges. Entre ces deux souverains, celui de Paris et celui de Sens, gouvernant à vingt-cinq lieues d'intervalle, l'entente ne fut pas troublée gravement; avec un tout autre roi que Louis VII, l'expérience eût tourné moins bien. Il fallait que l'une des deux autorités dominât l'autre, et l'on peut penser que ce ne fut pas celle du Pape qui céda. De 1163 à 1165 la volonté d'Alexandre III fait loi dans les pays capétiens. L'archevêque de Reims, Henri de France, n'est que son premier fonctionnaire, et Louis VII lui-même reçoit presque quotidiennement de son hôte des lettres où les désirs exprimés ressemblent fort à des ordres. Dans cette correspondance, il s'agit souvent de menus détails pour lesquels on s'étonne de voir un roi de France se faire si docilement l'instrument de l'administration ecclésiastique.

Le Pape l'invite, par exemple, à prendre des mesures pour qu'un chevalier qui veut aller à Jérusalem puisse vendre ses propriétés sans l'autorisation de sa femme, ou pour obliger certains diocésains de l'évêché de Senlis à restituer des vignes enlevées à l'évêque. Il l'engage

---

1. Sources. La Correspondance de Louis VII (t. XVI des *Historiens de France*) et celle d'Alexandre III (*Ibid.*, t. XV), et le *De Nugis curialium* de Gautier Map (édition Wright).
OUVRAGES A CONSULTER. H. Reuter, *Geschichte Alexanders III und der Kirche seiner Zeit*, 1860-1864. R. W. Eyton, *Court, household and itinerary of Henry II*, 1878. J. R. Green, *Henry II* (3ᵉ éd., 1892). L'article *Henry II* dans Stephen et Lee, *Dictionary of National Biography*. J. Bardoux, *De Walterio Mappio*, 1900.

à constituer un marché à Ferrières en Gâtinais, à rétablir la paix entre deux chevaliers qui se font la guerre, à protéger un pauvre homme que des vassaux du Roi opprimaient, à remettre en liberté une personne que ses agents avaient emprisonnée, à rendre ou à faire rendre exactement la justice à deux frères qui se disputaient un immeuble. Une autre fois il ordonne au Roi de punir le comte d'Auvergne et le vicomte de Polignac, persécuteurs de l'abbaye de Brioude.

A peine Louis VII manifeste-t-il par exception quelques velléités de résistance, lorsque la juridiction pontificale empiète, d'une façon par trop criante, sur celle de la Royauté. Un jour il est obligé de déclarer à son hôte qu'une certaine localité de l'Orléanais faisant partie de son domaine, les chevaliers qui s'y trouvent sont prêts à répondre de leurs actes devant sa justice mais n'ont rien à voir avec celle du Pape. Et il ajoute : « Nous prions Votre Paternité de garder, en leur personne, l'honneur qui nous est dû et de ne pas mettre la main sur eux. » Le Pape dut s'excuser, dans une autre circonstance, d'avoir accordé l'absolution au comte d'Auvergne, contre lequel Louis VII avait pris des mesures de rigueur. L'inconséquence, en effet, était flagrante, puisque c'était Alexandre lui-même qui avait engagé le Roi à sévir.

RÉSISTANCE DE LOUIS VII.

Le Roi est le serviteur dévoué du Pape, et le Pape sait l'en récompenser. En mars 1163, il lui envoie solennellement la « rose d'or, » comme au souverain le plus attaché à l'Église romaine et le plus digne, par sa piété et ses bonnes œuvres, de recevoir cet emblème. Il lui expose, dans une longue lettre, la signification mystique de la fleur « par laquelle règnent les rois et la justice. » Louis VII la reçut avec la reconnaissance d'un homme qui s'adonnait de plus en plus aux pratiques dévotes. Un chroniqueur affirme qu'il s'astreignait à suivre les offices aussi régulièrement que les chanoines de Notre-Dame, au milieu desquels il aimait à vivre. Il s'imposait jusqu'à trois carêmes et se privait de vin et de poisson tous les vendredis. Alexandre lui écrivit pour le dispenser de cette abstinence. Mais le Roi lui fit part de son embarras, ne sachant trop comment interpréter la dispense. Comprenait-elle les vendredis mêmes des trois carêmes ou s'appliquait-elle seulement aux autres vendredis? Alexandre répond que la dispense ne s'étend qu'aux vendredis du carême de la Saint-Martin à l'Avent. Pendant ce temps, il lui permet, à la condition qu'il doublera ses aumônes, un plat de poisson et un peu de vin.

LA ROSE D'OR.

Au reste, cette alliance intime avec la Papauté était une force. Elle donnait à Louis VII l'appui de l'opinion religieuse au moment même où son rival avait à se débattre dans une querelle des plus graves avec le chef de l'église anglaise, crise qui devait durer huit années (1163-1171).

A l'ouverture de cette crise, heureuse pour la France, représentons-nous, aussi exactement qu'il est possible de le faire, les deux personnages, si différents, du roi de France et du roi d'Angleterre.

PORTRAIT DE LOUIS VII. Au physique et au moral, on connaît Henri II beaucoup mieux que Louis VII. De celui-ci, nous n'avons qu'une silhouette indécise vaguement entrevue dans l'ombre de la majesté religieuse qui la recouvre. Aucun indice certain sur sa physionomie. Il était instruit et lettré, très pieux et très doux, de mœurs pures, compatissant aux misères, tolérant même pour les Juifs, vivant simplement, sans faste, assez populaire pour aller et venir au milieu de ses bourgeois de Paris sans prendre les précautions qui paraissaient nécessaires aux autres souverains. Une lettre de Jean de Salisbury, écrite en 1168, nous apprend que les étudiants allemands, qui abondaient à Paris, ne se gênaient pas pour témoigner leur hostilité, au moins en paroles, à la France et au Roi : « Ils ont le verbe haut et la menace à la bouche, *loquuntur grandia, minis tument,* » dit Jean de Salisbury. Ils se moquaient de Louis VII « parce qu'il vivait en bourgeois, parmi les siens, qu'il n'avait pas l'allure d'un tyran à la mode des barbares, et qu'on ne le voyait pas toujours entouré de gardes, comme quelqu'un qui craint pour sa vie, *ut qui timet capiti suo.* » Un jour, il s'endormit profondément dans une forêt, n'ayant pour le garder que deux chevaliers. Le comte Thibaut de Champagne le réveilla : « Je dors seul en toute sécurité, lui dit le Roi, parce que personne ne m'en veut. » « Ton seigneur le roi d'Angleterre, » dit-il un autre jour à Gautier Map, « ne manque de rien : hommes, chevaux, or, soie, diamants, gibier, fruits, il a de tout en abondance. Nous, en France, nous n'avons que du pain, du vin et de la gaieté. »

Louis VII était un justicier scrupuleux. Ayant appris qu'une rixe avait eu lieu entre clercs et laïques (sans doute dans le quartier des étudiants), il alla voir l'endroit où l'on s'était battu, et y trouva un tout jeune clerc, couvert de sang. Il lui demanda qui l'avait ainsi traité. « Le maître des chambellans de la reine, » répondit l'enfant. Louis fit arrêter aussitôt le coupable, et malgré les prières de la Reine lui fit couper le bras. Quand il eut donné l'ordre de bâtir son palais de Fontainebleau, les ouvriers englobèrent, par mégarde, dans l'enceinte, un champ qui appartenait à un pauvre homme. Sur la plainte du propriétaire, Louis VII fit raser une partie des murs et démolir les édifices déjà élevés. Une anecdote, rapportée comme les précédentes par Gautier Map, prouve que le Roi n'hésitait pas à punir même les hommes de son entourage qu'il aimait le mieux, quand ils se permettaient des plaisanteries outrageantes sur les dames de la cour. Un de ses favoris, Galeran d'Yèvre, fut pour ce fait condamné à l'exil.

Il est fâcheux que le roi de France ait gâté toutes ces belles qualités par son caractère irrésolu, imprévoyant, craintif de toute responsabilité (depuis sa rupture avec Aliénor et la croisade) et qu'il se soit montré aussi dénué de sens politique et d'énergie guerrière que son rival en était pourvu.

Henri II était de taille moyenne, fortement charpenté, carré d'épaules, avec des bras musclés comme ceux d'un lutteur, des jambes arquées de cavalier infatigable, le ventre un peu proéminent, des cheveux tirant sur le roux et coupés courts, une face léonine, rougeaude, de gros yeux gris, à fleur de tête, qui étincelaient dans la colère. Rien d'élégant dans sa tournure, ni dans sa mise souvent négligée. Quand il parut en Angleterre, il portait, à la mode d'Anjou, un petit manteau court qui étonna les Anglais, habitués aux longues robes du temps d'Henri Beauclerc : d'où son surnom de Court-Mantel que nos historiens ont mal à propos appliqué à son fils aîné, Henri le Jeune. Il ne gantait jamais ses larges mains calleuses, excepté quand il chassait le faucon. Tenue peu royale, mais où aurait-il trouvé le temps de soigner sa personne? Quand il ne voyageait pas, faisant cette éternelle navette entre la France et l'Angleterre, quand la guerre et les affaires cessaient de l'absorber, il chassait, avec une passion furieuse qui scandalisait et exténuait son entourage. Il revenait les jambes enflées, les pieds meurtris, mais ne se reposait pas. Sauf quand il était à cheval ou à table, on ne le voyait jamais assis; toujours debout, il allait et venait, incapable de rester en place, même dans les conseils et les assemblées les plus solennelles, même à l'église. Cette agitation mettait sur les dents clercs et chevaliers. Sa cour était un enfer, au dire de ceux qui l'habitaient.

HENRI PLANTAGENÊT

On y vivait d'ailleurs sans apparat, et le maître de l'empire angevin était, lui aussi, un homme très simple. Gautier Map affirme que lorsqu'il sortait, la foule des solliciteurs et des mendiants l'entourait, le pressait, le poussait même violemment, avec des cris et des injures, et qu'il laissait faire sans se fâcher, quitte à se retirer en lieu sûr quand la situation devenait intenable. Chaque jour, en « bon père de famille, » il faisait aux gens de son entourage d'abondantes distributions de pain, de vin et de chandelle. Comme il fallait tenir compte de l'opinion populaire, il était large en aumônes.

Cet homme, en qui surabondaient le sang et l'énergie, visait toujours un but politique. Il aimait la guerre en ambitieux, non pour elle-même, mais pour ses profits, et quand il l'avait résolue, il la fai-

SON CARACTÈRE.

sait avec une décision et une rapidité qui assuraient le succès. Il fut d'ailleurs plus diplomate encore que guerrier, négociateur rusé, subtil, opiniâtre, que n'arrêtait aucune délicatesse de conscience sur le choix des expédients. Fort peu dévot, bien qu'il ait fait supplicier des hérétiques et qu'il allât souvent à la messe comme tous les hommes de ce temps, il ne prêtait qu'une attention médiocre à ce qui se passait dans l'église. Il chuchotait affaires avec son entourage, crayonnait de petits dessins, regardait les sculptures et les peintures de l'édifice. Il ne fut pas grand constructeur d'églises ni prodigue envers le Clergé. Aussi l'accusait-on de parcimonie, même d'avarice. Il ne jeta l'or à pleines mains que pour les besoins de sa politique. Il s'engagea à faire la croisade et ne partit jamais, la croisade n'étant pour lui qu'un prétexte à impôt. La royauté d'Henri II, en plein XIIᵉ siècle, fut presque une puissance laïque.

SES QUALITÉS ET SES VICES.

Dans ses rares heures de loisir, il recherchait la société des savants et des lettrés. Lui-même savait plusieurs langues et parlait le latin et le français. Il encourageait les poètes, causait avec les clercs instruits, mais s'intéressait surtout à l'histoire, qu'il retenait merveilleusement, grâce à une mémoire imperturbable qui n'oubliait jamais ni un nom ni un visage. Constant dans ses amitiés comme dans ses haines, il était très bon et très large pour ses intimes et pour les officiers qui le servaient bien, et séduisait ceux à qui il voulait plaire. Il plaisantait volontiers, surtout aux dépens des gens d'église, et parlait agréablement, avec le don de persuader ses auditeurs. S'il ne s'apitoye pas, comme Louis VII, sur la condition des misérables, il a dompté les instincts pillards de la Noblesse. Il a fait aux petits le bien que peut faire un despote rigoureux pour les grands. Mais ces qualités de l'homme et du roi ont été compromises par l'excès même de l'ambition, par des brutalités de langage et de conduite qui lui ont valu des inimitiés mortelles, même au sein de sa propre famille, et aussi par l'absence complète de dignité dans la vie privée. Ses infidélités continues amenèrent entre lui et la reine Aliénor des différends et une rupture dont il fut surtout responsable. La fin de sa vie, déshonorée par des débauches et des scandales publics, rendit vraisemblables certaines accusations monstrueuses dont ses ennemis ne se firent pas faute.

L'ŒUVRE D'HENRI II EN FRANCE.

Il n'a pas réussi, comme il se l'imaginait, à réunir, sous une domination unique et forte, les différents pays que le jeu du hasard et des circonstances avait fait tomber entre ses mains. Cette tâche dépassait les forces d'un homme. Henri II pouvait difficilement lutter contre l'évolution irrésistible qui séparait le peuple anglais du peuple français, et créait, sur les deux rives de la Manche, deux existences nationales indépendantes. Sur le continent même, dans cette France du XIIᵉ siècle, où l'esprit particulariste des diverses provinces était encore si puissant, il fallait maintenir sous le même sceptre des régions aussi éloignées et aussi disparates que la Normandie et la Gascogne, la Bretagne et le Limousin, combattre l'hostilité mutuelle des races, soumettre une féodalité hostile. Il fallait triompher même des forces naturelles, car ces traversées fréquentes de la Manche, à une époque où la navigation était encore dans l'enfance, offraient toujours des dangers. Enfin la guerre contre le Capétien avait aussi ses difficultés et ses périls. Si peu redoutable que fut Louis VII, il avait sur son adversaire l'avantage de la suzeraineté féodale; il était le Roi protégé par la tradition et par l'Église. Quand on voit Henri II livrer à la fois toutes ces batailles et résister à tant d'ennemis différents, on admire l'audace de l'entreprise et le prodigieux labeur de l'ouvrier. Mais cet empire anglo-français, factice et peu viable, constitué par accident, en dépit des courants historiques les mieux dessinés, ne pouvait survivre longtemps à la forte intelligence qui l'avait créé et le maintenait comme par miracle.

C'est dans l'administration intérieure de l'Angleterre qu'il faut chercher les résultats les plus féconds et les plus durables de l'activité d'Henri II. Le terrain était préparé, puisque Guillaume le Conquérant et ses fils avaient jeté les fondements d'une monarchie presque absolue. La fusion des Saxons et des Normands était accomplie. Il existait une nation anglaise qui, après les troubles du règne d'Étienne de Blois, avait besoin de tranquillité, de justice et d'ordre. Henri II lui apporta ce qu'elle voulait : un gouvernement.

L'ŒUVRE D'HENRI II EN ANGLETERRE.

L'ordre monarchique lui parut incompatible avec le maintien des règles de hiérarchie et de vasselage, telles qu'on les observait de l'autre côté du détroit. De cette idée sortit tout un programme de réformes qu'il exécuta presque entièrement avec succès, et dont les provinces françaises de l'Empire, la Normandie surtout, eurent aussi le bénéfice. Il ne se fit d'ailleurs aucun scrupule, pour assujettir nobles et clercs à une loi commune, de violer les traditions et de réagir violemment contre le passé. Par ses tendances absolutistes, son caractère fiscal, ses procédés législatifs, avec ses conseillers déjà imbus des principes du droit romain, la royauté du premier Plantagenêt semble être contemporaine de celle de Philippe le Bel. Ses hardiesses ont donné à l'Angleterre et à la Normandie, sur la France capétienne, une avance de plus de cent ans. Là, et non pas dans ses conquêtes et dans ses intrigues, est la gloire d'Henri II.

Il s'aperçut pourtant qu'il y avait un certain danger à devancer son siècle. Au temps où il vivait, le sentiment religieux ne permettait

pas les atteintes directes portées à l'organisation de l'Église et aux
intérêts de ceux qui la représentaient. En s'attaquant au Clergé,
Henri II rencontra la limite de son despotisme : cette puissance morale,
que personnifiaient, en Angleterre même, l'Église de Cantorbery, et
hors de l'Angleterre, la Papauté et le sacerdoce attachés aux idées de
réforme. Son conflit avec Thomas Becket intéresse au plus haut degré
notre histoire nationale, non seulement parce que la France en fut le
théâtre pendant plusieurs années, mais parce que Louis VII sut tirer
profit de cette diversion pour prendre sur son rival un avantage temporaire et retarder l'heure de la suprême défaite dont sa dynastie
semblait menacée.

IV. — L'AFFAIRE DE THOMAS BECKET[1]

*HENRI II
ET LE CLERGÉ
D'ANGLETERRE.*

LES fameuses constitutions signées à Clarendon, le 30 janvier 1164,
par les évêques et les barons d'Angleterre, mettaient l'Église,
personnes et terres dans la main du Roi. Les clercs perdaient le droit
d'être uniquement justiciables de leurs tribunaux : on les forçait à
comparaître devant la justice royale. Archevêques et évêques, soumis
aux mêmes obligations que les seigneurs laïques, devenaient de
simples vassaux. Le droit d'excommunication était subordonné à la
volonté du Roi, les appels à Rome supprimés, les terres d'église assujetties à l'impôt royal. Faire du clergé anglais un instrument de
domination monarchique, et couper ses communications avec
l'étranger, c'est-à-dire avec le Pape et l'Église universelle, tel était le
but très apparent du Plantagenêt. S'il eût réussi, l'Angleterre aurait
été, dans la chrétienté latine, une exception. Mais Henri II ne devait
pas seulement se heurter au courant général des idées et des faits. Il
rencontra la résistance d'un évêque, Thomas Becket.

THOMAS BECKET.

Jamais homme ne parut moins qualifié que le chancelier d'Angleterre pour se faire, contre Henri II et sa monarchie administrative, le
champion du parti opposant, car personne n'avait travaillé plus que
lui à fonder l'absolutisme de cette monarchie. Légiste, juge, financier, capitaine, secrétaire d'État, Becket avait été, jusqu'en 1162,
l'instrument qu'il fallait à cette royauté violente d'Henri II. Violent
lui-même, hardi, ami du luxe et de l'argent, il s'était montré plus

---

1. SOURCES. Les textes sont réunis dans J. C. Robertson, *Materials for the history of
Thomas Becket*, 7 vol., 1875-1885 (collect. du Maître des Rôles).
OUVRAGES A CONSULTER. H. Reuter, *Geschichte Alexanders III und der Kirche seiner Zeit*,
t. II, 1860. L'article sur Thomas Becket, dans Stephen et Lee, *Dictionary of National biography*, t. LVI, 1898. F. W. Maitland, *Henry II and the criminous clerks*, dans English histo-
rical review, t. VII, 1892. R. Pauli, *Geschichte von England*, t. III, 1853.

royaliste que le Roi, conseillant tous les coups d'autorité et prêchant la politique de conquêtes. La passion l'entraîna même plus d'une fois jusqu'à lui faire oublier les véritables intérêts du prince dont il était le premier ministre et l'ami. Au fond, le sens politique lui faisait défaut. Il avait l'esprit vigoureux, mais étroit. Tel était l'homme qui devint tout à coup, par le seul fait de sa nomination à l'archevêché de Cantorbéry (3 juin 1162), le défenseur de privilèges et d'intérêts qu'il avait combattus, et l'adversaire inflexible du Roi à qui il devait tout.

Il y avait de la grandeur à reprendre la tradition des évêques militants du xıᵉ siècle, si énergiquement dévoués à la cause de l'indépendance ecclésiastique. Thomas Becket paraît continuer saint Anselme : mais, vus de près, ces deux lutteurs se ressemblent peu. Anselme combattait au nom de principes et d'intérêts purement spirituels : il voulait la liberté, sinon la prépondérance, de l'Église dans l'État, et l'exaltation du Clergé par la réforme, par la pureté des mœurs, par le renoncement aux passions terrestres. Becket, au contraire, commença la lutte par une résistance très vive sur de mesquines questions d'argent. Ses premiers actes d'opposition ont été de refuser le paiement de taxes qui atteignaient ses biens archiépiscopaux. Pendant toute la durée du conflit, les négociations qu'il a engagées, les traités qu'il a conclus ou voulu conclure, ont été dominés par des préoccupations d'argent, par des soucis de grand propriétaire terrien. Il a, dès le début, compromis sa cause par un excès de passion, des colères impolitiques, une intransigeance maladroite. Aussi, après avoir ouvertement bravé, comme il fit à Clarendon et à Northampton, la toute-puissance d'un roi, soutenu par une noblesse et un épiscopat déjà façonnés au despotisme, Thomas ne tarda pas à se réfugier sur le sol français (1164).

CARACTÈRE DE SON OPPOSITION.

L'exilé volontaire avait le prestige d'un chrétien qui a déjà beaucoup souffert pour la cause de Dieu, de l'Église et du Pape. Son ennemi était celui de la France. Louis VII s'empresse donc d'accueillir Becket. Il déclare qu'il ne permettra pas qu'on touche à l'archevêque « pas plus qu'à la pupille de ses yeux. » Henri II lui ayant écrit pour le prier de ne pas donner asile « à un traître, » condamné par la justice anglaise, à celui qu'il appelle « l'ex-archevêque de Cantorbéry » : — « L'ex-archevêque ! répond le roi de France, qui donc l'a déposé ? Certes, je suis roi, tout aussi bien que le roi d'Angleterre, mais je ne pourrais pas déposer le moindre clerc de mon royaume. » Et il ajoute que ses prédécesseurs ayant pris l'habitude de faire bon visage aux exilés, il ne faillira pas aux traditions hospitalières qui sont l'honneur de sa couronne. Becket s'était installé d'abord à Pon-

THOMAS BECKET EN FRANCE.

tigni, abbaye de l'ordre de Cîteaux. Henri II menace les Cisterciens d'user de représailles sur les couvents et les domaines que l'ordre possédait dans ses États. L'abbé de Cîteaux, très ému, oblige l'archevêque à quitter la place. Indigné du peu de courage de ces moines, Louis VII s'écrie : « O religion, où es-tu? Des hommes qu'on croyait morts au siècle craignent les menaces terrestres, et rejettent de leur sein celui qui est frappé pour la cause de Dieu! » Il propose aussitôt à Becket, qui accepte, l'hospitalité dans une ville royale, à Sens, où il pourra séjourner sans crainte. La guerre entre les deux rois devenait inévitable : elle commença en 1167 pour durer jusqu'en 1172.

RENOUVELLEMENT DES HOSTILITÉS.
Elle fut intermittente et traînante, coupée sans cesse par des armistices ou des trêves. On brûle des châteaux, et surtout des villages, sur la frontière normande, dans le Vexin. Louis pénètre jusqu'aux Andelis et Henri jusqu'à Chaumont, simple échange de ravages et d'incendies. Henri II achève de s'emparer de la Bretagne, dont l'héritière Constance, fille de Conan IV, est fiancée à son fils Geoffroi, tandis que les agents de Louis VII soutiennent contre le Plantagenêt, en Auvergne, la révolte du comte Guillaume IX et, en Poitou, la Féodalité rebelle. Les rois cependant ont de fréquentes entrevues, dans le Vexin, dans le Perche, près de Tours; aucune n'aboutit.

Dans les guerres précédentes, le Plantagenêt avait agi plus vite et frappé plus fort. On sent qu'ici il n'a plus ses coudées franches. La crise religieuse l'embarrasse. Les contemporains, peu attentifs aux démonstrations militaires des deux rois, se demandaient surtout comment se terminerait le drame commencé à Northampton, et qui l'emporterait, du roi d'Angleterre ou du primat de Cantorbery. Mais les pourparlers engagés entre Thomas Becket, Henri II, Louis VII, Alexandre III, et d'autres personnages ecclésiastiques et laïques, durèrent six ans (1165-1171).

MANIFESTE D'HENRI II.
Le roi de France et le pape Alexandre prirent une peine infinie pour rétablir l'accord; Thomas et Henri laissaient agir les intermédiaires, mais ne sacrifiaient rien de leurs idées et de leurs prétentions Henri II, plus que jamais, isole son clergé et lui interdit tout rapport avec l'archevêque comme avec le Pape. Il sévit contre les partisans de son adversaire, et tente de se justifier dans une lettre adressée au collège des cardinaux. « On me reproche d'avoir chassé Thomas de Cantorbery, on demande que je le rappelle et lui rende son siège : mais il est faux que je l'aie forcé à sortir du royaume. Il en est sorti lui-même, par légèreté, par méchanceté, pour me nuire et soulever contre moi une opinion injuste. S'il veut revenir et rendre ce qu'il doit à son prince, je ferai pour lui ce qui lui est dû, d'après l'avis du

clergé et des seigneurs de mon royaume, conformément à nos anciennes coutumes. Celui qui voudrait abolir ces coutumes sera toujours, à mes yeux, un ennemi public ; je ne souffrirai pas qu'on altère ou diminue les droits que les rois d'Angleterre ont toujours exercés et que de saints pontifes ont souvent reconnus. » Posée dans ces termes, la question était insoluble. Henri va jusqu'à menacer Alexandre de mettre l'Angleterre sous l'obédience de l'antipape Pascal, et se rapproche ostensiblement de l'empereur Frédéric. En 1170, quand il fera couronner son fils aîné, Henri le Jeune, il emploiera, à défaut de l'archevêque de Cantorbrey, primat du royaume, le ministère de l'archevêque d'York, ce qui exaspérera Thomas Becket.

Aigri par la persécution, par l'exil, exalté par la grandeur du rôle qu'il s'est attribué, l'archevêque ne riposte pas seulement aux attaques, il prend l'offensive. De la terre de France, où l'on ne peut l'atteindre, il fulmine contre ses ennemis d'Angleterre, prodigue les suspensions, les interdits, les excommunications personnelles, frappe les évêques de Londres, de Salisbury, de Durham, jusqu'à l'archevêque d'York. Il n'épargne pas d'ailleurs ses propres amis. Lui aussi se plaint d'Alexandre III, et avec autant d'amertume qu'Henri II ; il l'accuse de tiédeur, il ne comprend pas que le chef de l'Église soit tenu à ménager les puissances du siècle. « A la cour de Rome, » écrit-il, « Barrabas est toujours absous et Jésus toujours condamné. »

INTRANSIGEANCE DE BECKET.

Entre les deux adversaires, la situation d'Alexandre était difficile. Pour plaire à Becket, il fallait excommunier le roi d'Angleterre, c'est-à-dire le jeter entre les bras de l'empereur d'Allemagne et de l'antipape. D'autre part, le Pape pouvait-il abandonner l'archevêque et livrer l'église anglaise au Plantagenêt? Alexandre et les cardinaux voulurent ménager l'un et l'autre. Le Pape alla jusqu'à exempter, par bulle confidentielle, le roi d'Angleterre, ses courtisans et ses évêques de la juridiction spirituelle de l'archevêque de Cantorbery. La publication de cette bulle par Henri II fit scandale. Le roi d'Angleterre put se vanter de tenir le Pape et tous les cardinaux « dans sa poche », *in bursâ suâ*. Comme son aïeul Henri Beauclerc, il était à la fois, dans son île, « roi, empereur, légat apostolique et patriarche. »

EMBARRAS DU PAPE.

Louis VII ne comprit ni la raideur intraitable de l'archevêque, ni les roueries d'Henri II, ni les finesses de la politique pontificale. Dans cette pièce compliquée qui se jouait chez lui, il était le seul acteur sincère. Quand il apprit, en 1168, que le Saint-Siège semblait donner raison à Henri II et se hâtait de confirmer la validité du mariage conclu entre le fils du roi d'Angleterre et l'héritière de la Bretagne, il menaça d'interdire aux légats pontificaux son territoire et d'assembler un concile devant lequel il exposerait ses griefs contre l'Église romaine. Il essaya, d'autre part, de rétablir la paix par la réconciliation d'Henri II et de Becket qu'il fit se rencontrer deux fois.

ENTREVUE DE MONTMIRAIL.

A Montmirail (6 janvier 1169), Thomas Becket déclara à Henri II, en présence des Français, qu'il s'en remettait de tout le conflit à l'équité et à la volonté de son souverain, mais il ajouta ces trois mots : *salvo honore Dei*, « sauf l'honneur de Dieu. » « Seigneur roi, dit alors Henri à Louis, « faites attention à ce que vient de dire cet homme ; il prétendra que tout ce qui lui déplaît est contraire à l'honneur de Dieu. Pour l'amour de la paix, voici ce que je propose. Qu'il m'accorde seulement tout ce que les plus saints des archevêques, ses prédécesseurs, ont toléré du plus indigne des rois, mes ancêtres, et je me tiendrai pour satisfait. » Thomas ne répondit rien. L'entourage s'écrie : « Le roi s'est assez humilié, » et Louis VII se tournant vers Becket : « Seigneur archevêque, voulez-vous donc être plus grand que les saints et meilleur que Pierre? Qu'attendez-vous? La paix est entre vos mains. » L'archevêque ouvre enfin la bouche : « Nos pères ont souffert pour n'avoir pas voulu taire le nom du Christ, et moi, pour rentrer en grâce auprès d'un homme, je supprimerais l'honneur de Dieu! Jamais. »

ENTREVUE DE MONTMARTRE.

Pourtant Louis VII continue de donner l'hospitalité à l'archevêque de Cantorbery. Il avait conclu avec Henri II, sur la question du Poitou et de la Bretagne, dans cette même assemblée de Montmirail, des conventions que le roi d'Angleterre viola. Alors le roi de France se prosterna pieusement aux pieds de Thomas Becket et lui dit : « Mon père, nous étions tous aveugles : vous seul avez vu clair, excusez-moi et pardonnez-moi. » Pourtant, à la fin de l'année 1169, il reprenait son rôle de médiateur. Le 18 novembre, les deux adversaires se rencontraient encore à Montmartre. Henri II promit de recevoir l'archevêque dans son royaume, de lui rendre sa fonction dans les conditions où ses prédécesseurs l'avaient tenue, et de lui donner une somme de mille marcs pour préparer son retour. Becket demanda 30 000 marcs, et quand Henri eut cédé, il demanda le baiser de paix. « Je le donnerais volontiers, dit le roi d'Angleterre, mais j'ai juré publiquement que jamais je ne donnerais le baiser de paix à l'archevêque de Cantorbery. » Louis VII ayant déclaré que Becket, « dût-il recevoir du Roi son poids d'or, » ne pouvait pas rentrer en Angleterre sans ce baiser, Henri s'obstina, et tout fut rompu.

NÉGOCIATION DE LA FERTÉ-BERNARD.

Enfin, à une troisième entrevue, celle de la Ferté-Bernard (20 au 22 juillet 1170), Henri accueillit l'archevêque avec des marques d'amitié et de respect qui surprirent les assistants. Il discuta longuement avec lui sans colère et lui donna satisfaction sur toutes ses demandes. Quand Becket descendit de cheval pour s'agenouiller devant lui, il le releva, lui tint l'étrier, et lui dit presque avec des larmes dans les yeux : « Allons, seigneur archevêque, rendons-nous mutuellement notre vieille affection, faisons-nous l'un à l'autre le plus de bien que nous pourrons et oublions le passé. »

Henri II avait-il jugé prudent de terminer un conflit qui s'envenimait toujours? craignait-il une intervention plus énergique du Pape en faveur de l'archevêque? ou bien voulait-il attirer Becket en Angleterre pour le livrer à sa justice? on ne sait; mais Becket, à peine rentré à Cantorbery, ayant mis le trouble partout par ses revendications et par ses excommunications, le Roi, assailli de plaintes contre lui, laissa échapper un jour, au château de Bur, près de Bayeux, où il se trouvait en décembre 1170, ces paroles : « Un homme qui a mangé mon pain, qui à ma cour vint pauvre et que j'ai élevé au-dessus de tous, le voilà qui, pour me frapper aux dents, dresse son talon, avilit ma race et mon règne! J'ai du chagrin plein le cœur! Personne ne me vengera donc de ce clerc? »

Quatre de ses chevaliers entendirent le mot et s'embarquèrent. Le 29 décembre, l'archevêque de Cantorbery était égorgé dans son église, au pied de l'autel. Il est prouvé que les assassins n'avaient reçu d'autre mission d'Henri II que de forcer Thomas à comparaître devant les juges royaux, mais l'opinion accusa le roi d'Angleterre d'être leur complice. Le roi de France, son clergé et ses barons réclamèrent du Pape le châtiment. On ne crut pas aux protestations d'Henri II, à la douleur qu'il parut ressentir, au point de s'enfermer dans sa chambre et d'y rester trois jours sans parler à personne et presque sans manger.

MEURTRE DE BECKET.

Cependant, son plus mortel ennemi n'aurait pu lui souhaiter un malheur pire que le meurtre de Thomas Becket. L'archevêque assassiné devint le saint le plus populaire de l'Angleterre; les miracles se multiplièrent sur son tombeau. Toute l'Europe chrétienne s'indigna contre le crime. Henri II fut obligé de s'humilier. Il renonça par serment aux constitutions de Clarendon et reconnut les droits du Pape sur l'Église d'Angleterre, augmenta les privilèges et les domaines de l'archevêché de Cantorbery, s'engagea, pour la rémission de son péché, à un voyage en Terre Sainte, et finit par faire amende honorable, publiquement, sur les reliques du saint.

SES CONSÉQUENCES.

Serait-il juste de faire retomber sur le roi d'Angleterre seul la responsabilité de la lutte et des malheurs qu'elle produisit? Certains privilèges du Clergé, entre autres l'immunité judiciaire des clercs, étaient incompatibles avec les nécessités, nous ne disons pas d'une monarchie absolue, mais de tout État régulièrement organisé. Becket n'a pas seulement sauvegardé des droits légitimes : il a voulu aussi maintenir un système d'abus contre lesquels la conscience publique commençait déjà, obscurément, à se révolter. Il faut se garder de juger uniquement Thomas Becket sur les sentiments de pieux enthousiasme que le Moyen âge témoigna à celui qu'il appela « le martyr de Cantorbery. »

V. — *LOUIS VII ET L'EXTENSION DU POUVOIR MORAL DE LA ROYAUTÉ*[1]

NAISSANCE DE PHILIPPE-AUGUSTE.

LA défaite et l'humiliation du roi d'Angleterre étaient une victoire pour le roi de France. Louis VII semblait en avoir fini avec la mauvaise fortune. La reine Adèle de Champagne lui avait donné, le 21 août 1165, le fils attendu depuis vingt et un ans.

Un étudiant parisien, Pierre Riga, a raconté, dans un petit poème latin, les scènes qui se passèrent au palais et dans la ville la nuit de la naissance : palatins et bourgeois attendant fiévreusement la délivrance de la Reine, celle-ci pleurant de joie d'avoir un fils, la grande nouvelle volant de bouche en bouche, presque aussitôt après l'événement, « car bien que la chambre royale fût close, des impatients ont trouvé le moyen d'y regarder par une fente et d'apercevoir l'enfant. » Paris s'éveille : rues et places s'illuminent de torches et de cierges, les églises s'ouvrent au son des trompettes, les cloches sonnent. Un chapelain va notifier l'événement aux monastères. Il arrive à Saint-Germain des Prés au moment même où les moines chantaient à matines : « Béni le Seigneur, le Dieu d'Israël, parce qu'il a visité et racheté son peuple. » Ce messager de bénédiction est accueilli avec enthousiasme et « les cadeaux tombent sur lui comme la pluie. » Un étudiant anglais, le futur historien Giraud de Barri (il avait alors une vingtaine d'années), dormait profondément lorsqu'il fut réveillé par des bruits et par les lueurs de la rue. Il saute de son lit, court à la fenêtre et aperçoit deux pauvres vieilles qui, portant chacune un cierge allumé, gesticulaient et couraient comme des folles. Il leur demande ce qu'elles ont à s'agiter ainsi : « Nous avons un roi que Dieu nous a donné, répond l'une d'elles, un superbe héri-

---

1. SOURCES. La Correspondance de Louis VII, au t. XVI des *Historiens de France*, et Luchaire, *Études sur les actes de Louis VII*, 1885.
    OUVRAGES A CONSULTER. Luchaire, *Histoire des institutions monarchiques de la France sous les premiers Capétiens*, 2ᵉ édit., 1891, t. II. E. Petit, *Histoire des ducs de Bourgogne de la race capétienne*, t. III et IV, 1889-1891. Dom Vaissète, *Histoire générale de Languedoc*, éd. Privat, 1872-1892. P. Fournier, *Le royaume d'Arles et de Vienne*, 1891. A. Leroux, *Le massif central*, 1898, t. 1. J. Roucaute, *Qua ratione et quibus temporibus fines dominii regii in Gabalitano constituti sint (anno* MCLXI-*anno* MCCCVII*)*, 1900, etc.

tier royal, par la main de qui votre roi, à vous, recevra un jour honte et malheur ! »

Laissons la prophétie, que l'auteur ajouta sans doute après coup, pour garder le témoignage de l'affection profonde que le peuple portait à ses rois. Évêques, moines, communes envoyèrent à Louis VII des félicitations. Nous avons encore une charte où le Roi rend grâces au Seigneur et rappelle naïvement « combien il était effrayé du nombre de ses filles et avec quelle ardeur son peuple et lui avaient souhaité la venue d'un enfant appartenant à un sexe plus noble. »

HENRI II ET L'ENFANT DE FRANCE.

Henri II avait certainement escompté à son profit, ou à celui de son fils aîné, fiancé à une fille de Louis VII, l'éventualité en France d'une succession féminine. En 1169, il revenait avec Louis de la conférence de Montmartre, lorsqu'on lui apporta, sur le chemin, le petit prince français, alors âgé de quatre ans. Henri le regarda d'un air maussade et lui adressant quelques mots, se hâta de tourner bride. Mais l'enfant le rappela et le supplia « d'aimer son père, la France et lui-même, afin d'obtenir par là les bonnes grâces de Dieu et des hommes. » C'est Thomas Becket lui-même, témoin oculaire, qui raconte le fait dans une de ses lettres : « Il semble, ajoute-t-il, que Dieu ait inspiré ce jour-là l'esprit et la langue de cet enfant d'élection. »

PRESTIGE MORAL DE LA ROYAUTÉ FRANÇAISE

Sur son rival d'Angleterre, le roi de France gardait une supériorité morale dont les effets sont visibles. Il imposait le respect par le caractère à demi religieux de sa fonction, par le patronage exercé sur les clercs et les moines, par son alliance intime avec la papauté légitime. Il bénéficiait aussi du souvenir encore vivant des Carolingiens dont il se disait et dont on le croyait l'héritier direct. Il représentait tout ce passé glorieux qui remplissait alors les imaginations et inspirait les poètes. Enfin, les populations, même les plus éloignées de Paris, avaient déjà presque le sentiment — si vague fût-il — de l'unité morale du pays français ; elles sentaient qu'elles faisaient partie d'un corps dont le roi de France était la tête. La correspondance de Louis VII est remplie des témoignages de cette solidarité, plus forte que le lien féodal. Par là s'explique en grande partie que la royauté capétienne, malgré la puissance des Plantagenêts, ait continué son progrès.

LOUIS VII ET LA BRETAGNE.

Ce progrès est naturellement peu sensible dans l'Ouest où Louis VII ne peut faire autre chose que de soutenir les révoltes des ennemis ou des vassaux du Plantagenêt, par des alliances de pur intérêt, aussitôt défaites que conclues. En Bretagne, il appuie l'un des nombreux concurrents au duché et entretient quelques relations avec les évêques ; mais si les Bretons (surtout ceux de la

région celtique) résistent à Henri II, ce n'est pas par affection pour
la France. Au Moyen âge, leur idéal sera toujours de garder leur indépendance. Il est venu pourtant de ce pays, au temps de Louis VII,
une preuve curieuse du prestige qui s'attachait à la personne royale :
une sorte de déclaration d'amour adressée au Roi par une princesse
bretonne, Constance, fille du comte de Richemond, Alain. Elle lui
écrit qu'elle ne l'a jamais oublié; que beaucoup d'hommes ont voulu
lui offrir des présents d'amour, mais qu'elle n'en a accepté aucun :
« S'il plaît à votre libéralité, ajoute-t-elle, envoyez-moi, à moi qui
vous aime plus qu'on ne peut dire, quelque insigne amoureux, un
anneau, ou n'importe quel autre souvenir, je le tiendrai pour plus
précieux que tout l'or du monde. » Elle nous apprend qu'elle lui a
adressé un messager et le remercie de lui avoir fait bon accueil.
« S'il existe, continue-t-elle, dans notre région, quelque chose qui
puisse vous plaire, un épervier, un chien, un cheval, n'hésitez pas
à me le faire savoir par le porteur de cette lettre. Sachez que si la
fortune ne me sourit pas, j'aimerais mieux être mariée à l'un de vos
sujets, si humble soit-il, que d'épouser le roi d'Ecosse, et je le prou-
verai. Aussitôt que mon frère, le comte Conan, sera revenu d'Angleterre, j'irai à Saint-Denis pour faire mes dévotions et aussi pour
avoir le bonheur de vous voir. *Valete ut valeam* [1]. »

    Si Louis VII perdait du terrain dans les provinces occidentales,
il étendait ses relations dans la France de l'Est et du Midi.

LE POUVOIR
ROYAL
EN CHAMPAGNE.   Des liens intimes avaient uni de tout temps à la Royauté l'archevêché de Reims et l'évêché de Châlons-sur-Marne. Le gouvernement
de Paris trouvait là un solide point d'appui contre l'hostilité des
hauts feudataires de cette région, notamment des comtes de Rouci
et de Champagne. Louis VII fut assuré pour de longues années de
l'archevêché de Reims par l'élection de son frère Henri. Son autorité
n'est point contestée à Châlons. L'évêque Gui reconnaît qu'il lui doit
son élévation à l'épiscopat et invoque son secours soit contre l'avoué
ou vidame de Châlons, Gérard, soit contre la bourgeoisie de cette
ville, que le Roi empêche de s'organiser en commune. Lorsque des
troubles agitent la ville, c'est à Louis VII que le Clergé recourt,
comme au véritable seigneur du pays. En 1164, l'abbé de Saint-
Menge le supplie de venir en personne apporter la paix : « Vous

1. Des érudits se sont trop hâtés de conclure de cette lettre que la romanesque Bretonne aspirait à épouser le roi de France, et ils ont attribué son billet doux à l'une des
périodes de veuvage par lesquelles a passé Louis VII, en 1154 ou en 1160. Rien de moins
sûr. C'est peut-être ici simplement une de ces passions poétiques et platoniques qui
unissaient une dame de haut parage au chevalier de son choix et donnaient lieu à un échange
de gages d'amour sans que le mariage de la personne aimée fût un obstacle. En réalité,
Constance ne fut ni reine de France ni reine d'Ecosse. Elle épousa un noble de son pays,
Alain III, seigneur de Rohan.

envoyez des délégués, lui écrit-il, ils viennent, mais ne font absolument rien. Ils s'en vont poursuivis par les moqueries de certains personnages. Tout le monde s'écrie : « Où est donc le Roi, notre sei-« gneur, et quand donc viendra-t-il nous secourir? » Mais l'action du gouvernement royal s'étendait bien plus loin encore, dans la direction du Nord, sur les évêchés d'Arras, de Térouanne et de Tournai. L'évêché de Cambrai, et même les prélats lorrains, entre autres celui de Toul, essayent alors de se rattacher à la France, dont ils invoquent l'appui contre les prétentions du duc de Lorraine.

En Bourgogne, les évêchés et beaucoup d'abbayes dépendaient de la couronne de France. Les contestations qui s'élèvent à Langres sont portées devant la justice du Roi. Ces liens se resserrent encore, en 1179, lorsque Louis VII prend l'engagement, en son nom et au nom de ses successeurs, de ne jamais laisser la cité de Langres, ni aucune des possessions de l'évêché, se séparer du domaine royal. Le roi de France se trouve chez lui dans les cités épiscopales de Mâcon et de Chalon-sur-Saône. Tous les prélats bourguignons recherchent les occasions de proclamer hautement leurs attaches avec la dynastie et de reconnaître que leurs terres sont la propriété du Roi. « Souvenez-vous, » dit l'abbé de Cluni à Louis VII, en 1166, « que votre royaume ne se compose pas seulement de la France, bien qu'il en porte spécialement le nom. La Bourgogne aussi est à vous. Vous ne devez pas moins veiller sur celle-ci que sur celle-là. »

LOUIS VII ET LA BOURGOGNE.

Si le clergé de Bourgogne ne cesse de réclamer avec insistance la présence du souverain, c'est qu'il veut échapper aux persécutions des nobles. Le duc de Bourgogne est l'ennemi permanent de l'évêque de Langres; les comtes de Chalon et de Mâcon jettent perpétuellement la terreur dans ces diocèses et tyrannisent l'abbaye de Cluni. Le Roi cite à son tribunal tous ces perturbateurs de la paix publique; ils sont jugés et condamnés. Mais ces arrêts n'ont de valeur que si l'exécution en est assurée par la force. Louis VII parut plusieurs fois en Bourgogne avec une armée. En 1166, pour venger le massacre des habitants de Cluni, il alla combattre le comte de Chalon et réussit à le dépouiller de son fief. Ces exécutions ne furent point sans doute assez répétées pour maintenir longtemps la paix; elles eurent du moins pour résultat d'habituer la féodalité de cette région à tenir compte de l'autorité du roi de Paris. Louis VII s'efforçait ainsi de rattacher à la royauté française cette bande de pays neutres que l'empire germanique, de son côté, voulait garder sous sa dépendance.

Les ducs de Bourgogne devaient chercher à échapper aux deux

suzerainetés qui se partageaient inégalement leur fief. Mais Louis VII
trouva le moyen d'affaiblir cette maison en favorisant les divisions
qui éclatèrent parmi ses membres. Il soutint la duchesse douairière
Marie contre son fils Hugues III et revendiqua pour la cour royale la
connaissance de leur procès. Contre la féodalité impérialiste du
Mâconnais et du Chalonnais, il s'assura l'alliance et la fidélité de celle
du Forez, du Beaujolais et du Lyonnais. Le comte de Forez, Guigue III,
lui fit solennellement hommage de tous ses fiefs, même de ceux qui,
disait-il, « n'avaient jamais relevé de personne. » Humbert, sire de
Beaujeu, suivit l'exemple de son voisin.

*ACTION DU
ROI DE FRANCE
DANS LES PAYS
D'EMPIRE.*

L'influence du roi de France commençait même à s'étendre
sur les parties de l'ancien royaume de Bourgogne qui dépendaient
de l'Empire, sur la Bresse et le Bugey, le Dauphiné et même le
Vivarais. Une visite de Louis VII à la Grande-Chartreuse, peu de
temps avant 1163, fut le point de départ de ses relations avec les seigneurs laïques et ecclésiastiques de cette région. On voit l'évêque de
Belley, Antelme, écrire au Roi pour lui rappeler leur entrevue et lui
recommander son neveu, étudiant à Paris. Renaud de Bâgé, seigneur
de Bresse, offre de se faire son vassal, s'il veut lui prêter main-
forte contre ses ennemis : « Venez, lui dit-il, dans ce pays où votre
présence est nécessaire soit aux églises, soit à moi. Ne craignez point
la dépense : je vous rendrai tout ce que vous aurez déboursé; je
recevrai de vous tous mes châteaux qui ne reconnaissent aucun suzerain; en un mot, tout ce que j'ai sera à votre disposition. »

*LOUIS VII
EN DAUPHINÉ.*

Le mariage d'Albéric Taillefer, fils du comte de Toulouse et de
Constance, sœur de Louis VII, avec la fille du dauphin de Viennois,
mit la royauté française en rapport avec un pays d'empire qui jusqu'alors était resté à peu près étranger à la dynastie capétienne.
Louis VII, en donnant son approbation au mariage de son neveu, ne
manqua pas d'écrire à la comtesse, mère du dauphin, et aux principaux chefs de la région dauphinoise. Le comte de Toulouse lui faisait
remarquer avec raison qu'il y avait là une porte ouverte à l'introduction de la domination française et du pouvoir royal dans ce
pays éloigné. Les religieux de la Grande-Chartreuse manifestèrent
à Louis VII toute la joie que leur causait cet événement, où,
disaient-ils, « ils ne pouvaient s'empêcher de reconnaître la main de
Dieu. »

LYON.

Enfin le roi de France ne négligeait aucune occasion d'attirer à
lui la grande cité de Lyon. Il favorisa l'élection de l'abbé de Pontigni,
Guichard, agréé comme archevêque de Lyon par le pape Alexandre III.
Thomas Becket écrivit à Louis VII, en 1165, pour lui exprimer l'espoir que « ce prélat continuerait à lui être fidèle et s'efforcerait de

soumettre, comme de juste, à sa domination, non seulement sa ville archiépiscopale, mais tout le pays avoisinant. » Pour accomplir la réunion de Lyon au royaume de France, il fallait encore les efforts de plusieurs générations de souverains; mais les voies étaient préparées.

Au centre du royaume, dans la région de hauts plateaux et de montagnes qui sépare la Loire de la Garonne, les féodaux tiennent pour le roi d'Angleterre, mais le Clergé, les moines surtout, recherchent la protection du roi de France. Les chanoines de Clermont, le chapître et les bourgeois de Brioude l'appellent à leur secours pour être délivrés des persécutions du comte d'Auvergne ou de ses alliés. L'abbé de Manlieu lui rappelle que son abbaye a été fondée par ses prédécesseurs, les Carolingiens, et le révère « comme son seul maître après Dieu. » L'abbé de la Chaise-Dieu lui écrit : « Nous vous remercions de l'ineffable affection de cœur que vous n'avez cessé de témoigner, en paroles et en actes, à notre personne et à notre église. Sachez que dans tous les sacrifices, psaumes, cantiques, hymnes spirituels, offerts par nous à Dieu tous les jours, votre souvenir tient une large place. Nous agissons ainsi pour deux raisons, d'abord parce que vous êtes notre seigneur, ensuite parce que vous êtes notre confrère. » Le roi de France, en effet, par tradition, était moine ou chanoine d'honneur dans plusieurs églises. Il faisait ainsi partie du Clergé. Aussi répond-il à l'appel des persécutés. Par deux fois (1163 et 1169) il a relancé le comte d'Auvergne jusque dans ses montagnes, et l'a tenu quelque temps en prison. Défenseur de Notre-Dame du Pui et de ses pèlerins, il s'enfonce dans le Velai à la poursuite des vicomtes de Polignac, brigands incorrigibles qu'il parvint aussi à incarcérer (1173). On dirait qu'il n'a eu d'énergie que pour faire œuvre pieuse et protéger « sainte Église. » En même temps, à ces évêques et à ces abbés d'Auvergne, il octroie privilèges et prérogatives. Brioude, le Pui, Aurillac, Mauzac, Cusset, obtiennent de lui le renouvellement des diplômes impériaux et royaux qui leur avaient conféré l'immunité.

Les comtes de Nevers étaient en hostilité permanente avec toutes les églises dont les possessions avoisinaient leur fief. A Auxerre comme à Vézelai, ils soutenaient les bourgeois contre les clercs et ne perdaient pas une occasion de piller la terre d'église. Sur la plainte de l'abbé de Vézelai, Louis VII mande à l'assemblée de Moret (1166) le comte de Nevers, Guillaume IV, et lui reproche ses agissements : « Les droits que je possède sur l'abbaye de Vézelai, répond le comte, ce sont mes ancêtres qui les ont reçus en fief de vos prédécesseurs.

— S'il est vrai, répond le Roi, que mes ancêtres ont donné ce fief aux tiens, ils l'ont fait sans aucun doute pour que l'abbaye trouvât en eux des défenseurs et non des oppresseurs. » L'abbé, à son tour, s'adresse au Roi : « Ce que le comte dit de la cession faite à ses ancêtres par vos prédécesseurs ne peut se soutenir. Voici en effet les privilèges qui établissent la liberté du monastère et le déclarent exempt de toute coutume et de toute soumission à une autorité quelconque. Cependant je remets entre vos mains ces privilèges, tant apostoliques que royaux, ainsi que l'abbaye de Vézelai elle-même, disposez du tout suivant les convenances de votre justice. » Mais le comte de Nevers ayant refusé, à plusieurs reprises, d'accepter les arrêts de la cour du Roi, il fallut que Louis VII, pour le faire céder, le menaçât d'une expédition en Nivernais.

LES SEIGNEURS DE BOURBON.

Une seule maison seigneuriale, parmi les groupes féodaux du bassin de la Loire, accueillit avec faveur les entreprises du pouvoir central : celle des seigneurs de Bourbon, que des liens de parenté unissaient depuis longtemps aux Capétiens. L'action de Louis VII sur cette partie du territoire eût été plus efficace et plus prompte si elle n'avait été entravée par Henri II. Celui-ci, réclamant sur l'Auvergne et le Berri occidental la suzeraineté exercée par les anciens ducs d'Aquitaine, encouragea naturellement contre la France les résistances de la féodalité locale.

RELATIONS AVEC LE CLERGÉ LANGUEDOCIEN.

En Languedoc, le Roi, par ses relations avec les abbés et les évêques, s'insinue au cœur du pays. Il n'est pas de si petite église, perdue au fond des Cévennes méridionales ou des Pyrénées, qui ne cherche à communiquer avec lui. Le prieur de Saint-Pons de Tomières lui demande de le recommander auprès du Pape. Un abbé de l'Escale-Dieu en Bigorre le supplie de lui faire rendre l'argent qu'un bourgeois de Toulouse lui a enlevé. L'évêque de Maguelonne le remercie d'avoir bien reçu ses messagers et proteste de son dévouement « à la personne royale et au royaume. » L'archevêque de Narbonne déplore « comme le plus grand des malheurs » de ne pas le connaître personnellement. L'abbé de Saint-Gilles lui écrit : « Toutes les fois que la bonté de Votre Majesté Royale daigne nous visiter par ses envoyés ou par ses lettres, remplis d'une immense joie, nous considérons cela comme le plus précieux de tous les présents. Votre Grâce magnifique nous a rendus tranquilles et heureux. Nous avons confiance en vos bienfaits, en votre protection, plus qu'en celle d'aucun autre mortel. C'est pourquoi nous nous répandons pour vous en prières quotidiennes, pour que la divine clémence vous tienne en paix et vous donne un long règne nécessaire au bonheur de tous. Toujours soucieux d'avoir de vos nouvelles, nous envoyons le présent messager, notre bourgeois, vers la douceur de Votre Majesté, en lui faisant remarquer qu'elle tarde un peu à venir nous voir. » Puis il lui annonce l'expédition d'un cadeau : « une livre de girofle, une livre de muscade, trois livres de cardamome, une livre de gingembre, trois livres de cannelle, etc. » « Si vous en désirez davantage, ou si quelque autre de nos produits peut vous plaire, ne craignez pas de le faire savoir à vos fidèles sujets. » Mêmes protestations d'amitié et mêmes offres de service dans la lettre de l'évêque d'Elne, Artaud, placé aux derniers confins du royaume. « Votre église est bien loin, » lui répond aimablement Louis VII, « mais vous êtes tout près de nous dans notre affection, et nous ne demandons qu'à vous le prouver. »

En 1161 arrive à Paris, du fond des Cévennes, un évêque venu exprès pour prêter au Roi le serment de fidélité, l'évêque de Mende, Aldebert de Tournel. On lui fait une réception solennelle. Louis VII lui accorde une charte scellée d'une bulle d'or, rareté insigne, et dont le préambule célèbre en termes pompeux l'alliance inattendue de la royauté de France avec une église aussi lointaine : « Il était hors de la mémoire de tous les mortels de notre temps qu'un évêque de Gévaudan se fût rendu à la cour d'un de nos prédécesseurs pour faire acte de sujétion ou de fidélité. Sur cette terre montagneuse et de difficile accès, les évêques avaient toujours exercé non seulement la puissance ecclésiastique, mais le droit de juger l'iniquité et de punir les méchants par le glaive. Aldebert est venu trouver à Paris notre sérénité et, en présence de notre baronnage, a reconnu que son évêché appartenait au royaume de France. Ne voulant pas que ce fait porte aucune atteinte au pouvoir qu'ont possédé jusqu'à lui les évêques du Gévaudan, nous lui avons concédé l'évêché avec tous les droits régaliens qui sont la propriété de notre couronne. »

HOMMAGE DE L'ÉVÊQUE DE MENDE.

Un diplôme royal, telle est en effet la récompense ordinaire de tous ces dévouements qui s'offrent. Le roi de France serait bien embarrassé de donner autre chose! Mais il continue, à l'égard des clercs et des moines du Midi, la tradition carolingienne, et procure ainsi, à lui comme aux autres, l'illusion d'un pouvoir général. A la vérité, ces évêques et ces abbés profitent du privilège royal pour s'arroger l'indépendance temporelle. Qu'importe au Capétien? Il s'agit d'une province éloignée, qui échappe à son autorité directe. La victime de ces arrangements sera la féodalité locale, et aussi le comte de Toulouse, suzerain général du Languedoc, peu à peu supplanté par le Roi. Et la manne royale, de Paris, tombe sur les églises de Maguelonne, de Narbonne, de Nimes, d'Uzès, de Mende, de Lodève, d'Agde, de Toulouse, de Villemagne, de Saint-Guilhem-du-Désert, de Saint-Gilles, etc.

LES DIPLOMES ROYAUX.

L'opinion de l'Église entraîne celle du peuple, qui voit aussi dans Louis VII l'homme chargé par Dieu de protéger les faibles, les opprimés, et toutes les victimes des brutalités féodales. La bourgeoisie des grandes villes languedociennes, presque indépendante, prend l'habitude de se tourner vers le roi du Nord. Les habitants de Toulouse sont en correspondance avec le prince qui était venu défendre leur ville menacée par l'Anglais. Ils le traitent en empereur romain ou carolingien, l'appellent « leur magnifique seigneur, » accusent réception de ses lettres « très sacrées, » et lui écrivent en 1163 : « Très cher seigneur, ne vous formalisez pas de ce que nous vous écrivons si souvent. Après Dieu, nous recourons à vous comme à notre bon maître, à notre défenseur, à notre libérateur. Votre puissance, après la puissance divine, est tout notre espoir. » En 1164, se plaignant à lui de l'archevêque de Bordeaux qui avait reçu d'Henri II l'ordre de ravager leur territoire, ils lui disent : « Ne laissez pas plus longtemps détruire Toulouse, qui est votre ville, nos concitoyens, qui sont à vous, cette terre, qui est la vôtre. » Apprennent-ils que le roi de France vient d'avoir un fils? Ils lui envoient une lettre enthousiaste, et une députation de notables. On dirait que la ville de Toulouse relève immédiatement de la couronne et que le comte de Toulouse n'existe pas.

Il est vrai que ce comte, Raimond V, en épousant une princesse capétienne, la propre sœur de Louis VII, avait établi de lui-même un lien entre sa seigneurie et la Royauté. Mais les Toulousains ont visiblement plus d'affection pour la comtesse que pour le comte : elle est leur « dame » et ils l'aiment comme un gage visible de leur union avec le Roi. En 1165, le ménage de Raimond et de Constance tourne mal ; le comte abandonne sa femme pour des maîtresses. Celle-ci se plaint au Pape et à son frère Louis, et, dans des lettres désespérées, affirme que son mari n'a plus d'elle aucun souci, « qu'il ne lui donne même plus littéralement de quoi manger » ni les moyens d'entretenir ses serviteurs. Bientôt même elle abandonne cette ville lointaine, et ces gens du Midi dont les mœurs faciles l'avaient rendue si malheureuse, et se réfugie auprès du Roi.

Certains vassaux du comte de Toulouse, surtout ceux de la région de Narbonne, de Montpellier et de Nîmes, sollicitent à leur tour les faveurs ou les secours du Capétien. Un seigneur d'Uzès lui écrit pour lui dénoncer les péages illicites établis par le comte de Melgueil et déclare « qu'il appartient à la dignité royale d'empêcher que le peuple subisse des charges illégales et de réprimer partout l'injustice, » comme si Louis VII allait traverser la France entière pour aller régler une question d'impôt! Même parmi les féodaux il existe un parti royaliste, dont le chef est une femme, la vicomtesse de Narbonne, Ermengarde, grande amie du pape Alexandre III. Elle regarde le roi de France, allié de l'Église romaine, comme son seigneur naturel, et ne cesse d'échanger avec lui des lettres où l'amabilité va presque jusqu'à la tendresse : « Tout ce que je demande, écrit-elle, avec insistance, c'est que vous vouliez bien et souvent vous souvenir de moi, car après Dieu, tout mon espoir, très cher seigneur, est en vous. Pour moi, si j'avais sans cesse des messagers sous la main, je voudrais, pour me rappeler à vous, vous en envoyer tous les jours. Je n'ai pas encore exécuté votre ordre au sujet du cheval : mais ce retard tient aux recherches que j'ai faites, je n'ai pas pu encore en trouver un bon. Que Votre Majesté ne s'impatiente pas pour cela contre moi : aussitôt que j'aurai réussi à en découvrir un, dans ma terre, qui soit digne d'un tel maître, je vous l'enverrai. Bonne santé à mon seigneur et puisse-t-il se souvenir toujours de moi. » Et Louis VII, pour récompenser cette vassale si dévouée, lui accorde le pouvoir judiciaire, l'autorisation de juger non d'après le droit romain, en usage dans l'Empire, mais d'après la coutume de France, qui permet aux femmes nobles de tenir un fief et de rendre la justice. On voit par là quelle idée il se faisait lui-même de l'étendue du pouvoir royal, puisqu'il se croyait autorisé à changer, d'un trait de plume, le droit en usage dans un fief important, situé à l'autre bout de son royaume.

Les petits châtelains eux-mêmes cherchent déjà à s'immédiatiser et à s'intituler « hommes liges du roi de France. » Un noble de la vicomté de Narbonne, Bernard de Puiserguier, prétendit tenir son château du Roi seul, sans aucun intermédiaire. Selon lui, la vicomtesse de Narbonne n'avait pas le droit de le citer devant sa cour, et il alla jusqu'à Paris se faire juger devant la cour du Roi. En se mettant elle-même directement dans le vasselage du Capétien, Ermengarde de Narbonne n'avait pas prévu que ses propres vassaux pourraient faire comme elle, et se soustraire à son autorité. Le fait est d'une importance extrême. Il devait, en se généralisant, amener une révolution complète dans le régime féodal, et le triomphe de la Royauté.

*L'IMMÉDIATI-
SATION.*

Ainsi commence à se produire, en pleine Féodalité, un sentiment nouveau : celui du dévouement à la Monarchie. Avant de devenir le « patriotisme, » tel que l'entend la conscience moderne, il allait faire, sous l'ancien régime, l'unité de la France. L'expression en est claire et vive dans ce passage d'une lettre d'Ermengarde à Louis VII où elle engage son Roi à venir défendre le Languedoc, toujours menacé par le Plantagenêt (1173). « Nous sommes profondément attristés, mes compatriotes et moi, de voir la région où nous sommes exposée par

*PROGRÈS
DE L'IDÉE
MONARCHIQUE.*

votre absence, pour ne pas dire par votre faute, à passer sous la domination d'un étranger qui n'a pas sur nous le moindre droit. Ne vous fâchez pas, cher seigneur, de la hardiesse de mes paroles. C'est parce que je suis une vassale spécialement dévouée à votre couronne, que je souffre de la plus légère atteinte portée à votre dignité. Il ne s'agit pas seulement de la perte de Toulouse, mais de notre pays tout entier, de la Garonne au Rhône, que nos ennemis se vantent d'assujettir. Je sens déjà qu'ils se hâtent, voulant, après avoir asservi les membres, s'attaquer plus facilement à la tête. Je supplie votre vaillance d'intervenir et d'apparaître avec une forte armée parmi nous. Il faut que l'audace de vos adversaires soit punie et les espérances de vos amis réalisées. »

Dans ces appels à la royauté de France venus de tous les points du territoire, il faut sans doute faire la part des calculs d'intérêt personnel, des passions et des intrigues locales. Mais ces manifestations de sympathie, adressées à un souverain éloigné, assez maltraité de la fortune, et qui eût été fort embarrassé de satisfaire les aspirations dont il était l'objet, prouvent aussi que l'amour de la dynastie légitime et la foi monarchique étaient déjà des réalités. Ceci, du moins, préparait l'avenir; car pour le présent, la royauté de France avait encore tout à craindre de celui qui avait fondé, sur les deux rives de la Manche, le puissant empire des Plantagenêts.

VI. — *LA GUERRE DE 1173 ET LES DERNIÈRES ANNÉES DE LOUIS VII* [1]

HENRI II,
SUZERAIN
DU COMTE
DE TOULOUSE.

D E toutes ces manifestations Henri II ne s'inquiétait guère. Il avait conscience de sa force, et comptait sur son argent, ses soldats et sa diplomatie plus que sur l'affection de ses sujets. Pendant que Louis échangeait des tendresses et des cadeaux avec ses fidèles du Languedoc, l'Angevin faisait du comte de Toulouse son allié et même son feudataire. En janvier 1173, à la cour solennelle que le roi d'Angleterre tint à Montferrand, en Auvergne, Raimond V s'agenouilla, les mains jointes, devant le jeune Richard, le second fils d'Aliénor, et lui fit hommage lige de son fief. Le Languedoc s'annexait à l'Aquitaine;

---

1. SOURCES. *Chronicles of the reigns of Stephen, Henry II and Richard I*, édit. R. Howlett, 1884-1890 (Rerum Brit. med. ævi scriptores, n° 82). Les Œuvres de Giraud de Barri, édit. J.-S. Brewer et Dimock, 1861-1891 (même collect., n° 21). Les *Gesta regis Henrici secundi*, édit. Stubbs, 1867 (même collect., n° 49). La Chronique de Raoul *de Diceto*, édit. Stubbs, 1876, etc.
OUVRAGES A CONSULTER. A. Cartellieri, *Philippe II August, König von Frankreich*, liv. I, 1898. P. Boissonnade, *Les comtes d'Angoulême, les ligues féodales contre Richard Cœur-de-Lion et les poésies de Bertran de Born (1176-1194)*, 1895.

Toulouse acceptait la suzeraineté de Bordeaux Il est vrai qu'une clause du traité réservait « la fidélité due au roi de France; » mais on sait ce que valaient, dans la pratique, les restrictions de cette espèce.

Dans cette même assemblée, le souverain de la Maurienne et de la Savoie, Humbert III, s'unissait à Henri II par des liens de famille. Son unique héritière devait épouser Jean, le plus jeune des princes anglais, et lui apporter la Maurienne en dot. Dans le cas où Humbert aurait un fils, Jean conserverait néanmoins une partie considérable des domaines et des châteaux de son beau-père, entre autres Chambéri, Aix et Turin. Ce nouveau succès du roi d'Angleterre menaçait non plus seulement la France, mais l'Empire. La monarchie angevine atteignait les Alpes et semblait vouloir en saisir les défilés. *LA DIPLOMATIE D'HENRI II.*

On se demande si Henri II ne s'apprêtait pas à les franchir. Dès 1169, il subventionnait en secret les communes de la ligne lombarde. Quelques années après, il fiança sa fille Jeanne avec le roi de Sicile, Guillaume le Bon. L'Italie attirait évidemment ce roi du Nord, que les Lombards et les Romains appelèrent à plusieurs reprises. On eût dit qu'il méditait d'y supplanter Barberousse [1]. Il s'arrêta cependant, avant de prendre les mesures décisives. L'Espagne elle-même acceptait l'hégémonie d'Henri II. En 1170, il avait marié sa fille Aliénor au roi de Castille, Alphonse III. On le verra, en 1177, intervenir, en médiateur qui s'impose, pour juger les démêlés des Castillans et des Navarrais. Des clercs anglais occupaient les hautes charges ecclésiastiques du Portugal; les marchands anglais s'abattaient déjà sur ce pays neuf, à peine débarrassé des Sarrasins. Et cette puissance énorme débordait partout, juste au moment où l'empereur Frédéric, contraint de quitter Rome et l'Italie avec son armée décimée par la peste, reculait devant le Pape et les communes. Qui semblait le plus près de réaliser le rêve de la domination universelle, de Barberousse ou d'Henri II?

Louis VII songea, naturellement, à se rapprocher de l'Allemagne. Il eut une entrevue avec l'Empereur à Vaucouleurs (1171), sous prétexte de réprimer les excès des routiers ou Brabançons qui désolaient la Bourgogne, en réalité pour s'entendre contre l'ennemi commun. Mais la conférence n'aboutit pas : la question pontificale empêchait toute entente sérieuse. Le roi de France trouva d'autres alliés contre le Plantagenêt. A la fin de l'année 1173, où Henri II avait paru en triomphateur à Montferrand, une coalition rapidement nouée le mettait en péril. Il avait suffi de la révolte du fils aîné d'Henri II, *RAPPROCHEMENT DE LOUIS ET DE BARBEROUSSE.*

_____

1. Le chroniqueur Giraud de Barri affirme positivement qu'il aspirait à l'empire.

Henri le Jeune, pour ameuter les rancunes et les haines contre le créateur de l'empire angevin.

C'est que la tâche entreprise par Henri II demeurait impossible. Il luttait, avons-nous dit, contre l'irrésistible courant qui séparait le peuple anglo-saxon du peuple français. En France même, il avait à combattre la tendance des grandes provinces de l'Ouest à se donner un gouvernement indépendant. Dépourvu des moyens d'action morale et religieuse que possédait le Capétien, il ne pouvait maintenir la paix de son empire qu'en donnant satisfaction, dans une certaine mesure, à ce besoin d'autonomie, si vif surtout en Bretagne, en Aquitaine et en Anjou. Il se crut en état d'y réussir, sans défaire l'unité politique de sa création. En 1166, il avait, comme on l'a vu, fiancé son troisième fils, Geoffroi, à l'héritière de la Bretagne. En 1169, à l'assemblée de Montmirail, son fils aîné Henri avait fait hommage au roi de France pour le duché de Normandie et le comté d'Anjou, son second fils, Richard, pour le duché d'Aquitaine. Henri II semblait ainsi dessiner d'avance le partage de sa monarchie et vouloir établir des gouvernements séparés pour les diverses provinces. Du moins, les Bretons, les Angevins et les Aquitains se le persuadèrent. Mais lui entendait garder son autorité sur l'ensemble. De là un inévitable conflit.

En 1169, Henri le Jeune n'avait que quatorze ans, Richard, douze ans, et Geoffroi, onze : on ne s'étonna donc pas de voir le roi d'Angleterre continuer à administrer seul et sans intermédiaire ses États continentaux. Mais les peuples de ces provinces se lassèrent de le voir retenir tout le pouvoir dans sa main de fer. En 1173, deux de ses fils étaient presque arrivés à l'âge d'homme et le partage réel n'avait pas eu lieu. Ils n'étaient comtes et ducs que pour la forme, n'ayant à leur disposition ni les revenus de la région ni les châteaux, pas l'ombre d'un pouvoir politique ou même simplement administratif. Henri ne leur permettait même pas souvent de séjourner dans leurs fiefs. Les nobles, à qui il interdisait le brigandage en usant sans cesse de son droit de suzerain pour mettre garnison dans leurs châteaux, espéraient que l'administration des fils leur serait plus tolérante que celle du père. De leur côté, les jeunes princes avaient des instincts d'indépendance et d'ambition qu'ils tenaient de bonne source. Ils cherchèrent tous les moyens d'échapper à l'étroite tutelle où les tenait leur père, despote dans sa famille comme dans son État.

L'aîné, Henri le Jeune, déjà marié, couronné roi depuis 1170, se plaignait de rester dans la même situation que ses frères. Rien ne lui appartenait en propre, ni terre ni juridiction spéciale. Il n'était que le salarié (*stipendiarius*) de son père. On ne lui laissait même pas la liberté de ses amitiés et de ses mouvements! Henri II avait remplacé les familiers de son fils par des gens à lui, chargés moins de servir leur jeune maître que de l'espionner. Et tous les membres de la famille royale étaient soumis au même régime. La reine Aliénor elle-même, lasse de ce mari autoritaire et des nombreuses infractions commises par lui à la foi conjugale, encouragea la résistance de ses fils. Elle conspira avec eux. La rupture éclata en 1173; la politique familiale d'Henri II aboutissait à la guerre civile. L'imagination du peuple traduisit la réalité par des légendes et des anecdotes que les pamphlétaires hostiles à la maison d'Anjou s'empressèrent de recueillir, s'ils ne les ont en partie inventées.

Beau-père d'Henri le Jeune, Louis VII avait de l'action sur lui par sa fille Marguerite. Une entente secrète existait-elle, dès le début de l'année 1173, entre le roi de France, la reine Aliénor et les princes anglais? Il semble bien, d'après certains indices. Peu après l'assemblée de Montferrand, Henri II, sollicité par le comte de Maurienne, ayant donné en dot à son fils Jean les châteaux de Chinon, de Loudun et de Mirebeau, Henri le Jeune s'opposa, comme comte d'Anjou, à la constitution de cet apanage. Une pareille hardiesse éveilla les soupçons d'Henri II. Il comprit mieux encore qu'il se tramait quelque chose, lorsque son fils revendiqua le gouvernement de l'Angleterre, de la Normandie et de l'Anjou. Il refusa; des mots violents furent échangés. Henri II emmena son fils à Limoges, puis, ses affaires réglées, reprit avec lui le chemin de la Normandie. Tous deux allèrent coucher à Chinon. Le lendemain on apprit que le prince était parti dans la direction d'Alençon. Henri II courut à sa poursuite, mais trop tard. Le 8 mai, Henri le Jeune atteignait la terre du roi de France, où ses deux frères, Richard et Geoffroi, envoyés par Aliénor qui en avait la garde, ne tardèrent pas à le rejoindre.

Les événements se précipitent avec une rapidité telle qu'il est malaisé de ne pas croire à l'existence préalable d'un plan de coalition. Henri II essaye de négocier. Il envoie à Louis VII l'archevêque de Rouen, Rotrou, et l'évêque Arnoul de Lisieux, que le roi de France reçoit fort mal : « Pourquoi le roi d'Angleterre garde-t-il, contre la foi jurée, la dot de Marguerite Gisors et le Vexin? Pourquoi cherche-t-il à soulever contre leur souverain naturel les populations françaises depuis les monts d'Auvergne jusqu'au Rhône? Pourquoi enfin a-t-il reçu l'hommage lige du comte de Toulouse? Dites à votre maître, ajoute Louis VII, que je jure de ne pas faire la paix avec lui sans le consentement exprès de sa femme et de ses fils. »

Henri le Jeune est traité par Louis VII comme s'il était roi d'Angleterre. On lui fait faire un sceau royal. Une assemblée où affluent tous les ennemis d'Henri II est tenue à Paris. Louis VII y jure sur

LA COALITION DE 1173.

ALLIANCE DE LOUIS VII ET D'HENRI LE JEUNE.

l'Évangile qu'il soutiendra les princes anglais contre leur père et qu'il aidera l'aîné à conquérir la couronne. Les barons de France s'engagent par un serment analogue. Philippe d'Alsace, comte de Flandre, son frère Mathieu, comte de Boulogne, Henri, comte de Champagne, Thibaut, comte de Blois, Robert, comte de Dreux, frère de Louis VII, font hommage lige à Henri le Jeune dont ils reçoivent des fiefs en terre ou en argent.

INSURRECTION GÉNÉRALE CONTRE HENRI II.　　L'insurrection s'étend à toutes les régions de l'empire angevin. La Bretagne se soulève avec Raoul de Fougères; la plupart des vassaux de l'Anjou, de la Touraine, du Poitou et de la Normandie et en Angleterre même, le roi d'Écosse, Guillaume, son frère David, Robert de Leicester, Hugue de Chester, le comte Hugue Bigot, prennent les armes au nom du jeune Roi. Celui-ci scelle de son sceau une foule de donations, prélude de la curée sur laquelle comptent les coalisés. Il fait opposition à chacun des actes de son père. Au moment où, sur l'ordre d'Henri II, les électeurs de Cantorbery procédaient à la nomination d'un nouvel archevêque, intervient une lettre d'Henri le Jeune, qui déclare en appeler à Rome. Les opérations électorales, par le fait, restent suspendues. Le jeune prince écrit au pape Alexandre une longue lettre où il s'intitule Henri III; il y énumère ses griefs contre son père et se plaint qu'on n'ait pas puni les meurtriers du martyr de Cantorbery. Faisant le procès de la politique ecclésiastique d'Henri II, il expose le programme de la sienne, qui en est exactement l'antithèse : Abolition des constitutions de Clarendon, liberté complète des élections, permission aux évêques d'interdire et d'excommunier, défense de traduire les clercs devant les tribunaux laïques, indépendance absolue de l'Église, légalité des appels en cour de Rome : le fils permet tout ce que le père a défendu. Il s'agissait de gagner le Pape et le Clergé à la révolution qui se préparait.

LA GUERRE DE 1173-1174.　　Henri II fut obligé de faire face aux ennemis sur toutes les frontières et dans toutes les provinces. Les hostilités durèrent deux ans. En 1173, la Normandie est envahie par les Flamands au Nord, par les Français à l'Ouest; Louis VII assiège Verneuil; Raoul de Fougères se jette dans Dol avec les révoltés bretons, et le comte de Leicester soulève les comtés anglais. En 1174, les Écossais envahissent le nord de l'île; la féodalité du Poitou et de la Saintonge se soulève; Henri le Jeune et Philippe d'Alsace préparent, à Gravelines, une descente en Angleterre; Louis VII et tous les contingents féodaux du royaume mettent le siège devant Rouen. Il semblait qu'Henri II, isolé, abandonné des siens, trahi par une grande partie de sa noblesse, n'avait plus qu'à abdiquer. Il fut sauvé par les institutions déjà solides qu'il avait données à l'Angleterre, par l'accord insuffisant de ses ennemis et surtout par la lenteur et la mollesse incroyables de Louis VII.

Il n'est pas une opération des coalisés qui n'ait abouti à une défaite. En 1173, Louis VII est chassé piteusement de Verneuil, qu'il n'a pu prendre après un mois de siège; il fuit à l'approche soudaine d'Henri II. Les Brabançons aux gages du roi Anglais assiègent Dol, et tous les seigneurs bretons révoltés tombent entre leurs mains. Le comte de Leicester est battu et pris, à Forneham, par le justicier Richard de Luci, pendant qu'Henri II et ses routiers s'emparent de Vendôme. En 1174, le roi d'Écosse perd la bataille d'Alnwich; Henri II, vainqueur en Saintonge, passe en Angleterre, prend Huntingdon et soumet Hugue Bigot. Philippe d'Alsace et Henri le Jeune renoncent alors à leur projet de traverser la Manche; ils se joignent à Louis VII qui n'a pas même su investir complètement la capitale de la Normandie. A l'arrivée d'Henri II devant Rouen, le roi de France perd la tête, brûle lui-même ses machines de guerre, laisse les Anglais l'attaquer jusque dans son camp et s'enfuit la nuit. Déroute honteuse, où son incapacité éclata à tous les yeux. Les ennemis d'Henri II, ceux du dehors et ceux du dedans, étaient tous contraints de s'avouer vaincus.

Henri le Jeune, nature faible, fut le premier des princes anglais qui fit sa soumission. Richard essaya de prolonger la guerre en Aquitaine et s'indigna quand il apprit que son frère aîné et le roi de France avaient sollicité une trêve et promis à Henri II de ne lui prêter aucun appui. Le roi d'Angleterre arrive en Poitou. N'osant le braver, Richard s'enfuit d'abord, puis revient se prosterner devant lui en pleurant. Le 30 septembre 1174, la paix fut signée à Montlouis, entre Tours et Amboise. *PAIX DE MONTLOUIS.*

Henri se montra modéré et même clément. En Angleterre il n'y eut pas de vengeances exercées, pas de supplices, pas de sang répandu, seulement quelques confiscations. Le Roi pardonna même au comte de Leicester et à la plupart des captifs anglais. Seul le roi d'Écosse resta prisonnier, mais pour être relâché quelque temps après. A la France et à la Flandre, Henri II ne demanda rien que la restitution des châteaux pris en Normandie. La reine Aliénor fut la plus maltraitée. Dès le début de la guerre, elle avait été mise en prison; elle y resta pendant plusieurs années encore. Son mari redoutait l'influence qu'elle pouvait reprendre sur ses fils, et voulait continuer en paix la vie désordonnée dont il avait pris l'habitude.

Le sort des fils rebelles fut réglé par une convention spéciale. Henri II consentait à oublier ce qui s'était passé et à ne pas tirer vengeance de ceux qui avaient encouragé ou suivi les princes. Il accorda même à Henri le Jeune deux châteaux en Normandie et une rente; à Richard, deux châteaux du Poitou et la moitié des revenus de ce pays; à Geoffroi, la moitié de la dot de la fille de Conan IV, qu'il devait épouser. Tous ces revenus sont constitués, non pas en terres, mais en argent. La clause la plus humiliante pour Henri le Jeune était relative à la dotation de son frère Jean, cause occasionnelle du conflit. Celui-ci fut le mieux partagé de tous : en Angleterre, mille livres de revenus, le château et le comté de Nottingham; en Normandie, deux châteaux, et trois en Anjou. Mais l'enfant n'avait que huit ans; Henri ne courait pas grand risque à se montrer généreux. Enfin les quatre frères s'engageaient à ne rien réclamer au delà de ce qu'on leur donnait, approuvaient d'avance toutes les donations et aumônes que leur père avait faites ou ferait dans l'avenir, et lui prêtaient l'hommage lige.

L'arrangement de Montlouis ne donnait satisfaction ni aux peuples qui voulaient plus d'indépendance, ni aux princes qui retombaient sous le joug. La question du partage et de l'autonomie des provinces n'était pas résolue; les appétits et la hardiesse des fils d'Henri II allaient croître avec l'âge. On connaissait maintenant le point vulnérable de la domination des Plantagenêts. Philippe-Auguste saura le retrouver.

En 1174, Philippe n'était qu'un enfant de neuf ans, mais, s'il faut en croire Giraud de Barri, il aurait eu, tout jeune encore, le pressentiment qu'il serait plus heureux que son père. Quelque temps après le traité de Montlouis, il avait accompagné Louis VII et ses barons dans une conférence que les deux rois devaient avoir sur la frontière de la Normandie. Certains seigneurs de l'escorte française s'extasièrent, à haute voix, sur la hauteur et la beauté du château de Gisors, où Henri II avait fait des travaux formidables : « Vous voilà pleins d'admiration devant ce monceau de pierres, s'écria brusquement le petit prince; par la foi que je dois à mon père, je voudrais que ces moellons fussent d'argent, d'or ou de diamant. » Et comme on s'étonnait, il reprit : « Il n'y a rien là de surprenant, plus sera précieuse la matière de ce château, plus j'aurai plaisir à le posséder quand il sera tombé entre mes mains. »

EXTENSION DE L'EMPIRE ANGEVIN.   Louis VII vivra encore six ans, mais découragé, et trop affaibli pour reprendre la lutte. L'empire angevin s'étendait toujours et se consolidait. En Angleterre, Henri II soumettait le pays de Galles, prenait l'Irlande et forçait le roi d'Écosse à se tenir en repos. Sur le continent, Geoffroi en Bretagne, Henri le Jeune en Normandie, en Anjou et dans le Berri, Richard en Aquitaine, ne sont que ses lieutenants. Le moins docile est toujours Henri le Jeune, celui qui porte le titre (mais rien que le titre) de roi. Prodigue, insouciant, plus occupé de ses plaisirs que des affaires, s'entourant de Français ou de Normands, il est suspect à son père, qui le surveille étroitement.

Richard tient en bride les petits seigneurs du Poitou, du Limousin et de la Gascogne. Ils le détestent, parce qu'il est le suzerain, qu'il a la main rude comme son père, et que des bruits odieux courent sur ses cruautés et ses débauches. On l'accuse « d'enlever les femmes et les filles de ses hommes libres pour en faire ses concubines et de les livrer ensuite à ses soldats. » Heureusement pour lui, le soi-disant « patriotisme aquitain, » au nom duquel le troubadour Bertran de Born aurait, comme un autre Tyrtée, aiguisé la haine et le courage de la noblesse rebelle, n'existait pas. Il n'y eut que des rébellions partielles, étouffées les unes après les autres par le Cœur de Lion avec une incroyable rapidité (1176-1178). Le duc prend Limoges, Angoulême, Périgueux, envoie à son père le comte d'Angoulême, les vicomtes de Limoges, de Ventadour, de Chabannes, détruit les châteaux de Pons et de Taillebourg et court jusqu'au fond de la Gascogne pour y saisir le vicomte de Dax et le comte de Bigorre. De la Loire aux Pyrénées, Richard et ses soldats se montrent partout, ne laissant pas derrière eux un seul donjon d'importance qui ne soit assujetti ou rasé.

La grande monarchie se constituait aussi forte sur le Plateau Central et dans la vallée de la Garonne qu'elle l'était déjà aux bords de la Seine-Inférieure et de la Basse-Loire. La conquête de la France par les Plantagenêts suivait son cours. L'acquisition du comté de la Marche, que son propriétaire vendit à Henri II pour 15 000 livres (en 1177) fut encore une étape. N'était-ce pas le moment de frapper le coup décisif et d'en finir avec la Royauté, qui végétait à Paris ? Henri convoqua son armée. Pour entrer de nouveau en guerre avec Louis VII, les prétextes ne manquaient pas. Le Vexin, l'Auvergne, Bourges, que le roi d'Angleterre réclamait comme dot d'une fille de France, fiancée à son fils Richard, étaient autant de foyers où le feu couvait toujours. La dynastie de France trouva le salut, une fois de plus, dans son alliance avec le Pape.

En septembre 1177, le légat Pierre de Pavie menaça de jeter l'interdit sur toutes les provinces de l'empire angevin si le roi d'Angleterre ne concluait pas la paix définitive avec le roi de France. Henri céda plutôt que de s'exposer à perdre le fruit de sa réconciliation avec le martyr de Cantorbery. Le 21 septembre, à Nonancourt, entre Ivri et Verneuil, en présence du légat et des barons des deux royaumes, Louis et Henri jurèrent qu'ils seraient désormais amis et alliés fidèles, qu'ils prendraient la croix et iraient ensemble à Jéru-

salem; qu'en l'absence de l'un des deux souverains pour cause de
pèlerinage, l'autre prendrait sous sa sauvegarde les domaines du
voisin; qu'enfin les différends relatifs à l'Auvergne et au Berri seraient
réglés à l'amiable par des arbitres.

*DERNIÈRES
ANNÉES
DE LOUIS VII.*
Louis VII, tout entier à la paix, ne songeait plus qu'à assurer à
son fils unique la tranquille possession du royaume capétien. Jusqu'ici les rois de la troisième race avaient eu pour principe de faire
participer, aussitôt que possible, leur héritier au pouvoir. Louis men-
tionne, dans ses diplômes, dès 1170, l'assentiment de Philippe, âgé de
cinq ans : il lui fait prêter hommage et fidélité par les grands vassaux;
mais il ne paraît pas lui avoir conféré ce qu'on appelait la *désignation*,
et il attendit, pour le faire sacrer, l'incapacité où il fut réduit, par la
maladie, de conserver le gouvernement. Les contemporains s'éton-
nèrent de ne pas le voir prendre plus tôt cette précaution. Le pape
Alexandre III lui conseilla, dès 1172, de faire oindre et couronner son
héritier, alors âgé de sept ans, et d'astreindre le royaume entier à lui
prêter serment. Il lui cita l'exemple de l'empereur de Constantinople
qui avait fait couronner son fils dès l'âge de trois ans. Louis VII ne se
montra pas pressé de suivre ce conseil. C'est seulement en 1179 qu'il
se décida à faire couronner le jeune Philippe.

Une assemblée générale des archevêques, évêques, abbés et
barons du royaume fut alors convoquée à Paris et se réunit dans le
palais épiscopal que l'évêque de Paris, Maurice de Sulli. venait de
faire construire près de la nouvelle cathédrale. Louis VII entra
d'abord dans la chapelle de l'évêque, y fit une longue prière, puis
ordonna de procéder à l'appel nominal des membres de l'assemblée.
« Il leur annonce, dit le chroniqueur Rigord, qu'il veut, avec leur
conseil et leur assentiment, faire couronner son très cher fils,
Philippe, le jour de la prochaine fête de l'Assomption. Après avoir
entendu la volonté royale, tous s'écrient d'une voix unanime : Soit !
Soit ! Et sur cette acclamation fut prononcée la clôture de l'assemblée. »

*MALADIE
DU PRINCE
ROYAL.*
Un incident malheureux empêcha de mettre à exécution l'édit
royal qui convoquait les grands du royaume à Reims pour le 15 août.
Quelques jours avant la fête, Louis VII était allé avec son fils au
château de Compiègne, un des séjours favoris des Capétiens, tous
grands chasseurs. Philippe se perdit dans la forêt, un jour de chasse,
et ne reparut que deux jours après, mourant de faim et de fatigue.
Il tomba gravement malade. Louis VII, désolé, alla au tombeau du
martyr de Cantorbery demander la guérison de son fils, et Philippe
recouvra la santé. Les contemporains ne doutèrent pas que la prière
faite sur le tombeau du saint n'eût produit ses effets accoutumés.

D'après un bruit qui se répandit alors, Thomas Becket, apparaissant à un ecclésiastique renommé par sa piété, lui déclara qu'il avait choisi Philippe pour être le vengeur du sang répandu, celui qui devait punir et dépouiller un jour ses meurtriers. Ce n'est pas sans raison que l'imagination populaire a voulu que Becket jouât un rôle important dans la jeunesse de Philippe-Auguste. Il semble que les contemporains aient placé à dessein, sous le patronage et les auspices du martyr, le règne de celui qui allait être l'ennemi le plus acharné d'Henri II et des Plantagenêts.

A son retour vers Paris, Louis VII, passant à Saint-Denis, y prit un refroidissement qui amena chez lui la paralysie complète du côté droit. Mais il avait eu le temps de donner des ordres pour la célébration du sacre. Un édit convoqua tous les grands du royaume, à Reims, pour le jour de la Toussaint (1ᵉʳ novembre 1179).

Le sacre de Philippe-Auguste fut célébré, suivant l'usage, dans l'église de Notre-Dame de Reims, par l'archevêque Guillaume de Champagne, un des oncles maternels du jeune Roi. Le prélat venait justement d'obtenir du pape Alexandre III une bulle qui lui confirmait le droit exclusif d'oindre le roi de France et de le couronner pour la première fois. Il était assisté de nombreux évêques, et, entre autres, des métropolitains de Tours, de Bourges et de Sens. Guillaume, abbé de Saint-Denis, apportait les insignes royaux, dont son monastère avait la garde. Parmi les principaux représentants de la féodalité laïque, qu'entourait une suite nombreuse de chevaliers, se trouvaient le comte de Flandre et de Vermandois, Philippe d'Alsace, le comte de Hainaut, Baudouin V, qui n'était cependant ni le vassal ni l'allié du roi de France, et l'héritier de l'empire angevin, Henri le Jeune. Celui-ci assistait au sacre en qualité de duc de Normandie et aussi comme représentant son père Henri II. Le roi d'Angleterre avait envoyé au nouveau roi de France de riches présents en or et en argent, ainsi que du gibier provenant de ses chasses. La bourgeoisie et le menu peuple eurent aussi leur place dans cette solennité. Il n'y manqua que la présence du Roi en titre retenu à Paris par la maladie.

SACRE DE PHILIPPE-AUGUSTE.

VII. — LE GOUVERNEMENT DE LOUIS VII [1]

EN réalité, le règne de Louis VII avait pris fin : dans la dernière année de sa vie (1ᵉʳ nov. 1179-18 sept. 1180) il ne compta plus comme roi.

1. OUVRAGES A CONSULTER. Luchaire, *Histoire des institutions monarchiques de la France sous les premiers Capétiens*, 2ᵉ édit. 1891.

Bien qu'avec lui la Royauté eût perdu en force matérielle et que le domaine se fût amoindri, nous avons constaté que la formation de l'empire des Plantagenêts ne l'empêcha pas d'opérer, dans toutes les parties de la France, de véritables conquêtes morales. D'autre part, pendant cette période se développèrent à l'intérieur du domaine les institutions judiciaires et administratives.

LA COUR DU ROI ET LES PALATINS. — L'autorité du Capétien s'est d'abord concentrée et fortifiée par la transformation de l'instrument de règne par excellence, la *cour du Roi*. L'élément ecclésiastique et bourgeois l'emporte, dans cette cour, sur l'élément militaire. Les personnages les plus influents et les plus occupés du palais sont des clercs de la chapelle, des religieux et des roturiers (Gilbert la Flèche, Adam Bruslard, Bouchard le Veautre, Cadurc et le templier Thierri Galeran). Le conseil royal se soustrait chaque jour davantage à l'influence des féodaux. Dès cette époque apparaît même le légiste de profession (le *jurisperitus* Mainier). En outre, la présence des palatins et des conseillers intimes aux séances de la cour devient constante et presque de règle pour les affaires de toute catégorie et de toute importance. Ils interviennent dans la plupart des procès, et parfois le souverain empêché leur confie le soin de tenir les assises à sa place. Ces mêmes personnages, en général ecclésiastiques instruits et rompus aux affaires, ne tardèrent pas à être presque exclusivement chargés de la partie essentielle des jugements, c'est-à-dire des enquêtes, de l'examen des preuves écrites et peut-être même de la rédaction de l'arrêt. Ainsi tendit à se constituer, dans la cour du Roi, un corps de juges proprement dits, siégeant à côté des hauts feudataires. La besogne de ceux-ci, considérablement allégée, ne consistait guère plus, selon toute vraisemblance, qu'à voter par acclamation la sentence formulée par les conseillers compétents.

SÉJOURS FRÉQUENTS DE LOUIS VII A PARIS. — Sous ce règne, Paris devient de plus en plus le séjour habituel du souverain et par suite le siège ordinaire du gouvernement. Il en résulte qu'en fait, et sans qu'aucune règle ait jamais été établie à cet égard, la plus grande partie des procès soumis à la cour du Roi sont débattus et terminés à Paris, dans le palais même de la Cité. On peut affirmer, d'après le relevé des localités où la cour du Roi a exercé ses fonctions judiciaires, que, sous Louis VII, pour deux ou trois procès qui sont jugés à Orléans ou à Étampes, quinze sont l'objet d'un arrêt rendu à Paris. C'est ainsi que peu à peu, par la force même des choses, on arrivera, au XIIIe siècle, à la détermination d'un lieu fixe pour les sessions du Parlement.

L'HÉRÉDITÉ DES OFFICES ROYAUX. — Un autre progrès de la force gouvernementale résulta des efforts faits par Louis VII pour maintenir entre le pouvoir et ses agents les liens nécessaires et diminuer les abus qui provenaient du caractère à demi féodal des offices royaux. Il a lutté notamment pour empêcher les prévôts du domaine de transmettre leur charge par hérédité. En 1177, il se fit rétrocéder la prévôté héréditaire de Flagi (Seine-et-Marne), moyennant une compensation donnée aux propriétaires de cet office. Le même roi déclare, en instituant la prévôté de Saint-Gengoux en Mâconnais, « que, pour cette prévôté, le droit héréditaire est complètement interdit. » Il avait dû obtenir en ce sens, à la fin de son règne, des résultats satisfaisants, car les termes employés dans ses chartes de privilèges urbains, au sujet de la mutation des prévôts, semblent exclure le plus souvent toute idée de transmission héréditaire de la fonction. On ne peut en dire autant des emplois d'ordre inférieur, par exemple des *mairies*, qui, dans une mesure plus ou moins facile à déterminer, paraissent avoir été alors transmissibles aux héritiers. Il est à présumer que, dans ce cas, le Roi n'accordait la charge que pour un nombre limité de générations.

Le développement du pouvoir royal se fait sentir même dans les rapports de Louis VII avec la petite et la grande féodalité.

L'indépendance des châtelains de la *Francia*, ou de la région capétienne proprement dite, achève de disparaître. L'œuvre principale de Louis le Gros est continuée et complétée. Des exécutions militaires ou des arrêts de condamnation forcent des seigneurs comme Gaucher de Montjai (1137), Geoffroi de Donzi (1153), Étienne de Sancerre (1157), Nivelon de Pierrefonds et Dreu de Mouchi (1160) à respecter l'autorité du souverain. Le ton que prend le Roi en s'adressant à ces tyranneaux n'est déjà plus le même qu'au commencement du siècle. Louis VII enjoint aux nobles de Montlhéri de respecter la foire qu'il vient d'accorder au prieuré de Longpont : « Nous vous mandons, dit-il, par notre écrit royal, de veiller à empêcher vos fils et vos familles de commettre des violences ou des exactions sur ce marché. Nous rendrons responsable de tout délit ou forfait la famille de celui qui sera reconnu en être l'auteur. » Le grand nombre de petits seigneurs ou d'avoués qui, sous le règne de Louis le Jeune, se rendent aux citations de la cour du Roi fournit une autre preuve des progrès que l'autorité royale a accomplis sur le territoire de l'ancien patrimoine des Capétiens. Ces barons de l'Ile-de-France, auparavant si intraitables, les Montmorenci, les Beaumont, les Clermont, les Dammartin, sont devenus les agents supérieurs de la Royauté.

Les grands vassaux eux-mêmes commencent à reconnaître la suprématie de la justice du Roi. Elle avait réalisé un progrès décisif, le jour où l'on put voir Eude II, duc de Bourgogne, et Guillaume IV,

SOUMISSION DES CHATELAINS DE L'ILE-DE-FRANCE.

comte de Nevers, venir, l'un en 1153, l'autre en 1166, répondre à leurs accusateurs devant la cour de Louis VII réunie à Moret.

Mais la marque particulière du gouvernement de ce prince est visible surtout dans ses rapports avec le peuple des campagnes et des villes. Il avait ce bon côté qu'il était naturellement porté à sympathiser avec les petits et les humbles, avec ceux qui étaient opprimés et qui souffraient.

TOLÉRANCE DE LOUIS VII POUR LES JUIFS.

Malgré sa dévotion méticuleuse et son respect absolu pour l'Église, il a surmonté le préjugé ecclésiastique en accordant aux Juifs une protection qui parut incompréhensible aux contemporains. Dans son ordonnance de 1179 sur la police d'Étampes, il reconnaît l'existence légale, dans cette ville, d'un prévôt des Juifs chargé d'arrêter les débiteurs récalcitrants. On peut supposer que ce fonctionnaire existait dans tous les endroits où la colonie juive avait pris une certaine importance. Louis VII protesta auprès du pape Alexandre III contre les décisions du concile de Latran qui défendaient aux Juifs d'employer à leur service des domestiques chrétiens (1179). L'Église ne lui céda pas sur ce point : mais, pour le dédommager, Alexandre III décida que, si les Juifs ne pouvaient obtenir le droit d'élever de nouvelles synagogues, on tolérerait du moins qu'ils rebâtissent celles qui étaient tombées ou menaçaient ruine. « Ils doivent se trouver heureux, ajoute le Pape, qu'on leur permette d'exercer leur culte dans leurs vieilles synagogues. » La preuve que le gouvernement de Louis VII leur avait été très favorable, c'est qu'au dire de Rigord, les Juifs parisiens, à l'avènement de Philippe-Auguste, possédaient près de la moitié des immeubles de la ville, qu'ils avaient des débiteurs dans toutes les classes de la ville et de la campagne avoisinante, et que leurs maisons étaient pleines de chrétiens qui s'étaient engagés par serment à ne pas s'enfuir avant d'avoir acquitté leurs dettes. Le moine exagère probablement, mais son assertion met hors de doute la tolérance de Louis VII.

LOUIS VII ET LA CLASSE SERVILE.

Ses diplômes témoignent d'une commisération particulière à l'égard de la classe servile. Renonçant à la mainmorte d'Orléans en 1147, Louis VII reconnaît la nécessité d'adoucir la dureté de la domination exercée sur les hommes de corps; il insiste sur le caractère tyrannique et odieux de la coutume qu'il consent à abandonner. Il dit enfin, dans le préambule de la charte de 1152 relative à l'affranchissement de la serve Agnès : « Un décret de la divine bonté a voulu que tous les hommes ayant la même origine, fussent doués dès leur apparition d'une sorte de liberté naturelle. Mais la Providence a permis aussi que certains d'entre eux aient perdu, par leur propre faute, leur première dignité et soient tombés dans la condition servile. C'est à Notre Majesté Royale qu'il est donné de les élever de nouveau à la liberté. » La royauté capétienne n'a donc point attendu la célèbre ordonnance de Louis le Hutin (le premier acte qui soit toujours cité en pareille matière) pour déclarer la liberté de droit naturel et relever ainsi la classe reléguée au dernier rang de la société.

Un tel homme devait être enclin à encourager les tentatives du peuple dans la voie de l'affranchissement et du progrès. En effet, il a donné beaucoup de chartes bourgeoises. Étampes, Bourges, Châteauneuf-de-Tours, Dun-le-Roi, Orléans, Tournus, ont obtenu ses bienfaits. Grâce à lui, la charte de Lorris a été appliquée à un certain nombre de localités du domaine. Ses privilèges diminuent le taux et le nombre des impôts directs et indirects, ou les supprimens même tout à fait; ils limitent le service militaire, réduisent les droits des prévôts, abaissent le tarif des amendes judiciaires, fixent et réduisent celui des duels. Pour la première fois apparaissent, dans les diplômes royaux, les clauses favorables au développement des corporations industrielles. Louis VII a privilégié les bouchers, les revendeurs, les pelletiers, les mégissiers, les marchands d'arcs et les ciriers d'Étampes, les taverniers et les revendeurs d'Orléans, les boulangers de Pontoise, les tanneurs de Senlis, les bouchers, les cordonniers et les marchands de l'eau de Paris.

LES CHARTES DE BOURGEOISIE.

Ses chartes contiennent déjà des dispositions propres à encourager l'immigration et l'établissement des étrangers. « Tous ceux qui viendront à Bourges, pour y rester ou pour y déposer des choses qui leur appartiennent, seront sous la sauvegarde du Roi, eux et leurs effets, soit en allant, soit en revenant, quand bien même la seigneurie ou le château d'où ils viendraient seraient en guerre avec la puissance royale. Les étrangers qui viendront s'établir à Bourges et y bâtiront une maison, pourvu qu'ils soient nés dans le royaume, pourront transmettre leurs biens à leurs enfants (1144). » Des mesures analogues sont prises à Orléans, en 1178 : « Tout homme étranger suivant ou requérant à Orléans le payement de sa créance ne payera pour cela aucune taxe. D'un homme étranger apportant sa marchandise pour la vendre, on n'exigera aucune taxe, ni pour l'étalage, ni pour le prix indiqué de sa marchandise. »

Plus qu'aucun autre souverain, Louis VII a contribué à étendre le mouvement de fondation des *villes neuves*. Il les a multipliées par système et a recherché dans ces créations un moyen efficace d'enrichir le domaine en même temps que de nuire à la Féodalité. On ne s'expliquerait pas autrement l'affirmation d'un chroniqueur contemporain assurant que, « par la fondation de certaines villes neuves, Louis le Jeune avait dépouillé nombre d'églises et de nobles de leur

LES VILLES NEUVES DU ROI.

propriété en accueillant leurs hommes réfugiés sur ses domaines. »
Il semble qu'on ait pris contre lui, à ce sujet, des précautions. Dans
un accord conclu en 1177 avec Joscelin et Gautier de Thouri, le roi
de France stipula qu'il ne retiendrait dans ses villes neuves aucun
serf ni aucune serve appartenant à ces seigneurs. « S'il arrivait que
leurs serfs ou leurs serves se fussent retirés dans ses villes neuves
ou sur tout autre point de son domaine, les réfugiés seraient restitués
à leurs maîtres légitimes d'après la simple attestation de témoins
dignes de foi et sans qu'il fût besoin de recourir aux formalités ordinaires de justice, ni au duel. »

Villeneuve-le-Roi en Sénonais, Villeneuve près Compiègne, Villeneuve-d'Étampes près de Montfaucon furent les plus célèbres de ces
fondations royales. La première fut dotée de toutes les libertés que la
charte si populaire de Lorris assurait aux bourgs privilégiés du
domaine. A Villeneuve près Compiègne, les « hôtes » du Roi n'étaient
soumis qu'à une redevance de six mines d'avoine, de quatre chapons
par maison et d'un quartier de vin par arpent de vigne. Ils jouissaient
du droit d'usage et payaient seulement cinq sous d'amende pour un
premier délit. A Villeneuve-d'Étampes, les habitants, moyennant un
cens annuel de cinq sous, étaient exempts de toute taille, tolte, ost et
chevauchée. En leur faveur, les amendes de soixante sous étaient
réduites à cinq sous et celles de cinq sous à douze deniers, réserve
faite des délits supérieurs à soixante sous, pour lesquels le Roi devait
décider à son gré. La sauvegarde et le patronage du souverain garantissaient la sécurité des colons qui venaient peupler ces asiles et y
bénéficier de franchises aussi étendues que celles dont jouissaient les
citoyens des plus vieilles villes de la France capétienne. On conçoit
tout ce que gagna l'autorité royale à utiliser et à propager cette
institution.

Ainsi s'établissait le régime de la *coutume privilégiée* sous lequel
vécurent et se développèrent la plupart des villes du domaine, bien-
fait véritable pour les sujets royaux qui finirent par y trouver toutes
les garanties désirables, en dehors de l'autonomie administrative et
politique.

Louis VII est d'ailleurs le premier roi de France qui paraît s'être
rendu compte de l'intérêt qu'avait le pouvoir royal à développer dans
les cités des associations libres, des gouvernements communaux, pour
les opposer à l'autorité des barons et des seigneurs d'église. Dans
son domaine, il s'est opposé à l'établissement des communes d'Orléans, de Poitiers et de Châteauneuf-de-Tours, mais il a confirmé celle
de Mantes et autorisé celle de Senlis. Hors de son domaine, il a usé
souvent du pouvoir temporaire que lui donnait la vacance des évêchés

pour émanciper les sujets épiscopaux qui avaient recours à son patronage. Non seulement il a confirmé les communes de Laon, de Soissons, de Noyon et de Beauvais, mais il a fondé ou favorisé le régime communal à Reims, à Compiègne, à Sens, à Auxerre, et aidé les paysans de l'évêché de Laon à se rendre indépendants de leur évêque par la création de la commune rurale du Laonnais (1177). Sans doute, il n'a pas toujours réussi à faire vivre les communes qu'il avait établies. Devant les réclamations des clercs et des papes, il a souvent manqué de persévérance et d'énergie, il a faibli et s'est dérobé. On l'a vu empêcher la formation des communes de Châlons-sur-Marne et de Tournus, soutenir l'abbé de Corbie contre ses bourgeois, détruire les communes de Sens et d'Auxerre, contraindre les habitants de Vézelai à subir le joug de leur abbé. A Reims, il est intervenu pour protéger les églises et arrêter les progrès de la bourgeoisie confédérée. Mais, somme toute, il a suivi, dans ses rapports avec les communes, une ligne de conduite moins indécise et moins tortueuse que ne l'a fait Louis le Gros.

L'idée que les villes dotées du régime communal se trouvent être, par là même, dans une dépendance particulière de la couronne, apparaît déjà clairement. D'après l'historien de l'évêché d'Auxerre, l'évêque Guillaume de Touci qui s'opposait de toutes ses forces à l'établissement d'une commune dans sa cité épiscopale, aurait encouru, pour ce fait, « la colère du très pieux roi Louis. » Celui-ci, en effet, lui reprochait de vouloir enlever la ville d'Auxerre à sa domination et à celle de ses successeurs, « persuadé, ajoute le chroniqueur, que toutes les villes où était établie une commune lui appartenaient. » Cette maxime, si elle fut professée par Louis VII, ne s'appliquait, dans sa pensée, qu'aux villes épiscopales sur lesquelles le souverain avait déjà quelques droits à exercer. Il ne pouvait être question alors, pour la Royauté, de revendiquer comme lui appartenant les communes créées par des seigneurs indépendants. En tout cas, il est certain que les municipalités libres établies dans les villes d'église se considéraient elles-mêmes, dès cette époque, comme placées sous le patronage ou « mainbour » de la dynastie.

On peut donc dire que le règne de Louis VII marque le début de l'union des classes populaires avec celui qui représentait, à leurs yeux, l'ordre, la justice et la résistance à la Féodalité.

LIVRE II

PHILIPPE-AUGUSTE ET LOUIS VIII

CHAPITRE PREMIER

LA DÉFAITE DE LA GRANDE FÉODALITÉ. LA GUERRE CONTRE HENRI II ET RICHARD CŒUR-DE-LION

I. LA COALITION FÉODALE DE 1181. SOUMISSION DE LA CHAMPAGNE, DE LA FLANDRE ET DE LA BOURGOGNE. — II. PRÉLIMINAIRES DE LA LUTTE CONTRE HENRI II. ALLIANCE AVEC RICHARD CŒUR-DE-LION. — III. LA DÉFAITE ET LA MORT D'HENRI II. — IV. PHILIPPE-AUGUSTE ET LA TROISIÈME CROISADE. — V. LA CAPTIVITÉ DE RICHARD. LA GUERRE DE 1194-1199.

I. — LA COALITION FÉODALE DE 1181. SOUMISSION DE LA CHAMPAGNE, DE LA FLANDRE ET DE LA BOUR-GOGNE [1]

A U moment où il venait d'associer son fils au pouvoir, Louis VII, devenu infirme, n'était plus en état de gouverner. Il se laissait dominer par la reine Adèle de Champagne, et par ses quatre beaux-frères. Guillaume « aux-blanches-mains », intelligent et lettré, avait,

LA MAISON DE CHAMPAGNE.

---

1 Sources. Pour ce paragraphe et les suivants : 1° les sources françaises : les Chroniques en prose de Rigord et de Guillaume le Breton, et la *Philippide* de ce dernier auteur (édit. H.-F. Delaborde, 1882-1885); les chroniques de Robert de Torigni (édit Delisle, 1872-1873), dans Soc. de l'hist. de Normandie), et de Robert d'Auxerre (édit. Holder-Egger, dans les Monumenta Germaniae, *Scriptores*, t. XXVI); les lettres d'Etienne de Tournai (édit. Desilve, 1893., et le *Catalogue des actes de Philippe-Auguste*, de L. Delisle, 1856. — 2° Les sources anglaises : Giraud de Barri, *De principis instructione*, t. VIII des *Œuvres*, édit. G.-F. Warner; les chroniques anglaises de Gervais de Cantorbery (édit. Stubbs, 1879-1880, dans Rev. Brit. med. ævi scriptores, n° 73), de Raoul de Coggeshall (édit. J. Stevenson, 1875), de Raoul de Diceto (édit. Stubbs, 1876), de Roger de Howden (édit Stubbs, 1868-1871), et les *Gesta Henrici secundi* attribués à Benoît de Peterborough (édit. Stubbs, 1867). — 3° Les sources belges : *Flandria generosa*, dans les Monumenta Germaniae, *Scriptores*, t. IX, édit. Bethmann,

comme archevêque de Reims, cardinal et légat permanent du Saint-Siège, la première place dans l'Église de France; Henri Ier le Libéral, comte de Champagne, régnait sur un pays qui était alors un des principaux centres du commerce européen; Thibaut V, comte de Blois et de Chartres, était investi, comme sénéchal de France, du principal office de la couronne; Étienne, comte de Sancerre, moins haut placé, était un soldat énergique et remuant. Cette famille champenoise, dont les possessions cernaient de tous côtés le domaine royal, aspirait à gouverner, par la Reine et le Roi, la France entière. Le duché de Bourgogne et son chef Hugue III lui étaient liés par une alliance politique.

LA MAISON DE
FLANDRE.

Très puissant aussi était le comte de Flandre, Philippe d'Alsace, vassal à la fois du roi de France et de l'empereur d'Allemagne, et, en réalité, indépendant. Sa femme, Isabelle de Vermandois, lui avait apporté en dot les comtés de Vermandois et de Valois. Il régnait donc sur la Picardie et le nord de l'Ile-de-France, à Amiens, à Saint-Quentin, à Péronne; il pénétrait même au cœur du domaine de Louis VII; sa bannière et ses soldats étaient installés à Crépi-en-Valois, en face de Senlis, la vieille ville capétienne, à quelques lieues de Paris. Ses États formaient une masse ininterrompue, de l'embouchure de l'Escaut à la Marne. Marguerite d'Alsace, sa sœur, ayant épousé le comte de Hainaut, Baudouin V, il avait conclu avec ce beau-frère une convention féodale qui obligeait le Hainaut à mettre ses chevaliers et ses fantassins, excellents soldats, au service de la Flandre. Ami de Louis VII, Philippe d'Alsace avait été choisi pour être le parrain militaire de Philippe-Auguste. Au sacre, il avait porté l'épée royale dans l'église, et le soir, au festin d'apparat, rempli l'office de porte-mets. Il se croyait donc le soutien naturel et comme le tuteur du nouveau Roi.

Ainsi, deux factions, Flandre et Champagne, se disputent l'autorité, pendant qu'Henri II, déjà maître de plus de la moitié de la France, convoite l'autre moitié, notamment l'Auvergne et le Languedoc. Telles sont les circonstances difficiles au milieu desquelles allait débuter Philippe-Auguste, un enfant. Mais il se trouva que, par bonheur, cet enfant était extraordinairement précoce et réfléchi.

---

et la chronique de Gilbert de Mons, *Scriptores*, t. XXI, édit. Arndt, 1869. — Il faut faire une place à part à un document, à la fois littéraire et historique, que nous avons beaucoup utilisé : *l'Histoire de Guillaume le Maréchal, comte de Striguil et de Pembroke, régent d'Angleterre de 1216 à 1219*, poème publié en 3 vol. par P. Meyer, 1891-1901 (Soc. de l'hist. de France).
OUVRAGES A CONSULTER. A. Cartellieri, *Philipp II August, König von Frankreich*, livre I (jusqu'à la mort de Louis VII) et livre II (Philippe-Auguste et Philippe de Flandre), 1898. E. Petit, *Histoire des ducs de Bourgogne de la race capétienne*, t. III et IV, 1889-1891. D'Arbois de Jubainville, *Histoire des ducs et des comtes de Champagne*, 1859-1869 ou t. III et IV, 1861-1865. Lévesque de la Ravalière, *La vie d'Etienne Ier du nom, comte de Sancerre*, dans les Mémoires de l'Académie des Inscriptions, t. XXVI, 1759.

Associé au trône depuis le 1ᵉʳ novembre 1179, Philippe n'attend pas que son père soit mort pour exercer le pouvoir dans sa plénitude. Il agit, à certains égards, comme si Louis VII n'existait plus. Il expédie en son nom propre des chartes où le consentement de son père n'est pas mentionné. Il réagit contre la politique paternelle, en persécutant les Juifs pour qui Louis VII s'était toujours montré si tolérant et si doux. Par un édit de février 1180, ils furent arrêtés dans leurs synagogues, emprisonnés et condamnés à livrer au fisc leur or, leur argent et leurs étoffes précieuses. Mais ils rachetèrent leur mobilier, en versant au trésor royal la somme de 15 000 marcs. Simple mesure fiscale, qui avait d'ailleurs pour effet de bien disposer le Clergé et de gagner au jeune Roi la foule des ennemis et des débiteurs des banquiers juifs.

Un chroniqueur anglais affirme que Philippe enleva au vieux Roi la disposition du sceau de la chancellerie, ce qui équivalait à proclamer sa déchéance. Par là il voulait atteindre sa mère Adèle et, derrière elle, les princes champenois. Pour échapper à leur tutelle, il s'allie étroitement au comte de Flandre. Celui-ci n'ayant pas d'enfants, il est décidé que Philippe épousera sa nièce, Élisabeth, fille du comte de Hainaut, Baudouin V. Ce mariage était pour le jeune Roi mieux qu'un expédient politique, car le Flamand donnait en dot à sa nièce toute une province : Arras, Saint-Omer, Aire et Hesdin. A l'annonce de ce projet, la Reine mère et les princes de Champagne laissèrent voir leur mécontentement. Philippe fait saisir tous les châteaux qui constituaient le douaire de sa mère et rompt avec ses oncles. Puis il célèbre ses noces, dans l'Artois, au château de Bapaume, le 28 avril 1180. Mais il faut que la nouvelle reine de France soit sacrée et couronnée, et l'archevêque de Reims est Guillaume de Champagne. On décide qu'un autre archevêque, celui de Sens, donnera l'onction à Élisabeth de Hainaut. Comme le temps presse, et que les Champenois menacent, le couronnement des deux époux se fait simplement à Saint-Denis, de grand matin, au lever du soleil. La nécessité politique l'emportait sur les traditions si chères aux hommes de ce temps. — Ainsi, pacifiquement, par un mariage, Philippe-Auguste a préparé sa première conquête, celle de l'Artois.

Cependant la reine Adèle avait quitté la terre capétienne pour se réfugier en Normandie. De concert avec ses frères, elle demande au Plantagenêt aide et protection contre l'enfant rebelle, ou plutôt contre le comte de Flandre qui l'inspire. Henri II semble d'abord disposé à le soutenir : il quitte l'Angleterre, débarque en Normandie avec son fils Henri le Jeune et donne des ordres pour une levée générale de troupes dans ses États insulaires et continentaux. Philippe fait aussi ses préparatifs ; il demande des troupes à son beau-père, le comte de Hainaut, et annonce même qu'il va prendre l'offensive en Auvergne. Mais alors se produit un coup de théâtre. Les rois d'Angleterre et de France ont résolu d'avoir une entrevue à Gisors ; le Plantagenêt est venu, non en ennemi, mais pour jouer le rôle de médiateur et de protecteur.

En effet, le traité de Gisors, du 28 juin 1180, renouvelle la paix entre la France et l'Angleterre. Les deux rois concluent alliance défensive et offensive, et Philippe promet de se réconcilier avec sa mère et ses oncles. Alors que l'occasion était si belle, pour Henri II, d'accabler ce roi mineur, embarrassé dans les querelles de famille, en lutte avec une partie de son baronnage, comment ne l'a-t-il pas saisie? Était-ce encore le respect de la loi féodale qui interdisait au feudataire d'abuser de la minorité du suzerain? Se sentait-il trop las, trop peu sûr de l'obéissance de ses propres fils pour s'engager dans une guerre qui pouvait durer? Quelle que soit l'hypothèse admise, Henri II conservera pendant six ans, jusqu'en 1187, la même attitude, et Philippe trouvera dans le patronage du Plantagenêt le moyen de rester indépendant au milieu des factions féodales et d'affaiblir ses barons.

La mort de Louis VII, survenue le 19 septembre 1180, fut peut-être ce qui détermina la rupture entre le jeune Roi et sa famille maternelle.

COALITION DES CHAMPENOIS ET DES FLAMANDS. Flamands et Champenois ne tardèrent pas à s'apercevoir que l'alliance de Gisors ruinait leurs espérances. La mère et les oncles du jeune Roi, réconciliés avec lui pour la forme, lui reprochaient de mal exécuter les clauses du traité qui les concernaient. Le comte de Flandre, qui avait essayé d'empêcher les rois de s'entendre, comprit que le mariage de sa nièce et la donation de l'Artois ne lui rapporteraient rien et qu'il avait été joué par un enfant. Le 14 mai 1181, les princes de la Flandre, de la Champagne et de la Bourgogne se réunissent au château de Provins, sous prétexte de négocier le mariage du fils de Baudouin de Hainaut avec une fille du comte de Champagne, en réalité pour se concerter contre Philippe-Auguste. Une ligue est organisée entre le comte de Flandre, le comte de Hainaut, l'archevêque de Reims, le comte de Champagne, le comte de Blois et de Chartres, le comte de Sancerre, le comte de Nevers et le duc de Bourgogne. Les coalisés devaient attaquer le domaine royal par le Nord et par le Sud, du côté de Vermandois et du Beauvaisis, en même temps que par le Berri et l'Orléanais : un des plus sérieux dangers que la dynastie capétienne ait encore courus.

ÉTIENNE DE SANCERRE. Le comte de Flandre fait entrer dans la ligue certains barons de Belgique et de Lorraine, le comte de Namur et le duc de Louvain. Il cherche à mettre dans ses intérêts l'empereur Frédéric Barberousse, et l'engage à intervenir « pour étendre les limites de l'Empire jusqu'à la mer Britannique. » Le comte de Sancerre, d'autre part, s'est chargé d'envahir le domaine royal avec les troupes de la Champagne et de la Bourgogne. Ce singulier personnage avait eu la vie la plus agitée et la plus romanesque. En guerre avec tous ses parents, tous ses voisins, après avoir bataillé contre le seigneur de Donzi, contre le comte de Nevers, contre son frère Henri de Champagne, contre son suzerain, le roi Louis VII, qui fut obligé d'aller l'assiéger dans sa ville de Gien (1153), Étienne de Sancerre était parti un beau jour pour la Terre Sainte. On lui offrait en mariage la fille du roi de Jérusalem, Amauri Ier. Alléché par la perspective d'une couronne, il arrive en Syrie, mais il trouve que la situation du royaume chrétien est compromise, et aussi que la princesse n'est pas de son goût; il invoque cent prétextes pour retarder le mariage. Les échappatoires épuisées, il déclare qu'il n'épousera pas. Menacé par Amauri et les barons de Terre Sainte, il s'enfuit de Jérusalem. Il passe par la Cilicie, où les Arméniens le dépouillent et le laissent à grand'peine revenir à Constantinople et de là en France. Cet aventurier fut l'ennemi le plus acharné de Philippe-Auguste, pendant les cinq années que dura la coalition (1181-1185).

Comme toutes les guerres de cette époque, celle-ci fut sans cesse interrompue par des trêves. On ne se battait ni en hiver ni aux périodes des grandes fêtes religieuses. Et quand les hostilités étaient engagées, apparaissait un légat du Pape, entouré d'évêques et d'abbés, qui, au nom de la paix générale, de la religion et de la croisade, suppliait pour obtenir un armistice ou l'imposait. Les belligérants ne se hasardaient ni aux longs sièges ni aux combats décisifs; ils évitaient même avec soin de se rencontrer en forces. On se bornait à courir le pays, à ravager les champs, à incendier et piller les villages et les villes ouvertes. Philippe-Auguste et Philippe d'Alsace ne se trouvèrent qu'une fois ou deux face à face, avec le gros de leurs armées respectives. La grande bataille attendue n'eut jamais lieu.

GUERRE DE 1181.

Le jeune roi de France traversa pourtant quelques moments critiques. Dans l'été de 1181, Étienne de Sancerre s'était emparé de Saint-Brisson-sur-Loire et menaçait Orléans, pendant que Philippe d'Alsace, posté à Crépi-en-Valois, enlevait Dammartin, investissait Senlis et envoyait ses cavaliers jusqu'à Louvre, à vingt kilomètres de Paris. Philippe eût été en péril si les Plantagenêts ne s'étaient trouvés là pour le soutenir et imposer leur médiation. Grâce au roi d'Angleterre et à ses fils, il en fut quitte pour une vive alerte. Montrant d'ailleurs, dans ce danger, beaucoup de décision et de promptitude, il reprit Saint-Brisson, d'où il expulsa son oncle, emporta Châtillon-sur-Loire, une des forteresses du comte de Sancerre et le réduisit lui-même à implorer la paix. Puis il courut dans le Valois, dégagea Senlis et faillit bloquer le comte de Flandre dans Crépi.

SUCCESSION DE VERMANDOIS.
En 1182, la comtesse de Flandre, Isabelle de Vermandois, mourut sans enfants. Son héritage, le Vermandois et le Valois, échappait à son mari et revenait à sa sœur, la comtesse de Beaumont, femme d'un haut fonctionnaire du palais capétien. Aussitôt Philippe-Auguste revendique en son nom le Vermandois et commence par s'emparer de Chauni et de Saint-Quentin. Le comte de Flandre, pour se venger, contracte immédiatement un second mariage avec une princesse de Portugal; il lui abandonne en douaire une partie importante de ses États, y compris l'Artois. Puis il redouble ses intrigues à la cour impériale, où il comptait beaucoup d'amis, pour amener Barberousse dans la coalition. Mais Philippe-Auguste traite de son côté avec l'Empereur, et obtient que l'Allemagne reste neutre.

LA COALITION SE DISSOUT.
Cependant la coalition avait ses points faibles. Un des oncles du roi, Thibaut de Blois, le sénéchal, était un pacifique. L'archevêque de Reims, Guillaume, par condition et par goût, répugnait aussi à la guerre. Ils acceptèrent les avances que leur fit adroitement Philippe-Auguste et reprirent, dans le palais capétien, leur ancienne place. D'autre part, le comte de Hainaut, Baudouin V, se fatiguait, à la longue, de marcher à la remorque des Flamands. La guerre de France ne lui rapportait que des fatigues et d'énormes dépenses en argent et en hommes. Philippe-Auguste, après tout, était son gendre, et sa fille Élisabeth le suppliait de faire la paix avec son mari. Justement Philippe reprochait à sa femme de n'avoir pas encore réussi à détacher son père de la coalition. Pour cette raison, et aussi parce qu'elle ne lui donnait pas d'héritier, il se décida, en 1184, à divorcer.

ÉLISABETH DE HAINAUT A SENLIS.
Le jour où devait être prononcée à Senlis la déclaration formelle de répudiation, on vit la jeune Reine sortir du palais, vêtue d'une robe de pauvresse, pieds nus, un cierge à la main. Elle parcourt la ville en faisant l'aumône à tous les mendiants qu'elle rencontre et entre dans toutes les églises, priant Dieu qu'il éloigne d'elle le malheur dont elle est menacée. Le peuple s'émeut : les misérables et les lépreux se réunissent devant le palais du Roi; ils demandent à grands cris la grâce de la Reine et la confusion de ses adversaires. Sur l'avis de ses conseillers les plus prudents, Philippe se résigna à garder sa femme. Son bon sens avait fini par lui faire comprendre qu'un tel divorce eût été une faute politique contraire à tous ses intérêts. La conséquence presque immédiate de cet

incident fut que le comte de Hainaut, craignant pour sa fille, songea à abandonner ses alliés.

LE HAINAUT SE SÉPARE DE LA FLANDRE.

Pour l'y décider tout à fait, Philippe-Auguste usa, sans scrupule, d'un procédé déloyal. Dans une des trêves conclues avec les Flamands, il inséra le nom de son beau-père parmi les partisans de la France à qui s'appliquait l'armistice. Le comte de Flandre se crut trahi par Baudouin et se vengea en formant contre lui une ligue de barons lorrains et allemands, qui envahirent le Hainaut. Attaqué de toutes parts, Baudouin se défendit à grand'peine. Le jeune Roi ne se donna même pas la peine d'aller à son secours. Il avait séparé le Hainaut de la Flandre et ruiné la coalition. Le reste lui importait peu.

CAMPAGNE DE PICARDIE.

Philippe d'Alsace isolé, tenta, en 1185, un dernier coup de fortune. Il se jeta sur Corbie, qu'il ne put prendre, puis courut assiéger Béthizi en Valois; mais Philippe-Auguste concentrait à Compiègne une armée formidable (les chroniqueurs parlent de 2000 chevaliers et de 140 000 sergents à pied ou à cheval). Le comte de Flandre se dirigea sur Amiens pour couvrir cette grande ville. Philippe-Auguste, qui avait en effet le dessein de s'en emparer, poussa l'ennemi le long de la Somme et investit le château de Boves, position formidable, à très peu de distance d'Amiens, à la jonction des trois vallées de la Somme, de l'Avre et de la Noye. Là les deux armées se rencontrèrent et restèrent à s'observer pendant trois semaines. Au moment où l'action allait s'engager, le comte de Flandre demanda la paix. Philippe-Auguste avait pour lui la supériorité du nombre et l'appui d'Henri II qui, vainement sollicité par les Flamands, n'intervint même pas comme médiateur. Enfin, l'un des meilleurs auxiliaires du comte de Flandre, Jacques, seigneur d'Avesnes, acheté secrètement par le roi de France, trahissait.

TRAITÉ DE BOVES.

Le traité de Boves (juillet 1185) donna à Philippe-Auguste, avec l'expectative de l'Artois, dot de sa femme, soixante-cinq châteaux du Vermandois et l'importante ville d'Amiens. La domination des rois de France s'étendait maintenant, presque sans interruption, de la Seine moyenne à l'Authie. La Flandre vaincue et dépouillée d'une partie de son territoire, les princes de Champagne réduits à l'état de serviteurs dociles, l'impuissance des ligues féodales démontrée, la supériorité de la dynastie capétienne affirmée avec éclat, tel était le résultat obtenu, au bout de cinq années de règne, par ce roi de vingt ans.

Un seul des hauts barons coalisés, le duc de Bourgogne, Hugue III, n'avait pas été atteint. En 1186, Philippe-Auguste envahit la Bourgogne à marches forcées et s'empare d'une des capitales du duché, Châtillon-sur-Seine. Le duc, dont le fief était limitrophe de l'Empire, intrigue en Allemagne; il va même trouver en Italie le fils de Barbe-rousse, le roi des Romains, Henri, récemment couronné à Milan, et conclut avec lui, à Orvieto, un traité d'alliance. Mais Frédéric défend à son fils d'intervenir, et le duc de Bourgogne est obligé de se soumettre.

Henri II avait assisté, sans bouger, aux défaites successives des grands barons de France. Il ne se doutait pas qu'il allait devenir, à son tour, la victime de cette ambition pour qui la parenté, l'amitié et la reconnaissance ne comptaient pas.

II. — PRÉLIMINAIRES DE LA LUTTE CONTRE HENRI II. ALLIANCE AVEC RICHARD CŒUR-DE-LION [1]

ON peut s'étonner que ce tout jeune homme, à peine sorti d'une guerre civile, vivant des ressources fort maigres d'un domaine encore très exigu, ait osé s'attaquer à un roi de cinquante-sept ans, à qui tout avait réussi et dont le nom était redouté de l'Europe entière. Henri II disposait de l'Angleterre en maître absolu; il possédait la plus grande partie du sol de la France, et par son système d'alliances tenait sous son hégémonie le Portugal, l'Espagne, la Savoie, la ligue lombarde et le royaume des Deux-Siciles. Vouloir abattre ce colosse, quand on n'était que le roi de Paris, d'Orléans, de Bourges et d'Amiens, audace peu commune!

POINTS FAIBLES DE L'EMPIRE ANGEVIN. Mais nous connaissons les causes de faiblesse qui compromet-taient la domination du Plantagenêt. Depuis leur révolte avortée de 1173, ses fils Henri le Jeune, Geoffroi et Richard, parvenus à l'âge d'homme, subissaient le joug avec l'idée de le secouer à la première occasion. Au reste, ils ne s'aimaient pas plus entre eux qu'ils n'aimaient leur père. En 1183, l'aîné avait essayé de s'insurger et de s'établir en Aquitaine aux dépens de Richard dont il était jaloux. Une guerre très vive, marquée par d'effroyables ravages de routiers, eut lieu dans le Limousin, entre le père et le fils. La mort d'Henri le Jeune, arrivée subitement, frappa au cœur le despote qui en pleura.

MALADIE D'HENRI II. Le roi d'Angleterre était vieux avant l'âge. Il avait usé son tem-pérament de fer. Le poème sur Guillaume le Maréchal nous apprend

1. OUVRAGES A CONSULTER. A. Cartellieri, *Philipp II August* (liv. III, Philippe-Auguste et Henri d'Angleterre), 1900. Boissonnade, *Les comtes d'Angoulême, les ligues féodales contre Richard Cœur-de-Lion et les poésies de Bertrand de Born*, dans les Annales du Midi, t. VII 1895. D'Herbomez, *Le voyage de Philippe-Auguste à Tournay en 1187*, dans la Revue des Questions historiques, t. L, 1891. P. Scheffer-Boichorst, *Deutschland und Philipp II August von Frankreich in den Jahren 1180 bis 1214*, dans les Forschungen zur deutschen Gesch., t.VIII,1868.

que la maladie l'empêchait souvent d'agir. Il souffrait d'une fistule et d'un rhumatisme dont les accès devenaient de plus en plus fréquents et douloureux. De nature plus diplomate que guerrier, comme nous avons vu, il se défiait de plus en plus des hasards du champ de bataille. Dans la lutte qu'il soutiendra, malgré lui, contre Philippe-Auguste, il ne songera qu'à temporiser ou à se dérober, tandis que son rival, jeune, ardent, fier des succès remportés sur ses grands vassaux, s'enhardira de ces reculades.

PLAN DE PHILIPPE-AUGUSTE.

Le roi de France n'était pas embarrassé pour trouver des griefs contre son ancien protecteur. Il lui reprochait de garder Gisors et le Vexin normand, dot de sa sœur, Marguerite de France, la veuve d'Henri le Jeune. Il exigeait qu'Henri II fît procéder au mariage, convenu depuis longtemps, d'Alix de France avec Richard d'Aquitaine. Pourquoi le roi d'Angleterre gardait-il cette jeune fille, chez lui, en prisonnière, en otage, au lieu de la donner à son fils? conduite étrange qui autorisait les pires soupçons. Il se plaignait aussi que la domination anglaise fût installée dans le Berri oriental et dans l'Auvergne, pays de suzeraineté capétienne. Il dénonçait enfin, comme un attentat aux droits de sa couronne, les efforts réitérés du duc Richard pour se rendre maître du Languedoc. Telles sont les raisons diverses que le roi de France invoqua dans les nombreuses conférences tenues, en 1187 et en 1188, sur la frontière normande. Les deux souverains y discutèrent violemment sans pouvoir aboutir à un accord.

Au fond, les questions de droit intéressaient peu Philippe-Auguste : décidé à la guerre, il travaillait surtout à isoler l'ennemi. Diviser l'empire angevin en s'alliant avec les fils d'Henri II et lui susciter des inimitiés au dehors en se liguant avec une puissance étrangère, l'Allemagne, fut le plan très visible que le Capétien avait conçu.

GEOFFROI DE BRETAGNE A PARIS.

L'intrigue qu'il noua avec Geoffroi, comte de Bretagne, le troisième fils du Plantagenêt, remonte au moins au commencement de 1186. Comme ses frères, Geoffroi cherchait tous les moyens d'échapper à l'autorité paternelle. Il jalousait Richard, devenu, à la mort d'Henri le Jeune, l'héritier de toute la monarchie. Il s'entendit aisément avec Philippe, et leur entente tourna bientôt à la plus étroite intimité. Le bruit courut que Geoffroi devait occuper la fonction de sénéchal de France, faire hommage au Capétien pour la Bretagne et entrer en campagne contre son père par une invasion en Normandie. A coup sûr, Philippe demanda à Henri II de mettre Geoffroi en possession du comté d'Anjou. Geoffroi séjournait à la cour de France, où Philippe le traitait en frère, mais il mourut d'un accident de tournoi, ou d'un accès de fièvre (août 1186). Le roi de France lui fit de splendides funérailles et manifesta la plus profonde douleur. « On eut de la peine, dit le chroniqueur Giraud de Barri, à l'empêcher de se précipiter dans la fosse. » Était-il sincère? Moins de deux ans après, il prodiguera les mêmes effusions de tendresse à l'autre fils d'Henri II, Richard Cœur-de-Lion.

En Allemagne, Frédéric Ier se débattait contre une coalition féodale que dirigeait l'archevêque de Cologne et dans laquelle Henri II, ami du parti guelfe, était entré. Philippe conclut alliance avec Barberousse. Il s'engageait à le soutenir contre ses ennemis intérieurs, et celui-ci, en retour, promettait de venir en aide au roi de France dans la lutte qui s'ouvrait avec le Plantagenêt.

PAIX DE
CHATEAUROUX.

A la fin de mai 1187, Philippe-Auguste attaque brusquement. Il franchit le Cher avec ses contingents féodaux et des bandes de routiers à sa solde, et emporte Issoudun; c'est à peine si les deux fils de Henri II, Richard et Jean, ont le temps de se jeter dans Châteauroux que l'armée française investit. Henri arriva avec le gros de ses troupes. Une action décisive semblait devoir s'engager, le 23 juin, quand on apprit que les deux rois s'étaient subitement accordés. Henri II cédait à Philippe Issoudun et la seigneurie de Fréteval en Vendômois.

Les contemporains ont cherché les raisons de cette paix mystérieuse de Châteauroux. D'après certains d'entre eux, le roi d'Angleterre aurait été victime de sa propre diplomatie et de son obstination à vouloir la paix. Se défiant de son fils Richard, il proposa un accommodement à Philippe dès son arrivée à Châteauroux. La base de cet accord devait être le mariage de la sœur de Philippe-Auguste, Alix, non plus avec Richard, mais avec l'autre fils d'Henri II, son enfant de prédilection, Jean Sans-Terre. Les deux époux seraient investis du duché d'Aquitaine, du comté d'Anjou et de toutes les provinces continentales, à l'exception de la Normandie, qui resterait, avec le royaume insulaire, à l'héritier de la couronne anglaise. Philippe-Auguste s'empressa d'envoyer à Richard le texte de ces propositions d'Henri II. On devine la colère du fougueux duc d'Aquitaine, en face d'un projet qui lui enlevait d'avance la moitié de son héritage. C'est alors qu'Henri II, redoutant une trahison de son fils, demanda la paix au roi de France qui l'avait joué.

AMITIÉ
DE RICHARD
ET DE PHILIPPE.

Les soupçons du roi d'Angleterre étaient fondés. La paix signée, Richard suivit Philippe-Auguste à Paris et y resta quelque temps. Le roi de France recommença aussitôt avec lui la comédie d'amitié qu'il avait jouée avec Geoffroi. Henri II apprit que Philippe et son hôte ne se quittaient plus; que, le jour, ils mangeaient à la même table, au même plat et, la nuit, couchaient dans le même lit. Le Roi, malgré son désir de regagner l'Angleterre, n'osa pas s'embarquer et demeura en Normandie. Il manda son fils, qui se rendit à la troisième ou quatrième sommation, et, en passant à Chinon, fit main basse sur un des trésors de l'État. L'alliance de Richard avec le roi de France était à moitié faite.

D'autre part, l'union franco-allemande se resserrait. En décembre 1187, Philippe-Auguste et Barberousse se rencontrèrent, avec une pompeuse escorte de barons et d'évêques, sur la Meuse, entre Ivois et Mouzon. L'accord est renouvelé et complété. Philippe s'engage à chasser de Reims l'archevêque de Trèves, Folmar, un des ennemis de Barberousse; Frédéric adjuge la succession du comté de Namur, devenue vacante, au beau-père du roi de France, Baudouin V, et promet de nouveau à Philippe, en cas de besoin, son aide contre les Plantagenêts. Au sortir d'Ivois, le Capétien fait une sorte de reconnaissance au nord de son royaume. Accompagné de son beau-père, il traverse le Hainaut où on lui fait fête. En passant à Tournai, dont l'évêché relevait de la France, il donne aux habitants une charte communale, moyennant une redevance annuelle et l'engagement d'envoyer à son ost un contingent de 300 sergents. Par là, il introduisait son autorité dans cette place située au point de jonction du Hainaut, de la Flandre et de l'Artois, diminuait le pouvoir de l'évêque et affaiblissait l'État flamand.

ENTREVUE DE PHILIPPE ET DE BARBEROUSSE.

Après avoir mis à profit la paix de Châteauroux, Philippe oublia qu'il l'avait jurée pour deux ans. Au début de 1188, il rassemble des forces et menace d'envahir la Normandie. Il exigeait, une fois de plus, que Gisors lui fût rendu avec ses dépendances et qu'on célébrât enfin le mariage d'Alix et de Richard. Mais un événement d'intérêt européen tira Henri II d'embarras.

ASSEMBLÉE DE GISORS.

Le bruit se répandait, depuis quelque temps, que Saladin avait pris Jérusalem. Il se fit alors, en France comme partout, un de ces mouvements d'opinion qui s'imposent aux rois et aux peuples. Adjurés par le légat du Pape et les envoyés de la Terre Sainte de mettre fin à leurs démêlés, pressés par leur clergé et leur noblesse, les deux souverains se réunirent près de Gisors, le 21 janvier 1188. Là recommencèrent les discussions sur leurs griefs réciproques; mais tout s'effaçait devant l'obligation impérieuse de la croisade. Évêques, barons, souverains, prirent la croix; Philippe et Henri se donnèrent en public le baiser de paix. Au fond, ils n'avaient pas plus envie l'un que l'autre de faire le lointain pèlerinage : le roi d'Angleterre se sentait malade et n'était plus dans l'âge des aventures, le roi de France ne voulait pas abandonner la proie qu'il se croyait près de saisir. Richard Cœur-de-Lion, au contraire, n'avait pas attendu l'assemblée de Gisors pour se croiser; il avait le sincère enthousiasme du batailleur qui rêve de glorieux exploits sous le ciel d'Orient.

Au printemps de 1188, les rois de France et d'Angleterre et l'empereur Frédéric rassemblaient les soldats et l'argent nécessaires à l'entreprise. Tout à coup on apprend que les barons d'Aquitaine se sont soulevés contre Richard et que le comte de Toulouse est affilié à leur ligue. Rébellion et prise d'armes imprévues, inexplicables en un pareil moment! Est-il vrai qu'Henri II les ait provoquées pour empêcher Richard de partir en Palestine? En tout cas, la ruse ne lui réussit pas.

Richard châtia durement les rebelles, puis envahit le Languedoc, conquit le Querci et menaça le comte de Toulouse, Raimond V, dans sa capitale. C'était l'occasion que guettait Philippe-Auguste pour rompre la trève et différer la croisade. Il somme le duc d'Aquitaine de soumettre à la justice royale son démêlé avec Raimond : en même temps, il dénonce à Henri II la conduite de son fils et demande une réparation. Le roi d'Angleterre désavoue Richard et lui ordonne, à deux reprises, de rentrer en Aquitaine; Richard, désobéissant à son père et au roi de France, continue à prendre les châteaux du Languedoc. C'est alors que le roi de France, sans déclaration de guerre, sans défi préalable, marche sur Châteauroux et s'en empare. De là, il emporte rapidement Busançai, Argenton, Levroux. En quelques jours, il était maître de tout le Berri et des approches de la Touraine. Loches seul, avec son formidable donjon, restait, de ce côté, au pouvoir d'Henri II (juin 1188).

Telle était l'obstination de celui-ci à vouloir la paix, qu'au moment où Philippe-Auguste lui prenait ses villes, il lui envoyait des ambassadeurs. « Le roi de France, dit un chroniqueur anglais, rugissant comme le lion, tournait en dérision tous les messages du roi d'Angleterre. » Et la guerre recommença sur tous les points de la frontière des deux royaumes : le Vexin, le pays de Dreux et de Vendôme, le Berri, le Bourbonnais, bref, de Gisors à Montluçon. Ni l'indignation du Pape et de ses légats, ni les lamentations des clercs, ni le mécontentement des croisés, qui voyaient tant de préparatifs faits en pure perte et l'argent recueilli pour la « dîme saladine » employé à la guerre entre chrétiens, n'émurent Philippe-Auguste.

La guerre de 1188 dura de juillet à octobre, semblable d'ailleurs à toutes les autres. Les vrais incidents militaires se comptent : une tentative inutile de Richard pour recouvrer Châteauroux et le Berri aquitain; Vendôme prise par Philippe-Auguste, reprise par Richard; Dreux brûlé par les Anglais, Troo par les Français; Henri II arrêté devant Mantes par la milice de cette commune et renonçant à l'idée d'une marche directe sur Paris. En octobre, les négociations se renouèrent. Après l'inutile entrevue de Châtillon-sur-Indre (7 octobre), une seconde conférence fut décidée, pour le 18 novembre, à Bonmoulins en Normandie.

Le roi de France, bien lancé, ne demandait qu'à continuer la guerre. Mais le pape Clément III et le légat Henri d'Albano, apprenant que Saladin menaçait Antioche, excitaient de plus en plus l'opinion contre les deux rois, coupables de ne pas prendre le chemin de Jérusalem. Les grands feudataires français, effrayés peut-être des succès de Philippe, commençaient à murmurer et à refuser le service, si l'on en croit la chronique anglaise dite de Peterborough. Le comte de Flandre, le comte de Blois et les autres comtes et seigneurs du royaume de France, contre l'avis desquels le roi de France avait entrepris cette guerre, déposèrent les armes, disant qu'ils ne s'en serviraient plus contre des chrétiens, si ce n'est le jour où ils seraient revenus de la croisade. Enfin Philippe n'avait plus de quoi payer ses routiers.

Les rois se rencontrèrent donc à Bonmoulins, sur la limite du Perche et de la Normandie (18 novembre 1188). Le poète qui a raconté la vie de Guillaume le Maréchal affirme que Richard arriva avec Philippe. Henri lui dit en l'apercevant : « Richard, d'où venez-vous ? » Et lui, répondit : « Beau sire, je vous le veux volontiers dire, volontiers sans plus et sans moins. » Le hasard lui avait fait rencontrer Philippe-Auguste : il n'avait pas voulu avoir l'air de l'éviter, et, au nom de la concorde et de la paix, il l'avait accompagné jusqu'au lieu de l'entrevue. « C'est bien, Richard, s'il en est ainsi, dit Henri, mais je ne le crois pas. Prenez garde qu'il n'y ait quelque trahison. » Cependant les pourparlers commencent. Philippe prend à part le roi d'Angleterre et lui dit : « Je vous loue et conseille telle chose qui bien est à faire, et qui ne doit pas vous déplaire. Votre fils, le comte de Poitiers, est tenu pour moult prudhomme, mais il a peu de terre ; je vous prie donc et requiers que vous lui donniez, avec le Poitou, la Touraine, le Maine et l'Anjou, qui moult seront en sûreté avec lui. — Vous me le conseillez ainsi ? dit le roi Henri. — Oui vraiment. — A vos paroles, je puis comprendre que vous voulez le rendre puissant. Mais si le sens ne me fait pas défaut, ce ne sera pas aujourd'hui qu'il aura ce cadeau. »

Les chroniqueurs anglais confirment le récit du poète. La conférence dura trois jours. Le troisième, les négociateurs en viennent presque aux mains. Que s'était-il passé ? Philippe-Auguste voulait avoir non une paix définitive, mais une simple trève, et sous deux condi-

ENTREVUE DE BONMOULINS.

tions. Le roi d'Angleterre procédera au mariage, tant de fois éludé, d'Alix et de Richard; il reconnaîtra son fils aîné comme l'héritier de ses États et lui fera prêter serment de fidélité par les barons de l'Angleterre ou du continent. Cette dernière exigence révélait l'entente secrète de Philippe et de Richard. Henri II déclare ne pouvoir satisfaire immédiatement au désir de son fils; une mesure aussi grave ne devait pas paraître l'effet de la contrainte, mais d'une décision prise en toute liberté.

Richard, jusque-là, n'avait rien dit. Quand il eut entendu cette réponse d'Henri II, il s'avança vers son père, et le pria de vouloir bien reconnaître, devant tous, son droit de légitime héritier. Henri essayant d'échapper, par quelques paroles vagues, à cette requête trop pressante : « Je vois maintenant, s'écrie Richard, la vérité de ce que je n'avais pas osé croire. » Et, tournant le dos à son père, il s'agenouille mains jointes devant Philippe-Auguste, dans l'attitude du chevalier qui fait hommage. Il se déclare à haute voix le vassal du roi de France, pour la Normandie, le Poitou, l'Anjou, le Maine, le Berri, le Toulousain, et prie Philippe-Auguste de l'aider à faire valoir ses droits. Henri II « fit quelques pas en arrière, dit Gervais de Cantorbery, se demandant à quoi pouvait tendre ce revirement subit, réfléchissant à ce qui s'était passé jadis, quand son fils Henri le Jeune s'était allié contre lui à Louis VII et songeant qu'il se retrouvait en face d'un péril plus grave, car ce Philippe était un bien autre homme que Louis VII. » Cependant le cercle des rois et des hauts barons devant qui cette scène avait eu lieu, s'était rompu, et la foule des chevaliers se précipitait pour savoir ce qui venait d'arriver. Henri II se retira seul. Richard partit avec Philippe-Auguste, que, jusqu'à la mort de son père, il ne devait plus quitter.

III. — LA DÉFAITE ET LA MORT D'HENRI II [1]

EFFETS
DE L'ALLIANCE
AVEC RICHARD.

PAR son alliance avec Richard, Philippe avait doublé ses forces et divisé la monarchie angevine. La défection du fils d'Henri II entraîna la révolte ouverte de la Bretagne. La plupart des barons de l'Anjou, du Maine, du Vendômois, du Berri aquitain abandonnèrent l'un après l'autre le vieux Roi pour faire hommage aux deux jeunes

---

1. SOURCES. Outre celles qui sont énumérées, p. 83, les *Epistolae Cantuarienses*, édit. Stubbs, 1865 (Rev. Brit. med. ævi scriptores, n° 38), formant le t. II des *Chronicles and Memorials of the reign of Richard the first*. Giraud de Barri, *De vita Galfridi Eboracensis archiepiscopi*, au t. IV de ses *Œuvres*, édit. J.-S. Brewer (Rev. Brit. med. ævi scriptores, n° 21).
OUVRAGES A CONSULTER. A. Cartellieri, *Philipp II* (liv. III), 1899.

La défaite de la grande féodalité.

gens. Et le hasard fit qu'à ce moment Henri II fût aux prises avec les moines de la puissante abbaye de Christchurch, électeurs des archevêques de Cantorbery!

Cependant le Pape, l'Église et l'opinion chrétienne se déclaraient avec plus de force que jamais contre cette guerre sacrilège. Le légat Henri d'Albano fut remplacé par un homme énergique, le cardinal Jean d'Anagni. Celui-ci obtint d'abord des belligérants la prolongation de la trêve de deux mois consentie à Bonmoulins. Il rappela à Philippe et à Henri qu'ils avaient promis, au moment où ils prenaient la croix, de remettre leurs différends à l'arbitrage de quatre archevêques choisis dans les deux royaumes. Philippe et Richard consentirent enfin à une entrevue avec Henri II sur la frontière du Maine et du Perche.

A la Ferté-Bernard, l'éternelle discussion recommença. Philippe reparla du mariage d'Alix avec Richard, d'une garantie à donner au duc d'Aquitaine pour son droit de succession au trône : « Si Richard part pour la Terre Sainte, dit-il, il faudra, selon toute justice, que Jean-sans-Terre l'accompagne. » Et Richard déclara qu'il ne se mettrait pas en route sans son frère. Il était convaincu que son père voulait le dépouiller de ses droits pour en investir son frère cadet. Henri ayant refusé le départ de Jean, l'entrevue se termina par un échange d'injures. Plus que jamais la paix et la participation des Français et des Anglais à la croisade étaient compromises, à l'heure même où Barberousse et les croisés d'Allemagne traversaient la Hongrie et s'approchaient des frontières de l'empire grec.

CONFÉRENCES DE LA FERTÉ-BERNARD.

Avant que l'entrevue prît fin, le légat Jean d'Anagni, se tournant vers Philippe-Auguste, lui avait déclaré que, s'il ne se prêtait pas à un accommodement, son royaume serait mis en interdit; mais on n'était plus au temps de Grégoire VII. Le roi de France répondit qu'il ne redoutait pas l'anathème et qu'il ne s'y soumettrait pas, l'Église romaine n'ayant pas le droit de sévir contre le royaume de France, par sentence d'excommunication ou de toute autre manière, alors que le Roi ne faisait que châtier des vassaux rebelles et venger les injures de sa couronne. « On voit bien d'ailleurs, ajouta-t-il, que le seigneur cardinal a flairé les sterlings du roi d'Angleterre. » Le légat comprit que ce roi de vingt-cinq ans ne serait pas aussi malléable que l'avait été Louis VII.

Après le colloque de la Ferté-Bernard, Philippe-Auguste part de Nogent-le-Rotrou et envahit le Maine. Il prend la Ferté-Bernard, Malétable, Balon, Montfort-le-Rotrou, toutes les places fortes qui couvraient le Mans (4-11 juin 1189). Ce mouvement détermine la défection des seigneurs de Mayenne, de Laval et de Fougères. Pen-

CONQUÊTE DU MAINE.

dant ce temps, Henri II restait au Mans, sans bouger. En vain ses amis et ses officiers lui conseillaient d'abandonner les provinces de la Loire, déjà entamées par l'ennemi, et de se retirer en Normandie, où sa domination était intacte, pour y organiser la résistance. Le Roi, affaissé sous la maladie et le chagrin, semblait dominé par l'idée fixe de ne pas s'éloigner de son pays natal, du berceau de sa race. C'était au Mans qu'il était né et qu'était enseveli son père Geoffroi le Bel. Il avait promis aux bourgeois de cette ville de ne pas les abandonner : il tint parole.

Cependant les Français approchaient. Le 12 juin, Philippe et Richard apparaissaient sous les murs, qu'ils voulaient emporter d'assaut. Henri fit mettre le feu au faubourg et massa toutes ses troupes derrière l'enceinte. Mais le vent ayant tout à coup changé de direction, les flammes passèrent par-dessus les murailles et envahirent la cité. Un corps de troupes chargé par Henri de défendre le pont de la Sarthe fut défait. Pris entre l'ennemi, qui avait forcé l'entrée de la ville, et l'incendie, qui gagnait, Henri s'enfuit, avec son bâtard, le chancelier Geoffroi, et 700 chevaliers. Philippe et Richard, après avoir mangé le dîner préparé pour le vieux Roi, lui donnèrent la chasse pendant trois milles. Dans un engagement d'arrière-garde, Guillaume le Maréchal, un des fidèles d'Henri, s'étant retourné, aurait pu s'emparer de Richard ; il se contenta de lui tuer son cheval, pour arrêter la poursuite. Henri courut vingt milles sans débrider et gagna le château de Fresnai-sur-Sarthe.

CONQUÊTE DE LA TOURAINE.

Le 13 juin au matin, au lieu de suivre le conseil qu'on lui donnait de gagner Alençon et la Normandie, ce qui l'eût peut-être sauvé, il se dirigea sur Angers, et, de là, sur Chinon. Philippe-Auguste soumet alors tout le pays entre le Mans et Tours ; du 15 au 30 juin, il entre dans les châteaux de Montdoubleau, de Troo, des Roches, de Montoire, de Château-du-Loir. Arrivé sur la Loire, à la limite des comtés de Tours et de Blois, il passe le fleuve, et le descend, prenant sur sa route Chaumont, Amboise et Rochecorbon. Le 30, il était en vue de Tours, et se prépara à donner l'assaut. Le même jour, Henri II fut pris de fièvre. Incapable même de s'enfuir, abandonné par la plupart de ses barons, il était à la discrétion de son ennemi.

Le 2 juillet, les principaux barons de France, l'archevêque de Reims, le comte de Blois, le duc de Bourgogne, le comte de Flandre, se présentèrent devant lui à Saumur. Ils lui proposaient d'intervenir en sa faveur auprès de Philippe et de Richard. Peut-être cette intervention avait-elle été provoquée par le Plantagenêt lui-même. Peut-être les barons en prirent-ils l'initiative, inquiets des succès de leur jeune souverain. En tout cas, Philippe ne se prêta point à la tentative.

Il exigeait que le roi d'Angleterre se mît à sa merci; Henri demandait à sauver la forme; il signerait un traité où on lui permettrait
cette réserve : « sauf notre honneur, l'intégrité et la dignité de notre
couronne. » Philippe refusa.

Lorsque les Français eurent emporté d'assaut la ville et le
donjon de Tours, Henri comprit que la résistance était impossible.
Le 4 juillet, bien que souffrant de sa fistule et affaibli par la fièvre,
il monte à cheval et rencontre le roi de France à Colombier, près
de Villandri, entre Azai-le-Rideau et Tours. Le ciel, absolument pur,
brillait de l'éclat d'une très chaude journée. Soudain un formidable
coup de tonnerre éclate. Les deux rois reculent d'abord effrayés,
comme si la foudre était tombée entre eux; puis ils s'avancent de
nouveau l'un vers l'autre. Second coup de tonnerre. Le roi d'Angleterre serait tombé de cheval, sans l'aide de ses barons. Alors il
entend la lecture du traité de paix et déclare qu'il en accepte les
clauses. Il demande seulement qu'on lui communique la liste des
seigneurs qui l'ont abandonné. Philippe consent, très heureux de
prouver à son ennemi qu'il est délaissé à peu près par tout le monde.
Il avait été convenu qu'Henri donnerait le baiser de paix à son fils.
Henri embrasse donc Richard, mais celui-ci, en se retirant, entendit
son père murmurer : « J'espère que Dieu ne me laissera pas mourir
avant que j'aie pu me venger de toi comme tu le mérites. » Richard
raconta le mot à Philippe-Auguste et aux Français, qui en rirent
beaucoup. Tel est le récit des chroniqueurs anglais Roger de Howden
et Giraud de Barri.

Il y a plus de simplicité, et peut-être de vérité, dans l'histoire
de Guillaume le Maréchal.

« Sur l'avis de ses barons, Henri vint sans retard au lieu du
rendez-vous. Il descendit chez les Templiers et attendit le roi de
France. Mais là, il lui prit de sa maladie un accès si violent qu'il ne
put l'endurer. On le vit tout à coup s'appuyer, tout angoissé, sur la
muraille et appeler le Maréchal : « Maréchal, lui dit-il, beau doux
sire, je veux vous dire ce qui m'arrive. Un mal cruel vient de me
saisir aux talons, m'a pris les deux pieds, puis les jambes, puis tout
le corps. Je n'ai jamais souffert comme je souffre... Le Maréchal fut
très affligé de voir son souverain en cet état : la douleur d'Henri était
telle que sa figure rougissait et bleuissait tour à tour. Il dit au Roi :
« Sire, je vous en prie et demande pardon, mais reposez-vous un
peu. » Et ils le couchèrent sur le lit.

« Cependant le roi de France était arrivé. Il demanda : Qu'est
devenu le roi Henri? Viendra-t-il? On lui répondit qu'il était venu,
mais qu'il était tombé malade, au point que le cœur lui manquait,

qu'il ne pouvait ni rester debout ni s'asseoir, qu'il avait été obligé de se mettre au lit. Le comte Richard ne le plaignait nullement et dit à Philippe que cette maladie était une feinte. Alors les amis du roi d'Angleterre l'exhortèrent de nouveau par lettre, et de vive voix, à se rendre coûte que coûte au rendez-vous. Henri, sur leurs instances, fait de nouveaux efforts et dit au Maréchal : « Maréchal, quoiqu'il m'en coûte, je leur accorderai une grande partie de ce qu'ils vont me demander afin de pouvoir m'en retourner libre et sauf : mais je vous le dis en certitude, s'il m'est donné de vivre longuement, je les rassasierai de ma guerre, et la terre me restera. »

« Les deux rois se trouvèrent donc en présence; tous les hauts barons qui étaient là virent bien au visage du roi Henri qu'il avait souffert grande douleur. Le roi de France lui-même s'en aperçut et lui dit : « Sire, nous savons bien que vous ne pouvez vous tenir debout. » Et il demanda pour lui un siège. Mais Henri refusa de s'asseoir, disant qu'il voulait seulement entendre ce qu'on exigeait de lui et savoir pourquoi on le dépouillait ainsi de son domaine. « Je ne sais, ajoute le poète, quelles paroles furent échangées; mais tant advint qu'au départir, ils conclurent trêve et se retirèrent. Et oncques depuis ne s'entrevirent. J'ignore quelles furent les conditions de paix. Les rois convinrent de se communiquer en secret la liste de ceux qui étaient attachés à leur parti. »

CLAUSES DU TRAITÉ D'AZAI. Par la capitulation d'Azai, Henri II était tenu de se soumettre « au conseil et à la volonté du roi de France, » formule qui recouvre la reddition à merci. Il devait lui faire hommage pour tous ses fiefs du continent et reconnaître ainsi la subordination de la partie française de l'empire angevin à la monarchie capétienne. Il payait à son ennemi une contribution de guerre, cédait les territoires de Graçai et d'Issoudun et renonçait à la suzeraineté du comté d'Auvergne. Richard obtenait que sa fiancée, Alix de France, fût enlevée à la garde d'Henri II et confiée à des mains plus sûres. Les barons de la France angevine et de l'Angleterre lui prêteraient le serment de fidélité, comme à l'héritier désigné de la couronne anglaise. Enfin, les rois jurèrent que le départ pour la croisade aurait lieu à la mi-carême de l'année 1190, et qu'à cette date ils se trouveraient réunis à Vézelai.

DÉFECTION DE JEAN-SANS-TERRE. Le nom de Jean-sans-Terre n'avait pas été écrit dans le traité. L'omission était singulière : Henri II allait en apprendre la raison. Rentré à Azai, Henri envoie Roger Maucael, l'officier qui gardait son sceau, à Tours où était le roi de France, pour y chercher la liste de ceux qui l'avaient trahi. « Quand Roger fut revenu devant son maître, celui-ci lui ordonna de lui dire en secret quels étaient ceux qui avaient, par chartes scellées, conclu alliance avec ses ennemis. L'officier lui répondit en soupirant : « Sire, que Jésus-Christ me vienne en aide : le premier dont le nom est écrit, c'est le comte Jean, votre fils. » Quand le Roi eut appris que celui de ses fils qu'il aimait le plus le trahissait, il ne dit plus mot si ce n'est : « Assez en avez dit. » Et il se retourna dans son lit, le corps tout frissonnant, le sang retourné, le visage si bouleversé qu'il devint tour à tour noir, rouge et pâle. Sa douleur fut telle qu'il en perdit la mémoire : il n'entendait ni ne voyait goutte. De pareille peine il fut travaillé jusqu'au troisième jour : il parlait, mais nul ne pouvait comprendre ce qu'il disait. »

Il se fit transporter d'Azai à Chinon (5 juillet). Il passa la journée appuyé sur l'épaule de son bâtard Geoffroi, pendant qu'un de ses chevaliers lui tenait les pieds sur ses genoux. Le malade paraissait sommeiller. Geoffroi, penché sur son père, chassait les mouches qui le tourmentaient. Tout à coup Henri ouvre les yeux. Il regarde Geoffroi et le bénit : « Mon fils, lui dit-il, mon très cher fils, toi au moins tu m'as toujours témoigné la fidélité et la reconnaissance que les fils doivent à leur père. Si Dieu me fait la grâce de me guérir de cette maladie, je ferai de toi le plus grand et le plus puissant parmi les grands. Mais si je meurs sans te récompenser, je prie Dieu de te donner ce que tu mérites. » Geoffroi se mit à pleurer et répondit que tout ce qu'il demandait, dans ses prières, c'était que son père revînt à la santé.

Le lendemain (6 juillet), Henri commanda que son lit fût porté dans la chapelle du château, devant l'autel. Là, il put encore dire quelques mots de confession et communier : mais « le sang lui figea dans les veines; la mort lui creva le cœur. Un caillot de sang lui sortit du nez et de la bouche. » Il expira. *MORT D'HENRI II.*

Aussitôt les valets pillèrent la chambre royale. « Quand les voleurs eurent happé ses draps, ses joyaux, son argent, autant que chacun en put emporter, le roi d'Angleterre resta nu, comme il était lorsqu'il vint au monde, sauf ses braies et sa chemise. » Cependant la nouvelle de sa mort se répand : les barons reviennent auprès de leur maître. Un certain Guillaume Trihan lui couvre le corps de son manteau. Le Maréchal appelle les clercs et le Roi est mis au cercueil.

Le jour suivant (7 juillet), les barons portèrent le corps à l'abbaye de Fontevrault. Au bout du pont, une foule de mendiants que la mort d'un roi avait attirés, demandaient, suivant l'usage, une distribution d'aumônes. Comme le trésor était vide, ces misérables, qui étaient plus de 4000, durent se retirer sans avoir rien obtenu. Les religieuses de Fontevrault reçurent le corps avec tous les honneurs dus à la majesté royale.

Guillaume le Maréchal et les seigneurs de son parti avaient fait savoir à Richard, resté à Tours avec Philippe-Auguste, que son père était mort et que son corps reposait dans la grande église de Fontevrault. Le duc d'Aquitaine arriva pour assister à la sépulture. « Je vous affirme, dit l'historien de Guillaume le Maréchal, qu'en sa démarche, il n'y avait apparence de joie ni d'affliction, et personne ne vous saurait dire s'il y eut en lui joie ou tristesse, déconfort, courroux ou liesse. Il s'arrêta un peu devant le corps, sans bouger, puis se plaça vers la tête et demeura là tout pensif, sans dire bien ni mal. Il appela enfin le Maréchal et Maurice de Craon; ils vinrent le rejoindre avec les autres seigneurs, devant le cercueil, mais il leur dit : « Montez, allons dehors. » Et alors le comte dit au Maréchal : « Je reviendrai demain matin. Le Roi mon père sera enseveli avec honneur et richement comme il convient à un homme d'un si haut rang. » Le lendemain, quand ils retournèrent, ils mirent le roi d'Angleterre moult honorablement en terre. Ils lui firent le plus beau service qu'ils purent, si comme appartenait à un roi, selon Dieu et selon la loi [1]. »

IV. — *PHILIPPE-AUGUSTE ET LA TROISIÈME CROISADE* [2]

LE 20 juillet 1189, Richard se faisait couronner à Rouen, comme duc de Normandie; le 3 septembre, à Londres, comme roi d'Angleterre. Tout l'empire anglo-français passa tranquillement entre ses mains. Quinze jours après la mort d'Henri II, il était allé trouver Philippe à Gisors. On avait négocié sur les bases du traité d'Azai. Après avoir parcouru en vainqueur l'Anjou, le Maine et la Touraine, Philippe était obligé de se dessaisir de sa proie : il restituait Châteauroux, Tours et le Mans. On ne lui donnait même pas Gisors

---

1. Augustin Thierry, dans son *Histoire de la conquête de l'Angleterre par les Normands,* a raconté les faits d'une manière toute différente. C'est une des pages les plus colorées de son livre : mais il a obtenu des effets de pittoresque aux dépens de la vérité historique (comme en bien d'autres passages de son œuvre). Il a eu le tort de se fier exclusivement à Giraud de Barri et de négliger le témoignage de la chronique dite de Peterborough et de Roger de Howden, qui concorde beaucoup mieux avec le récit de Guillaume le Maréchal.

2. Sources. Outre les chroniques anglaises et françaises déjà citées : Ambroise, *L'Estoire de la guerre sainte, histoire en vers de la troisième croisade, 1190-1192,* publiée par Gaston Paris, dans la Collection des Documents inédits relatifs à l'histoire de France, 1897. L'*Itinerarium peregrinorum et Gesta regis Ricardi,* édit. Stubbs, 1864 (coll. du Maître des Rôles).

OUVRAGES A CONSULTER. R. Röhricht, *Die Rüstungen des Abendlandes zum dritten grossen Kreuzzuge,* dans l'*Historische Zeitschrift* de Sybel, t. XXXIV, 1875. Le même, *Beiträge zur Geschichte der Kreuzzüge, Die Kämpfe Saladins mit den Christen, 1137-1188,* 1874 (t. I). Le même, *Die Belagerung von 'Akkâ (1189-1911),* dans Forschungen zur deutschen Geschichte, t. XVI, 1876. Le même, *Geschichte des Königreichs Jerusalem,* 1898.

et le Vexin. De toutes ses conquêtes, il ne conservait qu'un petit coin du Berri, Issoudun et Graçai.

Il se retrouvait en face d'un roi d'Angleterre aussi puissant, plus jeune, plus énergique et peut-être plus ambitieux. Richard avait la hardiesse, les dehors brillants et la générosité qui avaient manqué à son père. Déjà célèbre dans tout le monde féodal par ses talents de chevalier et de troubadour, il avait, comme tacticien militaire, plus de valeur qu'Henri II. On s'est trompé en faisant de lui un simple batailleur, fier de ses muscles et de son adresse. Il savait, moins que Philippe-Auguste, prévoir et calculer; mais il était capable de négocier, d'avoir des idées politiques et de les suivre avec obstination.

Il commence par réagir, dans une certaine mesure, contre la politique d'Henri II. Il ouvre les prisons; il sacrifie deux anciens ministres odieux au peuple, le justicier Ranulf de Glanville et le sénéchal de Tours, Etienne de Marzai. Dans les fêtes du sacre, il prodigue l'or, les banquets, les riches vêtements, et les 900 000 livres qu'il trouve dans le trésor paternel s'épuisent vite. Pour le remplir, il commet, d'ailleurs, des exactions qui rappellent les violences et les iniquités du régime précédent. Cependant il pratique le pardon des injures. Aux Anglais qui étaient restés fidèles à son père, il témoigne une bienveillance particulière : Geoffroi, son frère naturel, reçoit l'archevêché d'York qu'Henri lui destinait; Jean-sans-Terre lui-même est accueilli par Richard qui lui donne comtés, villes et châteaux. Guillaume le Maréchal et sa famille sont chargés de biens et d'honneurs. Mais, par contre, aux Français du Maine et de l'Anjou, qui l'avaient aidé contre Henri II, il enleva les fiefs qu'il leur avait donnés, comme duc d'Aquitaine, pendant la durée de la guerre, disant « qu'il n'aimait pas les traîtres, et que les vassaux infidèles à leur suzerain ne méritaient pas d'autre récompense. » Cette grandeur d'âme fut très admirée.

Puisque Richard traitait si mal les ennemis de son père, comment allait-il se conduire avec Philippe? Heureusement, les deux rois avaient autre chose à faire que de reprendre la vieille querelle. Déjà un grand nombre de barons des deux royaumes étaient en route pour la Terre Sainte, ou même avaient débarqué et pris place dans la grande armée chrétienne qui assiégeait Saint-Jean-d'Acre. Barberousse et les Allemands bataillaient en Asie Mineure; Philippe et Richard ne pouvaient s'abstenir sans se déshonorer. Le 30 décembre 1189 et le 13 janvier de l'année suivante, dans deux nouvelles conférences, ils renouvelèrent leur vœu, confirmèrent la paix, et prirent en commun les mesures propres à empêcher que les hommes des deux royaumes ne se fissent la guerre pendant l'absence des

PAIX RENOUVELÉE ENTRE RICHARD ET PHILIPPE.

rois : « Nous accomplirons ensemble, disaient-ils, le voyage de Jérusalem, sous la conduite du Seigneur. Chacun de nous promet à l'autre de lui garder bonne foi et bonne amitié, moi Philippe, roi de France, à Richard, roi d'Angleterre, comme à un ami fidèle; moi Richard, roi d'Angleterre, à Philippe, roi de France, comme à mon seigneur et mon ami. »

Deux événements retardèrent la croisade : la mort d'Élisabeth de Hainaut, femme de Philippe-Auguste, et celle de Guillaume le Bon, roi des Deux-Siciles, beau-frère de Richard Cœur-de-Lion. On comptait beaucoup sur Guillaume et sur la Sicile où les deux rois avaient l'intention de s'arrêter et de se ravitailler. Le départ fut donc remis, d'un commun accord, jusqu'après le 24 juin, dernière limite pour la concentration générale des forces chrétiennes à Vézelai. Philippe-Auguste écrivait à Richard : « Votre amitié saura que nous brûlons du désir de secourir la terre de Jérusalem et que nous faisons les vœux les plus ardents pour y servir Dieu », mais, en réalité, il allait partir à regret. Il était l'homme de la politique pratique et lucrative, non des aventures héroïques.

LE TESTAMENT DE PHILIPPE-AUGUSTE.

Avant de quitter Paris, en prévision des désordres possibles, il fait commencer la construction de l'enceinte continue, et des travaux analogues sont commandés dans les autres villes importantes du domaine. Il rédige le document célèbre, le Testament de 1190, par lequel est organisé le gouvernement de la France pendant la croisade.

La mère de l'héritier royal étant morte, la régence était légalement dévolue à la reine douairière, Adèle de Champagne. La tradition voulait qu'on lui adjoignît l'oncle du Roi, l'archevêque de Reims. Les deux régents de droit étaient précisément ceux dont Philippe avait rejeté la tutelle au début de son règne : aussi semble-t-il avoir pris dans son Testament toutes les précautions imaginables pour les empêcher d'abuser du pouvoir. Ils ne sont pas seuls investis de l'autorité; le Roi leur a donné comme auxiliaires « ceux qui seront présents au palais, » certains personnages du conseil privé, clercs, chevaliers et bourgeois, notamment un moine de Grandmont, frère Bernard du Coudrai, un haut fonctionnaire, Pierre le Maréchal, un chevalier, Guillaume de Garlande, un clerc de la chapelle, Adam. Ces hommes de confiance devront aider, et peut-être surveiller les régents. Philippe a confié le trésor aux Templiers, et les clefs en sont remises, non pas aux régents, mais à Pierre le Maréchal et à six notables de Paris. Ces bourgeois ont aussi la garde du sceau royal. Les régents n'auront pas le droit de prélever des impôts. Philippe défend qu'on lève des tailles pendant son absence, et prévoyant le cas où il pourrait mourir en Terre Sainte, il interdit au peuple de se soumettre à des impositions extraordinaires jusqu'à la majorité de son fils.

La Reine et l'archevêque tiendront, tous les trimestres, à Paris, un parlement, pour y recevoir les plaintes des sujets royaux et les rapports des baillis. Philippe veut être instruit, lui-même, et trois fois par an, de la conduite de ces fonctionnaires. Les régents ne pourront les destituer, de leur propre autorité, qu'en cas de culpabilité notoire, pour les faits graves qui appellent une répression immédiate, meurtre rapt, incendie, trahison. Autrement, il leur faut en référer au Roi absent; Philippe-Auguste exige même que les baillis ne puissent révoquer les prévôts de leur ressort sans l'avoir consulté. Enfin, une fois par an, la Reine et l'archevêque lui adresseront une sorte de rapport général sur l'état du royaume. Chaque ligne du Testament montre chez son auteur la volonté de continuer, autant que possible, à administrer la France du fond de l'Orient.

Philippe prit, d'ailleurs, les mesures de dévotion qui s'imposaient à tous les croisés. Le salut de son âme exigeant qu'il s'assurât la bienveillance et les prières de l'Église, la chancellerie expédia, pendant les mois d'avril, de mai et de juin 1190, un nombre considérable de chartes de protection ou de donations, accordées aux chapitres et aux abbayes. Le 24 juin, il se présenta à Saint-Denis pour recevoir, suivant l'usage, le bourdon et l'escarcelle. On le bénit avec les reliques précieuses que possédaient les moines. Pour mériter la protection du saint, il lui fit présent de deux superbes manteaux de soie et de deux grandes bannières ornées de croix et de franges d'or. Il pouvait maintenant se mettre en chemin.

Le 4 juillet, les deux rois, réunis à Vézelai, renouvelèrent leur serment d'amitié et jurèrent de partager à l'amiable toutes les conquêtes faites en Terre Sainte. Descendant la vallée de la Saône et du Rhône, ils passent ce fleuve à Lyon, sur un pont qui s'écroule après eux. Dames et jeunes filles des pays riverains accourent à la rencontre des croisés, avec des bassins et des corbeilles, et leur offrent, tout le long de la route, des rafraîchissements et des vivres. L'enthousiasme est général, et les deux rois semblent le partager. Mais déjà, pour s'embarquer, ils se séparent. Richard avait ses vaisseaux qui l'attendaient à Marseille. Philippe, pour s'en procurer, s'était entendu avec les Génois. Arrivé à Gênes, il y tombe malade; Richard vient le voir, confère avec lui, et lui offre un supplément de trois galères. Philippe en demandait cinq, et vexé de ne pouvoir obtenir ce qu'il voulait, refuse tout. Leur entente déjà ne paraissait pas solide. Enfin chacun d'eux prend la mer et se dirige sur la Sicile, mais par des chemins

DÉPART DES DEUX ROIS.

différents : Philippe, en droite ligne, arrive à Messine (16 septembre);
Richard ne rejoignit les Français qu'une semaine après (21 septembre).

A cette première étape, ils devaient s'arrêter un peu plus de six
mois. Craignaient-ils, aux approches de l'hiver, la traversée de la
Méditerranée? Voulurent-ils attendre, à Messine, que les opérations de
ravitaillement et de concentration des troupes chrétiennes fussent
terminées? Il est singulier que Philippe-Auguste ait passé plus de
temps en Sicile, où il n'avait que faire, qu'en Orient, où les chrétiens
avaient besoin de lui. On s'aperçut d'ailleurs qu'il était dangereux
de laisser deux armées côte à côte et dans l'inaction.

Les marins anglais se montrèrent insupportables et agressifs, en
querelle perpétuelle avec les habitants de Messine, avec les matelots
génois et pisans. Richard les soutenait avec son arrogance habituelle. Quelques jours à peine après son arrivée, les Messinois se
soulevaient contre lui, et il donna à ses troupes l'ordre de prendre
d'assaut la ville où le roi de France et de nombreux croisés recevaient l'hospitalité. Philippe fit le possible pour rétablir la paix
entre les Anglais et les Siciliens, et refusa, avec raison, de laisser
Richard planter sa bannière sur les remparts et traiter Messine en
ville conquise.

Le roi d'Angleterre inquiétait et irritait le nouveau roi de Sicile,
Tancrède de Lecce, au risque de nuire à l'armée expéditionnaire qui
avait grand besoin de lui. Il réclamait le douaire de sa sœur Jeanne,
veuve de Guillaume le Bon, des terres et un comté dont Jeanne aurait
la propriété entière, une table en or, une chaise en or, une tente de
soie assez grande pour contenir deux cents chevaliers, vingt-quatre
coupes d'argent, soixante mille mesures de froment, d'orge et de vin,
et cent galères avec des vivres pour deux ans. Par le traité de paix
du 11 novembre 1190, Tancrède se borne à donner au roi d'Angleterre 40 000 onces d'or, pour se débarrasser de toute réclamation, et
consent à fiancer une de ses filles avec un neveu de Richard, le petit
duc de Bretagne, Artur.

Devenu odieux aux Siciliens, Richard ne ménageait pas davantage les Français. Un jour qu'il se battait pour rire, à coups de
roseaux, avec un des plus braves chevaliers de Philippe-Auguste,
Guillaume des Barres, il reçut force horions. Furieux, il exigea que
son adversaire quittât la Sicile. Le roi de France se montra conciliant
au point d'aller, dans sa tente, le supplier de pardonner à Guillaume
des Barres. Peu à peu les souverains en arrivèrent à des démêlés
plus graves. Philippe reprocha à Richard de ne pas épouser sa sœur
Alix, au mépris de la parole donnée, et Richard fit venir en Sicile une

nouvelle fiancée, Bérengère de Navarre. Il prouva, paraît-il, au roi de France, que sa sœur avait été déshonorée par Henri II, alors qu'il la gardait près de lui, en Angleterre. Philippe n'insista plus, mais prit sa revanche en excitant contre son compagnon de voyage les défiances du roi Tancrède.

Les chroniques anglaises l'accusent d'avoir comploté, avec le Sicilien, la destruction de Richard et de son armée. Il est du moins certain que les deux rois furent obligés, en plein pèlerinage, de signer un traité de paix, tout comme s'ils fussent restés à guerroyer en terre de France. Par un acte conclu à Messine (mars 1191), Richard accordait à Philippe 10 000 marcs, lui promettant qu'à son retour de Jérusalem il le remettrait en possession de sa sœur Alix et de sa dot, la ville de Gisors. En échange, il reprenait sa liberté d'action et le droit de se marier à sa guise. Il était temps, pour les croisés, de quitter la Sicile. Philippe partit le 30 mars et débarqua, le 20 avril, à Saint-Jean-d'Acre. Richard ne le rejoignit que plus d'un mois après. En route, il s'était amusé à conquérir l'île de Chypre. Les marins anglais, gens pratiques, avaient reconnu qu'une île aussi bien placée, excellent point de ravitaillement et d'armement pour leurs opérations en Syrie, était bonne à prendre et à garder.

Il y avait déjà plus de deux ans qu'une armée chrétienne assiégeait Saint-Jean-d'Acre. La place était défendue par l'élite des troupes musulmanes. Saladin campait à peu de distance, attaquait de temps à autre les assiégeants, mais n'avait pu leur faire lâcher prise. Ceux-ci ne parvenaient pas non plus à entrer dans la ville. Dans Acre, on mourait de soif : les chrétiens alentour mouraient de faim ; mais personne ne se désistait. Chaque jour, les Latins se grossissaient de bandes de pèlerins venus d'Europe ; ceux qui succombaient étaient sans cesse remplacés par de nouvelles recrues, avant-garde des grandes armées royales attendues. C'étaient le comte de Flandre, Philippe d'Alsace, puis l'évêque de Beauvais, Philippe de Dreux, cousin de Philippe-Auguste, puis le comte de Champagne, Henri II, puis les chevaliers allemands qui avaient survécu au désastre de Frédéric Barberousse en Asie Mineure.

Les défenseurs d'Acre, qui ne recevaient pas de renforts, auraient été réduits à se rendre, si les princes chrétiens de la Syrie n'avaient pas été, comme toujours, divisés en factions irréconciliables. Au roi de Jérusalem, Gui de Lusignan, discrédité par sa défaite de Tibériade, s'opposait le marquis de Montferrat, Conrad, qui aspirait à prendre sa place. En attendant, il s'était taillé une principauté et s'enfermait dans Tyr, pour ne pas se faire l'auxiliaire de son rival.

TRAITÉ DE MESSINE.

LES CHRÉTIENS DEVANT SAINT-JEAN-D'ACRE.

Philippe et Richard tombèrent au milieu de ces haines violentes et des intrigues des deux partis avec les croisés d'Occident et avec Saladin. Comme eux-mêmes ne s'accordaient pas, ils prirent fait et cause, le roi de France pour Montferrat, le roi d'Angleterre pour Lusignan. La situation se compliqua encore des rivalités des marins italiens qui coopéraient avec les croisés, ou plutôt les exploitaient. Les Génois se déclarèrent pour Philippe, les Pisans pour Richard. Cependant, les deux rois s'entendirent pour donner une vigoureuse impulsion aux opérations militaires. De nouvelles machines de guerre sont construites et mises en batterie; des escouades de mineurs sapent les murailles; partout où une brèche se produit, les assauts sont tentés. Un des rois dirige l'attaque tandis que l'autre garde le camp et tient tête aux troupes de Saladin. Mais rien ne réussit. L'ennemi incendie les machines des assiégeants, surtout celles de Philippe, très mal gardées. Les assauts des Français sont repoussés; Philippe y perd un très vaillant homme, son maréchal, Aubri Clément, tué sur la brèche, et ses meilleurs chevaliers. Il tombe malade, comme Richard, du reste, et presque en même temps, d'un mal qui lui fait perdre les cheveux et peler la peau. Entre les deux rois aigris par cette mésaventure, par les difficultés du siège, par les excitations des partis en lutte, les hostilités sourdes recommencent. Philippe disposait de moins de forces que Richard : il avait seulement six vaisseaux : ses opérations de guerre tournaient presque toujours mal. Il se montra de plus en plus jaloux de ce compagnon d'armes qui jetait l'argent à pleines mains et terrifiait les musulmans de ses prouesses. Il trouva mauvais que Richard eût gardé Chypre tout entière et lui rappela qu'ils s'étaient engagés à partager toutes les conquêtes. « Les conquêtes effectuées en commun, et sur les musulmans de la Terre Sainte, répondit Richard, mais celle-ci ne vous regarde en rien, puisque je l'ai faite à moi tout seul. »

On ne sait comment aurait fini ce nouveau débat, si les assiégés ne s'étaient résignés à capituler (13 juillet 1191). Les deux rois se partagèrent par moitié, exactement, les prisonniers, le butin et la ville. C'était beaucoup, sans doute, que d'avoir pris une place de cette importance, mais on ne tenait pas Jérusalem, on n'avait pas contraint Saladin à traiter; la croisade n'en était qu'au début.

Ce fut juste le moment que choisit Philippe-Auguste pour abandonner l'entreprise. Le 22 juillet, il envoya ses principaux barons au roi d'Angleterre pour lui annoncer sa résolution, disant qu'il était malade et que, s'il ne partait pas, il mourrait. Rien ne put faire changer sa décision, ni les prières de ses chevaliers, ni les clameurs des Anglais, ni les sarcasmes de Richard. Pendant que tous les chrétiens avaient les yeux fixés sur Jérusalem, il ne songeait qu'à l'héritage du comte de Flandre, mort au siège d'Acre. Sa pensée se promenait dans l'Artois et le Vermandois, qui devaient lui revenir par cette succession. Depuis plus d'un mois déjà, il avait écrit aux nobles du district de Péronne pour leur annoncer que la mort du comte de Flandre faisait rentrer cette ville dans le domaine royal et les inviter à prêter serment de fidélité à ses agents. Enfin, il entrevoyait que, s'il rentrait en France avant Richard, il pourrait profiter de l'absence de son rival pour lui créer de sérieuses difficultés et faire peut-être quelque bonne prise.

Il laissa à Richard une partie de son armée, 10 000 chevaliers, commandés par le duc de Bourgogne; mais il avait donné au duc des instructions secrètes pour limiter le concours que les troupes françaises devaient prêter au roi d'Angleterre. Il eut même soin de prendre à sa solde les chevaliers allemands qui se trouvaient en Terre Sainte et de payer leurs dettes pour restreindre encore le nombre des partisans de Richard. Celui-ci, avant de laisser Philippe s'embarquer, l'obligea à jurer, sur l'Évangile, qu'il n'abuserait pas de son absence pour lui faire tort en terre française, et qu'au contraire, il protégerait le territoire et les hommes de la domination angevine « avec le même soin qu'il mettrait à défendre sa propre ville de Paris. » Philippe jura tout ce qu'on voulut, mais Richard n'était pas dupe. Le jour même où il exigeait cet engagement solennel, il ordonnait à son banquier de Pise de payer une forte somme aux chefs des routiers chargés de défendre ses provinces continentales.

Le 25 décembre 1191, Philippe-Auguste célébrait la Noël à Fontainebleau, « sain et sauf, » dit méprisamment un chroniqueur anglais, « et se vantant avec impudence de pouvoir envahir bientôt les domaines du roi d'Angleterre. »

La croisade avait mis en relief la différence du caractère des deux princes, leur incompatibilité d'humeur, la divergence de leurs vues d'ambition. Les torts, à dire vrai, furent partagés. Du côté de Richard : la hauteur, l'outrecuidance, un tempérament querelleur qui semait autour de lui les rancunes et les haines; du côté de Philippe : les préoccupations d'intérêt personnel et une jalousie visible, du caractère le plus mesquin.

DÉPART DE PHILIPPE-AUGUSTE.

V. — *LA CAPTIVITÉ DE RICHARD. LA GUERRE DE* 1194-1199 [1]

PHILIPPE-AUGUSTE mit près de quatre mois à regagner la France. Il côtoya l'Asie Mineure, s'arrêta à Rhodes, à Corfou, traversa toute l'Italie et franchit les Alpes par la Maurienne. Mais, en route, il avait mis le temps à profit. A Rome, si l'on en croit les partisans de Richard, il aurait essayé de se faire relever par le Pape du serment qu'il avait fait de respecter la terre de son allié. Mais a-t-il osé adresser une telle requête au protecteur des croisés, au chef de l'Église, au gardien des règlements internationaux?

Il est certain que Philippe conféra avec l'empereur Henri VI à Milan. En Sicile, Richard avait signé un traité avec Tancrède de Lecce, à qui Henri VI disputait le royaume normand. L'empereur se décida donc facilement à s'entendre avec Philippe-Auguste contre l'ennemi commun. Le roi de France se préparait ainsi à la guerre contre son compagnon de pèlerinage. Il lui faisait tort, même en Syrie, car les troupes françaises laissées à la disposition de Richard le secondèrent fort mal, et l'opposition latente du duc de Bourgogne contribua certainement à l'insuccès de l'entreprise. Malgré ses exploits, le héros de la croisade ne put prendre Jérusalem.

En France s'ouvrait contre lui une campagne de calomnies, Philippe laissait courir dans son entourage les bruits les plus odieux sur la conduite et les sentiments de son rival. On répétait que Richard s'entendait secrètement avec Saladin. Si le roi de France avait quitté la Terre Sainte avant l'heure, gravement malade, c'est que les Anglais avaient essayé de l'empoisonner. L'assassinat de Conrad de Montferrat, poignardé par des musulmans (avril 1192), était un coup monté entre le roi d'Angleterre et ce chef de fanatiques qu'on appelait le Vieux de la Montagne. Richard, enfin, avait soudoyé des assassins de la même secte, pour aller tuer Philippe-Auguste, à Paris, au milieu des siens. Le moine Rigord prétend que, pour défendre sa vie menacée, Philippe prit dès lors l'habitude de se faire garder jour et nuit par des sergents armés de massues. L'intention

1. Ouvrages a consulter. H. Bloch, *Forschungen zur Politik Kaiser Henrichs VI in den Jahren 1191-1194*, 1892. Tœche, *Kaiser Henrich VI*, 1867. Wissowa, *Politische Beziehungen zwischen England und Deutschland bis zum Untergange der Staufer*, 1889. Kneller, *Des Richard Löwenherz deutsche Gefangenschaft 1193-94*, 1893. Scheffer-Boichorst, *Deutschland und Philipp II August*, au t. VIII des Forschungen. H. Géraud, *Le Comte-Evêque* (Philippe de Dreux, évêque de Beauvais) dans la Bibliothèque de l'Ecole des Chartes, t. V, 1843-44. Le même, *Mercadier, les routiers au treizième siècle*, ibid., t. III, 1841-42. Boissonnade, *Les comtes d'Angoulême, les ligues féodales contre Richard Cœur-de-Lion et les poésies de Bertran de Born*, dans les Annales du Midi, 1895. H. Pirenne, *Histoire de Belgique*, t. I, 1900.

La défaite de la grande féodalité.

était de poser le roi de France en victime et de justifier d'avance l'agression qu'il méditait.

Il attendit cependant plus d'une année avant de commencer l'attaque. Il lui fallait préparer l'argent, les armements et les alliances. Il était d'ailleurs occupé à recueillir la partie de l'héritage flamand qui lui était dévolue. Il négocie avec les différents héritiers, installe le pouvoir royal dans le Vermandois et dans l'Artois, règle les rapports de son gouvernement avec le clergé et les villes, et donne des privilèges à ses nouveaux sujets pour leur faire accepter sa domination. Tout à coup, un bruit étrange lui arrive d'Allemagne, apporté par une lettre de son allié l'empereur Henri VI. Richard a quitté la Terre Sainte, et, à la suite d'aventures de roman, est tombé entre les mains du duc d'Autriche, Léopold, dont il avait jeté l'étendard dans la boue sous les murs de Saint-Jean-d'Acre. Une occasion unique, inespérée, s'offrait à Philippe, qui n'avait pas l'âme assez chevaleresque pour la laisser échapper.

Tout porte à croire qu'il engagea l'empereur Henri VI à se faire livrer Richard par le duc d'Autriche. Cet arrangement procurait à Henri l'avantage de se venger d'un homme qui était l'allié de ses ennemis, et l'espoir de tirer une grosse rançon du prisonnier. Philippe y gagnait plus encore. Il pouvait, à loisir et sans danger, s'entendre avec Jean-sans-Terre, trop heureux de prendre la place de Richard, soulever la féodalité de l'Aquitaine et s'emparer de la Normandie. En tout cas, il est certain qu'après que le duc d'Autriche eut remis son prisonnier entre les mains de l'Empereur (février 1193), une ambassade française dirigée par l'archevêque de Reims, Guillaume, arrivait auprès d'Henri VI. Philippe-Auguste demandait qu'on lui livrât Richard, ou que l'Allemagne prît l'engagement de prolonger indéfiniment sa captivité. Déjà il avait envahi la Normandie; il prit Évreux, le Vaudreuil, Gisors, tout le Vexin, et tenta même un coup de main sur Rouen. Mais la ville fut bien défendue, et Philippe, n'osant livrer l'assaut, se retira.

En revanche, ses négociations avec le comte de Flandre, Baudouin VIII, comme avec les principaux seigneurs du Poitou et de la Saintonge, eurent plein succès, et il obtint de Jean-sans-Terre un traité secret qui lui donnait la Normandie, au nord de la Seine, sauf Rouen, le Vexin entier avec Gisors et Verneuil, la cité de Tours, la forteresse de Loches, les seigneuries d'Amboise et Montrichard. Jean s'engageait à faire hommage au roi de France pour tous ses fiefs du continent et à s'acquitter exactement de tous les services féodaux.

Mais, en Angleterre, le gouvernement intérimaire, présidé par la vieille Aliénor, qu'assistaient les archevêques de Cantorbery et de

Rouen, déjoua toutes les intrigues de Jean et le traita en rebelle. Dès le milieu de l'année 1192, Philippe-Auguste acquit la certitude que l'Empereur songeait à libérer le captif. Une conférence devait réunir à Vaucouleurs le roi de France et Henri VI : elle n'eut pas lieu. A la diète de Worms (28 juin) on vit le prisonnier discuter ouvertement, et presque cordialement, avec l'Empereur, les conditions de sa délivrance. Henri VI pratiquait un jeu de bascule, donnant des espérances à l'un et à l'autre roi. Très ambitieux, imbu, comme son père Frédéric Barberousse et même plus que lui, d'idées chimériques, il rêvait de subordonner à l'Empire les royautés de France et d'Angleterre et de les traiter en vassales. Il eut un instant la fantaisie singulière d'abandonner à Richard le royaume d'Arles, où les Allemands ne parvenaient pas à se faire obéir, en le nommant vicaire de l'Empire; le Plantagenêt devenait ainsi un haut fonctionnaire de la couronne germanique. Diverses raisons poussaient d'ailleurs Henri VI à s'accommoder avec le roi d'Angleterre : la nécessité de se concilier les ennemis intérieurs de l'Empire, les princes du parti Guelfe, sur lesquels Richard pouvait beaucoup ; les instances réitérées de la reine Aliénor et du clergé anglais; enfin la pression de l'opinion chrétienne et du Pape, de plus en plus sympathiques au glorieux adversaire de Saladin.

　　Cependant l'Empereur voulait obtenir la plus grosse rançon possible. Le 20 décembre 1193, il annonça que la délivrance aurait lieu le 17 janvier de l'année suivante. Alors arrivèrent à Spire les ambassadeurs de Philippe-Auguste et de Jean-sans-Terre, chargés de proposer le plus honteux et le plus cynique des marchés. Philippe offrait 50 000 marcs et Jean 30 000, si Richard était retenu prisonnier jusqu'à la Saint-Michel (septembre). Ils ajoutaient mille marcs par mois d'emprisonnement au delà du terme fixé. Ils versaient 150 000 marcs d'un coup si Richard leur était livré! Henri VI ne paraît pas du tout s'être indigné. Le 2 février 1194, devant la diète réunie à Mayence, devant Richard lui-même, on lut les lettres qui contenaient les propositions de Philippe-Auguste et de Jean-sans-Terre. Richard, effrayé, souscrivit aux conditions que l'Empereur lui imposait. Il se résigna à reconnaître Henri VI comme son suzerain et, à ce prix, quitta sa prison. Philippe, dit-on, écrivit à Jean : « Prenez garde à vous maintenant, le diable est lâché, » et Jean s'empressa de se mettre en sûreté auprès du roi de France. « Cependant, écrit l'historien de Guillaume le Maréchal, la nouvelle se répandit en Angleterre que le Roi allait être délivré moyennant rançon. Ses ennemis s'en affligèrent et ses amis s'en réjouirent. Il en coûta plus de cent mille livres avant que le Roi fût délivré. Les hauts hommes du pays s'imposèrent de grandes charges et s'engagèrent personnellement. On prit le cinquième des biens meubles ; on prit aussi les colliers d'or et d'argent. Ceux-là donnèrent une grande preuve de leur dévouement qui envoyèrent leurs enfants comme otages pour tirer le Roi de prison. Il leur en sut grand gré. Il envoya à son peuple, en Normandie et en Angleterre, des lettres contenant le témoignage de sa reconnaissance. »

Le 20 mars, Richard débarquait à Sandwich ; trois jours après, il entrait à Londres, et se hâtait de passer en Normandie pour secourir Verneuil que Philippe assiégeait. A en croire Guillaume le Maréchal, les Normands l'accueillirent avec enthousiasme. « Il ne pouvait avancer sans qu'il y eût autour de lui si grande presse de gens manifestant leur joie par des danses et des rondes, qu'on n'aurait pu jeter une pomme sans qu'elle fût tombée sur quelqu'un avant de toucher terre. Partout sonnaient les cloches : vieux et jeunes allaient en longues processions, chantant : « Dieu est venu avec sa puissance. Bientôt s'en ira le roi de France. »

La guerre devait durer cinq ans (mai 1194-avril 1199) avec une continuité et une intensité rares pour l'époque. Les trêves furent courtes et presque toujours violées des deux parts. L'argent y joua un rôle prépondérant. Un contemporain a dit avec raison que tout se réduisit, en somme, au combat de la livre sterling contre la livre tournois. Richard, plus riche, put mettre sur pied ces armées de routiers, aventuriers de sac et de corde, mais capables d'une certaine discipline, habitués à faire vite la besogne d'incendies, de pillage et de massacres qui était alors le fond de la guerre. Ces mercenaires anglais étaient commandés par trois chefs de bande, fléaux des paysans et des clercs, Louvart, Algais et Mercadier.

LA GUERRE FRANCO-ANGLAISE.

Ce dernier surtout, ami de Richard et compagnon inséparable, fut, pour les Français, un terrible adversaire. La rapidité avec laquelle il se transporte d'Aquitaine en Bretagne, de Bretagne en Normandie, est prodigieuse. Ce soudard est devenu propriétaire-châtelain, et quand il va se reposer dans sa seigneurie du Périgord, il protège, comme tout seigneur qui se respecte, les manants et les moines du voisinage. Il est le bienfaiteur de l'abbaye de Cadouin. Il se vante naïvement, dans ses chartes, de la haute fortune à laquelle il est parvenu. L'une d'elles débute par ce préambule : « Moi, Mercadier, serviteur de Richard, illustre et glorieux roi d'Angleterre, duc de Normandie et d'Aquitaine, comte d'Anjou et de Poitiers, ayant servi dans les châteaux du seigneur Roi avec autant de fidélité que de vaillance, m'étant toujours conformé à sa volonté, empressé d'exécuter ses ordres, je suis par là devenu agréable et cher à un si

MERCADIER.

grand roi, et j'ai été mis à la tête de son armée (*et eram dux exercitus ejus*). »

Philippe-Auguste avait aussi des routiers à sa solde, mais en moins grand nombre. Il donnait, dit-on, à leur chef, Cadoc, mille livres par jour, et lui fit cadeau du château et de la seigneurie de Gaillon, une des clefs de la Normandie. Aux bandes de mercenaires s'ajoutait l'escorte permanente de Philippe, composée de chevaliers soldés et dévoués, comme le célèbre Guillaume de Barres. Mais la figure militaire la plus curieuse, parmi les Français, était celle d'un évêque, habitué à manier l'épée plus souvent que la crosse, Philippe de Dreux, cousin germain du Roi.

Évêque de Beauvais à vingt-deux ans, il passa sa vie à courir les champs de bataille et les lieux de pèlerinage. En 1178, on le trouve en Terre Sainte, en 1182, en Espagne, à Saint-Jacques-de-Compostelle; en 1188, il prend part à la guerre contre Henri II, et dirige une attaque sur la Normandie, où il pille, massacre, brûle, et d'où il revient chargé d'un immense butin. Dans la troisième croisade, il est au siège de Saint-Jean-d'Acre. En même temps qu'il se bat avec entrain contre les infidèles, il se mêle à toutes les intrigues qui avaient pour but de substituer Conrad de Montferrat à Gui de Lusignan. Il est parmi les ambassadeurs de Philippe-Auguste qui vont demander à Henri VI de prolonger l'emprisonnement de Richard. Son diocèse, situé sur la frontière de Normandie, était une base d'opérations commode pour les incursions dans le duché. Avec son archidiacre, un clerc de son espèce, Philippe de Dreux dirige lui-même les bandes chargées de piller et d'incendier le pays ennemi.

Philippe-Auguste avait donné à Jean-sans-Terre Évreux défendu par une garnison. A peine Richard eut-il fait son apparition en Normandie, que Jean, épouvanté, lui livrait Évreux après avoir massacré les soldats du roi de France. L'entrevue des deux frères est ainsi racontée par le biographe de Guillaume le Maréchal : « A Lisieux, Richard s'arrêta pour manger et coucher chez Jean d'Alençon. Après le repas, il voulut reposer un peu, mais le souci que lui donnait le siège de Verneuil l'en empêcha. Voici qu'entre Jean d'Alençon, l'air affligé et préoccupé : « Pourquoi fais-tu cette mine? » lui dit le Roi. « Tu as vu mon frère Jean; ne mens pas. Il a tort d'avoir peur. Qu'il « vienne sans crainte. Il est mon frère. S'il est vrai qu'il a agi folle- « ment, je ne le lui reprocherai pas. Mais quant à ceux qui l'ont « poussé, ils ont déjà eu leur récompense ou ils l'auront plus tard. » Jean fut amené. Il se jeta aux pieds de son frère, qui le releva avec bonté en lui disant : « Jean, n'ayez crainte, vous êtes un enfant, vous

« avez été en mauvaise garde. Ceux qui vous ont conseillé le paieront.
« Levez-vous, allez manger. » Et, s'adressant à Jean d'Alençon : « Qu'y
« a-t-il à manger? » demanda-t-il. A ce moment on lui apporta un
saumon comme présent. Il le fit aussitôt mettre à cuire pour son frère. »

De 1194 à 1196, les opérations militaires ont pour théâtre la Normandie et le Berri : série ininterrompue de sièges, de prises de villes
et d'engagements sans portée. Français et Anglais font la navette de
la région de l'Epte et de la Seine à celle de la Loire, du Cher et de
l'Indre. On s'arrache le Vaudreuil, Verneuil, Dieppe, Arques, Nonancourt, Issoudun. Mais l'avantage, tout mis en balance, reste à
Richard. Il réussit à garder Évreux, à reprendre Loches, et même
inflige à Philippe, surpris près de la forêt de Fréteval, en Vendômois,
un échec des plus humiliants, car le roi de France perdit, dans la
mêlée, tous ses bagages, un de ses trésors et ses archives (3 juillet 1194).
Par sa diplomatie et ses alliances, Richard conservait aussi la supériorité. Henri VI et tous les princes allemands s'étaient déclarés
pour le roi d'Angleterre. L'Empereur annonçait qu'il allait s'emparer
de la rive droite du Rhône; il parlait d'étendre la suzeraineté impériale au royaume de France tout entier.

Sur ces entrefaites, on apprit que les chrétiens d'Espagne étaient
menacés par une invasion d'Africains. Pape, évêques et moines s'in-
terposèrent entre les belligérants. Philippe et Richard se trouvaient
sur le point d'engager une action sous les murs d'Issoudun (déc. 1195).
Au lieu de se battre, ils signèrent un armistice, bientôt transformé en
paix. Le traité de Gaillon laissait à Philippe-Auguste une petite partie
de ses conquêtes, Gisors, le Vexin normand, Nonancourt, Paci-sur-
Eure, ainsi que la suzeraineté de l'Auvergne, mais lui enlevait le Berri
aquitain, Issoudun et Graçai. Cette combinaison, imposée par les
médiateurs, ne satisfaisait aucun des deux rois. Dans l'été de 1196, la
guerre reprit.

Qui était responsable de la violation de la paix? Philippe, disent
les chroniques anglaises, par son agression injustifiée contre la ville
d'Aumale. Richard, affirment les Français, parce qu'il employa la sus-
pension d'armes à bâtir un château sur la frontière du duché
Normand. Il avait choisi, en effet, pour élever une forteresse, une
position merveilleuse, l'endroit où la Seine fait un coude, près de
Gaillon, et où la vallée des Andelis interrompt la ligne des coteaux
qui bordent le fleuve. Le Château-Gaillard s'éleva donc, à plus de
cent mètres au-dessus de la Seine, sur un promontoire isolé, admirablement préparé pour la défense. Avec ses énormes fossés, taillés
dans le roc, sa triple enceinte, ses murs épais de cinq mètres et reposant sur la roche vive, son donjon de vingt mètres de circonférence,

la forteresse, par elle-même, semblait imprenable. Elle était, en outre, protégée par un ensemble de fortifications qui emprisonnaient le fleuve, couvraient Rouen et rendaient impossible l'invasion des Français en Normandie (1196).

L'ÉVÊQUE DE BEAUVAIS FAIT PRISONNIER. Le 19 mai 1197, Mercadier entrait dans le Beauvaisis et assiégeait le château de Milli, propriété de l'évêque, Philippe de Dreux. Celui-ci arme aussitôt les bourgeois de Beauvais, les encadre de quelques chevaliers, et, toujours suivi de son archidiacre, se présente à l'ennemi. L'évêque et l'archidiacre, « l'homme aux antiennes et l'homme aux répons, » sont faits prisonniers par Mercadier et livrés à Richard, qui les fait mettre aux fers, comme des prisonniers quelconques, et enfermer au château de Rouen.

Les chroniqueurs anglais criblèrent d'épigrammes ce prélat casqué et cuirassé : « Il n'avait, disaient-ils, que ce qu'il méritait. » Mais l'opinion chrétienne n'admettait pas aisément qu'un évêque, même guerrier, fût enchaîné et tenu captif comme un criminel vulgaire. Les clercs de Beauvais implorent la pitié de Richard, qui leur répond : « Lorsque, à mon retour d'Orient, je devins prisonnier de l'Empereur, je dus d'abord à ma dignité royale d'être doucement traité et gardé avec les honneurs convenables. Mais votre évêque est arrivé un soir et, le lendemain matin, j'ai senti le motif de sa venue et ce qu'il avait concerté la nuit avec l'Empereur, car la main impériale s'est appesantie sur moi, et bientôt j'ai été chargé de plus de fers que n'en pourrait porter un cheval ou un âne. Jugez quel traitement mérite, de ma part, celui qui m'en a valu un pareil. » La vieille reine Aliénor, le pape Célestin III, interviennent à leur tour; Richard reste impitoyable. Une tentative d'évasion n'eut d'autre effet que de faire transporter le prisonnier dans un cachot du château de Chinon, où il fut traité encore plus rigoureusement. Ce ne fut que six mois après la mort de Richard qu'il parvint à en sortir, échangé par Jean-sans-Terre avec d'autres prisonniers. Encore dut-il payer 20 000 marcs d'argent et jurer solennellement, devant le légat du Pape, qu'il ne répandrait plus le sang chrétien.

COALITION FÉODALE CONTRE PHILIPPE-AUGUSTE. Cependant Richard négociait avec la haute féodalité française. Le nouveau comte de Flandre et de Hainaut Baudouin IX, le comte de Boulogne Renaud de Dammartin, le comte de Blois Louis, le comte de Toulouse Raimond VI passaient à l'ennemi. En juin 1196, le comte de Flandre et le comte de Boulogne se trouvaient encore à Compiègne, dans l'entourage de Philippe-Auguste et lui faisaient serment de l'aider envers et contre tous « comme de fidèles vassaux. » Un an après tout était changé. Une lettre du roi de France (août 1197) est adressée au chapitre de Notre-Dame de Reims pour le prier d'envoyer ses hommes à Péronne, contre le comte de Flandre. Les Flamands en voulaient au roi de France d'avoir conquis l'Artois, le Vermandois et démembré ainsi la domination de Philippe d'Alsace. Les intérêts de leur commerce et de leur industrie exigeaient leur étroite union avec l'Angleterre. Enfin le jeune comte de Flandre ne pardonnait pas à Philippe-Auguste de l'avoir contraint à payer, pour son avènement, un fort droit de relief et d'avoir oublié de lui rendre, en dépit de sa promesse, une partie du Tournaisis.

La coalition de 1197 trouva un nouvel allié lorsque, après la mort de l'empereur Henri VI, Otton de Brunswick, le neveu de Richard, soutenu par les Guelfes, par les archevêques de la vallée du Rhin, par le pape Innocent III, fut porté au trône impérial. Son compétiteur, Philippe de Souabe, avec qui le roi de France se hâta de signer un traité d'alliance, avait plus besoin de secours qu'il n'était capable d'en donner.

Attaqué à la fois par Richard et par Baudouin IX, Philippe risquait d'être pris entre deux invasions. Au Nord, le comte de Flandre, qui veut reprendre les villes de l'Artois et du Vermandois, s'empare de Douai, de Bapaume, de Péronne, de Roye, puis revient sur Arras, qu'il assiège. Philippe accourt; le Flamand, simulant une retraite, attire les Français dans les marécages qui avoisinent Ypres. Le Roi, perdu, empêtré dans un pays inondé où Baudouin avait fait lâcher toutes les écluses, allait être cerné et pris, quand les Flamands consentirent à lui accorder une sorte de capitulation. Une fois tiré de ce mauvais pas et revenu à Paris, Philippe se hâta de la déclarer nulle, sous prétexte « qu'un vassal insurgé n'avait pas le droit d'imposer ses conditions. » Cette déloyauté ne lui profita guère, car Baudouin, continuant sa marche victorieuse, enleva Aire sans coup férir et entra dans Saint-Omer après un siège d'un mois (8 oct. 1197).

DÉFAITE DE PHILIPPE EN FLANDRE.

En Normandie, on se faisait une guerre sauvage. Richard ayant donné l'ordre de noyer ou d'aveugler les prisonniers, Philippe traitait de même les siens. Attaqué à Courcelles, près de Gisors, par des forces supérieures, il se fraya un passage, mais Richard le poursuivit et lui fit subir un échec sérieux (28 sept. 1198). Les chroniqueurs français se sont bien gardés de nous faire connaître cet incident : « Quand Richard reconnut l'ost du roi de France, il n'en fit pas grand cas et appela ses hommes, qui se hâtèrent de venir à lui. Sans attendre que tout son monde fût réuni, il commanda la charge, et lui-même courut sur eux comme le lion affamé sur sa proie. Les Français furent déconfits, mis en déroute, et beaucoup restèrent prisonniers. Sans la grande poussière qu'il faisait, car c'était en été, et sans le destin, qui ne permet pas ce qui ne doit pas être, le roi de

LES FRANÇAIS BATTUS A COURCELLES.

France eût été pris. Il fut pourchassé jusqu'à Gisors, où il trouva un refuge. Parmi les prisonniers, il y eut beaucoup des chevaliers français les plus renommés. On sait assez ce qui a lieu en pareil cas : quand arrive la déconfiture, les plus vaillants sont derrière; les autres, prenant soin de leur propre personne, s'enfuient le cou tendu. Il arriva que le roi de France tomba dans un gué. Un sien clerc, fils de Guillaume de Mello, le releva, aidé d'autres qui vinrent finalement à son secours. Une fois tiré de l'eau, le roi de France ne resta pas dans Gisors, bien que ce fût un fort château, de peur d'y être assiégé. Quand le renard se laisse terrer, il n'est pas sûr de pouvoir s'échapper. Aussi le roi Philippe s'empressa-t-il de rentrer en France. Le roi Richard retourna avec sa gent à la Roche-d'Andeli, menant avec lui comme prisonniers quatre-vingt-onze des chevaliers du roi de France, sans parler des gens de moindre importance. Depuis lors, en toutes les guerres, trente des nôtres n'hésitaient pas à courir sur quarante Français, et il n'en avait pas été ainsi auparavant. C'est que les hommes qui ont un bon seigneur gagnent en prouesse et en valeur. Le roi Richard élevait les bons et rabaissait les mauvais. »

Ce récit du biographe de Guillaume le Maréchal est confirmé par le bulletin de victoire que Richard envoya lui-même aux Anglais. « Nous avons, écrit-il, serré de si près l'ennemi, qu'aux portes de Gisors, le pont de l'Epte s'est rompu sous le poids des Français en déroute. Le roi de France a bu dans la rivière, et vingt de ses chevaliers s'y sont noyés. Notre lance a renversé Mathieu de Montmorenci, Alain de Rouci et Foulque de Guillerval, que nous avons pris avec près de cent autres chevaliers. Nous vous envoyons les noms de la plupart d'entre eux; nous vous ferons connaître ceux des autres, quand nous les aurons vus, car Mercadier a pris trente chevaliers que nous ne connaissons pas encore. Le nombre des prisonniers est immense. On a capturé 200 chevaux de bataille, dont 140 bardés de fer. »

Philippe, dans une course furibonde à travers la campagne normande, brûla dix-huit villages : mais Mercadier l'atteignit, près de Vernon, et lui enleva une partie de sa cavalerie. Puis le routier se jeta sur la Picardie, où les marchands français tenaient leur foire, près d'Abbeville; il y fait un énorme butin, et, tout de suite, on le retrouve en Bretagne, épouvantant de ses pillages et de ses massacres les ennemis de son maître.

SITUATION CRITIQUE DE PHILIPPE-AUGUSTE.　　La situation du roi de France, à la fin de l'année 1198, était si grave, qu'il en vint presque à demander merci : « Le roi Richard le tenait si court qu'il ne savait comment se retourner : toujours il le trouvait devant lui. Les Français finirent par en avoir assez, et beaucoup se rendirent au roi Richard, dont le roi de France eut grand ennui. Finalement, il manda secrètement ses barons pour prendre conseil. On lui dit : « Si vous ne traitez par l'intermédiaire de la cour « de Rome, vous ne vous en tirerez pas. » Le roi de France était fin et plus rusé qu'un renard. Il comprit bien qu'il n'y avait rien autre à faire. Il appela un de ses clercs et lui bailla les reliques (de l'argent) sans lesquelles à Rome on ne réussit point, car toujours il convient d'oindre les paumes à la cour de Rome. Il n'est pas besoin d'y chanter d'autres psaumes. Autrement, tout ce que peuvent dire lois ni légistes ne vaut une pomme. Telle est leur coutume, et quiconque n'est pas muni de ce genre de reliques a de la peine à passer leur porte. »

Le légat d'Innocent III, Pierre de Capoue, eut une entrevue avec Richard, le 13 janvier 1199, entre Vernon et le Goulet. « Il le salua au nom de Dieu et de la cour de Rome, qui avait pour lui l'amour et l'estime dus à un fils de sainte Église, et le roi Richard à son tour le salua respectueusement comme cardinal et père spirituel. « Sire, » dit le cardinal, « je viens de la part du roi de France, qui est, ce me « semble, plein de bon vouloir et désirerait vivement faire la paix, « si c'est aussi votre désir. — Comment faire une paix durable? Je « réclame ce qui m'a été pris; et quand le Roi m'aura ressaisi de ma « terre, je l'en servirai loyalement et le tiendrai quitte des dommages « qu'il m'a causés et du serment, qu'il n'a pas tenu, de ne faire aucun « mal en ma terre ni à mes hommes, lorsqu'il serait revenu en France, « jusqu'au quarantième jour après mon retour. Je le tiendrai quitte « de tout cela et ne lui en parlerai jamais, s'il a vraiment le désir de « faire paix. Mais autrement, beau sire, il n'y a pas de paix possible « entre nous. — Sire, » répondit maître Pierre, « je n'oserais pas « vous promettre cela. Personne ne pourrait le décider à rendre « tout ce qu'il a pris. Son conseil n'en est pas d'avis et ne l'y engagera « jamais. — Alors, Dieu vous garde! Il ne tiendra pas ma terre en « paix tant que je pourrai monter à cheval; vous pouvez bien l'en « assurer. — Ha! sire, » dit le cardinal, « c'est grand péché qu'il y « ait si grande guerre entre vous deux. Ce sera la perte de la sainte « terre de Jérusalem. Pour Dieu! soyez modéré, afin qu'elle soit « reconquise, car, si on n'agit pas, elle sera en mauvais point. Elle « ne tardera pas à être prise et dévastée, et la Chrétienté sera perdue! » Le roi s'inclina et dit : « Si on avait laissé ma terre en paix, s'il ne « m'avait pas fallu revenir, toute la terre des Syriens serait délivrée « des païens. Mais le roi de France a si mal agi envers moi! C'est « par son conseil que j'ai été retenu en prison. Il a cherché et cherche « encore à me dépouiller de mes biens héréditaires. Mais, s'il plaît à « Dieu, il n'y réussira pas. »

ENTREVUE DE RICHARD ET DE PIERRE DE CAPOUE.

TRÊVE DE VERNON.   « Après bien des pourparlers, Richard consentit à accorder à Philippe-Auguste une trève de cinq ans, mais se montra intraitable quand le cardinal lui demanda de la part du Pape la mise en liberté de l'évêque de Beauvais : « Ce n'est pas comme évêque qu'il a été « pris, mais comme chevalier, tout armé, le heaume lacé. Est-ce « pour cela que vous êtes venu? Certes, si vous n'étiez chargé d'un « message, ce n'est pas la cour de Rome qui vous garantirait d'une « raclée que vous pourriez montrer au Pape en souvenir de moi. Le « Pape me croit donc fou? Je sais bien qu'il s'est moqué de moi, « quand je le priai de me venir en aide lorsque je fus fait prisonnier, « étant au service de Dieu. Il n'a pas daigné s'en occuper. Et voilà « qu'il me réclame un brigand, un tyran, un incendiaire qui ne fai- « sait que dévaster ma terre nuit et jour! Fuyez de ci, sire traître, « menteur, tricheur, simoniaque. Faites en sorte que je ne vous « trouve plus jamais sur mon chemin. »

Les conditions de la trève étaient dures. De la Normandie et du Vexin, Philippe ne conservait plus que Gisors. Il cédait au roi d'Angleterre tous ses droits sur l'archevêché de Tours. Son fils, le prince Louis, devait épouser une nièce de Richard, Blanche de Castille. Enfin, il prenait l'engagement d'aider Otton de Brunswick, le neveu et l'allié de Richard, à se mettre en possession de la couronne impériale. Ce traité faisait perdre au roi de France presque tout le fruit de dix années de guerre et lui infligeait l'humiliation d'abandonner la politique qu'il avait toujours suivie en Allemagne.

TRAITÉ DE PÉRONNE.   Il lui fut encore plus pénible de s'accommoder avec les hauts barons de France qui avaient fait défection. Par traité signé à Péronne, un an après, avec Baudouin IX, il gardait Arras, Lens, Bapaume, Hesdin, mais abandonnait Douai, Aire, Saint-Omer, Béthune et l'hommage du comté de Guines. Sur tous les points, la monarchie capétienne reculait. Ses adversaires ne désarmaient pas. La guerre pouvait recommencer à bref délai. Qu'arriverait-il si les chefs d'États féodaux se coalisaient, en plus grand nombre encore, avec l'ennemi? A la vérité, Philippe n'avait rien négligé pour que ce mouvement de défection ne s'étendît pas. Il obtint du duc de Bourgogne, Eude III, le serment qu'il ne prendrait jamais parti pour Richard, et lui céda en retour tous les droits de la Royauté sur l'abbaye de Flavigni.

MORT DE RICHARD.   Un événement survint qui dut lui causer une grande joie. Richard assiégeait, avec Mercadier, le château de Châlus en Limousin, où s'était enfermé l'un des seigneurs rebelles de l'Aquitaine, le vicomte de Limoges, Adémar V. Le 26 mars, il fut blessé d'un trait lancé par une arbalète et qui pénétra profondément dans l'épaule gauche. Mercadier fit soigner le Roi par son médecin et emporta la forteresse d'assaut. Tous les assiégés furent pendus, sauf le soldat qui avait blessé le Roi et qu'on destinait sans doute à un supplice plus cruel. Bientôt, la gangrène se mit dans la plaie. Richard sentit qu'il allait mourir. Si les chroniques anglaises n'ont pas quelque peu dramatisé les derniers moments du héros, il aurait dit à l'arbalétrier qui l'avait atteint : « Quel mal t'avais-je fait? pourquoi m'as-tu tué? — Vous aviez bien tué, vous, ae votre main, mon père et mes deux frères! j'ai pris ma revanche. Je souffrirai tous les tourments qu'inventera votre cruauté, pourvu que vous mourriez, vous qui avez fait au monde de si grands maux. » Ricnard ordonna qu'on lui donnât de l'argent et qu'on le laissât libre. Mais à peine le Roi fut-il mort que Mercadier ressaisit l'homme, le fit écorcher vif et accrocher ensuite à une potence.

« Le roi Richard est mort, et mille ans se sont passés sans qu'il mourût un homme dont la perte fût aussi grande. Jamais il n'a eu son pareil! Jamais personne ne fut aussi loyal, aussi preux, aussi hardi. aussi généreux. Alexandre, ce roi qui vainquit Darius, ne donna jamais davantage, ni même autant. Je ne crois pas que Charlemagne ni Artur le valussent. Pour dire la vérité, il se fit, par tout le monde, redouter des uns et chérir des autres. » Ainsi chanta le troubadour Gaucelm Faidit, et ce chant de deuil fit le tour du monde chrétien.

LA CONQUÊTE

I. LA SUCCESSION DE RICHARD CŒUR-DE-LION. ARTUR ET JEAN-SANS-TERRE. LE TRAITÉ DU GOULET. — II. PRÉPARATIFS DE LA CONQUÊTE. LE MEURTRE D'ARTUR. — III. LA PRISE DU CHATEAU-GAILLARD ET DE LA NORMANDIE. L'ANNEXION DES PAYS AQUITAINS.

I. — LA SUCCESSION DE RICHARD CŒUR-DE-LION. ARTUR ET JEAN-SANS-TERRE. LE TRAITÉ DU GOULET[1]

JEAN-SANS-TERRE. JEAN-SANS-TERRE, qui succédait à Richard Cœur-de-Lion, était intelligent, spirituel, très bien doué, comme tous ceux de sa race, pour la politique et les affaires, mais en même temps ignoblement débauché, vindicatif, sanguinaire, cupide, déloyal, violent contre les faibles, inerte et lâche avec les puissants. A côté de lui, Philippe-Auguste, et c'est tout dire, fut un modèle d'honneur et de vertu. Contre un adversaire comme le roi de France, il eût fallu que, dans le gouvernement intérieur de l'Angleterre, Jean ne commît aucune de ces fautes qui paralysent l'action extérieure devant l'étranger. Or il allait passer tout son règne à lutter contre les nobles et contre les clercs de son propre royaume. Jamais souverain ne fut plus impopulaire ni plus détesté.

LA SUCCESSION D'ANGLETERRE. La question qui se posait tout d'abord était de savoir si Jean héritait légitimement de son frère Richard, mort sans enfants. Il avait un compétiteur, le fils de son frère aîné Geoffroi, le jeune Artur de Bretagne. Celui-ci réclamait, en vertu du droit de représentation, tous les pays dont son père, Geoffroi, eût pris possession s'il avait survécu à Richard. Jean-sans-Terre lui opposait un autre droit, éga-

1. OUVRAGES A CONSULTER. Stubbs, préface de l'édition de Walter de Coventry (1873), t. II (Rev. brit. med. ævi script., nº 58). T. Duffus-Hardy, Introd. aux *Rotuli litterarum clausarum in turre Londinensi asservati*, 1833-1844. G. Dubois, *Recherches sur la vie de Guillaume des Roches, sénéchal d'Anjou, du Maine et de Touraine*, dans la Bibliothèque de l'Ecole des Chartes, t. XXX (1869), XXXII (1871) et XXXIV (1873). Beautemps-Beaupré, *Coutumes et institutions de l'Anjou et du Maine*, 2ᵉ partie, I, 286 et suiv.

lement pratiqué sur certains points du domaine anglo-normand, et qui autorisait l'aîné des mâles survivants à prendre la totalité de la succession. Il invoquait aussi la raison politique, le principe de l'indivisibilité des hautes baronnies et des États royaux, de manière à repousser encore les prétentions d'Artur, dans le cas où celui-ci, renonçant à la couronne d'Angleterre et au duché de Normandie, se bornerait à réclamer, avec la Bretagne, son bien propre, le comté d'Anjou et le duché d'Aquitaine. Jean revendiquait, même en Bretagne, au nom de la loi féodale, la garde ou le bail de son neveu mineur, c'est-à-dire la jouissance effective de ses domaines jusqu'à sa majorité. On serait bien embarrassé de dire de quel côté était le droit. Les coutumes les plus opposées étaient simultanément en vigueur; la loi variait d'un territoire à l'autre, si bien que toutes les théories et toutes les revendications pouvaient se justifier. La force devait décider[1].

L'Angleterre et la Normandie reconnurent presque immédiatement Jean-sans-Terre, qui se fit couronner duc, à Rouen (25 avril 1199), et roi, à Londres (27 mai). Mais Artur trouva des protecteurs : le chef de la féodalité de l'Anjou, Guillaume des Roches, et naturellement le roi de France, Philippe. Celui-ci allait se servir d'Artur contre Jean-sans-Terre comme il s'était servi de Jean-sans-Terre contre Richard, de Richard et de Geoffroi contre Henri II. D'ailleurs, en patronnant Artur, il brisait le lien de subordination féodale qui rattachait la Bretagne à la Normandie, et faisait valoir sur le grand fief breton le droit supérieur de la Royauté. Enfin il trouvait l'occasion de s'introduire dans les régions voisines de la Bretagne, le Maine et l'Anjou, pour y préparer les esprits à la domination capétienne.

COURONNEMENT DE JEAN.

Guillaume des Roches va devenir le principal instrument des conquêtes de Philippe-Auguste dans l'Ouest. Ce grand propriétaire angevin, allié à la riche maison de Sablé, était aussi entendu à la guerre qu'à la politique. Richard Cœur-de-Lion l'avait mis au nombre

GUILLAUME DES ROCHES.

1. L'auteur du poème sur Guillaume le Maréchal nous montre le Maréchal, qui représentait les idées de la haute noblesse anglaise, discutant avec l'archevêque de Rouen, Gautier de Coutances, pour savoir qui devait hériter de Richard Cœur-de-Lion. « Il faudrait se hâter d'élire, dit le Maréchal, celui que nous devons faire roi. L'archevêque répond : J'entends et vois que par droit, j'en ai la conviction, la royauté revient à Artur. — Ha, seigneur, dit le Maréchal, il m'est avis que ce serait mal; Artur est en félon conseil; je n'approuve pas votre opinion, il est hautain, orgueilleux, et si nous le prenons pour nous gouverner, mal et ennui il nous causera, car il n'aime pas ceux de la terre (les Anglais). Si l'on m'en croit, il ne sera pas roi cette année. Songez plutôt au comte Jean. Ma conscience et mon savoir me font voir en lui le plus proche héritier qui soit de la terre de son père et aussi de celle de son frère. — L'archevêque répondit : Maréchal, vous le voulez ainsi? Oui, sire, reprit Guillaume, et c'est avec raison; car sans aucun doute, le fils est plus près de la terre de son père que le neveu. — Maréchal, il en sera donc comme vous le voulez, dit l'archevêque. » Il faut avouer que cet archevêque était de bonne composition et se contentait de peu, car l'argument du Maréchal n'avait pas grande valeur. Il ne s'agissait pas ici de la terre laissée par Henri II, mais par Richard : il n'y avait pas opposition entre le droit du fils et celui du neveu, mais entre le droit de l'oncle et celui du neveu, ce qui était bien différent.

des commissaires chargés de négocier ses traités avec Philippe-Auguste, et nommé son sénéchal pour le comté d'Anjou (1197). Guillaume devint ainsi, dans la région de la Loire, une sorte de gouverneur général, le plus haut personnage après le Roi. A l'avènement de Jean-sans-Terre, il représentait et dirigeait un groupe très nombreux de barons qui tendaient à se maintenir indépendants et neutres entre le Plantagenêt et le Capétien. Ces nobles d'Anjou, de Bretagne, du Maine et de Touraine aspiraient, avant tout, à être maîtres chez eux. Telle semblait être aussi l'ambition des féodaux du Poitou, leurs voisins. La querelle de succession ouverte entre Artur et Jean-sans-Terre leur offrit l'occasion rêvée. Ils avaient intérêt à se placer sous la suzeraineté nominale d'Artur, trop jeune et trop faible pour leur porter ombrage, et à opposer au roi d'Angleterre le roi de France, qui n'était pas leur seigneur direct. Un mois à peine après la mort de Richard Cœur-de-Lion, l'alliance du jeune comte de Bretagne avec Guillaume des Roches et Philippe-Auguste était conclue.

ARTUR DE BRETAGNE.

Artur et Guillaume paraissent les premiers en scène. On les accueille avec enthousiasme à Angers et au Mans. Pour récompenser son allié, Artur lui donne, à titre héréditaire, la sénéchaussée d'Anjou et du Maine, une seigneurie et une forêt. Philippe-Auguste confirme aussitôt cette donation (mai 1199) et lui-même va trouver ses associés au Mans, où Artur lui rend hommage pour le Maine, l'Anjou et la Touraine. Puis le protecteur et le protégé font leur entrée à Tours. La mère d'Artur, la comtesse de Bretagne, Constance, remet au roi de France la garde féodale de son fils, et Philippe installe le jeune prince comme membre du chapitre de Saint-Martin de Tours, dont il était lui-même l'abbé. Il réussit bientôt à faire venir Artur à Paris. L'enfant était garanti contre les effets du ressentiment de Jean-sans-Terre, et Philippe pouvait agir, comme il l'entendait, au nom du comte de Bretagne et de ses partisans.

DÉFENSE DE JEAN-SANS-TERRE.

Le roi d'Angleterre commença par très bien se défendre. Il prit le Mans et se vengea des bourgeois en démolissant leurs remparts. Il entra en pourparlers avec Renaud de Dammartin, avec le comte de Flandre, avec Otton de Brunswick, qui lui promit des secours. Mais l'Allemagne était bien loin, et une rupture déclarée avec le roi de France, dans la situation critique où il se trouvait, faisait courir à Otton trop de risques. Jean négocia aussi avec Philippe-Auguste; il eut même une entrevue avec lui sur la frontière normande (15 août). Philippe le prit de haut : il reprocha à Jean-sans-Terre de s'être mis en possession de ses États continentaux sans lui en avoir fait hommage. Il déclara qu'il ne consentirait jamais à la paix tant que le roi d'Angleterre ne lui aurait pas cédé le Vexin tout entier. Il exigea que Jean renonçât, en faveur d'Artur, son feudataire et son pupille, non seulement à l'Anjou, mais au Poitou et même à la Normandie. C'était une déclaration de guerre.

Les hostilités s'engagent, en effet, sur toutes les frontières. Philippe envahit la Normandie, où il prend Conches, puis passe dans le Maine, s'empare du château de Ballon, près du Mans, et assiège le château de Lavardin. Il avait amené avec lui Artur de Bretagne. Guillaume des Roches, avec les contingents féodaux de la région, le secondait. Jean s'étant jeté dans le Mans, les coalisés l'obligèrent à s'enfuir de la ville (22 septembre). Le Maine et l'Anjou semblaient perdus.

CONQUÊTE DU MAINE PAR LES FRANÇAIS.

Alors se produisit un coup de surprise. Philippe-Auguste, si bien lancé, s'arrête tout à coup, abandonne le Maine et rentre en France. Guillaume des Roches, laissé au Mans avec Artur, livre la ville au roi d'Angleterre, revenu avec des forces considérables, et oblige le comte de Bretagne à conclure la paix avec son oncle. Une maladresse de Philippe-Auguste explique, sans doute, ce brusque revirement. Après avoir pris le château de Ballon, il l'avait fait démanteler et raser. Guillaume des Roches trouva qu'il en prenait trop à son aise avec les possessions du comte de Bretagne. Il lui reprocha de traiter le Maine en pays conquis : « Nous n'étions pas convenus de cela, s'écria-t-il, dans le traité conclu entre vous et le seigneur Artur. — Par les saints de France, répondit Philippe, Artur ne m'empêchera jamais de faire ma volonté sur les terres qui m'appartiennent. » Le mot était imprudent et fut mal pris.

Jean paya la défection du sénéchal d'Anjou en lui confirmant sa charge dans les mêmes conditions d'hérédité Il lui donna même, par surcroît, la garde du château de Chinon, qu'il enleva au vicomte de Thouars, Aimeri, dont la fidélité semblait douteuse. Comblé tour à tour par les deux partis, Guillaume des Roches n'avait qu'à se louer d'une politique aussi lucrative. Elle fut moins goûtée du jeune comte de Bretagne, qui ne se souciait pas de rester entre les mains de son oncle. Artur, sa mère Constance et le vicomte de Thouars s'échappèrent du Mans pendant la nuit et se réfugièrent à Angers. Jean ne prit pas la peine de les poursuivre. Accompagné de Guillaume des Roches, il retourna en Normandie, où se produisit un nouveau coup de théâtre. La paix fut signée avec Philippe-Auguste au Goulet, entre Gaillon et les Andelis (22 mai 1200).

DÉFECTION DE GUILLAUME DES ROCHES.

Comment Philippe s'était-il résolu à sacrifier la cause d'Artur? Cette déviation momentanée de sa politique lui était imposée par les circonstances. La trahison de Guillaume des Roches n'aurait pas suffi à le décourager. Il se trouvait dans la phase la plus aiguë de la

TRAITÉ DU GOULET.

crise amenée par l'affaire de son divorce avec Ingeburge de Danemark. On verra qu'à ce moment les légats du Pape réunissaient des
conciles, fulminaient contre le Roi, frappaient la France d'interdit et
que Philippe se vengeait en persécutant ses évêques[1]. On était en
pleine guerre religieuse. Philippe dut se rapprocher provisoirement de
Jean-sans-Terre et ajourner ses projets de conquêtes.

Le traité du Goulet ne lui était pas, d'ailleurs, défavorable. Jean
cédait au roi de France le comté d'Évreux. Il lui abandonnait Graçai,
Issoudun, la suzeraineté du Berri et de l'Auvergne. Il s'engageait à
ne pas secourir le comte de Flandre ni Otton de Brunswick, ses
alliés, sans le consentement de Philippe. Il lui payait enfin une
somme de 20 000 marcs, à titre de droit de relief, et se reconnaissait
le vassal du roi de France pour ses fiefs continentaux. Jamais les
Plantagenêts n'avaient fait aux Capétiens de pareilles concessions.
En retour, on exigeait de Philippe-Auguste le mariage de son
fils, le prince Louis, avec la nièce de Jean-sans-Terre, Blanche de
Castille. Il renonçait à la suzeraineté de la Bretagne et à tous ses
droits sur Artur. C'était le jeune prince breton qui pâtissait du rapprochement opéré entre les deux rois. Une clause du traité stipulant
que les droits d'Artur sur la Bretagne ne pourraient être diminués
qu'en vertu d'un jugement de la cour d'Angleterre, n'était pas une
garantie bien sérieuse.

JEAN-SANS-TERRE
A PARIS.
Jean entre triomphalement dans la capitale du Maine (8 juin 1200);
à Angers, il prend la couronne de comte (18 juin); il assigne, en
douaire, à sa nouvelle femme, Isabelle Taillefer, plusieurs villes et
châteaux de l'Anjou et du Maine (30 août). La féodalité des bords de
la Loire acceptait donc ou subissait, au moins, sans résistance, la
domination du roi de Londres. Tranquille, Jean s'embarqua pour
l'Angleterre, où il demeura plus de six mois sans être inquiété par
Philippe. Après quoi, il alla visiter le roi de France, à Paris même.
« Le roi d'Angleterre, dit le chroniqueur Rigord, fut reçu avec la
plus grande courtoisie. On lui donna une place d'honneur dans
l'église de Saint-Denis, où l'avait conduit une procession solennelle
au chant des hymnes et des cantiques. Puis le roi des Français le
ramena à Paris, où les habitants l'accueillirent avec tout le respect
imaginable. Après cette réception brillante, il alla loger au palais du
Roi, qui pourvut avec magnificence à tous ses besoins. Des vins de
toute espèce, tirés pour lui des celliers royaux, furent prodigués à sa
table et à celle de ses chevaliers. Le roi de France lui donna, dans sa
générosité, des présents de toute nature, or, argent, riches étoffes,

1. Voir plus loin, au chapitre III.

chevaux d'Espagne et une foule d'autres objets précieux. Puis le roi d'Angleterre, charmé de ces marques d'amour et de bonne entente, prit congé de Philippe et se retira dans ses États (mai 1201). »

Un an après, le charme était rompu; il n'était pas plus question du traité du Goulet que s'il n'eût jamais été signé, et la guerre, décisive cette fois, recommençait.

II. — *PRÉPARATIFS DE LA CONQUÊTE. LE MEURTRE D'ARTUR* [1]

LA crise du divorce s'était dénouée par la mort d'Agnès de Méran, suivie d'une réconciliation avec le Pape. La paix du Goulet n'étant, pour Philippe, qu'un expédient, du jour où elle cessa d'être utile, il la rompit. Les prétextes ne manquent jamais à ceux qui ont la volonté de prendre l'offensive. Les événements d'Aquitaine fournirent à Philippe-Auguste un *casus belli*.

Un chroniqueur a remarqué « que le roi Jean, par un jugement secret de la Providence, se faisait toujours des ennemis de ses propres amis et rassemblait lui-même les verges dont il devait être battu. » En Aquitaine, Jean commet une série de maladresses. Il enlève le château de Moncontour à la famille de Lusignan, toute puissante dans le Poitou. Il irrite le chef de cette maison, Hugue IX, comte de la Marche, en dépouillant son frère, Raoul d'Exoudun, de la place de Neufchâtel-en-Brai. Il se fait un ennemi de ce même comte de la Marche en prenant à son fils Hugue le Brun, sa fiancée, Isabelle Taillefer. Les barons adressèrent même une plainte, dans les formes légales, au suzerain du duc d'Aquitaine, c'est-à-dire au roi de France. L'appel du vassal contre le seigneur coupable de déloyauté était de droit.

MALADRESSE DE JEAN-SANS-TERRE.

Il serait naïf de croire que le roi de France ait fait la guerre pour donner satisfaction à la morale et aux principes féodaux violés par Jean-sans-Terre en Aquitaine. Sur ce point, la chronologie des faits suffit à nous instruire. L'enlèvement de la fiancée de Hugue le Brun eut lieu entre mai et août de l'année 1200 : c'est le 30 août que Jean l'épousa à Chinon. La guerre avec les barons poitevins éclata presque aussitôt après. Or Philippe-Auguste, pendant fort longtemps, n'y prit aucune part. Il resta en paix avec Jean-sans-Terre, et, un an après, il lui faisait encore à Paris cette splendide réception dont

PLAINTE DES BARONS D'AQUITAINE.

---

1. Ouvrages a consulter. Bémont, *De la condamnation de Jean Sans-Terre par la cour des pairs de France en 1202*, dans la Revue historique, t. XXXII, 1886. G. Dubois, *Recherches sur la vie de Guillaume des Roches, sénéchal d'Anjou, du Maine et de Touraine*, dans la Bibliothèque de l'Ecole des Chartes, t. XXX, XXXII et XXXIV.

nous avons parlé. Le chroniqueur Roger de Howden a prétendu que le roi de France avait conseillé à Jean d'enlever Isabelle Taillefer pour se faire de ce rapt une arme contre lui. Nous ne croyons pas à tant de machiavélisme. Les Anglais voyaient partout la main de Philippe-Auguste, et attribuaient à sa diplomatie toutes les sottises de ses adversaires. En réalité, Philippe ne commença à se préoccuper et à s'indigner de ce qui se passait en Aquitaine et ne tint compte de l'appel des barons du Poitou qu'au moment précis où il se vit en état de reprendre la guerre contre le Plantagenêt. Il jugea le moment venu après que son conflit avec le Pape eut pris fin, et que la mort de Thibaut, comte de Champagne, qui laissait un fils mineur, lui eut permis, en qualité de suzerain, d'ajouter les ressources du grand fief champenois à celles du domaine royal.

LE PROCÈS DE JEAN-SANS-TERRE. Pourvu d'un prétexte juridique qui allait donner à la conquête l'apparence du droit, Philippe accorde à Jean-sans-Terre l'entrevue que celui-ci, pour essayer de parer le coup, lui avait demandée. Elle eut lieu à l'endroit même où avait été signé le traité du Goulet (25 mars 1202). Philippe traita sans ménagements le roi d'Angleterre. Il lui rappela qu'il était son homme-lige et le somma encore une fois de rendre à Artur l'Anjou, le Poitou et la Normandie. Jean s'y refusa, et Philippe l'ajourna à Paris, devant les juges royaux[1].

ARRÊT DE LA COUR DE FRANCE. Aucune pièce officielle du procès de 1202 n'est parvenue jusqu'à nous. Il paraît que Jean, assigné par ses juges à trois reprises, se retrancha derrière une série d'excuses ou plutôt d'échappatoires, tantôt demandant à être jugé à Angers, tantôt faisant mine de céder et de vouloir faire hommage pour l'Aquitaine et l'Anjou, tantôt prétendant que, duc de Normandie, il n'était tenu de se disculper que sur la frontière de son duché normand. En fait, il ne comparut pas et ne se fit même pas représenter par procureur. Les barons prononcèrent leur arrêt (fin d'avril 1202). La teneur de cette sentence, qui devait aboutir à la ruine de la domination des Plantagenêts sur le continent, n'est connue que par trois lignes d'une chronique anglaise[2]. « La cour de France, assemblée, déclara que le roi d'Angleterre devait être privé de *toutes les terres* qu'il avait, lui et ses prédécesseurs, tenues du roi de France, pour avoir dédaigné de rendre à son suze-

1. Le service que M. Bémont a rendu à l'histoire de France consiste surtout à avoir démontré que l'assassinat d'Artur de Bretagne ne fut pour rien ni dans la plainte judiciaire, ni dans la sentence rendue, par l'excellente raison que la victime de Jean-sans-Terre vivait encore un an au moins après la terminaison du procès. M. Bémont a prouvé que l'assertion d'après laquelle Jean aurait été condamné à mort, par la cour des pairs, comme coupable du meurtre d'Artur, se rencontre pour la première fois, en 1216, dans une lettre écrite au pape Honorius III par le prince Louis, fils de Philippe-Auguste, et que cette assertion est d'une absolue fausseté.
2. La chronique de Raoul de Coggeshall.

rain la plupart des services qu'il lui devait comme vassal et avoir presque constamment désobéi à ses ordres. » Condamné pour infidélité à l'égard du suzerain, Jean était passible de la peine infligée par l'usage féodal aux vassaux félons : la confiscation du fief, l'exhérédation totale. Dans la pratique, une pénalité aussi rigoureuse n'était pas souvent appliquée : le suzerain n'allait pas, d'ordinaire, jusqu'au bout de son droit. Mais les formes judiciaires n'étaient ici qu'une comédie. Il s'agissait d'une guerre à mort engagée entre deux souverains.

Le plan de Philippe-Auguste était de s'emparer lui-même de la Normandie et de conquérir l'Anjou et le Poitou par l'intermédiaire d'Artur de Bretagne; les opérations sur la Seine et sur la Loire devaient être simultanées. Il fiança le comte de Bretagne, qui avait alors quinze ans, à sa fille Marie, qui en avait douze; puis il lui conféra la chevalerie et reçut de nouveau son hommage pour les fiefs de Bretagne, d'Aquitaine et d'Anjou. En juin 1202, il envahit la Normandie, s'empare de Lyons-la-Forêt et d'Eu, s'établit dans Gournai, et assiège le château d'Arques. Artur, bien muni d'argent par son protecteur, mis à la tête d'une troupe de 200 chevaliers d'élite qui devaient renforcer les contingents féodaux du Berri et de la Bourgogne, s'empare de Mirebeau, une des clefs du Poitou, et oblige la reine Aliénor, qui y commandait alors une poignée d'hommes, à se réfugier dans le donjon, où il la bloque.

PHILIPPE ENVAHIT LA NORMANDIE.

Jean essaya de repousser l'attaque et manœuvra bien. Arrêter la marche de Philippe-Auguste était difficile : mais il calcula que les grandes villes normandes résisteraient longtemps, et il courut au plus pressé. Il fallait, avant tout, délivrer la reine-mère et mettre fin aux progrès d'Artur dans le Poitou. Ici rentrent en scène Guillaume des Roches et son groupe. La crainte de l'ambition française, le désir de reprendre Artur à Philippe-Auguste pour faire de lui le souverain nominal de la Bretagne et de l'Anjou, leur fit prendre parti pour le roi Jean. Guillaume des Roches alla le trouver au Mans, lui promit son aide et celle de ses amis, mais Jean dut s'engager, par serment, à respecter la vie des personnes qui tomberaient entre ses mains, et surtout à traiter son neveu avec bienveillance et même à lui restituer son patrimoine.

Le 30 juillet, l'armée anglaise et celle de Guillaume des Roches partaient du Mans et arrivaient, en deux jours, sous Mirebeau. Surpris, enveloppé de forces supérieures, Artur est fait prisonnier avec toutes ses troupes. Les plus hauts barons du Poitou, Hugue de la Marche, Geoffroi de Lusignan, Savari de Mauléon, le vicomte de Châtellerault, tombent au pouvoir de Jean.

DÉFAITE D'ARTUR A MIREBEAU

Philippe apprit ce désastre au moment où le siège d'Arques était déjà fort avancé Dans un de ces accès de fureur dont il était coutumier, il abandonna le siège, se dirigea à marches forcées vers la Loire, brûlant tout sur son passage, même les monastères, puis entra dans Tours. Soit qu'il ne voulût pas entamer une campagne d'automne, soit qu'il craignît de trop s'enfoncer en pays hostile, il n'attendit pas que Jean-sans-Terre vînt lui offrir le combat, et rentra, à la hâte, dans Paris. L'Anglais reprit Tours aussitôt et mit le feu aux parties de la ville restées intactes. Le château fut complètement détruit.

Avec un adversaire comme Jean-sans-Terre, il suffisait d'attendre; on pouvait compter sur ses maladresses. Aucune des promesses faites à Guillaume des Roches ne fut tenue. Les chevaliers pris à Mirebeau furent les uns jetés en prison, où Jean les laissa mourir de faim, les autres envoyés en Angleterre. Il alla lui-même enfermer Artur au château de Falaise, bien décidé à ne plus jamais lâcher un prisonnier qu'il était si dangereux de laisser libre. Quand Guillaume des Roches et les barons de Bretagne, lui rappelant la parole donnée, allèrent lui réclamer la personne du jeune prince, il refusa formellement. Irrité de leur intervention, il trouva que Guillaume des Roches et Aimeri de Thouars étaient des auxiliaires inquiétants et dont il fallait se débarrasser. Avertis, ils se réfugièrent dans leurs forteresses; Jean leur enleva la garde du château d'Angers et la sénéchaussée d'Anjou et de Touraine, fonction trop importante qu'il divisa entre deux administrateurs nouveaux. Le résultat fut qu'il s'aliéna pour toujours les barons du Poitou, que ceux de Bretagne, soulevés, protestèrent contre la séquestration d'Artur et que Guillaume des Roches médita sa revanche.

PHILIPPE TRAITE DE NOUVEAU AVEC GUILLAUME DES ROCHES.

Philippe-Auguste n'eut pas de peine à tirer parti de cette situation. Il passa tout un hiver (1202-1203) à négocier avec les seigneurs des pays de l'Ouest et à préparer une nouvelle guerre au printemps. Guillaume des Roches signa un traité qui le liait pour toujours au roi de France (23 mars 1203); il entraînait après lui la plupart des barons de l'Anjou et du Poitou : Maurice de Craon, Bernard de la Ferté, Juhel de Mayenne, le comte de Vendôme, Geoffroi de Lusignan, Aimeri de Thouars. Tous faisaient hommage à Philippe et s'engageaient à rester dans sa fidélité, tant qu'Artur ne serait pas délivré. Robert, comte d'Alençon, se déclara, lui aussi, pour les Français, défection importante qui donnait à Philippe le libre accès de la haute Normandie et lui ouvrait la route entre Rouen et Angers.

SUCCÈS DES FRANÇAIS.

Jean-sans-Terre prenait ses précautions. Falaise, prison d'Artur, ne lui paraissant plus un lieu sûr, il le mena à Rouen, où il l'enferma dans la grosse tour qui dominait la Seine. Cependant les hostilités s'engageaient sur tous les points (avril 1203). Pendant que l'armée royale, avec Philippe-Auguste, descendait la Loire en bateau et s'emparait de Saumur et de Loudun, l'armée féodale de Guillaume des Roches et les routiers de Cadoc enlevaient Beaufort, Châteauneuf-sur-Sarthe et le Mans. Philippe avait résolu d'attaquer Rouen. Mais le Château-Gaillard barrait la route. Avant de s'en prendre à la formidable forteresse, il fallait en dégager les abords et l'isoler. Il se rendait maître peu à peu du Vaudreuil, de Radepont, de l'île et de la ville d'Andeli ; il poussait des pointes hardies et rapides tantôt sur Alençon assiégée, pour la dégager, tantôt sur Tours, où il remettait garnison. Les Français étaient partout victorieux (octobre 1203) : Guillaume des Roches et Cadoc firent leur entrée dans Angers. Expulsé de l'Anjou et de la Touraine, menacé en Normandie, Jean se jeta sur la Bretagne. Il prit Fougères, Dol, ravagea les environs de Rennes, brûlant tout et massacrant les prisonniers. Mais plus il s'éloignait de la Seine et de la Loire, plus la situation devenait dangereuse.

C'est alors que le pape Innocent III essaya de faire lâcher prise au roi de France et de rétablir la paix. Au moment où la guerre s'ouvrait, il avait déjà envoyé des commissaires chargés de réconcilier les deux rois, mais dans une assemblée de barons et de prélats réunie à Mantes (22 août), Philippe protesta. « En matière féodale, *jure feudi*, lorsqu'il s'agissait de ses relations avec un vassal, il n'avait pas à recevoir les ordres du Souverain Pontife ni à subir sa juridiction. La querelle qui divisait les rois, étant de nature temporelle, ne regardait en rien la cour de Rome. » Innocent III réfuta cette thèse : « Le roi de France tendait par là à limiter la puissance pontificale ; il oubliait tous les services que la Papauté avait rendus à ses ancêtres ; la mission des successeurs de saint Pierre était d'établir la paix parmi les hommes ; si le Pape n'avait pas le droit d'intervenir en matière féodale, sa juridiction s'imposait en matière de péché, *ratione peccati*. Il s'agissait précisément de savoir si Philippe n'avait pas péché en méconnaissant les droits du roi d'Angleterre, son vassal. »

La théorie d'Innocent III eut permis à la Papauté de s'immiscer dans toutes les affaires des laïques. On ignore si le roi de France continua la discussion : mais il exigea des principaux feudataires qui l'entouraient la promesse écrite et scellée de l'aider à résister au Pape dans le cas où celui-ci voudrait le forcer à faire la paix avec le roi d'Angleterre ; premier exemple connu d'un roi de France demandant au corps féodal son appui pour lutter contre la cour de Rome. Ce précédent ne sera pas perdu pour Philippe le Bel.

On ne peut dire d'ailleurs qu'Innocent III ait fait preuve de par-

INTERVENTION D'INNOCENT III.

tialité contre les Français. Dans ses lettres aux deux souverains (31 oct. 1203), il insiste particulièrement sur les torts du roi d'Angleterre, et emploie, pour parler à celui-ci, un ton plus hautain. Jean, fort entamé par son rival, se serait volontiers retranché derrière le Pape, mais comme Philippe-Auguste ne s'arrêtait pas à cet obstacle, il fut pris de peur, et se réfugia en Angleterre. Avant de partir (déc. 1203), il s'était vengé lâchement sur le malheureux prisonnier de Rouen. Il crut supprimer la cause de ses inquiétudes et de ses défaites en faisant disparaître son neveu.

*ARTUR
AU CHATEAU
DE FALAISE.*

L'idée d'un attentat qui le débarrasserait d'Artur s'était présentée depuis longtemps à l'esprit du roi d'Angleterre. Lors de l'emprisonnement du prince à Falaise, ses amis intimes lui persuadèrent de lui faire crever les yeux et de le mutiler. Trois sergents royaux reçurent l'ordre d'accomplir cette besogne ; deux d'entre eux prirent la fuite pour s'y soustraire ; le troisième arriva au château où Artur était gardé par un haut fonctionnaire anglais, Hubert de Bourg. L'enfant se jeta sur l'envoyé de Jean-sans-Terre ; les soldats intervinrent pour les séparer. Hubert de Bourg, ému par les supplications du prisonnier, ou plutôt craignant d'endosser une responsabilité aussi grave, supposa que l'ordre avait été donné dans un moment de colère et prit sur lui d'en suspendre l'exécution. Il fit courir le bruit que l'ordre avait été exécuté et qu'Artur était mort des suites de la mutilation. Des prières furent dites partout pour le repos de l'âme d'Artur, ses vêtements distribués aux hôpitaux, son corps soi-disant enseveli au monastère de Saint-André. Français et Anglais crurent à la mort d'Artur pendant quinze jours. Mais cette fausse nouvelle exaspéra les Bretons. Pour les apaiser, il fallut leur prouver que le prince était encore vivant, et les difficultés recommencèrent.

*DISPARITION
D'ARTUR.*

C'est alors que Jean avait transporté son neveu à Rouen, où il le fit assassiner. La nouvelle du crime circula en Bretagne, en Anjou, et dans l'entourage de Philippe-Auguste, pendant l'hiver de 1203-1204. Mais les contemporains n'ont su que très vaguement comment et à quelle date l'attentat avait été commis[1]. Les Anglais les mieux

---

1. Dès le moment où Artur fut transféré dans la tour de Rouen on supposa, à la cour de France, que sa vie était en danger, mais, au printemps de 1204, on ne faisait encore que présumer l'attentat. Dans le traité d'alliance conclu, en mars 1203, entre Philippe-Auguste et la féodalité de l'Anjou est insérée une clause où le dénoument fatal semble prévu : « *Si Artur vient à mourir*, Maurice de Craon demeurera l'homme lige du roi des Français. » Dans le traité signé avec Gui de Thouars en octobre 1203, Philippe-Auguste réserve le droit d'Artur, si *ce prince est en vie*. En mars 1204, quand les ambassadeurs du roi Jean font un dernier effort auprès de Philippe pour l'amener à la paix, le roi de France exige comme condition *sine quâ non* que le jeune Artur lui soit livré vivant et que, s'il a cessé d'exister (*si ille de medio jam sublatus est*), on lui donne, à lui Philippe, en mariage, sa sœur Aliénor avec tous les États continentaux des Plantagenêts. Ceci montre bien qu'à la cour de France on ne fut jamais en possession d'un renseignement précis.

La Conquête.

informés affirment, à ce sujet, leur ignorance. L'historien de Philippe-Auguste, Rigord, ne dit pas un mot de la mort d'Artur Rien ne prouve que Jean ait fait lui-même l'office de bourreau. Un roi du moyen âge trouvait facilement quelques bandits pour le débarrasser d'un enfant.

Ce que l'histoire ne sut jamais, l'imagination populaire, en Angleterre comme en France, l'inventa. Un moine du pays de Galles *LEGENDES SUR LA MORT D'ARTUR.* assure qu'Artur de Bretagne mourut le 3 avril 1203, frappé de la main même de son oncle, et précipité dans la Seine, une pierre au cou. Plus tard son cadavre fut retrouvé par un pêcheur et enseveli au prieuré du Bec. C'est pourquoi Jean, cité devant la cour des pairs de France pour se justifier de ce meurtre, se sauva en Angleterre au lieu de comparaître, et fut, par jugement de la cour du Roi, condamné et déshérité de tout ce qu'il tenait de la couronne de France.

Le chapelain de Philippe-Auguste, Guillaume le Breton, reconstitue la scène du crime, comme s'il l'avait vue : « Jean a appelé secrètement auprès de lui ses serviteurs les plus dévoués; il les excite, en leur promettant force présents, à chercher quelque moyen de faire périr son neveu. Tous refusent de se charger d'un si grand crime· Alors il quitte brusquement sa cour et ses fidèles, s'absente pendant trois jours et se retire dans un vallon boisé où se trouve le petit village appelé Moulineaux. De là, quand la quatrième nuit est arrivée, Jean monte, au milieu des ténèbres, dans une petite barque et traverse le fleuve. Il aborde à Rouen, devant la poterne qui conduit à la grosse tour, sur le port que la Seine, deux fois par jour, inonde de marée. Debout sur le haut de la barque, il donne ordre que son neveu lui soit amené par un page : puis il le prend avec lui dans le bateau, s'éloigne un peu et enfin s'écarte tout à fait de la rive. Le malheureux enfant, comprenant que sa dernière heure est arrivée, se jette aux genoux du Roi en criant : « Mon oncle, aie pitié de ton « jeune neveu, mon oncle, mon bon oncle, épargne-moi, épargne ton « neveu, épargne ton sang, épargne le fils de ton frère! » Vaines lamentations! Ce tyran le saisit par les cheveux, lui enfonce son épée dans le ventre jusqu'à la garde et, la retirant tout humide de ce sang précieux, la lui plonge de nouveau dans la tête et lui perce les deux tempes. Le meurtre consommé, il s'éloigne et jette ce corps sans vie dans les flots qui roulent devant lui. » Tableau de fantaisie, où le chroniqueur poète reproduit à sa façon ce qui se disait au palais capétien sur le mystère de la tour de Rouen.

Le meurtre d'Artur eut le résultat ordinaire des grands crimes politiques. Il tourna contre son auteur. Déjà la Bretagne, l'Anjou, le Maine, la Touraine, une partie du Poitou, étaient au pouvoir du roi de France ou de ses alliés : la fidélité même de la Normandie s'ébranla. C'était le moment, pour Philippe-Auguste, de frapper les coups décisifs.

III. — *LA PRISE DU CHATEAU-GAILLARD ET DE LA NORMANDIE. L'ANNEXION DES PAYS AQUITAINS*[1]

LE CHATEAU-GAILLARD.

LA prise du Château-Gaillard était, pour les Français, le seul moyen de s'ouvrir les portes de Rouen. Mais on sait que l'art et la nature l'avaient fait inaccessible, et que le château n'était que le point central d'un ensemble de fortifications conçues et élevées par un ingénieur de premier ordre Aussi le siège dura-t-il huit mois (septembre 1203-avril 1204) et fut-il un des plus grands faits militaires de l'histoire du Moyen âge.

Il fallut prendre d'abord le fort avancé de Boutavant, l'îlot fortifié qui divisait la Seine, et le petit Andeli, protégé aussi par une enceinte ; ensuite rompre une solide estacade établie pour barrer le fleuve, construire un pont de bateaux et le défendre du côté de l'ennemi par deux hautes tours. Ces travaux préliminaires achevés et l'armée française passée enfin sur la rive droite, Philippe-Auguste installa son camp au sommet de la colline qui domine la Roche-Gaillard et ne communique avec elle que par une langue de terre. Il fit creuser plusieurs lignes de tranchées, des fossés de circonvallation surmontés d'un grand nombre de petits châteaux de bois entre lesquels veillaient, jour et nuit, des postes de sentinelles.

SIÈGE DU CHATEAU-GAILLARD.

La forteresse ainsi bloquée était défendue par un chef énergique, Roger de Lascy, et par un petit groupe de chevaliers d'élite. Pendant tout l'hiver, les assiégeants restèrent dans leurs campements : ils attendaient l'effet du découragement et de la famine. Chassés de leur ville, les habitants du Petit-Andeli se mirent en sûreté derrière les remparts du château ; mais, les vivres venant à diminuer, Roger de Lascy fut obligé d'expulser près de cinq cents vieillards, femmes et enfants, pour ne garder que les hommes utiles à la défense. Les Français les accablèrent de flèches, ce qui les fit rétrograder vers le château, où l'on refusa de les laisser rentrer. Réduits à errer dans l'étroit

1. OUVRAGES A CONSULTER. Chéruel, *Histoire de Rouen pendant l'époque communale (1150-1382)*, 1843. Poignant, *Histoire de la conquête de la Normandie par Philippe-Auguste en 1204*, 1854. Léopold Delisle, Introduction au *Catal. des actes de Philippe-Auguste*, 1856. De Fréville, *Rouen et son commerce maritime depuis Rollon jusqu'à la prise de la ville par Philippe-Auguste (912-1204)*, dans la Bibliothèque de l'Ecole des Chartes, t. VIII (2ᵉ série, t. III), 1846. P. Boissonnade, *Quomodo comites Engolismenses erga reges Angliæ et Franciæ se gesserint*, 1893 (thèse de Paris). Chilhaud-Dumaine, *Savari de Mauléon*, dans les Positions des thèses des élèves de l'Ecole des Chartes, 1877.

espace qui séparait l'enceinte anglaise du camp français, ils auraient tous péri, si le roi de France n'avait fini par leur laisser franchir ses lignes.

Guillaume le Breton ne manque pas d'exalter ici l'humanité de Philippe-Auguste et de jeter sur cet épisode toutes les couleurs de sa rhétorique : « Il arriva qu'une femme mit au monde un enfant : encore souillé du sang de sa mère, il fut déchiré par les ongles des hommes, et, à peine sorti du sein qui le porta, rentra en un moment dans le ventre de ces affamés. Une poule qui volait et tomba au milieu d'eux fut aussitôt saisie et avalée, avec ses plumes, ses os et un œuf tout chaud qu'elle portait en son corps. Tout ce qui peut céder sous la dent est englouti dans les estomacs. Ils en vinrent à se nourrir de la chair des chiens. »

Cependant les assiégés, qui s'étaient rationnés, avaient encore des *ATTAQUE ET PRISE* vivres pour longtemps ; Philippe se décide à les attaquer (février 1204).   *DU CHATEAU*

On pratique une chaussée pour aplanir le sol jusqu'au fossé de la première tour située à l'angle du château, et on y pousse les tours roulantes, les machines de jet, tous les engins alors en usage. Puis le fossé creusé dans le roc, à fond de cuve, profond de huit mètres et large de dix, est comblé. Les fondations de la tour, attaquées par les mineurs, finissent par être creusées et incendiées. La tour s'écroule ; les Français sont maîtres de la première enceinte. Mais ils se trouvent en face d'une seconde forteresse, garnie aussi de fossés et de tours. Heureusement qu'un soldat, nommé Bogis, trouve le moyen de pénétrer dans la seconde enceinte par les latrines d'un bâtiment adossé au rempart et d'y introduire ses compagnons. Les assiégés incendient ce bâtiment pour les arrêter, mais le feu les oblige eux-mêmes à se réfugier dans la troisième enceinte que dominait le donjon. La troisième muraille, attaquée par la mine et les machines de jet, cède aussi à la fin, et les Français entrent par la brèche Roger de Lascy, avec les cent quatre-vingts soldats qui lui restaient, n'eut pas le temps de se réfugier dans le donjon pour y faire une dernière résistance. Tous les assiégés furent pris ou tués (6 mars).

La Normandie, ouverte, allait être conquise en deux mois.

Pendant que le Roi se dirigeait par l'Est sur Caen et Falaise   *CONQUÊTE* (2 mai), son allié, Gui de Thouars, à la tête des nobles bretons, atta- *DE LA NORMANDIE.* quait par l'Ouest, incendiait le Mont-Saint-Michel, saccageait Avranches et Pontorson. Les deux troupes se rejoignirent sous les murs de Caen. Châteaux et villes capitulaient, l'un après l'autre, sans résister. Les bourgeois faisaient confirmer leurs privilèges, les châtelains stipulaient pour eux-mêmes certains avantages ; Philippe-Auguste promettait tout et n'avait que la peine de recevoir les clefs qu'on lui apportait. Jean-sans-Terre ne défendit pas plus la Normandie qu'il n'avait secouru le Château-Gaillard. Resté en Angleterre, il s'était contenté d'envoyer dans les principales places normandes des bandes de routiers commandées par un émule de Mercadier, le Pescaire. Ces mercenaires s'empressèrent de tout livrer à Philippe-Auguste. Du service de Jean, ils passèrent à celui du roi de France, qui payait mieux ou du moins plus régulièrement.

RÉSISTANCE DES ROUENNAIS. — Toute la résistance se concentra à Rouen. Les bourgeois avaient reçu des rois d'Angleterre de tels privilèges qu'ils jouissaient d'une indépendance presque complète. Ils étaient les vrais rois du pays, entourés d'une ceinture de petites communes sur lesquelles ils exerçaient une sorte de protectorat. Leurs relations commerciales et industrielles étaient presque toutes avec l'Angleterre. Paris et le bassin de la Seine moyenne et haute leur étaient fermés par la concurrence des marchands de l'eau ou armateurs parisiens, protégés du roi de France. A changer de maître, ils ne pouvaient que perdre. Ils se défendirent donc, pour l'honneur et pour l'argent. Avec les places fortes de Verneuil et d'Arques, ils avaient formé une confédération, qui résista quarante jours. Au bout de ce temps, ils demandèrent à Philippe une trêve de trente jours, promettant de capituler si, dans l'intervalle, Jean n'avait pas traité de la paix, ou fait lever le siège. « Impossible de vous secourir dans le délai voulu, répondit Jean aux envoyés normands, faites pour le mieux, » et il reprit sa partie d'échecs.

CAPITULATION DE ROUEN. — Rouen se rendit avant que la trêve fut expirée (24 juin 1204). Les bourgeois obtinrent la confirmation de leurs privilèges, mais ils durent abattre eux-mêmes leurs murailles et raser leur antique château; Philippe en reconstruisit un sur un autre point. La Normandie rentrait dans le domaine des rois de France après en avoir été séparée pendant plus de trois siècles.

La décision, l'énergie, la rapidité de Philippe-Auguste avaient fait merveille : mais l'argent, pour lui, valait les meilleures armes. Il avait réussi à corrompre la plupart des hauts fonctionnaires du duché : le sénéchal Guérin de Glapion, le connétable Guillaume du Hommet; et même le capitaine chargé de la défense de Rouen, Pierre de Préaux. Dans une sorte de manifeste adressé aux châtelains et aux habitants des villes, il employa, à la fois, le raisonnement et la menace : « Jean-sans-Terre, leur seigneur direct, les abandonnant, c'était lui, le roi de France, le haut seigneur (*principalis dominus*) qui reprenait légalement possession du fief. Il les priait donc à l'amiable de le recevoir comme leur suzerain, puisqu'ils n'avaient pas d'autre maître. S'ils s'avisaient de résister, ils trouveraient en lui un ennemi, décidé à les faire pendre ou écorcher vifs. » Des plumes dévouées à la cause capétienne écrivaient, d'ailleurs, que le roi de France n'avait pas seulement des droits sur la Normandie comme suzerain. En réalité il était le véritable héritier de Rollon, le premier duc normand, car il était le fils d'Adèle de Champagne, qui descendait elle-même par son père Thibaut, de Guillaume le Conquérant. Plus tard sous le règne de Louis VIII, on dira que le roi de France possédait légitimement le duché, puisqu'il était le mari de Blanche de Castille, nièce elle-même de Richard Cœur-de-Lion. Il fallut trouver des raisons généalogiques pour faire illusion aux Normands et les empêcher de regretter l'ancienne dynastie.

Des chroniqueurs anglais et même normands essayèrent de justifier l'inertie de ce roi d'Angleterre qui se laissait ainsi dépouiller sans combat. S'il était resté dans le duché, ses ennemis particuliers et les barons gagnés par Philippe-Auguste se seraient emparés de sa personne et l'auraient livré au roi de France. Comment aurait-il pu agir dans un pays où les défections et les traîtrises menaçaient sa sécurité? Il est certain qu'après le meurtre d'Artur et l'impression profonde causée par la chute du Château-Gaillard, Jean pouvait redouter partout un coup de main. Il savait aussi que son gouvernement n'était pas aimé. La Normandie était épuisée par d'incessantes demandes d'argent; elle avait dû payer, comme les Anglais, les frais énormes de la rançon de Richard et de ses guerres contre Philippe-Auguste, sans compter l'argent que le Château-Gaillard avait coûtés Le trésor de l'Échiquier, à Caen, était vide. La Normandie était devenue si incapable de se suffire à elle-même qu'il fallut solder les dépenses du duché avec l'argent des Anglais [1]. Enfin Jean, en 1204, n'avait plus d'alliés. Le comte de Flandre était à la croisade. Le comte de Boulogne, Renaud de Dammartin, avait été gagné par Philippe qui lui donna une part des bénéfices de la conquête. Le roi de France s'était associé aussi le duc de Louvain et d'autres seigneurs de la région belge, et leur avait même fait entrevoir la perspective d'un débarquement en Angleterre.

L'unique tentative faite pour sauver le roi d'Angleterre, ou du moins pour arrêter le conquérant, vint, comme toujours, d'Innocent III. Au moment où Philippe entrait au Château-Gaillard, le Pape chargeait son légat, l'abbé de Casamari, et l'archevêque de Bourges, de procéder à une enquête pour savoir si les griefs que Jean-sans-Terre faisait valoir contre Philippe étaient légitimes; mais Philippe, sans

CAUSES DE LA CONQUÊTE NORMANDE

NOUVELLE INTERVENTION DU PAPE.

1. Un document financier, cité par M. L. Delisle, prouve que l'année même de la conquête, au commencement de 1204, une somme de six millions fut envoyée d'Angleterre en Normandie.

s'émouvoir, continuait sa conquête. Lorsqu'elle fut achevée, le légat convoqua un concile à Meaux (7 août 1204), s'imaginant peut-être que les belligérants allaient venir à sa barre. Jean-sans-Terre lui-même comprit si bien l'inanité de ces formalités qu'il ne prit pas la peine de se faire représenter par un procureur. Philippe-Auguste avait donné le mot d'ordre à ses évêques, de sorte que ceux-ci, au lieu d'assister le légat, l'obligèrent à laisser de côté sa procédure. Ils en appelèrent du légat au Pape, ce qui évoquait l'affaire à Rome. Innocent III dut reconnaître que les chevaliers, les archers et les machines de guerre étaient les véritables juges du débat.

ATTITUDE DES ANGLAIS.

Lorsque Jean-sans-Terre voulut reconquérir la Normandie, il se heurta, en Angleterre, à la mauvaise volonté des barons et du haut clergé que représentaient Guillaume le Maréchal et l'archevêque de Cantorbery, Hubert. L'Angleterre jugeait peut-être que la perte des provinces françaises était plus favorable que nuisible à ses intérêts politiques et matériels. « Le roi Jean, » dit le chroniqueur Mathieu de Paris, « se mit à rançonner les Anglais sous prétexte qu'ils ne voulaient pas le suivre pour l'aider à recouvrer son héritage perdu. » Ce n'était pas un prétexte, mais la vérité même Toute la conduite de l'archevêque, chef du gouvernement après le Roi, en fournit la preuve. Quant à Guillaume le Maréchal, comme beaucoup de nobles ses compatriotes, il possédait de grandes propriétés en Normandie; pour éviter de les perdre, son premier soin fut de faire hommage à Philippe-Auguste. « Je sais, » lui dit Jean, fort irrité « que vous vous « êtes fait l'homme lige du roi de France contre moi et à mon désa- « vantage. — Sire, » répondit le Maréchal, « qui vous a dit telles paroles « en a menti. Je n'ai rien fait contre vous, et ce que j'ai fait, je l'ai fait « par votre congé : vous-même m'avez dit de faire hommage au roi de « France plutôt que de perdre ma terre. — Par Dieu, » reprit le roi, « il n'en est rien. Je vous en donne le démenti et je veux en avoir « jugement de mes barons. --- Je ne refuse pas le jugement, sire; au « contraire, je le désire, car je ne fus onques déloyal, et c'est mal se « défendre que de décliner un jugement loyal. » Par suite, le Maréchal fut longtemps mal vu du Roi, sans avoir rien fait pour le mériter.

JEAN-SANS-TERRE ET GUILLAUME LE MARÉCHAL.

Lorsque Jean-sans-Terre lui ordonna de venir avec lui en Poitou « pour reconquérir son héritage contre le roi de France, » le Maréchal s'excusa · « Ah! sire, grâce pour Dieu! ce serait mal, puisque « je suis son homme. — Or, entendez, seigneurs, » dit le roi, « voilà « une parole qu'il ne démentira pas. Vous voyez se découvrir son « œuvre, puisqu'il dit qu'il est homme du roi de France et qu'il ne me « suivra pas! — Sire, je ne fus jamais faux; et il n'y a si vaillant « homme en votre terre contre qui je ne sois prêt à me défendre, s'il

« voulait prouver que j'aie jamais mal agi envers vous. — Par les
« dents de Dieu! ce que vous dites ne signifie rien. Je veux un juge-
« ment rendu par mes barons. — Je ne refuse pas et n'ai jamais refusé
« le jugement; je suis prêt à l'entendre. » Alors il releva la tête, et,
mettant son doigt à son front, il dit : « Seigneurs, regardez-moi. Je
« suis pour vous tous un exemple. Faites attention au roi : ce qu'il
« pense faire de moi, il vous le fera à tous, et pis encore s'il le peut ».
Le roi s'irrita de plus en plus et jura qu'il voulait avoir jugement des
barons présents. Ceux-ci se regardèrent les uns les autres et se retirèrent en arrière. « C'est assez », dit le roi. « Par les dents de Dieu!
« je vois bien qu'aucun de mes barons n'est avec moi. »

Dès que Jean voulut préparer sa revanche, ses conseillers lui
représentèrent que Philippe-Auguste était trop puissant; on ne pouvait compter sur la fidélité des nobles du Poitou et de la Gascogne;
enfin les alliés du roi de France menaçaient toujours l'Angleterre
d'une invasion. Jean-sans-Terre se décida pourtant à débarquer à
la Rochelle pour sauver ses possessions de la Saintonge; mais il
était trop tard. L'Aquitaine lui échappait, comme la Normandie.

En Poitou, Philippe-Auguste avait agi rapidement (1204-1205). *CONQUÊTE*
Appuyé, dans l'Anjou et la Touraine, par Guillaume des Roches, qui *DU POITOU.*
redevint sénéchal avec des pouvoirs extraordinaires, conduit dans le
Poitou par Aimeri de Thouars, soutenu par des barons influents, dont
il avait fait ses pensionnaires, Hélie comte de Périgord, Geoffroi-
Martel et Raoul d'Exoudun, il fit une promenade militaire, plutôt
qu'une campagne. Le 10 août 1204, il entrait à Poitiers, et la Saintonge
entière, à l'exception de la Rochelle, était soumise. Il n'y eut de résistance sérieuse que sur deux points isolés, à Chinon et à Loches, forteresses réputées imprenables. Les lieutenants de Jean-sans-Terre y
firent leur devoir, comme Lascy au Château-Gaillard, Hubert de Bourg,
dans Chinon, Girard d'Athis dans Loches, se défendirent un an.
Quand ces deux châteaux, presque entièrement ruinés par le siège,
tombèrent aux mains de Philippe-Auguste (été de 1205), tout le pays
environnant était déjà français.

En Aquitaine comme en Normandie, le mouvement de défection *PHILIPPE ET LES*
fut contagieux. Comtesse d'Angoulême, ville libre de Périgueux, *POITEVINS.*
abbaye de Saint-Maixent, bourgeois de Niort, évêque de Limoges
se rendent l'un après l'autre. Philippe prodigue l'argent et la terre
aux nobles, les privilèges aux couvents et aux villes. Il confirme
les libertés acquises, laisse les grands seigneurs indigènes, qui ont
combattu pour lui, tels que l'Angevin Guillaume des Roches et le
Poitevin Aimeri de Thouars, en possession de leur puissance féodale.
Il ménage ainsi la transition entre l'indépendance seigneuriale et la

domination de la Royauté. Jean-sans-Terre, qui n'a pas paru, n'est pas seulement vaincu, dépossédé; il est moralement déchu. Un troubadour, le fils de Bertran de Born, s'écrie : « Je ferai un sirvente cuisant, que je transmettrai, par présent, au roi Johan, qui est sans honte. Il devrait cependant bien rougir, s'il se souvient de ses ancêtres, ce roi qui laissa Poitiers et Tours au roi Philippe, sans réclamer. Aussi toute l'Aquitaine regrette le roi Richard, qui ne craignait pas, pour se défendre, de prodiguer l'or et l'argent. Mais celui-ci n'en a cure! Il n'aime que le jeu de la chasse, les braques, les lévriers, les autours. Il séjourne là-bas, au mépris de l'honneur, et se laisse déshériter tout vif. »

La Bretagne elle-même allait être entamée. Les Bretons avaient perdu successivement leur comtesse Constance, leur jeune comte Artur; seule, de la famille, survivait Eléonore, sœur d'Artur, mais Jean-sans-Terre l'avait emmenée en Angleterre comme otage. Gui de Thouars, le Poitevin avec qui Constance s'était remariée, était, pour la Bretagne, un étranger, et, pour le roi de France, un allié peu sûr. Philippe voulut le réduire à la condition d'un officier vassal et prouver qu'il était le souverain des Bretons. Au printemps de 1206, le roi de France, avec son fils Louis, Guillaume des Roches, et une forte armée, se dirige, par Angers et Chantocé, vers les bouches de la Loire. Nantes n'attend pas qu'on la prenne, elle se donne; les habitants apportent au conquérant les clefs de leur ville. Un chroniqueur affirme même qu'il poussa jusqu'à Rennes. Une charte de l'église de Nantes est datée de l'année 1206, « l'année même, dit le rédacteur, où le seigneur roi de France, Philippe, tenait toute la Bretagne en sa main. » Il semble que Philippe-Auguste dispose du territoire breton. Il distribue à Maurice de Craon la Garnache et Ploermel, à André de Vitré les revenus de Guérande, à Gui de Thouars la Cornouaille et le pays de Vannes. Des monnaies au nom de Philippe-Auguste sont frappées à Nantes, à Rennes et à Guingamp. L'une d'elles porte au droit *Philippus rex* et, au revers, *Dux Britannie*. C'était la première fois, depuis la fondation de la dynastie, qu'on voyait un roi de France présent et agissant en souverain, aux bords de l'Atlantique, chez les Bretons.

Cependant, il était difficile que l'œuvre de Guillaume le Conquérant et d'Henri II s'effondrât ainsi, en trois ans, sans qu'il se produisît quelque tentative de lutte et de revanche. La Normandie, si vite conquise, ne se résigna pas tout de suite à sa nouvelle condition. Elle avait quelque raison de regretter le passé. Jean-sans-Terre traita les bourgeois de Rouen et de Caen en ennemis, confisqua leurs marchandises, leur ferma les ports d'Angleterre et la Hanse de Londres.

Guillaume le Breton avoue lui-même que la Normandie était mécontente : « Elle s'indigna longtemps de porter sur sa tête le joug de Philippe, pourtant bien doux (*mite jugum*), et ne sut pas renoncer au souvenir de ses premiers maîtres. »

La domination française n'était pas si douce, à entendre certains chroniqueurs d'Angleterre et de Normandie. L'un affirme que le roi Philippe extorqua aux monastères normands tout l'argent qu'il put en tirer; qu'il n'y eut plus pour les Normands ni honneurs ni richesses; que toutes les charges furent confiées à des Français. L'autre rapporte qu'un parti de Normands se plaignit, dès 1205, à Jean-sans-Terre, de la tyrannie de Philippe et l'invita à revenir. Il est certain qu'en 1207, le roi de France apparut dans Rouen avec une armée, « quoique personne ne lui résistât, » et imposa les bourgeois pour une somme considérable. Les Dieppois, à la même époque, envoyèrent leur milice combattre avec Jean-sans-Terre, dans le Poitou. Mais ici, comme toujours, le temps fera son œuvre, et l'état de choses créé par la violence et la guerre sera peu à peu consolidé.

Quant à la mobile Aquitaine, Philippe-Auguste ne pouvait compter sur sa soumission. Il gardait Chinon et Loches; il avait son prévôt à Poitiers. Guillaume des Roches, dont la fidélité, bien payée, resta inébranlable, maintint l'Anjou et la Touraine. Mais le sénéchal du Poitou, Aimeri de Thouars, de complicité avec son frère Gui et Savari de Mauléon, entra, dès 1206, en révolte. L'insurrection s'étendit très vite dans le pays poitevin et la Saintonge. C'est alors que Jean-sans-Terre débarque à la Rochelle, reprend une partie du Poitou, pousse même une pointe sur la Bretagne et parvient à surprendre Angers. Philippe accourut aussitôt avec Guillaume des Roches. Jean n'osa pas risquer une bataille, abandonna Angers et s'enferma dans Thouars; Philippe l'y assiégea, et la place, énergiquement défendue, résista à tous les efforts des Français.

JEAN EN AQUITAINE.

Ce siège inspira un troubadour poitevin, partisan du vicomte de Thouars et de Jean-sans-Terre. « Ce serait une mortelle honte pour ce siècle, dit le poète, si le roi devenait maître de Thouars..... Savari de Mauléon, bon chevalier d'Aquitaine, si tu nous fais défaut dans cette extrémité, notre peine est à jamais perdue. Et vous, sénéchal d'Anjou et du Maine, déjà on a mis en Touraine un sénéchal autre que vous (appel à Guillaume des Roches et allusion à une mesure récemment prise par Philippe-Auguste pour diminuer un peu les pouvoirs exorbitants du grand seigneur angevin).... Vous, seigneurs bacheliers, qui aimez loyauté et prouesses, lorsque vous alliez guerroyer, Thouars était votre forteresse. Que Dieu ne vous accorde

SIÈGE DE THOUARS.

jamais de porter manches ni lacs d'amour, si, dans une telle détresse, vous laissez Thouars en oubli[1]. »

Voyant le Poitou presque entièrement soulevé en faveur de l'ennemi, Philippe se résigna à conclure avec lui une trêve de deux ans (26 octobre). Le roi d'Angleterre y déclarait ne rien revendiquer sur le territoire comprenant la Normandie, le Maine, la Bretagne, la Touraine et l'Anjou, c'est-à-dire toute la partie de la France de l'Ouest située au nord de la Loire. Il semblait donc reconnaître implicitement les conquêtes de Philippe-Auguste. Au nombre des alliés du roi de France, compris dans la trêve, figure le roi de Castille, Alphonse VIII, qui, au même moment, disputait la Gascogne à Jean-sans-Terre et avait même osé assiéger Bordeaux. Jean, pris au Nord et au Sud, entre deux ennemis qui s'entendaient, se hâta, aussitôt la trêve signée, de retourner en Angleterre.

DERNIÈRE CAMPAGNE DE PHILIPPE EN POITOU.

L'armistice de deux ans ne dura pas six mois. En 1207, Philippe, qui l'a rompu, passe la Loire, ravage la terre du vicomte de Thouars et prend le château de Parthenai. En 1208, son maréchal, Henri Clément, et son sénéchal, Guillaume des Roches, livrent bataille au vicomte de Thouars et à Savari de Mauléon et sont vainqueurs. Le frère et le fils d'Aimeri, prisonniers, sont expédiés à Paris où ils subiront une longue détention, et la féodalité du Poitou se décide à rester tranquille Un traité de paix, cette fois, consacra le fait accompli.

FIN DE L'EMPIRE DES PLANTAGENÊTS.

L'empire continental des Plantagenêts avait vécu. Le partage de la France entre deux monarchies rivales ; la royauté de Rouen et d'Angers opposée à celle de Paris, les provinces de l'Ouest rattachées à une nationalité étrangère ; deux organismes politiques placés côte à côte et en concurrence dans un pays manifestement prédisposé à l'unité, toutes ces anomalies disparaissaient. Aujourd'hui les historiens britanniques se félicitent[2] de la défaite des Plantagenêts. Ils reconnaissent que si les rois angevins avaient continué à gouverner, avec l'Angleterre, la moitié de la France, les Anglais, toujours plus ou moins sacrifiés à des intérêts étrangers, seraient difficilement parvenus à se constituer en nation, et surtout en nation libre. L'Angleterre, avec des rois disposant d'une forte puissance continentale, n'aurait jamais conquis la Grande Charte. Philippe-Auguste, en jetant les Plantagenêts à la mer, a servi le peuple ennemi autant que le sien propre. Les deux nationalités voisines ne pouvaient prospérer et grandir, dans le sens de leurs destinées véritables, que du jour où

1. *Recueil de chants historiques français depuis le XIIe jusqu'au XVIIIe siècle*, publié par Leroux de Lincy, t. I, 1841, p. 149.
2. Notamment Freeman et Green.

elles se renfermeraient dans leur cadre naturel. Pendant toute la durée du Moyen âge, les gouvernements de l'Angleterre et de la France méconnaîtront cette vérité, et Philippe-Auguste lui-même essayera, par un singulier revirement des choses, d'annexer l'Angleterre à son royaume et de refaire, en sens inverse, l'œuvre des Plantagenêts.

CHAPITRE III

PHILIPPE-AUGUSTE ET INNOCENT III

I. INGEBURGE DE DANEMARK ET L'AFFAIRE DU DIVORCE. - - II. LE ROI DE
FRANCE ET LE PAPE EN ALLEMAGNE. — III. LE PROJET DE DÉBARQUEMENT EN ANGLE-
TERRE ET LA VICTOIRE D'INNOCENT III.

I. — INGEBURGE DE DANEMARK ET L'AFFAIRE
DU DIVORCE [1]

DANS la lutte contre Jean-sans-Terre, Philippe-Auguste avait ren-
contré, sur sa route, l'opposition d'Innocent III. Ce pape et ce
roi devaient se trouver encore plus d'une fois aux prises. Incidents de vie privée, questions de juridiction, de finances, de guerre ou
de haute politique, les causes de conflits étaient fréquentes entre les
chefs des nations et le maître de l'Église universelle.

L'ALLIANCE
FRANCO-DANOISE
L'affaire du divorce d'Ingeburge de Danemark dura vingt ans
(1193-1213) et faillit amener une rupture entre le roi de France et la
Papauté. Le mariage, pour un prince comme Philippe-Auguste, ne
pouvait être qu'une affaire. Sa première femme, Isabelle de Hainaut,
qu'il épousa pour hériter de l'Artois, était morte à dix-neuf ans. Trois
ans après (1193) il se remariait avec une princesse danoise. C'est qu'il
avait alors l'idée d'un débarquement en Angleterre. Les rois de Danemark avaient des droits, plus ou moins fondés, sur ce pays, et, de plus,
une flotte et de bons marins. Philippe demanda la main d'Ingeburge,
seconde sœur du roi Knut VI, une jeune fille de dix-huit ans, très
jolie, très bonne et de conduite irréprochable. Il aurait voulu que le
Danois l'aidât contre le Plantagenêt. Knut refusant de se lancer dans
cette aventure, Philippe exigea une dot, 10 000 marcs d'argent. Le

1. OUVRAGES A CONSULTER. R. Davidsohn, *Philipp II August von Frankreich und Ingeborg*,
1888. Voir sur cet ouvrage les utiles corrections de Michaël, dans le Zeitschrift für Kathol.
Theol., Quartalheft 3, a. 1890.

Danois trouva que c'était payer un peu cher l'honneur de s'apparenter à un roi de France, mais les ecclésiastiques qui servaient alors d'intermédiaires entre la France et le Danemark lui persuadèrent que l'alliance de Philippe-Auguste le protégerait contre l'Allemagne.

Dans l'été de 1193, Ingeburge s'embarqua pour la France. Philippe alla au-devant de sa fiancée jusqu'à Arras et l'accueillit avec joie. Le jour même (14 août) il l'emmena à Amiens où le mariage fut célébré. Le lendemain, dans la cérémonie du couronnement, à peine la jeune femme fut-elle en présence de son mari qu'on vit celui-ci trembler, pâlir et manifester des sentiments d'aversion et de répulsion. Quand il se retira, l'office terminé, les courtisans parlaient déjà du divorce. Les contemporains ont expliqué sans peine cet événement extraordinaire : suggestion du diable, abominable tour de sorcier. Les historiens modernes ont supposé qu'Ingeburge avait des laideurs intimes et des vices secrets : mais tous les témoignages s'accordent à louer la beauté et les vertus de la princesse danoise. Cette étrange histoire reste mystérieuse. Dans les lettres d'Innocent III, Philippe-Auguste impute à Ingeburge la responsabilité du fait qui rendait impossible entre eux la vie commune ; à l'affirmation de son mari elle a toujours opposé une affirmation contraire. Entre deux déclarations aussi catégoriques, comment se prononcer?

LE MARIAGE D'INGEBURGE.

Le fait certain, c'est que le roi de France voulut, tout de suite, se débarrasser d'Ingeburge, en la remettant aux Danois qui l'avaient amenée. Mais ceux-ci refusèrent de la reprendre. La reine, elle-même, déclara ne pas vouloir les suivre, elle entendait soutenir son droit et conserver son rang. Philippe-Auguste réunit ses barons et ses évêques à Compiègne, et obtint de la complaisance du Clergé une sentence de divorce, fondée sur une parenté lointaine d'Ingeburge avec Élisabeth de Hainaut. Quand la sentence fut notifiée à la victime, comme elle ne savait pas notre langue, elle s'écria : « *Mala Francia, mala Francia,* » « Mauvaise France, » et elle ajouta aussitôt : « *Roma, Roma.* » Elle appelait de ce jugement inique au tribunal du juge suprême, du défenseur de tous les chrétiens. Comme elle s'obstinait à rester en France, on l'enferma à Beaurepaire, prieuré de l'abbaye de Cisoing, entre Valenciennes et Douai.

LE DIVORCE.

Le roi Knut introduisit une plainte à Rome et le pape Célestin III envoya à Philippe lettre sur lettre et légat sur légat. Les parents et les amis d'Ingeburge opposèrent une généalogie à celle qu'avaient invoquée les évêques royaux. Tout fut inutile : l'arrêt même du Saint-Siège qui déclara la sentence de divorce « illégale, nulle et non avenue » ne produisit aucun effet, si ce n'est de rendre Philippe-Auguste furieux. Quand les ambassadeurs danois, munis de la bulle pontificale, entrèrent en France, le duc de Bourgogne, par ordre du Roi, les arrêta à Dijon, leur enleva leurs lettres et les enferma à Clairvaux.

PHILIPPE
ÉPOUSE
AGNÈS DE MÉRAN.

Pour rendre le divorce irrévocable, Philippe se décida à se remarier. Il fit des tentatives matrimoniales auprès de deux princesses d'Allemagne et d'une fille du roi de Sicile; trois fois il subit l'affront d'un refus. L'exemple d'Ingeburge n'était pas fait pour tenter même les plus ambitieuses. Il put épouser enfin Agnès ou Marie de Méran, fille d'un grand seigneur bavarois. A ce moment, la malheureuse Danoise, qu'on craignait sans doute de voir apparaître, fut transférée de son cloître dans un château fort. Le danger passé, Philippe la fit conduire au monastère de Fervaques, et de là, dans un couvent de Soissons.

Le pape Célestin mourut sans avoir obtenu la soumission du roi de France. Son successeur Innocent III, à peine élu, adressa à Philippe un premier avertissement : « Le Saint-Siège ne peut laisser sans défense des femmes persécutées. Dieu nous a imposé le devoir de faire rentrer dans le vrai chemin tout chrétien qui commet un péché mortel, et de lui appliquer les peines de la discipline ecclésiastique, dans le cas où il ne voudrait pas revenir à la vertu. La dignité royale ne peut être au-dessus des devoirs d'un chrétien, et à cet égard, il nous est interdit de faire entre le prince et les autres fidèles aucune distinction. Si contre toute attente, le roi de France méprise notre avertissement, nous serons obligés, malgré nous, de lever contre lui notre main apostolique. Rien au monde ne sera capable de nous détourner de cette ferme résolution de la justice et du droit. » Et le nouveau Pape donnait pour instruction aux légats d'annuler la sentence du divorce, de mettre en jugement les évêques qui l'avaient rendue, d'obliger Philippe-Auguste à se séparer d'Agnès de Méran, la concubine, l'intruse (*superinducta*), et à reprendre Ingeburge, la femme légitime; en cas de refus, de mettre le royaume en interdit, et si le Roi s'obstinait, de frapper, lui et Agnès, de l'excommunication personnelle.

L'INTERDIT.

L'interdit fut en effet prononcé par le légat Pierre de Capoue (1198). Mais on vit alors combien était grand le pouvoir du Roi sur son clergé. La plupart des évêques royaux, l'archevêque de Reims, les évêques de Noyon, de Beauvais, de Chartres, d'Orléans, d'Auxerre, de Térouanne, de Meaux, de Laon, de Troyes, refusèrent de publier la sentence. D'autres églises ne cédèrent que très tard aux injonctions de Rome. Les ordres du Pape étaient discutés, désapprouvés, et même, sur certains points, ouvertement méprisés. Ceux qui s'y soumirent eurent affaire au Roi. Les évêques de Paris et de Senlis, et nombre de curés, furent maltraités et leurs biens confisqués. Le Roi profita de l'occasion pour extorquer de fortes sommes aux seigneurs d'Église qui prenaient parti contre lui et tailler sans pitié leurs bourgeois et leurs paysans. Quant à la pauvre Ingeburge, elle fut enlevée de son monastère et enfermée dans un château à trois journées de Paris.

Cependant Philippe ne pouvait maintenir longtemps cette terreur, ni le peuple, dans les lieux où l'interdit s'observait, supporter la privation de service religieux. Le rude souverain ne craignait pas au besoin de jouer la comédie. On raconte qu'au milieu des négociations engagées pour la levée de l'interdit, il avait réuni ses barons et ses évêques pour délibérer avec eux sur la situation et que tous l'engagèrent à une soumission complète. Il se tourna alors vers son oncle l'archevêque de Reims, Guillaume de Champagne, qui avait présidé le concile où fut rendue la sentence de divorce. « Est-il vrai, lui dit-il, ce qu'affirme le seigneur Pape, que l'arrêt de divorce prononcé par vous n'avait pas de valeur et n'était qu'un jeu? » — L'archevêque ayant répondu que le Pape avait raison. — « Vous êtes donc un sot et un étourdi d'avoir rendu un tel jugement. » Cette indignation simulée et quelque peu tardive n'était faite que pour mettre le Roi à couvert et donner le change à la cour de Rome.

Après neuf mois de résistance, il promit tout ce qu'on voulut : le renvoi d'Agnès, la réintégration d'Ingeburge, le jugement du procès de divorce par un concile, la rentrée en grâce des évêques poursuivis. Peu de temps après l'arrivée d'un nouveau légat, le cardinal Octavien, l'interdit fut levé (8 sept. 1200). Philippe, pour montrer la sincérité de ses intentions, installa Ingeburge à Saint-Léger d'Iveline, dans la forêt de Rambouillet, maison de plaisance où il venait souvent chasser. Une apparence de réconciliation eut lieu entre le mari et la femme devant Octavien, et le Roi consentit à remettre le jugement du procès à une assemblée présidée par le légat.

LEVÉE DE L'INTERDIT.

Le concile se tint à Soissons (mai 1201). Octavien et un autre cardinal, Jean de Saint-Paul, dirigeaient les débats. Les avocats du Roi et ceux d'Ingeburge discutèrent à grand renfort de textes juridiques. Cela dura quinze jours. L'affaire allait s'embrouiller, lorsqu'un jour un simple prêtre, sortant de la foule, présenta la défense d'Ingeburge avec une clarté de démonstration et une chaleur qui entraînèrent l'auditoire. Les choses tournaient mal pour Philippe, mais il trouva un dénouement imprévu. La veille du jour où les cardinaux devaient rendre l'arrêt, il leur fit savoir qu'il se réconciliait avec sa femme et l'emmenait avec lui, pour ne plus se séparer d'elle. En effet, il alla chercher Ingeburge à l'abbaye de Notre-Dame, la fit monter en croupe, et, devant les assistants stupéfaits, partit au galop.

CONCILE DE SOISSONS.

Il éludait ainsi le jugement. Il avait joué le cardinal ou l'avait gagné à ses intérêts. Au lieu de renvoyer Agnès de Méran, il la garda, sous prétexte de grossesse, au château de Poissi, pendant que la malheureuse Ingeburge était tenue étroitement emprisonnée à Étampes. Le Pape fulmina de nouveau, mais sans effet. La mort d'Agnès de Méran, qui survint en août 1201, effraya le Roi, qui voulut se réconcilier avec Rome, et alors Innocent III montra son amour pour la paix : il légitima les deux enfants d'Agnès ; concession grave et précédent périlleux, qui permettait au roi de France, au cas où le prince Louis, de complexion délicate, viendrait à lui manquer, de léguer son trône à un autre fils.

PLAINTES D'INGEBURGE.

Un autre adversaire aurait désarmé. Philippe n'en réclama le divorce qu'avec plus d'obstination. Les plaintes adressées au Pape par la prisonnière d'Étampes se succèdent plus pressantes et plus vives.

« Je suis persécutée, écrit-elle, par mon seigneur et mari, Philippe, qui non seulement ne me traite pas comme sa femme, mais me fait abreuver d'outrages et de calomnies par ses satellites. Dans cette prison, aucune consolation pour moi, mais de continuelles et intolérables souffrances. Personne n'ose venir ici me visiter, aucun religieux n'est admis à réconforter mon âme en m'apportant la parole divine. On empêche les gens de mon pays natal de m'apporter des lettres et de causer avec moi. La nourriture qu'on me donne est à peine suffisante ; on me prive même des secours médicaux les plus nécessaires à ma santé. Je ne peux pas me saigner, et je crains que ma vie n'en souffre et que d'autres infirmités plus graves encore ne surviennent. Je n'ai pas non plus assez de vêtements, et ceux que je mets ne sont pas dignes d'une reine. Les personnes de vile condition, qui, par la volonté du Roi m'adressent la parole, ne me font jamais entendre que des grossièretés ou des insultes. Enfin je suis enfermée dans une maison d'où il m'est interdit de sortir (1203). »

Innocent III ne cessa de flétrir, dans les termes qui convenaient, l'odieuse conduite de Philippe. « Je comprends à la rigueur, lui écrivait-il, que vous puissiez vous excuser, auprès de ceux qui ignorent le fond des choses, de ne pas la traiter comme votre femme ; mais vous êtes inexcusable de ne pas avoir pour elle les égards dus à une reine... Dans le cas où quelque malheur lui arriverait, à quels propos ne seriez-vous pas exposé? On dira que vous l'avez tuée, et c'est alors qu'il vous sera inutile de songer à une autre union. »

NÉGOCIATIONS ENTRE PHILIPPE ET INNOCENT III.

En 1204, Philippe-Auguste n'avait pas encore fléchi devant les supplications, les menaces et les rigueurs de la cour de Rome. Quand il eut vaincu Jean-sans-Terre et que personne en France ne lui résista plus, le conquérant fut plus intraitable. On l'avait épargné avant la victoire, comment ne pas le ménager après? De 1203 à 1212, la condition d'Ingeburge resta aussi misérable, et le Roi, qui la tenait toujours éloignée et captive, ne perdit jamais de vue le projet de se séparer d'elle. Il y eut neuf années de négociations interminables entre Paris et Rome. Philippe demandait que le procès en divorce fût ouvert et suivît son cours; il voulait déterminer à sa guise les conditions du jugement; Innocent se refusait à laisser commencer la procédure dans des conditions défavorables à sa protégée. Pour résister au désir pressant du Roi ou braver ses colères, il fallut des prodiges de diplomatie. Le Pape dut se résigner à d'étranges compromissions.

Dans un rapport envoyé de Rome par un ambassadeur français, Innocent III donne à Philippe-Auguste une véritable consultation d'avocat (1207). Il semble s'intéresser à la cause du roi de France, au moins autant qu'à celle de son infortunée cliente : « Si l'on peut obtenir de la Reine qu'elle ne produise pas de témoins sur la question de la parenté, le seigneur Pape en sera bien aise; mais si elle veut en produire, on ne pourra pas l'en empêcher. Sur la question de l'ensorcellement, si le Roi peut jurer sur son âme que la Reine n'a pas été réellement sa femme, on l'en croira aisément, pourvu que la Reine ne s'avise pas de jurer le contraire. Or le seigneur Pape croit qu'on pourrait facilement l'amener à garder le silence sur ce point. En tout état de cause, si le Roi a peur que la sentence à rendre par les juges ne lui soit défavorable, on pourra différer le prononcé du jugement, il n'y aura rien de fait, et le roi se retrouvera exactement dans la situation où il est aujourd'hui. » Le document est fort clair et en dit long sur les procédés employés par Rome pour soutenir la cause de l'innocence persécutée sans rompre avec le persécuteur.

DIPLOMATIE DU PAPE.

Cet art consommé de ménager les deux parties en faisant traîner les choses en longueur ne fut pas toujours bien vu du roi de France. Un jour, impatienté et irrité, Philippe écrivit ce billet au légat du Pape, Guala. « Votre dilection apprendra que le clerc envoyé par nous au siège apostolique est revenu de Rome. Le seigneur Pape met tant de délais et tant d'obstacles à notre affaire qu'il ne veut point, à ce qu'il nous semble, nous libérer comme nous le souhaitons. Comme il nous paraît clair qu'il se refuse à notre délivrance, nous vous ordonnons, en ce qui est de cette affaire, et à moins que vous n'en ayez d'autres à traiter, de ne point demeurer plus longtemps en ce pays (1209). » Cet ambassadeur du Saint-Siège recevait, comme nous dirions aujourd'hui, son passe-port. La rupture dura peu. A cette époque du Moyen âge, la royauté française et la Papauté pouvaient menacer de se brouiller, elles ne se séparaient jamais.

MÉCONTENTEMENT DE PHILIPPE.

En 1210, Philippe-Auguste essayait encore de se marier avec la fille du landgrave de Thuringe, pensant que ce petit seigneur, flatté d'une telle alliance, presserait le Pape de prononcer le divorce. Le mariage manqua, et le divorce ne fut pas prononcé. Une dernière tentative auprès du légat Robert de Courçon, en 1212, pour faire aboutir l'éternelle procédure, n'eut pas plus de succès. Il fallait que Philippe prît son parti de la situation à laquelle il était réduit, celle d'un homme qui ne peut ni divorcer ni se marier; l'affaire restait sans dénouement. Tout à coup (avril 1213), on apprit qu'elle en avait un. Si invraisemblable que cela parût, Philippe-Auguste se décidait à reprendre Ingeburge. Il la reprenait comme reine, sinon comme femme (car ce dernier point reste plus que douteux). La joie fut grande dans la famille royale, dans l'Église, dans la nation entière. C'est un intérêt politique, comme toujours, qui amenait le roi de France à ce revirement imprévu. Il revenait à Ingeburge, parce qu'il revenait au plan de conquête de l'Angleterre, et qu'il pensait, cette fois, être en mesure de le réaliser. Il avait encore besoin de l'alliance du Danemark, et surtout de l'appui d'Innocent III, qui allait lui livrer la couronne de Jean-sans-Terre (du moins, il se l'imaginait) et l'aider à faire réussir la grande entreprise, le projet de débarquement pour lequel tout était préparé.

Il se faisait illusion. Mais cette fois, enfin, Ingeburge garda officiellement auprès de son mari, jusqu'à la fin du règne, la place qu'il lui avait rendue. Après sa mort (1223), elle vécut encore plus de quinze ans, traitée en reine par Louis VIII et par Louis IX. Dans son testament, Philippe-Auguste lui avait laissé une somme de 10 000 livres parisis et l'appelait « sa très chère femme », *carissimae uxori.* Il lui devait bien ce dédommagement.

L'histoire d'Ingeburge peut donner la mesure des progrès accomplis, sous Philippe-Auguste, par la royauté capétienne. Pendant vingt ans, il avait désobéi au chef de l'Église dans une affaire où tous les torts étaient manifestement de son côté. Les ménagements dont il fut l'objet de la part d'un pape aussi puissant qu'Innocent III et la durée même d'une résistance que Philippe termina à son heure, par un acte spontané de sa volonté, sont des faits significatifs. Ils témoignent de son caractère opiniâtre et des craintes qu'il inspirait. Ils prouvent aussi que la Papauté, armée comme elle l'était au commencement du XIII⁰ siècle, n'a pas fait d'efforts bien vigoureux ni bien soutenus pour imposer le respect de sa décision.

II. — LE ROI DE FRANCE ET LE PAPE EN ALLEMAGNE [1]

PHILIPPE ne s'est jamais désintéressé des affaires de l'Empire, qui, maître du royaume d'Arles, débordait sur la région de langue française, touchant à la Meuse, à la Saône, au Rhône, les dépassant çà et là et menaçant d'aller plus loin. Dans la lutte des maisons de Saxe (Guelfes) et de Hohenstaufen (Gibelins), sa diplomatie fut un facteur presque aussi important que la diplomatie romaine. Par son intervention dans l'Empire, il ne voulait pas seulement faciliter la dépossession des Plantagenêts, en trouvant des alliés contre l'Angleterre ou en combattant les amis des Anglais. Il cherchait aussi, sans aucun doute, à affaiblir et, s'il était possible, à ruiner ce pouvoir impérial que les Allemands s'attribuaient sur toute la chrétienté de l'Occident.

Il n'est pas arrivé du premier coup à jouer, en Allemagne, le rôle d'intermédiaire puissant, capable de soutenir des empereurs, d'en créer même, et d'entrer, par là, en concurrence avec les papes. Au début de son règne, il se trouvait, lui, jeune roi de quinze ans, en face de Frédéric Barberousse, empereur sexagénaire, dans tout l'éclat de la puissance et de la gloire. Il reconnut implicitement la suzeraineté impériale, et fut trop heureux d'empêcher Frédéric de s'adjoindre à la coalition des hauts barons de Flandre, de Champagne et de Bourgogne, qui l'avaient mis en péril. Même il obtint l'alliance de Barberousse contre Henri Plantagenêt et celle d'Henri VI contre Richard. Mais l'Allemagne changea bientôt de politique : alliée aux Anglais, elle menaça l'indépendance du roi de France. Heureusement, l'ambition d'Henri VI caressait à la fois toutes les chimères. Elle le conduisait en Italie et en Sicile, d'où il rêva la conquête de Constantinople et de l'Orient (1197). Quand l'Empereur passait les Alpes et s'enfonçait dans le guêpier d'Italie, les rois pouvaient respirer. Henri VI y trouva la mort à trente-deux ans.

Une querelle de succession s'ouvrit, en 1198. Il s'agissait de savoir si la dignité impériale serait héréditaire dans la maison souabe des Hohenstaufen; si la Papauté laisserait un Hohenstaufen, maître

PREMIERS RAPPORTS DE PHILIPPE AVEC L'EMPIRE.

LA SUCCESSION D'HENRI VI.

1. Ouvrages a consulter. Scheffer-Boichorst, *Deutschland und Philipp II August*, dans les Forschungen zur deutschen Geschichte, t. VIII. 1868. E. Winkelmann, *Kaiser Friedrich II*, 1889 (Jahrbücher der deutschen Geschichte), et *Philipp von Schwaben und Otto IV von Braunschweig*, 1873, t. I (même collection). J. Zeller, *Histoire d'Allemagne*, t. V. 1885. P. Fournier, *Le royaume d'Arles*, 1891. Huillard-Bréholles, Introduction à l'*Historia diplomatica Friderici secundi*, 1859. L. Delisle, Introd. au *Catal. des actes de Philippe-Auguste*, 1856. R. Schwemer, *Innocenz III und die deutsche Kirche während des Thronstreites von 1198-1208*, 1882.

de la Sicile, devenir aussi roi de l'Italie du Nord et souverain de
l'Allemagne entière. Trois candidats sont en présence : le fils
d'Henri VI, Frédéric, un enfant de trois ans, qui sera plus tard l'empereur Frédéric II, une des figures les plus originales du Moyen âge ;
son oncle, le frère d'Henri VI, Philippe de Souabe, et enfin le chef de
la famille saxonne, Otton de Brunswick, fils d'Henri le Lion. L'élection dépend des princes allemands, partagés en deux fractions presque
égales. Les Guelfes de l'Allemagne du Nord, qui veulent conserver à
l'Empire son caractère électif, se déclarent pour Otton de Brunswick.
Les Gibelins de l'Allemagne du Sud, partisans de l'empire héréditaire, hésitent entre le fils d'Henri VI et Philippe de Souabe, mais,
comme il faut évidemment un homme fait pour soutenir la lutte
contre les Guelfes, ils se prononcent pour ce dernier. Dans cette
Allemagne divisée, qui décidera?

INNOCENT III
ET LES CANDIDATS
A L'EMPIRE.
C'est le Pape qui fera pencher la balance. Innocent III refuse
pourtant de rendre une sentence immédiate. Il veut voir et délibérer.
Quand il se résout à faire connaître sa décision, il la publie sous
la forme d'une consultation où sont pesés les titres et les mérites des
trois candidats. Au fond, dès le premier moment, la Papauté a pris
le parti que ses intérêts et ses traditions imposaient. Elle veut que
l'empire demeure électif; elle veut un empereur qui n'ait pas de prétentions sur la Sicile et ne puisse prendre Rome entre deux feux. L'élu
d'Innocent est Otton de Brunswick. Et le Pape met aussitôt au service de son protégé, l'immense force de l'Église universelle. La
majeure partie du clergé allemand, si riche et qui possédait tant de
territoires, se groupe autour du Guelfe. Philippe de Souabe et ses
partisans, excommuniés, résistent cependant et s'apprêtent à la lutte.
C'est alors qu'on eut ce spectacle nouveau : l'intervention d'un roi de
France en Allemagne. Le fils aîné de l'Église, déjà en querelle avec
Rome pour l'affaire d'Ingeburge, se mettait, dans l'Empire même,
en opposition avec la Papauté.

ALLIANCE DE
PHILIPPE-
AUGUSTE
ET DE PHILIPPE
DE SOUABE.
Philippe-Auguste ne pouvait reconnaître comme empereur
Otton de Brunswick, neveu de Richard et de Jean-sans-Terre, par là
ennemi de sa dynastie. Son ambassadeur, Nivelon, évêque de Soissons, va trouver, à Worms, Philippe de Souabe et signe avec lui un
traité d'alliance (juin 1198). Les deux princes s'engagent à se
défendre contre les mêmes ennemis, Otton, Jean-sans-Terre, le
comte de Flandre et l'archevêque de Cologne, chef ecclésiastique du
parti guelfe. Dans le préambule du traité, le duc de Souabe rappelle
« l'amitié » qui unissait ses prédécesseurs Barberousse et Henri VI
à Philippe-Auguste. Amitié bien intermittente, surtout celle
d'Henri VI! mais, en diplomatie, il est permis d'avoir la mémoire

courte. Le roi de France écrit au Pape pour l'inviter à repousser la candidature d'Otton, ennemi de la France; il se porte garant des bons sentiments de Philippe de Souabe à l'égard de Rome. Quand Innocent III lui notifie la décision toute contraire qu'il a prise, Philippe se plaint et menace : « Le tort que vous m'avez fait, à moi personnellement (allusion au procès d'Ingeburge), je l'ai supporté sans rien dire. Mais la mesure que vous allez prendre en faveur d'Otton est de nature à nuire à ma couronne, à léser gravement les intérêts de la royauté de France, et voilà ce que je ne tolérerai jamais. Si vous persévérez dans votre dessein, nous serons obligé d'agir en temps et lieu et de nous défendre comme nous pourrons. »

Autant cette lettre du roi de France est courte et brusque, autant la réponse d'Innocent III est longue et insinuante : « Comment peut-on croire qu'il veuille faire tort à la France, la préférée de l'Église, la royauté d'Europe la plus chère au Siège apostolique? Ce Philippe de Souabe, en réalité, est un ennemi des papes, un excommunié. Il appartient à une race d'empereurs dont la vie n'a été qu'une longue série d'hostilités contre l'Église romaine. Qu'on se rappelle les cruautés commises par son frère, l'empereur Henri VI, en Italie : l'évêque qu'il a fait rouer de coups et à qui ses vicaires ont arraché la barbe, les familiers de la cour de Rome à qui il a fait couper le nez, l'archevêque de Palerme jeté en prison, les ecclésiastiques brûlés et noyés. Nous ne pouvons pas admettre que l'empire allemand cesse d'être électif. Et puis, ce n'est pas nous qui élisons l'Empereur; nous n'avons que le droit de confirmer l'élu des princes, de le couronner et de le consacrer. » Et après avoir énuméré toutes les raisons qu'aurait Philippe-Auguste de se rallier à Otton et d'abandonner le duc de Souabe, qui voudra conquérir la Sicile, la joindre à l'Allemagne et réduire le roi de France à l'état de vassal, Innocent III termine par cette adjuration pressante : « Ne vous fiez pas à cette race des Hohenstaufen; n'essayez pas d'apprivoiser les tigres; laissez tomber Philippe de Souabe, qui n'a aucune chance de succès. Il ne faut pas que, sur la question de l'Empire, le roi de France et l'Église de Rome donnent au monde le spectacle scandaleux de la mésintelligence et du conflit ! »

LE PAPE PLAIDE LA CAUSE D'OTTON.

Philippe-Auguste ne fut pas convaincu. Il assista indirectement, mais d'une manière très efficace, son candidat, le duc de Souabe, en mettant Jean-sans-Terre hors d'état de venir en aide à Otton de Brunswick. On a vu les efforts faits par le Pape pour réconcilier les rois de France et d'Angleterre; c'est que tout succès des Français en Normandie, en Anjou, en Poitou, était une défaite pour le parti guelfe. Lorsqu'en 1206, Jean-sans-Terre fut vaincu et dépossédé,

SUCCÈS DE PHILIPPE DE SOUABE.

Philippe de Souabe l'emporta visiblement sur son rival. Autour d'Otton les défections se multipliaient, l'archevêque de Cologne même l'avait abandonné. Innocent III commença, lui aussi, à faiblir. On négocie avec l'excommunié, on laisse répandre le bruit que le duc de Brunswick pourrait se réconcilier avec son adversaire Il épouserait la fille de Philippe de Souabe et recevrait un dédommagement dans le royaume d'Arles. L'Église romaine s'inclinait devant le fait accompli. Le Hohenstaufen allait régner. La politique de Philippe-Auguste triomphait.

L'ALLIANCE
DE SOUABE
EN DANGER.

Or, à mesure que s'affirmait le succès du Souabe, l'amitié de son allié de France se refroidissait. Philippe-Auguste se plaignit qu'il eût conclu, sans l'avoir consulté, une trêve avec Otton de Brunswick. Il lui reprocha de protéger le duc de Lorraine contre le comte de Bar, ami de la France; de méchants bruits circulaient : l'Empereur aurait applaudi à une prétendue défaite subie par les Français dans le Poitou. Le Souabe récrimina de son côté : Philippe-Auguste n'avait pas voulu lui prêter 10 000 marcs et s'était refusé à se décider nettement contre l'Église romaine. Les choses s'envenimèrent. Lorsque l'Allemand sollicite une entrevue du roi de France (1208), celui-ci se dérobe, sous prétexte qu'on ne lui avait pas dit assez clairement pourquoi on désirait cette conférence. L'alliance, peu à peu, s'effritait, et la raison en était simple. Il n'était pas de l'intérêt de Philippe-Auguste que la division cessât dans l'Empire, et que son allié, maître absolu de l'Allemagne, oubliât les services rendus. La brouille tournait à l'hostilité ouverte, lorsque le Souabe fut assassiné à Bamberg (5 juin 1208).

PHILIPPE-
AUGUSTE
SOUTIENT HENRI
DE BRABANT.

Otton de Brunswick n'a plus d'adversaire, mais le roi de France veut lui en trouver un. Le Pape lui affirme inutilement qu'il tient d'Otton l'engagement écrit, scellé d'une bulle d'or, de s'en remettre, pour ses relations avec la France, à la direction de l'Église. Peine perdue! Philippe s'obstine à repousser Otton. Il a son candidat, le duc de Brabant, Henri, un de ces petits princes d'Europe que le roi de France prenait à sa solde [1]. Deux mois après l'assassinat de Philippe de Souabe, le roi de France et son pensionnaire traitaient à Soissons : Henri de Brabant sera candidat à l'empire; la France lui avance 3 000 marcs d'argent pour les frais de l'entreprise, le duc ne les rendra pas s'il parvient à se faire nommer empereur. Mais la somme était mince pour une aussi grosse besogne, et le candidat manquait encore plus de prestige que d'argent. L'Allemagne presque entière se ralliait à Otton de Brunswick. La mort de Philippe de

---

1. Dès l'année 1205, le duc de Brabant faisait hommage à Philippe-Auguste moyennant une rente de 200 marcs payable à Paris.

Souabe semblait un jugement de Dieu. Henri de Brabant fit comme les autres, et s'en alla à Wurzbourg, où le Guelfe résidait, protester de sa fidélité. L'élection d'Otton fut renouvelée. La diplomatie française était battue.

Qu'allait-il arriver si l'empereur Guelfe, soutenu par Innocent III et désireux de se venger, s'entendait avec son oncle, le roi d'Angleterre, pour une action commune contre la France? Il est avéré que l'accord se fit. Une ambassade anglaise conduite par le propre frère de Jean, Guillaume de Salisbury, se rendit auprès d'Otton en Allemagne, lui apportant de fortes sommes extorquées par le Plantagenêt à ses sujets insulaires. Quand elle revint, sa mission accomplie (1209), on remarqua que Jean-sans-Terre traita son clergé avec beaucoup plus de ménagements. N'était-ce pas le résultat d'une entente secrètement établie avec l'Église romaine et l'Empire? Et quel adversaire pouvait-elle viser, sinon Philippe-Auguste? Celui-ci, redoutant une attaque venue de l'Allemagne, commençait à prendre ses précautions. On s'explique pourquoi le roi de France fit jurer à l'archevêque et aux bourgeois de Reims de le servir contre l'Empereur, et leur prêta 4 000 livres pour achever les fortifications de leur ville (décembre 1209); pourquoi il exige la même promesse de Renaud de Nogent et d'autres châtelains de la même région; pourquoi il avance 2 000 marcs aux bourgeois de Châlons-sur-Marne, à charge pour eux de se mettre en état de défense. Il fallait parer à l'éventualité d'une invasion.

ACCORD DE JEAN-SANS-TERRE ET D'OTTON.

Otton IV y songea peut-être sérieusement, mais il avait d'autres soucis. Il voulait aller à Rome chercher la couronne impériale. Malgré l'opposition de quelques cardinaux et de quelques nobles, gagnés peut-être aux intérêts de la France, malgré les protestations formelles de Philippe-Auguste, il fut couronné (1210).

Alors arriva ce que les précédents devaient faire prévoir, ce que Philippe lui-même, si l'on en croit une lettre d'Innocent III, avait prédit. Otton, investi des mêmes pouvoirs, ceint des mêmes couronnes que Barberousse et Henri VI, prit aussitôt leur politique. Il fit valoir partout les droits impériaux, traita l'Italie en pays conquis, empiéta sur le domaine du Pape et, même après s'être emparé du royaume de Naples, se prépara à descendre en Sicile. Ainsi le Guelfe dépassait les Gibelins en déloyauté et en ingratitude. Les menaces d'Innocent III n'ayant aucun effet, il fallut en venir à l'excommunication. Philippe-Auguste reçut alors du Pape cette lettre curieuse : « Ah! si nous avions pénétré aussi bien que vous le caractère d'Otton, il ne nous aurait pas trompé! Ce fils impie persécute sa mère : il étend même ses mains sur la Sicile, non content d'avoir dépouillé de l'héritage paternel notre fils et pupille chéri (le jeune Frédéric).

OTTON DEVIENT L'ENNEMI DU PAPE.

Qui peut désormais avoir confiance en lui, puisqu'il ne nous tient même pas parole, à nous, le vicaire du Christ? Nous vous parlons à notre honte, car vous nous aviez bien dit de nous méfier de cet homme. Mais nous nous consolons avec Dieu qui, lui-même, s'est repenti d'avoir établi Saül, roi d'Israël. »

INNOCENT III RECOURT A PHILIPPE-AUGUSTE.

En même temps le Pape dénonce à Philippe-Auguste les intentions d'Otton et proteste de son dévouement à la France. « Nous avions engagé Otton, de vive voix, à rester en paix avec vous. Il nous a fièrement répondu que, tant que vous occuperez la terre de son oncle, il n'aurait pas le droit de lever la tête sans rougir, et qu'en attendant, notre proposition d'accommodement pouvait dormir dans nos archives! Nous lui avons déclaré, en termes formels, que nous n'abandonnerions jamais la France, puisqu'elle ne nous avait jamais délaissé, dans la prospérité comme dans le malheur. »

C'était le Pape qui, maintenant, avait besoin du Roi; Otton, excommunié, restait en Italie. Innocent demanda à Philippe-Auguste de l'argent et des hommes. Le roi de France n'avait aucune envie de se risquer dans une entreprise lointaine, pour un bénéfice des plus douteux : « Nous sommes désolés, répond-il, que le soi-disant empereur Otton ait la possibilité de vous faire du mal, et cette pensée nous remplit le cœur d'amertume. Quant à vous envoyer, par mer, deux cents chevaliers, comment pourrions-nous le faire, puisque la Provence est un territoire impérial, et que les ports de ce pays appartiennent aussi à l'Empire? Vous voudriez que nous poussions les princes allemands à se révolter contre Otton afin de les forcer de quitter l'Italie. Croyez que nous n'y avons pas manqué; mais les princes nous demandent des lettres signées de vous et des cardinaux, par lesquelles vous preniez l'engagement de ne plus vous réconcilier avec Otton. Il faut que nous ayons ces lettres. Il faut même d'autres lettres de vous, qui délient tous les sujets d'Otton de leur serment de fidélité et leur donnent l'autorisation d'élire un autre empereur. Alors, l'été prochain, nous nous mettrons en campagne, et envahirons l'Empire avec notre armée. » Au reste, Philippe-Auguste veut bien que la France envoie de l'argent au Pape, mais à condition que cet argent soit fourni par le Clergé. « Votre légat, maître Pèlerin, nous a parlé des sommes qu'il faudrait verser aux marchands italiens (c'étaient les banquiers d'Innocent III) pour la défense du siège apostolique. Nous lui avons répondu ceci : que les archevêques, les évêques, les abbés, les moines noirs et blancs, et tous les clercs de l'Église de France commencent par vous venir en aide et nous vous aiderons volontiers à notre tour. Il faut les obliger à donner le tiers de leurs revenus (1210). »

Ne pas trop s'engager, demander au contraire que le partenaire s'engage à fond, lui promettre de l'argent à condition de ne pas le tirer de sa propre bourse, toute cette conduite n'est-elle pas d'un homme d'État capable d'en remontrer même aux politiques de Rome?

Il fallait trouver un concurrent au Guelfe; le seul possible était le chef de la famille Hohenstaufen, le jeune Frédéric, roi de Sicile. Innocent III ne se résignait qu'à contre-cœur à recourir à cette famille si dangereuse pour la Papauté, mais Otton menaçait; il prit son parti. Les agents français travaillèrent les princes d'Allemagne en faveur de Frédéric (1211-1212) et Innocent délia les sujets d'Otton du serment de fidélité. *FRÉDÉRIC CANDIDAT DU PAPE ET DU ROI DE FRANCE.*

Le Guelfe repassa les Alpes. Il aurait voulu empêcher son rival de quitter l'Italie et de le suivre en Allemagne. Mais Frédéric s'engagea bravement dans la partie la moins fréquentée et la plus difficile des Alpes, la Haute-Engadine, gagna Coire, puis Saint-Gall et arriva en Souabe, où ses partisans lui firent un accueil enthousiaste. Otton resta sur la défensive dans l'Allemagne du Nord. Frédéric put, à son aise, descendre le Rhin, et, de Worms, atteindre la Lorraine, où Philippe-Auguste lui avait donné rendez-vous.

Il rencontra à Vaucouleurs, non pas le roi de France lui-même qui n'avait pas voulu, on ne sait pourquoi, dépasser Châlons, mais Louis, le prince héritier. Là fut signée l'alliance. Frédéric « empereur élu des Romains et toujours Auguste » appelait le roi de France « son très cher frère Philippe, » invoquait les liens d'amitié qui l'avaient toujours uni aux Hohenstaufen, et promettait par serment de ne pas faire la paix, sans l'aveu de son allié, avec les ennemis de la France, Otton et Jean-sans-Terre. Le traité ne disait pas que Philippe-Auguste donnait 20 000 marcs à son jeune protégé pour l'aider à payer les frais de son élection (19 novembre 1212). Frédéric fut élu en présence des envoyés du roi de France (5 décembre). Conrad, évêque de Spire et de Metz, chancelier de l'Empire, écrivit à Philippe-Auguste pour lui annoncer le couronnement. *PHILIPPE-AUGUSTE ET L'ÉLECTION DE FRÉDÉRIC II.*

Le Pape n'était plus seul à faire des empereurs; la royauté française s'en mêlait. Elle prenait les princes d'Empire à sa solde : fait nouveau et grave dans la situation européenne. Profiter des divisions de l'Allemagne, les entretenir, corrompre les princes de l'Empire pour empêcher dans ce pays la constitution d'un pouvoir fort, cette politique de la monarchie française, qui deviendra traditionnelle, date réellement de Philippe-Auguste. Les derniers Capétiens, les Valois, les Bourbons n'ont fait que marcher dans la voie qu'il avait tracée.

III. — *LE PROJET DE DÉBARQUEMENT EN ANGLE-TERRE ET LA VICTOIRE D'INNOCENT III* [1]

CEPENDANT le roi de France ne perdait pas de vue le principal ennemi. L'idée d'un débarquement dans l'île anglaise lui avait déjà traversé l'esprit au début de la lutte avec Richard; elle revint après la conquête de la Normandie et de la Bretagne, et prit une forme plus arrêtée à partir de 1210, lorsque l'impopularité de Jean-sans-Terre et ses conflits avec la Noblesse et le Clergé semblèrent annoncer une déchéance prochaine.

Si l'on en croit un chroniqueur français du pays d'Artois [2], Phi-lippe-Auguste, à force de penser le jour à ses projets, en rêvait la nuit : « Il advint que le roi Philippe de France dormait une nuit en son lit. Tout à coup il sauta à terre, comme sous le coup d'une émo-tion profonde et s'écria : « Dieu! qu'est-ce que j'attends pour m'en « aller à la conquête de l'Angleterre? » Les chambellans qui couchaient devant lui, furent moult émerveillés, mais n'osèrent rien dire. Aus-sitôt le Roi commanda qu'on fît venir frère Guérin, l'hospitalier, son premier conseiller, Barthélemi de Roye, le plus dévoué de ses cheva-liers, et Henri Clément, le Maréchal, ainsi que plusieurs autres mem-bres de son conseil. Il leur ordonna d'envoyer, dans tous les ports de mer de son royaume, retenir tous les vaisseaux qu'on pourrait trouver et d'en faire construire de nouveaux en grande quantité, parce qu'il voulait passer en Angleterre et y conquérir le royaume. »

Il s'en faut que la résolution de Philippe-Auguste ait été prise aussi subitement. Depuis longtemps, il suivait attentivement les évé-nements d'Angleterre. Les montagnards insoumis du pays de Galles et les roitelets de l'Irlande étaient ses alliés. Dans une lettre écrite dès 1212 au roi de France, le chef de tribu qui dominait le nord du pays de Galles, Llewelyn, lui envoie l'assurance « de son dévouement et de sa respectueuse fidélité. » Il se félicite d'avoir reçu du roi de France une charte scellée d'une bulle d'or et attestant leur alliance.

---

1. SOURCES. Outre les chroniques françaises et anglaises déjà citées : les *Litterae clausae* et les *Litterae patentes* de Jean-sans-Terre, et les *Rotuli chartarum* publiés par Duffus-Hardy en 1833, 1835 et 1837. La *Chronique de Mathieu de Paris*, édition Luard, 1872-1883. La *Vita S. Stephani archiepiscopi Cantuariensis* (Vie d'Etienne Langton, édit. Liebermann, *Unge-druckte Anglo-normannische Geschichtsquellen*, 1879, p. 323). L'*Histoire des ducs de Normandie et des rois d'Angleterre*, édit. Fr. Michel, restée inédite jusqu'en 1840 et que les historiens n'ont pas beaucoup utilisée.
OUVRAGES A CONSULTER. W. Stubbs, *The constitutional history of England*, t. I (6e éd.), 1897. Lucas, *King John and pape Innocent III*, dans The Month, 1879. Ladenbauer, *Wie wurde König Johann von England Vassal des römischen Stuhles?* dans la Zeitschrift für Katholische Theologie, 1882, t. VI. J.-R. Green, *Histoire du peuple anglais*, trad. G. Monod, t. I, 1888.
2. L'auteur de l'*Histoire des ducs de Normandie*.

Cette charte, il la fait garder soigneusement dans une église, comme
une précieuse relique et une preuve de l'amitié indissoluble qui unit
et unira pour toujours les deux pays. Llewelyn annonce à son allié
qu'il a ligué tous les chefs de la région contre Jean-sans-Terre, qu'ils
ont repris aux Anglais les châteaux enlevés par ceux-ci et qu'ils ne
signeront ni trève ni paix avec l'ennemi sans avoir prévenu le roi de
France et obtenu son assentiment.

Philippe travaillait, en même temps, à créer dans l'entourage de
Jean-sans-Terre défections et trahisons. Dès 1209, il envoyait à Jean
de Lascy, un des principaux barons anglais, ce billet confidentiel :
« Nous vous mandons que si vous êtes fidèle à la promesse souscrite
par vous, selon le témoignage que nous en a rendu notre cher et fidèle
Roger des Essarts, et si, en vertu de ces engagements, vous portez
la guerre en Angleterre au roi Jean, au moyen des amis et adhérents
dont vous pouvez disposer, ainsi qu'en Irlande, tant par le concours
de vos amis que par la défense des places fortes, de manière que
nous en recevions avis certain, nous prendrons alors, au sujet des
terres que vos prédécesseurs ont possédées en Angleterre, telles dispositions qui soient inattaquables en droit. » Ces derniers mots sont
un peu obscurs ; Philippe fait à son allié une promesse qu'il ne pourra
tenir évidemment qu'après la conquête de l'Angleterre, mais ceci
prouve qu'il y songe et pour un avenir prochain.

Jean-sans-Terre préparait si bien sa propre chute qu'il suffisait,
à la rigueur, de le laisser faire, de regarder et d'attendre.

Étienne de Langton ayant été élevé au siège de Cantorbery, le
Roi refusa de le reconnaître parce que l'élection s'était faite sans son
consentement. Innocent III voulut lui imposer l'élu, et une crise religieuse s'ouvrit, qui dura six ans. Entre les rois d'Angleterre, dont le
pouvoir sur l'Église était presque illimité, et les archevêques de Cantorbery, qui défendaient les droits de l'Église indépendante, réforma-
trice et amie de Rome, le désaccord était permanent. Au temps de
saint Anselme et de Thomas Becket, il avait pris le caractère d'une
guerre ouverte. La Royauté, en somme, avait fini par maintenir ses
droits. Elle avait eu, pour elle, la majorité des évêques, habituée au
joug et qui trouvait son profit dans l'obéissance. Cette fois tous les
évêques prirent fait et cause pour Cantorbery et pour Rome. Il était
difficile de résister à un pape comme Innocent III, et, d'autre part,
Jean avait exaspéré l'épiscopat par ses exactions brutales. Les prélats
qui résistaient étaient chassés, emprisonnés, suppliciés même ; les
fugitifs affluaient en France, en Italie, où ils allaient se plaindre au
Pape. A plusieurs reprises Jean fit surveiller les côtes et saisir ceux
qui essayaient de passer.

*PHILIPPE GAGNE
LES BARONS
ANGLAIS.*

*L'AFFAIRE
D'ÉTIENNE
DE LANGTON.*

Les nobles n'étaient pas mieux traités. Jean usait contre eux des droits de suzerain avec une rigueur extrême. Non content de leur prendre leurs revenus, il enlevait leurs femmes, leurs filles et leurs sœurs. Pour prévenir les révoltes, il prenait en otage les fils des barons. Ses vengeances étaient atroces. Mathilde de Briouze, femme d'un chevalier rebelle, et son fils, au pouvoir de Jean-sans-Terre, furent mis en prison ; on leur donna pour toute nourriture une gerbe d'avoine et un morceau de lard cru. Le onzième jour, la mère fut trouvée morte, la tête inclinée sur la poitrine de l'enfant. Le fils, mort aussi, se tenait appuyé au mur : sa mère lui avait dévoré les deux joues.

Pour les rendre dociles à ses exactions, il terrorisait les bourgeois et persécutait les Juifs. Un Juif de Bristol ayant refusé de livrer son trésor, les bourreaux se mirent à lui arracher les dents ; à la huitième, il livra tout.

Après avoir patienté longtemps, Innocent III avait mis le royaume en interdit (1212). « Par les dents de Dieu, dit Jean à ses évêques, si vous osez prononcer l'interdit, j'enverrai tout mon clergé au Pape, et m'emparerai de ses biens. Alors, tous les Romains que l'on trouvera dans mon royaume retourneront dans leur patrie, les yeux crevés et le nez coupé, afin qu'on les reconnaisse par tout l'univers. Et si votre peau vous est chère, retirez-vous vite de mes yeux. » Cependant Innocent négociait encore, espérant amener le coupable à résipiscence. Il le menaça de l'excommunication personnelle : « Voyez, l'arc est tendu, lui écrivait-il, évitez la flèche qui ne revient pas sur l'arc. » Mais il hésitait : Jean était l'allié d'Otton de Brunswick, l'allié de la Papauté. Enfin, quand il eut rompu avec le Guelfe, il lança l'excommunication. Pas plus que de l'interdit, le Roi ne s'en émut. Alors le diacre Pandolfo, légat pontifical, se présenta devant le roi d'Angleterre à Northampton.

Après une longue discussion, se serait engagé ce dialogue :

LE ROI. Je veux faire quelque chose pour l'amour du Pape. Qu'Étienne Langton renonce à son archevêché, que le Pape nomme à sa place qui il voudra, je promets de reconnaître celui qu'il aura choisi : et ensuite, si le Pape me le demande, je donnerai un évêché à Étienne, peut-être même en Angleterre.

LE LÉGAT. La sainte Église n'a pas l'habitude de déposer un archevêque sans des motifs très graves, mais elle est habituée à précipiter de leur grandeur les princes récalcitrants.

LE ROI. Des menaces ! croyez-vous pouvoir agir avec moi comme avec mon neveu, l'empereur Otton ? Il m'a appris que vous aviez fait élire un autre empereur en Allemagne.

LE LÉGAT. C'est la vérité : le Pape a fait cet empereur, comme il en avait fait un autre, et il est convaincu que vous serez, vous aussi, obligé de vous soumettre.

LE ROI. Vos actions peuvent-elles être plus méchantes que vos paroles?

LE LÉGAT. Vous nous avez révélé votre pensée, nous voulons maintenant vous faire connaître la nôtre. Le seigneur Pape a prononcé contre vous l'excommunication; cette sentence, suspendue jusqu'à notre arrivée en ce pays, aura maintenant son effet

LE ROI. Et quoi encore?

LE LÉGAT. Nous absolvons de ce jour tous les Anglais qui ne communiqueront pas avec vous, et frappons d'anathème tous ceux avec qui vous serez en rapport.

LE ROI. Et quoi encore?

LE LÉGAT. Nous délions de la fidélité et de l'hommage les sujets de tous vos domaines; votre royaume est accordé à celui qui, sur l'ordre du Pape, l'attaquera, et nous ordonnons à vous tous ici présents que lorsque le Pape enverra son armée dans ce pays, vous vous joigniez à elle pour rendre hommage au chef qu'il aura désigné; sinon, vous n'échapperez pas au châtiment.

LE ROI. Pouvez-vous encore davantage?

LE LÉGAT. Nous vous déclarons, au nom de Dieu, que ni vous ni votre héritier ne pourrez plus porter la couronne [1].

Cependant Philippe-Auguste recevait les exilés d'Angleterre. Un jour se présenta un des principaux nobles de l'entourage de Jean, Robert Fitz-Gautier · « Quand le roi Philippe le vit venir, il le salua moult hautement, et lui demanda d'où il venait et quel besoin l'amenait en France. — Sire, dit Robert, grand besoin m'y amène, car le roi Jean m'a chassé d'Angleterre, et toute ma terre enlevée. — Pour quelle raison, dit Philippe? — Certes, seigneur, la raison, vous la dirai-je? Il voulait prendre ma fille, que Geoffroi de Mandeville a épousée, et parce que je ne le voulais souffrir, il m'a détruit et chassé de ma terre : je vous prie, pour Dieu, d'avoir pitié de moi, comme d'un homme déshérité à tort. — Par la lance de saint Jacques, dit le roi de France, ce malheur vous est arrivé à point, car je dois passer en Angleterre. et si je puis conquérir la terre, vous serez bien dédommagé de votre peine. — Sire, reprit Robert, j'ai bien entendu dire que vous deviez passer en Angleterre, et j'en suis moult joyeux. Et sachez que si vous voulez me bailler 400 ou 500 de vos chevaliers, je passerai avant vous et entrerai en Angleterre malgré le roi Jean · j'y peux tenir facile-

ROBERT FITZ-GAUTIER EN FRANCE

1. Il est difficile d'affirmer que cette conversation, rapportée par les Annales de Waverley, a été tenue réellement, mais nous la citons parce qu'elle résume la situation et met en relief l'attitude vraie des personnages.

ment un mois par la puissance de mon lignage. Je vous y attendrai,
et vous même pourrez y passer plus sûrement. — Par la tête de saint
Denis, Robert, dit Philippe, pas un seul de mes chevaliers n'y passera
avant moi : vous-même m'attendrez pour faire la traversée avec moi.
— Sire, dit Robert, je ferai ce qu'il vous plaira. »

Le bruit courut que les vassaux de Jean-sans-Terre avaient
envoyé au roi de France une charte revêtue de leurs sceaux, où ils lui
promettaient la couronne, s'il venait la prendre (1212) [1]. Jean ordonna
quelques exécutions. Pour se défendre contre Philippe, il recevait
l'hommage de Renaud de Boulogne et négociait avec le comte de
Flandre, Otton de Brunswick, et les princes lorrains. En même temps,
il réunissait une armée de mercenaires, fortifiait les ports, groupait la
flotte anglaise, envoyait des corsaires dans la Manche, procédait à
une levée en masse.

PRÉPARATIFS
DE PHILIPPE.

Philippe-Auguste prépara l'attaque. Les chroniqueurs parlent
d'une flotte de 1500 voiles, d'une dépense de 60 000 livres, de la réunion d'une armée « immense. » Innocent III avait mis le roi d'Angleterre au ban de l'Europe (janvier 1213). Trois évêques anglais, les
principales victimes de Jean, qui s'étaient réfugiés à Rome, en reve-
naient avec des instructions précises. L'arrêt de déposition est proclamé en France. L'injonction est faite à Philippe-Auguste et à ses
sujets d'envahir le royaume de Jean, et de lui enlever sa couronne
pour la donner, au nom du Pape, « à quelqu'un qui en serait digne. »
Le roi de France et ses chevaliers marcheront sous la bannière pontificale, pour la rémission de leurs péchés. Au bout de la conquête,
l'absolution! Ce n'est pas une guerre : c'est une croisade. Et le
successeur de Jean-sans-Terre est désigné. Ce sera le fils de Philippe-
Auguste, Louis de France, qui, par sa femme Blanche de Castille,
pouvait mettre en avant certains droits sur le trône anglais.

ASSEMBLÉE
DE SOISSONS.

Tous les barons et tous les évêques de France se réunissent à
Soissons (8 avril) et s'engagent à faire la campagne. Un seul refuse le
service d'ost, le comte de Flandre, Ferrand. « Il s'abstiendra, déclare-
t-il, tant qu'on ne lui aura pas restitué Aire et Saint-Omer, les deux
places fortes enlevées à la Flandre contre tout droit. » Philippe lui
offre une compensation. Le comte la refuse et quitte l'assemblée. Fer-

---

1. Le fait est rapporté, comme un on-dit, par le chroniqueur Roger de Wendover. En
réalité, comme l'a remarqué M. Petit-Dutaillis, dans son *Louis VIII*, le Trésor des Chartes,
si riche en documents officiels concernant Philippe-Auguste, ne nous a conservé aucune
des promesses, aucun des actes d'engagement et de sûreté souscrits par les barons anglais.
Cependant d'autres chroniques, anglaises et françaises, confirment le témoignage de Wendover. Et, en 1213, quand le légat Pandolfo tentera un dernier effort sur l'esprit de Jean, il
ne négligera pas de lui apprendre, pour l'intimider, que le roi de France se flattait d'avoir
reçu de presque tous les grands d'Angleterre des promesses écrites de fidélité et d'hommage.

rand n'a pas encore conclu son alliance avec Jean-sans-Terre, mais sa défection est certaine; la Flandre devient l'ennemie, presque autant que l'Angleterre. Philippe se contente de sommer le vassal rebelle d'amener son contingent de troupes, sûr de ne pas être obéi. L'heure venue, il se vengera.

Il prend ses dernières dispositions, ses précautions finales, et il les prend (ce qui étonne peu de sa part), contre son fils. Devant la noblesse, à Soissons, le prince royal, le futur roi d'Angleterre, promet de se contenter du pays conquis et de ne rien réclamer, pendant la vie de son père, du royaume de France. Il exigera de ses sujets anglais l'assurance qu'ils ne porteront aucun préjudice ni au roi de France ni à son État. Dans la distribution des fiefs et des terres qui suivra la conquête, Louis devra se conformer aux conseils paternels. Enfin il est obligé de jurer que, lorsqu'on aura fait Jean-sans-Terre prisonnier et confisqué ses trésors et ses domaines, il laissera son père disposer à sa guise de la personne du captif, de son argent et de ses biens. En réalité, Louis conduira les opérations militaires et portera la couronne anglaise, mais c'est Philippe-Auguste qui sera roi [1].

Le 8 mai, Philippe était à Boulogne, lieu fixé pour la concentration de l'armée et de la flotte. Il se dirigea ensuite sur Gravelines (22 mai) pour procéder à l'embarquement. Là, il apprit une nouvelle invraisemblable : Jean s'était réconcilié avec le Pape. Bientôt le roi de France vit arriver l'archevêque de Cantorbery qui, au nom d'Innocent III, devenu, du jour au lendemain, le protecteur de l'Angleterre et de son roi, lui défendit d'aller plus loin. La croisade était décommandée. Le légat Pandolfo, à l'heure même où il semblait épuiser contre Jean-sans-Terre tout l'arsenal des armes d'Église, avait reçu des instructions secrètes pour accepter la soumission du roi d'Angleterre, dès qu'il ferait mine de céder. Jusqu'à la fin de la crise, Innocent III conserva l'espoir d'un accommodement. Mais, pour l'obtenir, il fallait effrayer le coupable, et, par suite, laisser Philippe-Auguste faire ses derniers préparatifs. Pendant que l'armée expéditionnaire se rassemblait à Boulogne, le légat s'embarquait à Wissant, débarquait à Douvres, et déterminait Jean-sans-Terre à capituler. Ainsi tout ce grand mouvement, cette mise en train d'une croisade, ces promesses solennelles, n'étaient qu'un expédient de la politique pontificale, un moyen de procurer à l'Église romaine des profits politiques et matériels.

SOUMISSION DE JEAN-SANS-TERRE.

1. D'autres conventions particulières ont été conclues dans ce congrès de Soissons, sur lequel l'historiographe de Philippe-Auguste, Guillaume le Breton, ne nous a laissé que quelques lignes très insuffisantes. Le duc de Brabant, Henri, y assistait. Il promettait de se joindre aux Français pour l'expédition d'Angleterre, à condition d'épouser Marie, fille de Philippe-Auguste, et de recevoir une rente de mille livres parisis. Le mariage devait se faire quelques jours après.

Le 13 mai, Jean promit « d'obéir aux ordres du Pape sur toutes les choses pour lesquelles il avait été excommunié. » Deux jours après, il résigna sa couronne entre les mains du prélat et prêta serment d'être fidèle à Dieu, à saint Pierre et à l'Église romaine. Le 20 juillet, il était relevé de l'excommunication. Le 13 octobre, « touché de la grâce du saint Esprit, » il concéda au Saint-Siège les royaumes d'Angleterre et d'Irlande, se fit le vassal du Pape, lui promit un tribut annuel de mille marcs et s'engagea à prendre la croix. C'était beaucoup plus que la soumission : c'était l'abdication complète entre les mains de la Papauté.

JEAN VASSAL
DU PAPE.

Les barons avaient eu leur part de la victoire des clercs. Dans l'acte où Jean-sans-Terre jurait d'aimer la sainte Église, il promettait aussi « de rétablir les bonnes lois de ses prédécesseurs et surtout celles du roi Édouard, de juger tous ses hommes selon la justice et de rendre à chacun son droit. » Par là, Jean se réconciliait avec ses barons comme avec son clergé. Ceux qui étaient prêts à accueillir le roi de France firent savoir à Philippe-Auguste qu'il ne fallait plus compter sur eux. Du reste Jean-sans-Terre ne fut pas déshonoré pour s'être soumis au Pape. En ce temps-là, un hommage au Pape ne pouvait humilier même un grand prince.

Abandonné par Innocent III et par le baronnage anglais, le roi de France ne pouvait rien. Son chapelain, Guillaume le Breton, prétend qu'il fit contre fortune bon cœur, au point de s'écrier : « Je triomphe, puisque, grâce à moi, Rome a soumis le royaume de mon ennemi. » Croyons-en plutôt l'Histoire des ducs de Normandie et des rois d'Angleterre : « Grande ire et grand courroux eut à son cœur le roi de France pour l'apostole (le Pape) qui lui avait fermé la route de l'Angleterre. »

Ainsi la Papauté dépossède un roi, transmet sa couronne à un étranger, puis empêche cet étranger de la saisir ! On aimerait à connaître la correspondance échangée, à cette occasion, entre Philippe-Auguste et Innocent III. Or, il n'est pas resté trace d'un engagement écrit du Pape, d'une promesse faite à la France. Est-ce le hasard qui a fait disparaître cette partie des lettres du Pape? Ou bien celui-ci, quand il est devenu le défenseur de Jean-sans-Terre, a-t-il fait supprimer les témoignages écrits? Un document donne à réfléchir, c'est un billet adressé par Innocent III à son légat, Nicolas, évêque de Tusculum : il lui recommande de rechercher avec soin toutes les lettres pontificales portant condamnation contre Jean-sans-Terre, toutes les lettres envoyées tant en Angleterre, en Écosse, en Irlande, en Lorraine, que dans le royaume de France (*per regnum Francie*). Ces lettres, les destinataires devront les lui remettre sous leur forme intégrale, et il les fera sur le champ déchirer en petits morceaux ou brûler [1] (octobre 1213).

Quoiqu'il en soit, Innocent III, que Philippe-Auguste avait bravé dans l'affaire d'Ingeburge et dans celle du schisme d'Allemagne, prenait sa revanche, en l'empêchant de s'emparer de l'Angleterre. Mais peut-être n'aurait-il pas remporté cette victoire, s'il n'avait agi dans le même sens qu'une nécessité historique irrésistible, celle qui tendait à maintenir politiquement séparés les deux peuples riverains de la Manche. Les efforts du Pape furent secondés par le sentiment national déjà puissant dans les deux pays.

1. « Easque protinus facias minutatim incidi vel igne comburi. »

CHAPITRE IV

BOUVINES

I. — LA COALITION DE 1213. RENAUD DE DAM-MARTIN ET FERRAND DE PORTUGAL [1]

LA COALITION. PHILIPPE-AUGUSTE allait se venger sur le comte de Flandre, vassal rebelle, de la déception qu'il venait d'éprouver. Mais, en l'attaquant, il provoqua une coalition qui mit la royauté française en péril. Otton de Brunswick devait y entrer des premiers.

Entre Jean-sans-Terre et Otton l'entente était depuis longtemps établie, comme le prouvent les nombreuses ambassades que le roi d'Angleterre envoyait en Allemagne, les voyages d'Otton en Angle-terre, les sommes d'argent considérables que l'oncle faisait passer au neveu. Philippe-Auguste avait essayé inutilement de les brouiller. Une lettre écrite par l'évêque de Cambrai au roi de France, de la part d'Otton, laisse entendre clairement « que celui-ci aurait bien voulu conclure une alliance avec les Français et se séparer du roi d'Angle-terre s'il y avait moyen de le faire sans encourir la réprobation géné-rale. » Mais Jean ferma les yeux sur cette tentative de perfidie, et l'union du Guelfe et du Plantagenêt resta entière. Ils trouveront dans

---

1. SOURCES. Les chroniques et recueils de documents cités au paragraphe précédent et, en outre, l'*Anonyme de Béthune*, chronique en langue vulgaire, encore inédite (Biblio-thèque nationale, nouvelles acquisitions françaises, n° 6295).
OUVRAGES A CONSULTER. Ch. Malo, *Un grand feudataire, Renaud de Dammartin, et la coali-tion de Bouvines*, 1898. Ed. Le Glay, *Jeanne de Constantinople, comtesse de Flandre et de Hainaut*, 1879. Ch. Petit-Dutaillis, *Étude sur la vie et le règne de Louis VIII*, 1894. Scheffer-Boichorst, *Deutschland und Philipp II August*, dans les Forschungen zur Deutschen Ges-chichte, t. VIII, 1868. Warnkœnig, *Flandrische Staats-und Rechtsgeschichte bis zum Jahr 1305*, 1835-1842, et la trad. franç. de Gheldolf, 1835-1864, 5 vol. in-8°. H. Pirenne, *Histoire de Bel-gique*, t. I, 1900.

la féodalité de la France du Nord-Ouest deux auxiliaires précieux :
Renaud, comte de Boulogne, et Ferrand de Portugal, comte de
Flandre.

Renaud appartenait à la famille des comtes de Dammartin, châ-   *RENAUD*
telains des environs de Paris, qui vivaient habituellement dans l'en-   *DE DAMMARTIN.*
tourage des Capétiens et exerçaient même des charges dans leurs
palais. Cet aventurier, toujours prêt aux coups de mains, s'était fait
bienvenir de Philippe-Auguste qui l'arma chevalier et facilita son
mariage avec Ida, comtesse de Boulogne, héritière que beaucoup de
prétendants se disputaient. Elle avait eu déjà trois maris, et allait en
prendre un quatrième, Arnoul, seigneur d'Ardres, quand Renaud se
présenta, enleva la dame qu'il conduisit jusqu'en Lorraine, et fit
emprisonner Arnoul par un de ses amis. Lui-même, d'ailleurs, était
marié, mais une répudiation opportune l'avait rendu libre. Il devint
ainsi comte de Boulogne (1190) et vassal, non plus du comte de
Flandre, qui s'était opposé au rapt, mais du roi de France dont il
reconnut la suzeraineté directe. Au demeurant, ce protégé de Philippe-Auguste pillait les biens de l'Église, qui ne cessa de l'excommunier, dépouillait le pauvre, l'orphelin, la veuve, et guerroyait avec
tous ses voisins. Une altercation qu'il eut avec le comte de Saint-
Pol, en pleine cour du Roi, lui valut « un coup de poing sur la figure,
si violent qu'il en saigna. » Philippe-Auguste ayant voulu équitable-
ment accorder les deux adversaires, Renaud se plaignit de la partia-
lité du Roi, et songea dès lors à faire défection.

Dans la guerre de Philippe-Auguste contre Henri II, Renaud   *PREMIÈRES*
s'était déjà trouvé du côté de l'ennemi. Cette première trahison lui avait *TRAHISONS*
été pardonnée ; c'est en 1191 que Philippe reçut son hommage pour   *DE RENAUD.*
le comté de Boulogne. Dans sa lutte contre Richard Cœur-de-Lion,
lorsque, attaqué à la fois par les Anglais et les Flamands, Philippe
courait les plus grands périls, le comte de Boulogne l'avait encore
abandonné. A l'avènement de Jean-sans-Terre, il conclut avec les
Anglais un traité en règle, mais, en 1200, Philippe et Jean s'étant
brusquement réconciliés par le traité du Goulet, Renaud, que le roi
d'Angleterre n'avait pas prévenu, n'était pas compris dans la paix. Il
fit volte-face.

Philippe oublia le passé ; il savait faire passer son intérêt avant
ses rancunes. Pour ses projets de conquête sur la Normandie, la neu-
tralité et, à plus forte raison, l'appui du haut feudataire qui possédait
Boulogne et Calais était fort utile. Pendant les campagnes qui aboutirent à l'annexion de la Normandie et des autres fiefs continentaux
des Plantagenêts, le comte de Boulogne était au premier rang des
lieutenants de Philippe. Ses services furent largement payés : trois

comtés de Normandie, Mortain, Aumale et Varenne, qui, ajoutés à ceux de Boulogne et de Dammartin, constituèrent une des plus riches seigneuries de la France du Nord. Philippe lui prêtait ses soldats, pour faire la guerre aux petits seigneurs, voisins de Boulogne. Il prit même la peine, en 1209, d'aller en personne le défendre contre le comte de Guines, et laissa des garnisons françaises dans tout le pays. Enfin le frère de Renaud, Simon de Dammartin, épousa une des nièces du Roi ; sa fille fut fiancée au propre fils de Philippe-Auguste, Philippe Hurepel, un des enfants légitimés d'Agnès de Méran. Rien ne fut donc négligé pour l'attacher à la dynastie.

RUPTURE DÉFINITIVE DE RENAUD AVEC PHILIPPE-AUGUSTE.

Mais il était impossible d'attacher Renaud. Il se prit de querelle avec les membres de la famille de Dreux, Capétiens de la branche cadette, surtout avec l'irascible évêque de Beauvais, dont il s'avisa de démolir une forteresse. L'évêque riposta en détruisant un château du comté de Boulogne. Cette guerre privée mit le roi de France dans le plus grand embarras. Il essaya de ne favoriser aucun des deux partis, l'un et l'autre le touchant de très près. Renaud se plaignit de n'être pas défendu. Il osa menacer Philippe-Auguste en présence de nombreux témoins et, dans un accès de colère, quitta la cour. Le Roi apprit bientôt qu'il fortifiait son château de Mortain et qu'il était entré en relations avec Jean-sans-Terre et l'empereur Otton (1211).

Alors Philippe somma le comte de Boulogne de lui livrer Mortain. Sur son refus, il alla prendre la place et se dirigea ensuite sur Boulogne. Renaud, se sentant perdu, déclara remettre son fief principal, Boulogne, à Louis de France, suzerain de l'Artois (espérant peut-être par là mettre la discorde entre le père et le fils), puis il alla se réfugier chez son parent, le comte de Bar, en terre impériale. Or, c'est au même moment (1212) que Ferrand, comte de Flandre, devenait l'ennemi du Roi.

FLANDRE.

Un des faits les plus caractéristiques de l'histoire de la royauté nationale au XIIIᵉ et au XIVᵉ siècle, est l'effort continu qu'elle fit pour s'introduire dans la Flandre, y faire prévaloir son autorité, et démembrer le comté à son profit. La Flandre, placée à la jonction des trois grands États européens, l'Angleterre, la France et l'Allemagne, était alors, dans l'Occident, la région industrielle par excellence, l'entrepôt du commerce universel, le point de réunion de tous les marchands du vieux monde. Elle vendait les draps et les lainages à toute l'Europe. Des villes, aujourd'hui peu importantes, comme Bruges et Ipres, comptaient leurs habitants par centaines de mille. Bruges, qui communiquait alors librement avec la mer par le canal de Zwin, large et profond, et dont le port, Damme, recevait plus de 1600 navires, occupait, au Moyen âge, la place que tiennent, dans notre Europe, Anvers, Hambourg ou Liverpool. Le chroniqueur Guillaume le Breton, dans sa *Philippide*, parle avec admiration de ce port « si large et si calme, qu'il aurait pu contenir, dit-il, notre flotte tout entière. Là s'élève une ville superbe (Bruges), heureuse des eaux qui la baignent et coulent doucement, et de son terroir fertile, fière de son port si près de l'Océan. Nous y avons trouvé des richesses apportées par les navires de tous les points de la terre, de l'argent en lingots, de l'or aux reflets fauves, des étoffes de Venise, des tissus de la Chine et des Cyclades, des pelleteries de Hongrie, les graines précieuses qui donnent aux étoffes la couleur écarlate, et des radeaux chargés de vin qui étaient venus de Gascogne par la Rochelle, du fer, d'autres métaux encore, les laines d'Angleterre et les draperies de Flandre. »

C'est avec la France et surtout avec l'Angleterre que les Flamands faisaient leur principal commerce. Ils recevaient de France le vin, le blé et le miel, d'Angleterre, la laine. Leurs chartes communales et les statuts de leurs corporations prouvent, dès le XIIe siècle, l'importance qu'avait prise chez eux l'industrie du drap; et la nécessité de sauvegarder cette source de la prospérité nationale les inclinait à se maintenir en bonnes relations avec les Anglais. La rupture avec l'Angleterre, d'où ils tiraient la matière première, eût été leur ruine, et ceci prévalut toujours contre les devoirs de vassalité et les sympathies qui entraînaient leurs comtes du côté de la France et des Capétiens[1].

Philippe-Auguste poursuivit avec ténacité l'idée d'entamer ce grand fief et d'y combattre l'influence anglaise. Au comte de Flandre, Philippe d'Alsace, il avait pris l'Artois, Amiens et le Vermandois, résultat de guerres heureuses et d'habiles manœuvres diplomatiques. Mais, dans les grandes villes belliqueuses de la Lys et de l'Escaut, un sentiment intense de patriotisme local faisait regretter les pertes subies par la seigneurie. Les Français n'étaient pas aimés par les bourgeois. On a vu le comte Baudouin IX, l'allié de Richard Cœur-de-Lion, obéissant au sentiment populaire, faire reculer Philippe-Auguste. Celui-ci eut bientôt l'occasion de prendre sa revanche.

En 1202, Baudouin se croisa et quitta son fief. Proclamé empereur de Constantinople, il avait laissé le comté de Flandre à ses filles, Jeanne et Marguerite. Les Flamands donnèrent la tutelle à leur oncle, Philippe, comte de Namur. C'était un homme faible et intéressé, que le roi de France circonvint de toutes manières. Le comte de Namur, à Courtrai, se déclara l'homme-lige de Philippe-Auguste et promit

PHILIPPE-AUGUSTE ET LE COMTÉ DE FLANDRE.

1. Voir, sur ce point, Frantz Funck-Brentano, *Philippe le Bel en Flandre*, 1897, p. 32 et suiv.

de ne marier ses nièces qu'avec l'assentiment et selon la volonté du Roi. La noblesse et les communes de Flandre furent tenues de sanctionner cet engagement. En outre, le comte de Namur faisait le serment d'épouser plus tard une fille de Philippe-Auguste, qui n'avait alors que six ans (1206).

LES HÉRITIÈRES
DE FLANDRE
AU LOUVRE.

Deux ans après, Philippe-Auguste amena « son cher ami » le comte de Namur à lui livrer les deux petites filles. Il en prenait la garde et s'engageait simplement à ne pas les marier sans l'aveu de leur oncle, avant qu'elles n'eussent atteint l'âge légal. Les héritières du comté de Flandre restèrent donc au Louvre, sous sa main; ces deux otages lui garantissaient l'obéissance des Flamands. Pour achever l'œuvre, si bien menée, il suffirait de marier l'aînée des filles de Baudouin, Jeanne, à une créature du roi de France. Alors se noua l'intrigue qui devait aboutir au mariage de Jeanne de Flandre avec Ferdinand ou Ferrand de Portugal (janvier 1212).

FERRAND DE
PORTUGAL.

Cet étranger était le neveu de la veuve du comte Philippe d'Alsace, Mathilde de Portugal, comtesse douairière de Flandre, qui le proposa à Philippe-Auguste et, pour le faire accepter, offrit au Roi 50 000 livres parisis. Il n'était pas un inconnu pour la famille capétienne. Son père, Alphonse II, roi de Portugal, avait épousé une sœur de Blanche de Castille, belle-fille de Philippe-Auguste. Celui-ci prit les 50 000 livres, pensant bien retirer de cette affaire un autre bénéfice. Le mariage de Jeanne de Flandre fut célébré à Paris, dans la chapelle du Roi, au palais de la Cité, en présence du comte de Namur et de quelques châtelains de Flandre. Ferrand prêta l'hommage-lige au roi de France. Puis il partit avec sa femme pour aller prendre possession du comté; mais le fils de Philippe-Auguste, Louis, les avait devancés. Il se présenta à l'improviste devant les villes d'Aire et de Saint-Omer avec une armée considérable et les força à capituler. Il est impossible de supposer que le prince royal agissait sans l'ordre de son père. Pour marier l'héritière de Flandre, on commençait par la dépouiller.

TRAITÉ DE
LENS.

Ferrand et Jeanne, pris au dépourvu par cette mauvaise foi, signèrent le traité de Lens (25 février) qui abolissait, en réalité, celui de Péronne. Saint-Omer et Aire restaient la propriété du prince Louis; celui-ci renonçait en retour aux prétentions qu'il tenait de sa mère, Élisabeth de Hainaut, sur les autres parties du comté de Flandre. Philippe-Auguste, au reste, prit ses sûretés même contre son fils. Il exigea des communes et des châtelains de l'Artois la promesse que, si le prince royal manquait à son devoir de fidélité, ils prendraient parti pour le Roi. Tout en vivant des revenus de l'Artois, Louis de France n'en fut jamais le maître : Philippe-Auguste y régna; jamais il n'a conféré à son fils le titre de seigneur ou de comte d'Artois. Louis n'obtint jamais de ce père soupçonneux le droit d'avoir une chancellerie à lui. « Fils aîné du roi de France, » tel fut le seul titre officiel qu'on lui permît de prendre, même dans le gouvernement de son propre fief.

Les chroniqueurs qui ont écrit, au XIVe siècle, l'histoire de Flandre[1], donnent aux faits une tournure plus romanesque et plus dramatique. D'après eux, les Flamands, irrités de voir leurs jeunes maîtresses, les filles de Baudouin IX, aux mains du roi de France, accusèrent le comte de Namur de trahison et devinrent si menaçants que Philippe-Auguste se décida à leur rendre Jeanne et Marguerite. Il les renvoya à Bruges où les bourgeois veillèrent à leur sûreté. Le comte de Namur, bourrelé de remords d'avoir vendu ses nièces, poursuivi par les huées des Flamands, tomba malade et fit une confession publique de sa faute. Sentant la mort approcher, il se fit traîner, la corde au cou, dans les rues de Valenciennes, criant aux passants : « J'ai vécu en chien, il faut que je meure en chien. » Dans le récit des mêmes chroniqueurs, le coup de main de Louis de France sur Aire et Saint-Omer devient une trahison encore plus odieuse. Au moment où Ferrand et Jeanne, quittant Paris, commencent leur voyage et passent à Péronne, le prince royal les fait enfermer dans le château et ne lâche ses prisonniers que lorsqu'il a conquis les deux villes. Ces légendes prouvent le mécontentement des Flamands contre Philippe-Auguste et la France. Et, en effet, peu de temps avant le mariage de Ferrand[2], les villes de Gand, Bruges, Douai, Lille, Ipres et Saint-Omer concluaient avec Jean-sans-Terre une alliance offensive et défensive dirigée contre Philippe. Elles lui promirent une fidélité sans réserve et s'engagèrent même à lui procurer tous les alliés, de Flandre ou d'ailleurs, qu'elles pourraient entraîner dans leur parti.

De cette disposition des esprits, Ferrand de Portugal porta naturellement la peine. Il se présentait à ses sujets comme le protégé de Philippe-Auguste : il fut mal reçu. Jeanne de Flandre étant tombée malade à Douai, il fit seul sa chevauchée dans son fief. Les Gantois refusèrent de lui ouvrir leurs portes tant qu'ils ne verraient pas leur jeune souveraine. « Ils n'étaient pas sûrs, disaient-ils, qu'il fût bien réellement son mari. » Un groupe de nobles flamands contestaient la validité de ce mariage, traité sans leur assentiment. Ils attaquèrent Ferrand au moment où il prenait son repas, à Courtrai, et faillirent l'enlever ; il se sauva. On raconta, par la suite, qu'au moment où

MÉCONTENTE-
MENT
DES FLAMANDS

___

1. Notamment Bouchard d'Avesnes et Jacques de Guise.
2. Petit-Dutaillis, dans son *Histoire de Louis VIII*, a prouvé, d'une façon péremptoire, que cette alliance des communes flamandes avec l'Angleterre avait été conclue avant 1212, contrairement à l'opinion admise qui avait toujours fait ce traité postérieur au mariage de Ferrand.

Jeanne et son mari arrivèrent au pays de Tournai, un des plus hauts barons du pays l'apostropha en ces termes : « Votre mari est serf du roi de France, et le Roi s'en vanta en notre présence à Paris. Dame, prenez votre serf. Qu'il soit maudit de Dieu, et allez-vous-en en Portugal, où sont les gens de servage; car jamais serf n'aura sur les Flamands aucune maîtrise. Et veuillez bien savoir que si Ferrand est encore quinze jours par deçà, nous lui ferons couper la tête. »

Philippe, au reste, s'était trompé en croyant que son protégé assujettirait la Flandre aux Français. Ferrand voulait être comte, et dès qu'il le fut, il oublia le protecteur. Irrité de la perte de l'Artois et de l'humiliation qu'il avait subie en signant le traité de Lens, il tenait à se venger. Les difficultés qu'il éprouva, quand il essaya de se faire reconnaître de ses sujets, furent pour lui autant de griefs contre son suzerain. Son premier acte politique fut de négocier avec Jean-sans-Terre, Otton de Brunswick et Renaud de Dammartin.

HOMMAGE DE RENAUD A JEAN-SANS-TERRE.

Le 4 mai 1212, le comte de Boulogne signait avec Jean-sans-Terre le traité qui l'engageait à tout jamais : « J'ai fait hommage et fidélité au seigneur Jean-sans-Terre, roi d'Angleterre, comme à mon seigneur-lige, et je le servirai fidèlement, tant que je vivrai, contre tous les mortels, et je ne ferai ni paix ni trêve avec ses ennemis, le roi de France, son fils Louis, ou tout autre. » Jean avait voulu que l'hommage fût prêté à Londres, dans une assemblée générale de la noblesse anglaise : « Il faut, » a-t-il écrit, « que nos amis puissent se réjouir hautement, et que nos ennemis soient pleinement confondus. » Dès lors, Renaud de Dammartin vit à la cour de son nouveau suzerain, fait partie du conseil royal, assiste Jean en toutes circonstances, et contresigne ses actes officiels. Quand il ne réside pas en Angleterre, il est en Flandre, en Lorraine, en Allemagne, où il négocie pour le compte de Jean et d'Otton. Il porte de l'un à l'autre les instructions secrètes; il accompagne leurs ambassadeurs; il est pensionné par les Anglais et les Allemands.

LA LORRAINE ET LA HOLLANDE ENTRENT DANS LA COALITION.

Grâce à ses démarches, la plupart des seigneurs de la région belge, lorraine et hollandaise entrent, l'un après l'autre, dans la coalition. Les lettres que Jean-sans-Terre écrit à ces vassaux de l'Empire sont pleines d'invitations pressantes, de caresses et de promesses. Il les tient par l'argent même qu'il leur a donné, par les fiefs qu'il s'engage à leur livrer. Il les exhorte à venir, en Angleterre, lui faire hommage. « Sachez, » écrit-il au duc de Limbourg, « que votre arrivée nous sera d'autant plus agréable que nous avons le vif désir de vous voir, de jouir de votre conversation, même si les négociations commencées entre nous ne devaient avoir aucun résultat. » Il parle aux fils de ces grands seigneurs comme à des chevaliers à sa solde.

Waleran, fils du duc de Limbourg, reçoit de lui ce billet : « Nous vous mandons et vous prions de venir nous trouver, avec neuf autres chevaliers, en toute hâte, bien montés et bien armés. » Il ordonne au sénéchal de Louvain de se rendre en Angleterre, comme s'il convoquait un fonctionnaire à ses gages.

La Hollande, en 1213, est à la solde de l'Angleterre. Au moment où Jean-sans-Terre, redoutant le débarquement de Philippe-Auguste, prenait ses mesures de défense, le comte de Hollande, Guillaume, faisait, à Londres, hommage-lige, moyennant une pension annuelle de 400 marcs. « Moi, Guillaume, j'ai promis au seigneur Jean, roi d'Angleterre, que, si des étrangers viennent dans son royaume pour s'en emparer, j'accourrai, pour le défendre, avec toutes les forces dont je peux disposer. J'ai fait hommage au dit seigneur, et me suis engagé à protéger sa terre d'Angleterre comme à reconquérir ses autres domaines. » Ainsi les alliés de Jean-sans-Terre doivent l'aider à reprendre la Normandie et tout le continent perdu. Cette féodalité de l'Escaut et du Rhin, vendue aux Anglais, se retrouvera presque au complet à Bouvines, dans l'armée de l'empereur Otton.

Mais la coalition avait besoin de l'adhésion du comte de Flandre. Ferrand, si mal qu'il fût disposé envers le roi de France, hésitait; il recula longtemps devant cet acte, toujours grave : transporter l'hommage à l'ennemi de son seigneur. Au fond, comme ses prédécesseurs, il voulait être souverain indépendant entre l'Angleterre, la France et l'Allemagne, et ne se souciait pas de se subordonner à l'Angleterre. Jean le circonvenait : « Notre fidèle Renaud, » lui écrivait-il dès 1212, « nous a entretenus à votre sujet. Nous aurions grand plaisir à vous attirer à notre fidélité et à notre service, et nous ferons tout ce qui dépendra de nous pour établir entre nous deux une amitié éternelle. Veuillez nous envoyer sans délai quelques-uns de vos conseillers les plus discrets, afin de nous entendre sur le traité qui doit être conclu par l'intermédiaire du comte de Boulogne, que nous gardons ici dans cette intention, ainsi que nos messagers ont charge de vous le dire. Tenons-nous l'un et l'autre dans le voisinage de la mer pour que, dès que nos gens auront jeté les bases d'une première entente, nous puissions plus vite nous réunir et donner à cet accord une consécration définitive. » En même temps, l'Anglais faisait un prêt considérable à la tante de Ferrand, Mathilde de Portugal, exigeant, il est vrai, comme sûreté, avec le reçu de l'emprunteuse, une reconnaissance écrite du comte et des trois principales villes de Flandre.

Ferrand accueillit ces ouvertures. Une entrevue fut convenue entre les deux princes. Elle devait avoir lieu, le 20 juillet 1212, à Douvres. Quelques jours après, Jean envoyait au Flamand un sauf-

HÉSITATIONS DE FERRAND.

conduit pour lui et les siens. Mais Ferrand conserva une attitude équivoque : il hésitait toujours à s'engager. Son refus de participer à la campagne de débarquement en 1213 était une marque d'hostilité à l'égard de Philippe-Auguste, non la rupture irrévocable [1]. Il ne se décida à entrer dans la coalition que lorsque son territoire fut envahi (22 mai 1213).

II. — *LA GUERRE DE FLANDRE. LA ROCHE-AU-MOINE* [2]

PHILIPPE ENVAHIT LA FLANDRE.

PHILIPPE mena les opérations avec sa rapidité habituelle. Pendant que sa flotte suivait le littoral et s'installait à Damme, son armée prenait Cassel, Ipres, Bruges, et mettait le siège devant Gand. Une semaine avait suffi au roi de France pour conquérir la majeure partie de la Flandre. Ferrand reculait pas à pas, n'osant livrer bataille à un adversaire très supérieur en forces, et ne voulant pas sans doute (bien qu'il fût en cas de légitime défense) entrer en lutte ouverte avec son suzerain. A Ipres, il va le trouver et lui demande grâce. « Faites cette nuit même tout ce que j'exige, lui répond Philippe, sinon, vous n'avez qu'à vider la terre. » Le comte ne pouvait obéir à cette injonction, mais en partant il recommanda aux bourgeois d'Ipres de ne pas résister au roi de France : derniers scrupules du feudataire. Le danger s'aggravant, il fallut bien, pourtant, implorer l'aide anglaise. Jean envoya tout de suite une petite flotte où se trouvaient Guillaume de Salisbury, son frère, Renaud de Boulogne et Hugue de Boves. « Nous aurions mis à votre service des forces plus considérables, écrivait-il, si vous nous aviez demandé plus tôt notre appui. »

Philippe-Auguste, occupé sous les murs de Gand, avait commis l'imprudence de laisser à Damme une garnison insuffisante. Une grande partie des vaisseaux français, ne pouvant entrer dans le port, restaient à sec sur le littoral. Les Anglais survinrent, se jetèrent sur les nefs mal gardées, en prirent ou en brûlèrent 400 : la flotte étant détruite ou dispersée, les Français ne pouvaient plus songer à un

---

1. Les chroniqueurs Guillaume le Breton et Matthieu de Paris ont cru à tort que le comte de Flandre était, dès ce moment, par traité, l'allié de Jean et d'Otton. L'alliance effective était encore à conclure.

2. SOURCES. Les mêmes qu'aux deux paragraphes précédents, mais surtout l'*Histoire des ducs de Normandie et des rois d'Angleterre* et l'*Anonyme de Béthune.*

OUVRAGES A CONSULTER. Malo, *Renaud de Dammartin*, 1898. Pirenne, *Hist. de Belgique*, I, 1900. Petit-Dutaillis, *Etude sur la vie et le règne de Louis VIII*, 1894. Lecointre-Dupont, *Jean Sans-Terre ou Essai historique sur les dernières années de la domination des Plantagenêts dans l'Ouest de la France*, dans les Mémoires de la Société des antiquaires de l'Ouest, t. XII, ann. 1845.

débarquement en Angleterre. Le dernier espoir de Philippe, s'il gardait l'intention de passer le détroit, malgré la défense du Pape, s'évanouissait (30 mai).

Ferrand se décida à signer le traité qui l'engageait sans retour, mais il avait toujours des scrupules. Le 31 mai, il arrive sur la côte de Damme en vue de la flotte anglaise, avec quarante chevaliers : Renaud et Salisbury débarquent, et le somment d'adhérer, sans réserve, à la cause du roi Jean. « C'est que je suis l'homme-lige du roi de France, répond Ferrand, je n'oserai prendre une telle décision que si mes vassaux me le conseillent. — Vous pouvez la prendre, dirent les chevaliers qui l'entouraient. » Alors, le comte : « Jurez, sur la foi que vous me devez, que je puis, sans encourir de reproche, conclure une telle alliance. — Personne ne vous en blâmera, répondent les vassaux de Flandre, puisque le roi de France a envahi votre fief. » « Lors fut faite l'entreprise, dit le chroniqueur ; le comte jura sur les saints que désormais il aiderait en bonne foi le roi d'Angleterre, et que jamais il ne ferait la paix sans lui et sans le comte de Boulogne. » Les Anglais jurèrent de leur côté.

FERRAND TRAITE AVEC L'ANGLETERRE.

Au début de l'hiver, le comte de Flandre alla rendre visite à son nouveau suzerain. A la nouvelle de son débarquement à Douvres, le roi Jean dit à Robert de Béthune, un des barons de Flandre qui se trouvaient à sa cour : « Votre seigneur, le comte de Flandre, est arrivé en cette terre. — Et qu'attendez-vous donc, dit Robert, pour aller à sa rencontre? — Oh, reprit le Roi, quel Flamand! c'est donc, à vous en croire, une bien grande puissance que votre seigneur le comte de Flandre! — Par saint Jacques, reprit Béthune, j'ai bien raison de le penser. » Le roi commença à rire et dit : « Faites venir vos chevaux, je vais aller le trouver. » L'entrevue eut lieu à Cantorbery : « les deux princes se donnèrent le baiser, dînèrent ensemble, et Ferrand renouvela son hommage à Jean pour la terre qu'il devait avoir en Angleterre. »

FERRAND A DOUVRES.

En apprenant que les Anglais avaient détruit une partie de sa flotte et que, réunis à la petite armée flamande de Ferrand, ils assiégeaient la garnison française de Damme, Philippe-Auguste, dans une violente colère, avait laissé brusquement le siège de Gand, couru sur Damme, et, tombant sur les assaillants, il avait jeté Flamands et Anglais à la mer, après en avoir pris et tué un grand nombre. Ferrand n'avait eu que le temps de s'enfuir, avec Renaud et Salisbury, dans l'île de Walcheren. Philippe s'était vengé; mais désespérant de conserver les vaisseaux qui lui restaient, il ordonna de les brûler, mit le feu aux maisons de Damme et reprit le chemin de Paris (30 mai 1213).

DESTRUCTION DE LA FLOTTE FRANÇAISE.

Pourquoi détruisait-il ainsi les restes de sa flotte? Guillaume le Breton suppose que Philippe adressa ces paroles à ses conseillers les plus intimes. « Votre sagesse connaît bien les mobiles qui me déterminèrent à aller visiter les plages de l'Angleterre, et vous savez que je n'y fus entraîné par aucun vain désir de gloire ou de jouissances terrestres. Je n'étais conduit que par le zèle et l'amour divin, et voulais simplement prêter mon concours à l'Église opprimée. Maintenant, puisque, par la seule crainte de mon armée, Jean a soumis son sceptre aux Romains, puisqu'il a donné satisfaction, sur l'avis de Pandolfo, au clergé exilé depuis plusieurs années dans notre royaume, la fortune la plus favorable ayant amélioré l'état des choses, il convient aussi que nous changions nos projets. Les dommages que tu m'as causés en m'enlevant des vaisseaux, ô Ferrand, la ville de Bruges me les paiera. Soixante de ses bourgeois que je tiens captifs, les plus illustres parmi ceux qui se sont engagés pour tous leurs concitoyens, me donneront soixante mille marcs d'argent; ceux que la ville d'Ipres, vaincue, m'a livrés en otages me paieront le même poids en argent. Comme il serait difficile de faire servir le reste de la flotte, attendu que celle des Anglais tient les avenues du port et de la mer, et que nos Français ne connaissent pas bien les voies de l'Océan, j'ordonne que tous ces vaisseaux, déchargés préalablement de leur contenu, soient réduits en cendre. La Flandre presque tout entière est déjà soumise à nos armes, et ce qui reste encore à vaincre peut être facilement conquis. » Discours où le faux se mêle au vrai, mais on y voit clairement que Philippe, obligé de renoncer à la descente en Angleterre, va concentrer son effort sur la Flandre.

GUERRE
DE FLANDRE.

La Flandre était plus facile à prendre qu'à garder. En s'en allant (juin 1213), Philippe avait mis garnison dans Lille et dans Douai, et il laissait son fils Louis, le prince royal, pour la défense des pays conquis. Mais les Anglais tenaient la mer; ils pouvaient, d'un jour à l'autre, occuper les côtes. Ferrand malgré sa défaite de Damme, soutenu non seulement par la flotte anglaise, mais par ses voisins de Hollande et de Basse-Lorraine, se remit en campagne et eut bien vite fait de reprendre Gand, Bruges, Ipres et toute la partie septentrionale de la Flandre. La guerre continua pendant l'hiver de 1213 et le printemps de 1214, mais sans batailles, toute en incendies et en pillages. Flamands et Français dévastaient le pays, évitant de se rencontrer. Courtrai, Nieuport, Steenvorde, Bailleul, Hazebrouck, Cassel, furent livrés aux flammes ou détruits par les soldats de Philippe-Auguste. A Bailleul, Louis de France et ses compagnons faillirent rester dans le brasier : ils ne savaient plus comment sortir de la ville en feu. Renaud et Ferrand se vengèrent par des incursions dans l'Artois, le

fief de Louis de France. Renaud assiégea Calais. Ferrand dévasta le
pays d'Aire, de Guines, et brûla même des villages autour d'Arras.
Les Flamands prenaient à leur tour l'offensive.

Les Lillois d'alors étaient Flamands dans l'âme, et tandis que
leurs voisins de Douai se soumirent sans résister à Philippe-Auguste,
ils ne se rendirent qu'après un siège très court, il est vrai. Le roi de
France fit bâtir, pour les tenir en échec, la citadelle de Deregnau, dans
une position telle que la garnison pouvait communiquer avec la ville et
avec la campagne. Dans la ville même, il laissa une petite armée de
chevaliers. Bientôt Ferrand parut devant la place. Les bourgeois, inti-
midés par la garnison, prirent part à la défense. Philippe, trompé sur
leurs sentiments, leur rendit leurs otages et retira la plus grande
partie de ses troupes. Quand Ferrand reparut, les portes lui furent
ouvertes au milieu de la nuit, et les Français eurent à peine le temps
de s'enfermer dans la citadelle.

Philippe-Auguste reprit aussitôt la route du Nord. A son
approche, Ferrand évacue la ville ; beaucoup de Lillois se retirent à
Courtrai avec leurs femmes, leurs enfants et les meubles les plus
précieux : ceux qui restent se réfugient dans les églises. Rien ne
s'opposa donc à l'entrée du roi de France, mais il voulait faire un
exemple. La ville, avec ses maisons de bois et de torchis, fut livrée
aux flammes, les fortifications rasées, les fossés comblés, la citadelle
de Deregnau elle-même démolie : il ne resta pas une pierre debout.
Les bourgeois qui ne furent pas tués furent emmenés et vendus
comme serfs. « Le roi Philippe voulait, dit l'auteur de la *Philippide*,
qu'il n'y eut désormais en ce lieu aucun point où les gens de la
Flandre pussent habiter. » Cette exécution fit du bruit, mais elle
redoubla l'animosité des Flamands.

*CHATIMENT
DES LILLOIS.*

La coalition, en somme, gardait l'avantage. De toutes ses
conquêtes de Flandre, Philippe ne conservait que Douai et Cassel,
Louis de France ne réussissait guère à protéger l'Artois. Ferrand
avait repris son fief et se sentait même assez solide pour faire, au
même moment, la guerre au duc de Brabant, Henri, l'allié des Français. Il usa largement des ressources que Jean-sans-Terre mit à sa
disposition. Les envois d'hommes et d'argent, expédiés de Londres,
se succédaient presque sans interruption. Mais le Plantagenêt entend
être payé de si grands sacrifices. Il veut reprendre ses provinces. Il
faut que la coalition fasse un effort décisif et que Philippe, assailli
de plusieurs côtés à la fois, soit accablé sous le nombre. La royauté
capétienne rentrera dans ses anciennes limites et, au besoin, dispa-
raîtra.

*SUCCÈS DE LA
COALITION*

　　Le plan d'attaque consistait à prendre Philippe-Auguste entre deux armées d'invasion [1]. Pendant que les Impériaux, les Lorrains, les Flamands et les mercenaires anglais prêtés au comte de Flandre entreraient par le Nord en terre capétienne, Jean, après avoir débarqué en Poitou et rallié toutes les forces de l'Anjou et de l'Aquitaine, passerait la Loire et marcherait sur Paris, par le Sud-Ouest. Mais le roi d'Angleterre savait qu'il lui faudrait du temps pour restaurer sa domination dans le Poitou et que les Allemands étaient difficiles à mettre en branle. Il devait compter sur les retards inévitables, sur l'imprévu, sur la difficulté de faire coïncider les mouvements de masses d'hommes appelés de points si différents. Selon toute apparence, Jean-sans-Terre ne croyait pas que la marche combinée des armées de la coalition sur Paris pût s'opérer avant le mois de juin ou de juillet 1214. La difficulté était de maintenir entre les assaillants une correspondance étroite et d'assurer l'unité de direction.

　　La besogne que Jean-sans-Terre s'était proposée d'accomplir avant de rejoindre les coalisés était, en effet, fort difficile : reconstituer la domination anglaise dans les pays situés au midi de la Loire ; s'assurer des châteaux et des villes qui, depuis la Rochelle jusqu'au delà d'Angers, se trouvaient sur sa ligne et devaient, en cas de malheur, protéger sa retraite ; détruire tous les résultats que la diplomatie de Philippe-Auguste avait obtenus dans le Poitou par un travail de plusieurs années.

Argent, terres, privilèges, promesses, Philippe n'avait rien épargné pour détacher les sujets aquitains de leur seigneur. En 1212, il prit à sa solde Savari de Mauléon, un des aventuriers les plus remuants du pays, et acheta l'hommage du vicomte de Turenne, du comte de Périgord, du châtelain d'Hautefort, fils du troubadour Bertran de Born. En 1213, un grand seigneur du Berri, Guillaume de Chauvigni, devient son vassal, et la ville de Limoges se place sous la protection française. La famille des Lusignan, propriétaire du comté de la Marche, du comté d'Eu, et des meilleurs châteaux du Poitou, s'est déclarée l'ennemie des Anglais. Depuis 1210, l'Auvergne

---

1. Scheffer-Boichorst, dans son mémoire si important sur *Philippe-Auguste et l'Allemagne,* suppose que le plan de guerre fut pour la première fois mis en question et adopté dans ses grandes lignes, à Cantorbéry, lorsque le comte Ferrand, en janvier 1214, vint faire hommage à Jean-sans-Terre. Winkelmann, l'historien d'Otton de Brunswick, pense que le projet de la double attaque simultanée fut conçu plusieurs mois auparavant, dès l'été de 1213, au moment de la première invasion des Français en Flandre. C'est alors que le frère du roi Jean, le comte de Salisbury, Guillaume Longue-Epée, vint en Allemagne, le 25 juillet, conférer avec Otton IV, puis, en septembre, avec Ferrand, à qui il apportait, par la même occasion, de l'argent et des hommes. Cette dernière opinion, appuyée sur un passage assez clair de la chronique de Roger de Wendover, nous parait d'autant plus vraisemblable que, dès les mois d'août et septembre 1213, Jean annonçait à ses alliés de la France méridionale son débarquement prochain.

est occupée par les soldats du roi de France, que l'évêque de Clermont avait appelés pour le protéger contre le comte Gui, ami de Jean-
sans-Terre. Riom, Tournoel, presque tout le pays auvergnat reconnaît la domination capétienne, et la conquête touche à sa fin, malgré
les appels de Gui d'Auvergne à son allié d'Angleterre. Les Français
tiennent la vallée moyenne de la Loire par les châteaux de Loches
et de Chinon. Guillaume des Roches et son gendre Amauri de Craon,
comblés des faveurs de Philippe-Auguste, se chargent de défendre la
Touraine, le Maine et l'Anjou. Pour protéger Angers, ville ouverte,
et fermer à l'envahisseur la route de Paris, ils ont construit, au-
dessus de la rive droite de la Loire, la forteresse de la Roche-au-
Moine. Enfin les bouches du fleuve, Ancenis, Nantes et toute la
Bretagne, appartiennent aux partisans de la France. Philippe-Auguste
n'ayant pu annexer directement la péninsule, avait donné aux Bretons,
depuis 1212, un Capétien de la maison de Dreux, Pierre, qu'il saura
tenir dans sa main.

Mais Jean, connaissant bien le tempérament capricieux de la
noblesse de cette région pensait que sa présence, son argent et quelques
succès militaires changeraient rapidement la face des choses. D'ailleurs,
il n'avait jamais perdu de vue l'Aquitaine. La Saintonge lui demeurait
fidèle. Les marchands de la Rochelle et de Bordeaux avaient trop
d'intérêt à ne pas rompre avec l'Angleterre. En Poitou même, il pouvait au moins compter sur le vicomte de Thouars, un ami, qu'il tenait
au courant des négociations engagées avec Renaud de Boulogne et
l'empereur Otton. « Je vais vous envoyer, lui écrit-il, pour vous soutenir, vous et vos adhérents, des forces tellement considérables que
vous ne le croirez que lorsque vous l'aurez vu. » A Raimond de Toulouse et à Gui d'Auvergne, il annonce son prochain débarquement
(août 1213). Il s'excuse d'être obligé de le retarder encore. « Après
la Pentecôte, j'étais venu sur le rivage de la Manche, avec mes
troupes et une flotte nombreuse, pour me porter à votre secours et me
joindre à vous, mais l'état de la mer et des vents me forcent à passer
ici l'hiver. Vous me verrez du moins au printemps, avec toutes mes
troupes, et vous et mes autres amis recevrez alors pleine satisfaction. » En attendant, il envoie des émissaires organiser la lutte prochaine et répandre un peu partout les livres sterling : « Ils vous
remettront de l'argent, de notre part, écrit-il à Gui d'Auvergne, et
vous en recevrez plus encore avec le temps : nous ne pouvons ni ne
devons manquer de vous venir en aide. » Par le même genre d'arguments, il essaye de ramener à lui son ancien sénéchal, Savari de
Mauléon. Il lui annonce que ses agents vont aller le trouver pour
traiter avec lui de leurs intérêts communs : « Nous avons entendu

_JEAN-SANS-TERRE
GAGNE
LA FÉODALITÉ
DE L'AQUITAINE._

dire que vous vous repentiez d'avoir quitté notre service, d'avoir
cédé à une suggestion mauvaise, et nous nous en réjouissons beaucoup (22 août 1213). »

Le 1er février 1214, Jean, à Portsmouth, annonce à tous ses
barons qu'il va prendre la mer. Il met son royaume insulaire sous la
sauvegarde du Pape et de son légat. Puisque Innocent III est devenu
son suzerain, c'est à l'Église à le protéger. Le 16 février, il débarque
à la Rochelle. De cette ville, prise comme centre d'opérations, il parcourt successivement la Saintonge, le Poitou occidental, l'Angoumois et le Limousin, pour rallier ses partisans, accueillir les soumissions, mettre sur pied les forces féodales. Dès le 8 mars, il envoie à
Guillaume le Maréchal, un des régents d'Angleterre, son premier
bulletin de victoire. « A peine suis-je apparu, dit-il, que vingt-six
châteaux ou places fortifiées m'ont ouvert leurs portes; j'ai enlevé le
donjon de Milescu et reçu la soumission de Savari de Mauléon. »

Il ne se vantait pas. Sa présence a produit l'effet attendu. Les
nobles d'Aquitaine passent du nouveau maître à l'ancien comme
ils avaient couru de l'ancien au nouveau. Le vicomte de Limoges
écrit au roi de France cette lettre toute simple : « Je vous avais fait
hommage pour la défense de mes terres, mais le roi Jean, mon seigneur naturel, s'est présenté dans mon fief avec de telles forces que
je n'ai pu lui résister ni attendre vos secours. Je suis venu le trouver,
comme mon seigneur naturel, et lui ai juré d'être son homme-lige. Je
vous notifie ces choses pour que vous sachiez qu'à l'avenir il ne faut
plus compter sur moi. » Le comte de Nevers lui-même, Hervé de
Donzi, un homme comblé des bienfaits du roi de France, saisit l'occasion de conclure un traité secret avec le roi d'Angleterre et d'entrer
dans la coalition.

Philippe ne pouvait laisser Jean-sans-Terre poursuivre dans le
pays de la Loire, de la Charente et de la Vendée, cette promenade
victorieuse. Le mouvement risquait de gagner les seigneurs du Bas-
Anjou et de la Bretagne Nantaise. Il tenta alors un coup d'audace
(avril 1214).

Pendant qu'on le croyait occupé à mettre les places fortes de la
Picardie, du Ponthieu et de l'Artois en état de défense, il marche au
Sud, passe la Seine, la Loire, laisse derrière lui Chinon, Loudun
et arrive à Châtellerault, d'où il envoie un privilège à ses bons
bourgeois de Poitiers. Il voulait, sans doute, avant que l'armée
d'Otton fût allée se joindre à celle des Flamands, couper Jean de
ses communications avec la Rochelle, l'enfermer dans le Poitou
et le forcer à se battre. Mais le roi d'Angleterre, qui était le 3 avril
à Limoges, entre à Angoulême le 5 : de là il se porte précipitamment

par Cognac sur Saintes, puis s'enfonce au Sud jusqu'à la Réole, où il arrive le 13, de façon à n'avoir plus qu'à descendre la Garonne pour s'embarquer, en cas de besoin, à Bordeaux. Philippe-Auguste ne pouvait le poursuivre jusque-là. Guillaume le Breton compare cet ennemi insaisissable « à la couleuvre qui fuit sans qu'on puisse trouver sa trace. »

Obligé de retourner dans la France du Nord pour faire face à l'invasion imminente, Philippe incendie, en passant, Bressuire, Thouars et Chollet, reçoit à Saumur les serments de fidélité d'un certain nombre de seigneurs angevins, gagne le Berri et, à Château-roux, règle son plan de campagne contre la coalition. Pendant qu'il ira combattre au Nord les Flamands et les Impériaux, qui s'avancent, son fils Louis, auquel il laisse une grande partie de sa cavalerie féodale, retranché à Chinon sur la Loire, surveillera les mouvements de Jean-sans-Terre et, secondé par Guillaume des Roches à Angers et Pierre de Dreux à Nantes, empêchera les Anglais de passer le fleuve et de marcher sur Paris.

PLAN DE CAMPAGNE DU ROI DE FRANCE.

Aussitôt que Philippe a quitté le Poitou, Jean-sans-Terre a reparu. Avant de passer la Loire et d'aller rejoindre ses alliés, il veut détruire en Aquitaine toute résistance. Les Lusignan, seuls, restaient à soumettre; il les attaque. Un bulletin envoyé d'Outre-Manche raconte ses opérations du mois de mai : une série de victoires. En six jours, il a pris deux des plus redoutables forteresses du Poitou, Mervent et Vouvent. Geoffroi de Lusignan et ses fils, Hugue, comte de la Marche, et Raoul, comte d'Eu, sont venus se mettre à sa discré-tion et lui jurer fidélité. Louis de France et ses chevaliers ont essayé de prendre Moncontour, autre château des Lusignan, mais Jean leur a fait lever le siège. Pour s'attacher le comte de Marche, le roi d'Angleterre donnera sa fille Jeanne au fils aîné du comte. « Et maintenant, s'écrie Jean, le moment est venu, grâce à Dieu, de quitter le Poitou et de marcher contre notre capital ennemi le roi de France, « *in capitalem inimicum nostrum regem Francorum insurgamus.* »

JEAN PASSE LA LOIRE.

Il se dirige vers la Loire, mais la rive bretonne est gardée par Pierre Mauclerc et son frère Robert de Dreux ; la rive angevine par Guillaume des Roches et Amauri de Craon, Louis de France occupe Chinon et Loches. Jean paraît se décider pour une tentative sur Nantes, mais les Français sortent de la ville pour combattre. Alors, décidé à éviter toute action décisive, il recule, mais il fait prisonnier Robert de Dreux, entraîné trop loin par une ardeur imprudente On l'expédie en Angleterre. Enfin, Jean passe la Loire à Ancenis, où il arrive le 11 juin. Puis il prend Beaufort en Vallée, et se pré-

IL PREND ANGERS.

sente devant Angers le 17. Cette ville n'ayant plus de remparts, les Français sont obligés de l'évacuer. Jean s'y installe et ordonne d'y construire un mur d'enceinte. Deux jours après, il met le siège devant la Roche-au-Moine, le château bâti par Guillaume des Roches, à quelque distance au-dessus d'Angers, position qui commandait à la fois la route de Nantes et celle du Poitou maritime. Avant de se diriger sur le Mans, puis sur Paris, il fallait prendre cette place, pour, en cas de malheur, s'assurer la retraite. Commencé le 19 juin, le siège de la Roche-au-Moine durait encore au bout de quinze jours, et la garnison allait être secourue.

Cependant le fils de Philippe-Auguste, cantonné à Chinon, avait d'abord hésité à s'attaquer à un ennemi trois fois plus fort que lui. Ses 300 chevaliers n'étaient soutenus que par 7 000 sergents à pied, 2 000 à cheval, et par les 4 000 soldats de Guillaume des Roches. A la fin, il fit demander à son père la permission de hasarder la bataille. « Philippe lui ordonna de chevaucher contre le roi d'Angleterre et de l'obliger, s'il pouvait, à lever le siège, car lui-même s'en allait en Flandre, à la rencontre de l'Empereur, qui venait à l'aide du comte Ferrand. » Louis quitta Chinon dans les derniers jours de juin. Il avait fait, au préalable, défier Jean-sans-Terre, selon l'usage du temps, et celui-ci aurait répondu : « Si tu viens, tu nous trouveras prêt à combattre, et plus vite tu viendras, plus vite tu te repentiras d'être venu. » Mais lorsque, le 2 juillet 1214, Louis et les Français commandés sous ses ordres par le maréchal Henri Clément approchèrent de la Roche-au-Moine, l'armée assiégeante, abandonnant machines de guerre, tentes et bagages, battit en retraite dans le désordre le plus complet. Jean et ses barons s'étaient hâtés de passer la Loire en bateaux; leurs hommes la traversèrent à gué, à la débandade, chargés de leurs armes, et se noyèrent par centaines. Les Français, tombant sur les fuyards, firent beaucoup de prisonniers et ramassèrent un énorme butin.

Cette déroute extraordinaire était, en grande partie, le fait de la noblesse poitevine, qui ne voulut pas affronter un combat en règle. Entraîné dans la fuite générale, Jean fit dix-huit milles à cheval sans arrêter. Le 2 juillet il était devant la Roche-au-Moine; le 4, il se trouvait à Saint-Maixent, le 15 à la Rochelle. De là il envoya à ses sujets d'Angleterre ce billet significatif où il escamotait la défaite et l'avouait en demandant des secours : « Le Roi aux comtes, barons, chevaliers, et à tous ses fidèles, salut. Sachez que nous sommes sain et sauf, et que, par la grâce de Dieu, tout est, pour nous, prospérité et joie. Nous remercions ceux d'entre vous qui ont envoyé leurs hommes à notre service pour nous aider à défendre et à recouvrer nos droits. Quant à ceux qui n'ont pas pris part à notre campagne, nous les prions, avec la plus vive instance, s'ils tiennent notre honneur à cœur, de venir nous rejoindre sans délai. Ceux qui, à un titre quelconque, auraient encouru notre colère, pourront par le fait même de leur arrivée ici se considérer absous. »

Voulait-il recommencer la campagne contre le prince Louis, ou passer encore une fois la Loire et essayer d'aller rejoindre les confédérés qui commençaient déjà à se masser le long de la Meuse? En fin de compte, il ne fit rien; il ne tenta même pas, pendant ce mois de juillet de 1214 qui vit s'accomplir au Nord de si grandes choses, d'inquiéter la petite armée française de la Loire. Quelques promenades militaires à travers la Saintonge, l'Aunis, le Poitou et l'Angoumois, de nouveaux efforts pour détacher de la cause française quelques barons récalcitrants et ce fut tout. *INACTION DE JEAN-SANS-TERRE.*

D'autre part le prince Louis ne se sentait pas assez en forces pour achever la ruine de l'ennemi. Deux démonstrations au delà de la Loire lui suffirent; l'une dirigée contre le vicomte de Thouars, dont les terres furent ravagées, l'autre contre les Lusignan, à qui il prit le château de Moncontour; il ne laissa pas une pierre debout. Il s'appliqua à remettre l'Anjou sous l'autorité royale. L'enceinte d'Angers, rebâtie par Jean-sans-Terre, fut de nouveau détruite, et la ville redevint ce qu'on voulait qu'elle fût, une ville ouverte que les Français pouvaient toujours occuper. Les nobles angevins, qui avaient pris le parti du Plantagenêt, furent punis dans leurs biens ou dans leur liberté, et des garnisons françaises occupèrent tous les points du pays que Jean avait lui-même fortifiés. C'en était fait décidément de la domination anglaise au nord de la Loire. L'Anjou devenait « terre de France » au même titre que la Normandie. Le poète officiel Guillaume le Breton célébra le succès de Louis d'un ton lyrique. La « Chronique française » de l'*Anonyme de Béthune* dit avec plus de simplicité et de vérité : « Sachez que ce fut une chose dont Philippe fut moult joyeux et dont il sut moult bon gré à son fils. »

La déroute de Jean-sans-Terre anéantissait le plan des coalisés. Si le roi d'Angleterre avait été vainqueur à la Roche-au-Moine, Philippe-Auguste pouvait être pris à revers. La bonne nouvelle fut apportée au roi de France au moment où, campé à Péronne, il suivait la concentration des ennemis sur la frontière du Hainaut. Dans cet instant critique, l'affaire de la Roche-au-Moine parut d'une telle importance que la légende intervint aussitôt pour la dénaturer. L'imagination populaire supposa d'abord que Louis de France avait engagé une vraie bataille et qu'il y fut victorieux au même degré que son père à Bouvines. Elle affirma ensuite que les deux combats avaient eu lieu *CONSÉQUENCES DU SUCCÈS DE LA ROCHE-AU-MOINE.*

le même jour [1]. On raconta enfin, un siècle après [2], que le père et le fils, vainqueurs tous deux en même temps, s'étaient envoyé un messager pour s'annoncer réciproquement leur succès. Les deux coureurs, l'un parti du Sud, l'autre du Nord, se rencontrèrent dans les environs de Senlis. S'étant communiqué la grande nouvelle, « ils levèrent les mains au ciel, bénissant le Seigneur qui, par une coïncidence merveilleuse, avait permis au père et au fils de triompher de leurs ennemis juste au même moment ».

III. — LA BATAILLE DE BOUVINES [3]

DANS les derniers jours du mois de juillet 1214, Otton de Brunswick était arrivé à Valenciennes avec les troupes de la coalition, 80 000 hommes environ, dont 1500 chevaliers. Il comptait encore sur 500 chevaliers et sur une masse considérable de piétons, attendus de Lorraine et d'Allemagne. Philippe-Auguste, avec 25 000 hommes, dont 500 chevaliers, était établi à Péronne [4].

LE TERRAIN DES OPÉRATIONS.   Le terrain où devaient manœuvrer les belligérants, sillonné par l'Escaut, la Scarpe, la Marcq et la Deule, compris entre les quatre villes de Péronne, Valenciennes, Tournai et Lille, n'avait pas, au commencement du xiiie siècle, l'aspect d'aujourd'hui. Qu'on se figure, de Saint-Amand à Lille, une forêt presque continue, d'immenses espaces de tourbières, avec une végétation lacustre, des cours d'eaux qui se

---

1. Le Ménestrel de Reims (p. p. N. de Wailly, 1876, dans Soc. de l'hist. de France) le dit en propres termes : « Et celui jour (le jour de la victoire de Philippe-Auguste) déconfit messire Louis le roi Jean à la Roche-aux-Moines en Poitou. »

2. Chronique inédite contenue dans le ms. 553 de la Bibliothèque Mazarine (f° 373).

3. Sources. Les principales sont : la *Chronique en prose* et la *Philippide* de Guillaume le Breton, l'*Anonyme de Béthune*, la *Chronique rimée* de Philippe Mousket (édition Reiffenberg, 1836-1838), dans la collect. de Chroniques belges.

Ouvrages a consulter. Lebon, *Mémoire sur la bataille de Bouvines en 1214*, 1835 (publicat. de la Soc. d'émulation de Cambrai). L. Delisle, *Notice sur la chronique d'un anonyme de Béthune du temps de Philippe-Auguste* [fragment relatif à la bataille de Bouvines], dans les Notices et extraits des manuscrits, t. XXXIV, 1891. E. Winkelmann, *Geschichte Kaiser Friedrich II und seiner Reiche (1212-1235)*, t. I, 1864. Le même, *Philipp von Schwaben und Otto IV*, t. II, 1878. Adalb. Hortzschansky, *Die Schlacht an der Brücke von Bovines am 27 Juli 1214*, 1883 (thèse de Halle). Köhler, *Die Entwickelung des Kriegswesens und der Kriegführung in der Ritterzeit*, t. I, 1886 : *Die Schlacht Bouvines*. S. Delpech, *La tactique au XIIIe siècle*, t. I, 1885.

4. Les chroniqueurs contemporains ne sont pas d'accord, naturellement, sur le chiffre des effectifs. Allemands et Anglais mettent leur amour-propre à vouloir, contrairement au dire des Français, que le vainqueur ait été supérieur en force. Les historiens modernes, suivant les pays auxquels ils appartiennent, ajoutent foi aux uns ou aux autres. Il nous semble que l'armée française était de beaucoup moins nombreuse, et pour la cavalerie féodale et pour le chiffre total des combattants, que celle de l'armée coalisée. Nous adoptons les chiffres donnés par M. Delpech, qui fournit ses preuves avec abondance et nous paraît avoir raison sur le général Köhler, tout en observant que le savant français dépasse la mesure en voulant trop préciser, en abusant des déductions ingénieuses et des calculs fondés sur des conjectures plus ou moins plausibles.

répandaient librement en marécages, de rares villages, peu de cultures, des routes peu nombreuses, pour la plupart anciennes voies romaines qu'on se bornait à réparer. Entre Tournai et Lille, la contrée était en grande partie sous l'eau. Des marais qui la bordaient à l'Ouest, au Nord et à l'Est émergeait seul le plateau de Bouvines, haut de dix à vingt mètres au-dessus de la plaine. Au temps de Philippe-Auguste, il était déjà déboisé, couvert de champs de blé; la terre jaune et brune, d'argile ocreuse, était très résistante par les temps secs; c'était un des rares espaces où la cavalerie pût se déployer. Près des villages de Cisoing et de Bouvines, à l'Ouest, le plateau se relève, et cette partie en éminence sera le théâtre de la bataille. Pour aller de Tournai à Lille, la route directe (la seule qui existât en 1214) était la voie romaine qui traversait les marais de la Marcq sur une chaussée haute, aboutissant à un pont étroit jeté près du village de Bouvines. Le cours d'eau était presque inabordable en tous temps, mais surtout pendant la saison des pluies.

Les Impériaux, retranchés à Valenciennes, derrière les marais de l'Escaut et de la Scarpe, se tenaient sur la défensive, en attendant que leur effectif se complétât. La nouvelle du désastre de la Roche-au-Moine, la certitude que l'armée du Sud ne pouvait plus les rejoindre, les avaient un peu désorientés. Philippe-Auguste avait intérêt à ne pas attendre que les ennemis fussent renforcés par les retardataires de Lorraine et d'Allemagne. Il résolut donc d'aller au-devant d'Otton, non par le chemin le plus court, celui de Cambrai à Valenciennes, mais en opérant un mouvement tournant, par Bouvines et Tournai.

PLAN DE PHILIPPE-AUGUSTE.

Ce mouvement était hardi jusqu'à l'imprudence, mais il avait l'avantage de couper les Impériaux de leurs communications avec la Flandre maritime et l'Angleterre. Le roi de France surprendrait son adversaire par une attaque brusque, venant du Nord, c'est-à-dire du côté où l'Empereur devait le moins s'attendre à être assailli. Enfin Cambrai et le Cambrésis, pays d'Empire, n'appartenaient pas à Philippe-Auguste, tandis que Douai, Lille, Tournai et son évêque, toujours plus français que flamand, lui obéissaient. Sur toute cette route, les Français trouvaient des villages, des cultures, des moyens de fourrager et de vivre. Le 23 juillet, Philippe-Auguste partit de Péronne dans la direction de Douai. Trois jours après, ayant franchi le pont de la Marcq à Bouvines, il était installé à Tournai, prêt à prendre l'ennemi à revers. Mais Otton, averti, avait quitté Valenciennes et s'était porté sur Mortagne, au confluent de la Scarpe et de l'Escaut, où il occupa une position presque inabordable, couvert par les marais des deux rivières. maître de la voie romaine ou chemin de Brunehaut, qui conduit de Bavai à Tournai, seul passage praticable

LE MOUVEMENT TOURNANT.

entre l'Escaut et la forêt de Charbonnière. Un intervalle de quinze
kilomètres, au plus, séparait les deux armées (26 juillet).

L'ennemi se tenait sur ses gardes ; l'action, si on l'attaquait, s'en-
gagerait dans des conditions plus favorables à l'infanterie qu'à la
cavalerie ; or, l'infanterie anglo-flamande était une des forces de
l'armée alliée. Il était difficile, pour les Français, de continuer à
prendre l'offensive et d'emporter Mortagne, à peu près inaccessible.
Ils ne pouvaient rester à Tournai, ville démantelée dans la récente
guerre de Flandre. S'ils battaient en retraite sur Lille, il leur fallait
franchir de nouveau la Marcq au pont de Bouvines, passe dangereuse.
La situation, pour Philippe-Auguste, était grave, quel que fût le
parti qu'il adoptât.

« Quand Ferrand et les siens, dit la Chronique de Flandre, surent
que le roi était à Tournai, ils furent en liesse, car ils le croyaient bien
pris dans leur nasse. » Guillaume le Breton nous montre les Impériaux se munissant de cordes et de courroies pour attacher les Français prisonniers. Otton réunit ses principaux chefs de corps, avec
Ferrand et Renaud de Boulogne. « Philippe, leur dit-il, est vaincu
d'avance. C'est contre sa personne même que les soldats devront
diriger leurs efforts. Quand il sera pris et tué, Renaud aura
Péronne et le Vermandois ; Ferrand, Paris ; Hugue de Boves, Beauvais ; Salisbury, le pays de Dreux ; Conrad de Dortmund, Mantes et
le Vexin ; Gérard de Randerath, Château-Landon et le Gâtinais ;
Hervé de Donzi, Montargis et Sens. Ce Philippe, défenseur de
l'Église, est le roi des prêtres ! On réduira le nombre de ces clercs,
inutiles à la société, de ces paresseux qui possèdent les terres et l'argent, de ces oisifs à qui l'abus de la bonne chère fait gonfler les membres de graisse et charge le ventre d'un énorme embonpoint. Ce sont
les chevaliers qui hériteront des terres et des richesses d'Église, le
produit des offrandes devra suffire au clergé. » C'est ainsi que Guillaume le Breton fait parler l'Empereur excommunié [1].

A Tournai, l'embarras était grand. Philippe pensa d'abord qu'il
fallait marcher sur Mortagne et tenter la fortune. Mais le duc de
Brabant, Henri, gendre du roi de France, lui avait fait savoir en secret
ce qui s'était passé dans le conseil des alliés : il donnait des renseignements précis sur le terrain et les routes qui séparaient les Français des Impériaux, un pays inondé, plein de marais recouverts de
joncs épineux, impraticable pour les chevaux et les chariots. Les
barons de France furent d'avis qu'il valait mieux se replier sur Lille

---

1. Il a dit lui-même qu'après la bataille certains chefs du parti vaincu firent des révélations
« rapportant aux Français tout ce qu'ils avaient entendu et vu. » D'accord avec d'autres
sources, il assure que Philippe-Auguste avait des intelligences dans l'entourage d'Otton.

et le Cambrésis où l'on trouverait des plaines découvertes, favorables
à la cavalerie. Philippe se rangea à leur opinion. « Que les Teutons,
dit-il, combattent à pied; vous, enfants de la Gaule, combattez toujours à cheval. Que nos bannières reviennent sur leurs pas; allons au
delà de Bouvines gagner les plaines de Cambrai, d'où nous pourrons
marcher plus facilement sur les ennemis. » Il fut convenu que le
lendemain matin (27 juillet), l'armée française évacuerait Tournai et
se retirerait par l'unique chemin de Tournai à Lille, la voie romaine
qui conduisait au pont de la Marcq et de là à l'Hôtellerie, puis à
Séclin. On a cru que cette retraite sur Lille n'était qu'une feinte
habile pour amener l'Empereur à sortir de sa position et à combattre
les Français sur un terrain avantageux à leur cavalerie. Mais le
roi de France n'a pas fait ce profond calcul d'attirer les Impériaux à
Bouvines et de se retourner contre eux au moment voulu [1].

Le matin du 27, Philippe commençait sa marche sur Lille, en
très bon ordre, de manière à parer à toute éventualité. L'infanterie
allait devant avec les bagages; le Roi au centre, avec le gros de ses
forces; à l'arrière-garde, les hommes du comte de Champagne et du
duc de Bourgogne. Les Français croyaient d'autant moins à une
attaque des alliés que le 27 juillet était un dimanche, et que, d'ordinaire, on n'engageait pas une bataille un jour férié.

*MARCHE
DE PHILIPPE
SUR LILLE.*

Averti par ses espions, Otton tint un nouveau conseil de guerre.
Il était persuadé que l'ennemi fuyait. Tous ses chefs de corps furent
d'avis qu'il fallait tâcher d'atteindre les Français avant qu'ils eussent franchi la Marcq. Seul, Renaud de Boulogne proposa de remettre
'attaque et d'attendre une bonne occasion. « Je connais, dit-il, les
Français et leur audace. C'est une erreur de croire qu'ils sont en
fuite; il y aurait imprudence à les combattre en pays découvert; vous
les trouveriez prêts et bien rangés pour la bataille. Contentons-nous,
pour aujourd'hui, d'épier avec soin leurs mouvements, et au moment
favorable, tombons sur eux à l'improviste ». Mais Hugue de Boves
déclara que laisser échapper le roi de France, alors qu'on pouvait l'assaillir dans sa fuite et qu'on le tenait, était une trahison envers Jean-
sans-Terre. Blessé au vif, le comte de Boulogne répliqua qu'on ver-
rait à l'heure de la bataille de quel côté seraient les timides et les
traîtres. Personne ne voulut l'entendre. « S'il avait continué à résister

*LES COALISÉS
POURSUIVENT
LES FRANÇAIS.*

---

1. Cette opinion de Delpech est contredite par un texte formel de Guillaume le Breton.
Celui-ci dit nettement, dans sa *Chronique en prose*, que le roi de France avait l'intention
d'attaquer le Hainaut et l'armée impériale par un autre endroit, par Cambrai, ajoute-t-il
dans la *Philippide*, et que, le 27 juillet même, il voulait aller coucher à Lille. Il ne s'attendait
donc pas à ce que les coalisés vinssent l'assaillir au passage de la Marcq. « Il ne savait pas
que l'Empereur fût décidé à quitter Mortagne et ne pouvait croire (*nec credere sustinebat*)
qu'il se lançât à sa poursuite. »

au désir de tous, » dit Guillaume le Breton, « l'Empereur l'aurait fait arrêter. »

LES FRANÇAIS A BOUVINES.

Les coalisés quittèrent donc Mortagne, dans la même matinée où Philippe-Auguste était parti de Tournai, et suivirent l'armée française, prenant l'ancien chemin de Bavai, par Willemaut. Ils allaient à marche forcée, en désordre complet, « comme des chasseurs courant après le gibier [1]. »

On était en pleine canicule; la chaleur était extrême. Philippe-Auguste marchait assez lentement. Le vicomte de Melun et frère Guérin s'étaient détachés de la route, en éclaireurs, dans la direction de Mortagne; ils aperçurent les Impériaux en marche. L'armée française se trouvait, à peu près, au tiers de la distance entre Tournai et Bouvines. Averti par Guérin, Philippe assemble son conseil. Allait-on courir à l'ennemi et tenter de le refouler dans les marécages de l'Escaut, ou fallait-il poursuivre le mouvement sur Lille? Guérin demanda qu'on engageât l'action sur le champ. La majorité des barons français fut de l'opinion contraire. On pouvait toujours s'avancer jusqu'à Bouvines et essayer de remettre la bataille au lendemain; peut-être l'ennemi ne voudrait-il pas violer le repos sacré du dimanche. D'ailleurs la position de Bouvines était bonne, puisqu'elle offrait, entre Sainghin et Cisoing, une plaine favorable à la cavalerie. On mettrait les bagages à l'abri sur l'autre rive de la Marcq, dont l'unique pont serait facile à défendre.

Cette opinion prévalut d'autant mieux que, d'après les renseignements fournis par de nouveaux éclaireurs, l'Empereur semblait vouloir simplement se diriger sur Tournai. Les masses ennemies, en effet, étaient obligées, par les difficultés même du terrain, de marcher d'abord au Nord, perpendiculairement à l'armée française, pour opérer ensuite un mouvement de conversion à gauche, au moment de passer le petit ruisseau de la Barge. Trompés par cette apparence, les Français continuèrent sur Bouvines, malgré l'opposition très vive du frère Guérin, le seul qui eût compris la manœuvre d'Otton.

COMBAT L'ARRIÈRE-GARDE FRANÇAISE.

Il était midi. L'infanterie des communes françaises, avec la bannière de saint Denis et les bagages, avait franchi la Marcq et atteint le point de la route de Lille appelé l'Hôtellerie. Sur l'ordre de Philippe, le pont avait été élargi, et la plus grande partie de ses troupes était passée sur la rive gauche. En attendant que l'opération prît fin, le Roi, accablé de fatigue et de chaleur, avait enlevé son armure et se reposait près de la petite église de Saint-Pierre de Bouvines, à l'ombre d'un frêne. « Il mangeait, dans une coupe d'or fine, » dit le chroni-

---

1. « Comme s'ils courussent pour proie rescorre, » dit l'*Anonyme de Béthune.*

queur Philippe Mousket, « une soupe au vin, et il faisait moult
chaud. » Tout à coup, il vit arriver frère Guérin, qui lui apprit que
l'ennemi non seulement approchait, mais que l'arrière-garde française
était aux prises avec l'avant-garde des coalisés. « Vint frère Guérin au
Roi : il le trouva descendu, dînant avec du pain et du vin. « Que
« faites-vous, lui dit-il? — Eh bien! répond le Roi, je dîne. — C'est
« bien, dit frère Guérin : or, il faut vous armer, car ceux de là-bas (les
« ennemis) ne veulent d'aucune façon renvoyer la bataille à demain.
« Vous allez l'avoir. Voyez les ici qui viennent sur nous [1]. » D'après
Philippe Mousket, ce ne serait pas Guérin, mais Gérard la Truie qui
serait venu avertir le roi de France. « Truie, dit le Roi, Dieu vous sauve,
que font les Flamands? Viennent-ils? — Sire, Dieu vous garde de péril,
dit la Truie, armez-vous, car nous aurons bientôt la bataille. Les
voici près de nous qui arrivent. » Aussitôt Philippe entre dans l'église
et y fait une courte prière. Puis il saute à cheval, envoie l'ordre aux
communes de rebrousser chemin et de repasser la Marcq au plus vite,
fait garder le pont par les sergents de son hôtel et reprend lui-même au
galop, avec tout le centre de son armée, la route de Tournai.

Les Impériaux, pour couper l'armée française au passage de la
Marcq, avaient achevé leur conversion à gauche, parcouru à fond de
train la route du plateau, et atteint l'arrière-garde de Philippe-Auguste
à une lieue environ de Bouvines. Là, un vif combat s'était engagé entre
la noblesse du comte de Flandre et le corps commandé par le duc de
Bourgogne, où se trouvaient le vicomte de Melun avec une troupe
d'arbalétriers et la cavalerie légère de Champagne. Cinq fois l'arrière-
garde des Français avait soutenu le choc des assaillants : mais ceux-ci
arrivant de plus en plus nombreux, le duc de Bourgogne fit dire à Philippe-Auguste de se porter à son secours. Alors l'armée capétienne
effectua une volte-face sur laquelle l'Empereur n'avait pas compté. Il
s'attendait à tomber sur la queue d'une armée en retraite, séparée du
gros de ses forces par le marécage de la Marcq, et il trouvait devant
lui la masse presque entière des Français, leur Roi en tête, sur un terrain favorable aux évolutions de la cavalerie. « Que me disait-on, »
s'écria-t-il, « que le roi de France était en fuite? qu'il n'oserait pas
soutenir notre passage? Voici que j'aperçois son armée, rangée dans
un ordre parfait, toute disposée à en venir aux mains. »

Les deux armées prirent position sur la partie la plus élevée du *POSITION DES DEUX*
plateau. L'avant-garde d'Otton, composée de Ferrand et de sa cheva-   *ARMÉES.*
lerie, resta au point où elle avait attaqué l'arrière-garde française,
c'est-à-dire forma l'aile gauche, pendant que les deux autres corps

---

[1]. *Anonyme de Béthune.*

impériaux, celui d'Otton au centre et celui de Renaud de Boulogne et de Guillaume de Salisbury à droite, se déployaient vers la partie ouest de l'éminence qui sépare le village de Baisieux de celui de Cisoing. Philippe disposa parallèlement ses troupes le long de la voie romaine, sur un front de deux kilomètres à peu près, en étendant ses ailes de façon à ne pas être tourné. Dans cette situation, les deux armées, voisines l'une de l'autre, se trouvaient orientées de l'Est à l'Ouest. Mais les Impériaux avaient un grand désavantage; le soleil leur donnait en pleine figure, tandis que les Français l'avaient dans le dos.

Le centre de l'armée de France est commandé par Philippe-Auguste. La bannière capétienne, rouge, semée de fleurs de lis, est portée près de lui par le chevalier Galon de Montigni. Autour du Roi, une cavalerie d'élite, la « maison militaire, » Guillaume des Barres, Barthélemi de Roye, Gautier de Nemours, Pierre Mauvoisin, Gérard la Truie, Guillaume de Garlande, Enguerran de Couci, et soixante-dix chevaliers normands. Devant ce premier plan devait prendre place l'infanterie des communes, car l'usage était qu'elle gardât l'étendard de saint Denis et qu'elle engageât le combat; mais elle avait dépassé la Marcq dans la marche sur Lille; elle arrivera la dernière sur le champ de bataille.

Au centre français s'oppose le centre impérial, où se trouvent Otton, tout couvert d'or, avec sa garde de chevaliers saxons, et les quatre comtes, Bernard de Horstmar, Gérard de Randeradt, Conrad de Dortmund, Otton de Tecklenburg. Auprès de l'Empereur, la bannière de l'Empire, un énorme dragon surmonté d'un aigle d'or, est portée sur un char à quatre chevaux. Devant se tient l'infanterie brabançonne et allemande et probablement aussi les communes de Flandre; derrière, la chevalerie des ducs de Lorraine, de Brabant, de Limbourg et du comte de Namur.

L'aile droite française, très forte, commandée par le frère Guérin, comprend les 300 sergents à cheval équipés par l'abbé de Saint-Médard de Soissons, les chevaliers de Champagne, ceux du comte de Saint-Pol, du vicomte de Melun, des comtes de Beaumont, de Sancerre et de Mathieu de Montmorenci. Derrière, se tiennent les chevaliers du duc de Bourgogne. En face, l'aile gauche des Impériaux était commandée par le comte de Flandre. Ferrand et ses chevaliers précèdent les troupes du Hainaut et sans doute aussi les Hollandais du comte Guillaume, dont les chroniques n'indiquent pas la place.

A l'ouest du plateau, l'aile gauche des Français est formée par Robert de Dreux, son frère Philippe, l'évêque de Beauvais, Thomas de Saint-Valeri, seigneur de Gamaches, les comtes de Ponthieu, de Grandpré et de Soissons. En face, l'aile droite ennemie est commandée par Renaud de Boulogne et soutenue par les mercenaires anglais de Guillaume de Salisbury, les chevaliers flamands d'Arnaud d'Oudenarde et une élite de fantassins du Brabant.

Au moment où l'action va s'engager entre les deux armées, distantes d'un jet de flèches, le silence est tel « qu'on n'entend pas une seule voix » Français et Impériaux sont déployés sur deux lignes parallèles, d'étendue égale, mais ces derniers, beaucoup plus nombreux, ont une profondeur triple. Les Français sont les mieux commandés. Le frère Guérin, qui, étant homme d'Église, ne peut se battre, parcourt les rangs, encourage les hommes. Il a mis en ordre les différentes lignes, placé en tête les chevaliers les plus braves, commandé l'extension de l'aile droite : « La plaine est large, dit-il, desserrez vos rangs, allongez-vous, pour que les ennemis ne puissent vous tourner : il ne faut pas que le soldat se fasse un bouclier de celui qui est devant lui; placez-vous de façon à combattre presque tous ensemble sur un seul front. »

DISCOURS DE GUÉRIN ET DE PHILIPPE.

D'après le chroniqueur Mousket, Philippe-Auguste, « comme un prudhomme qu'il était, » harangua ses barons : « Seigneurs, je ne suis qu'un homme, mais je suis roi de France, vous devez me garder sans défaillance. Gardez-moi, vous ferez bien. Car, par moi, vous ne perdrez rien. Or, chevauchez, je vous suivrai, et partout après vous j'irai. » Puis il embrassa les vaillants qui l'entouraient, Michel de Harnes, Guillaume des Barres, Mathieu de Montmorenci, Gérard la Truie, Pierre Mauvoisin. Guillaume le Breton ne dit rien de cette scène, et prête au Roi un tout autre discours : « En Dieu est tout notre espoir, toute notre confiance. Le roi Otton et son armée ont été excommuniés par le Pape, car ils sont les ennemis, les persécuteurs de la sainte Église. L'argent qui sert à les solder est le produit des larmes des pauvres, du pillage des terres appartenant à Dieu et au Clergé. Nous, nous sommes chrétiens, en paix et en communion avec la sainte Église. Tout pécheurs que nous soyons, nous sommes en bon accord avec les serviteurs de Dieu et défendons, dans la mesure de nos forces, les libertés des clercs. Nous pouvons donc compter sur la miséricorde divine. Dieu nous donnera le moyen de triompher de nos ennemis, qui sont les siens. » A ces mots, continue le Breton, les chevaliers prièrent le Roi de les bénir, et lui, élevant les mains, implora pour eux la bénédiction divine. Aussitôt retentit le son des trompettes et le combat commença.

Guillaume était témoin oculaire; placé derrière le Roi, il dut entendre ses paroles et voir le geste auguste de la bénédiction. Il est vraisemblable au reste que Philippe, qui allait combattre un excommunié, avait parlé en fils dévot de l'Église et fait appel au sentiment religieux. Dès que les trompettes eurent donné le signal, le chapelain et son clerc se mirent à chanter des psaumes à voix haute « Mais les larmes et les sanglots interrompirent leur psalmodie, et c'est à peine s'ils purent la finir [1]. »

Les Français de l'aile droite engagent l'action. Guérin lance d'abord contre les Flamands les sergents à cheval de l'abbé de Saint-Médard. Mais la noblesse flamande dédaigne cette cavalerie roturière; sans bouger, elle reçoit les Soissonnais à coups de lances, éventrant leurs chevaux. Trois chevaliers de Flandre, Gautier de Ghistelles, Buridan de Furnes et Eustache de Macheleu sortent des lignes et vont défier les chevaliers de Champagne. Alors se livre, entre nobles, un combat préliminaire. Gautier et Buridan sont pris; Eustache, qui ne faisait que crier : « Mort aux Français! » est enveloppé et égorgé.

Ce premier succès donne confiance à l'aile droite française. Le comte de Saint-Pol, Gaucher de Châtillon, entouré d'un escadron d'élite, se lance alors, à fond de train, au plus épais de la chevalerie ennemie, et culbute, à droite et à gauche, hommes et chevaux, sans s'arrêter, sans chercher à faire des prisonniers, arrivé au bout, derrière l'ennemi, il tourne bride, charge sur un autre point, fait un nouveau sillon dans les rangs adverses, et va reprendre sa place. Dans la courbe ainsi décrite, sorte de trouée elliptique où ses cavaliers et lui ont agi comme un projectile, il a mis en désordre la chevalerie de Ferrand. Plusieurs fois, il recommence son attaque et perce l'ennemi de part en part. D'autres chefs de l'aile droite, le vicomte de Melun, le comte de Beaumont, Mathieu de Montmorenci, répètent la même manœuvre. Le corps flamand, désorganisé par ces charges répétées, commence à plier. Alors donnent les troupes françaises de seconde ligne commandées par le duc de Bourgogne, Eude III, et la mêlée devient générale. Le duc, « un gros homme de complexion flegmatique, » tombe sous son cheval; mais des chevaliers le remettent en selle, et lui, furieux, tue tout ce qui se trouve sur son passage.

1. Ces données, assez dramatiques par elles-mêmes, n'ont pas suffi à l'imagination des foules, et la légende, grossie de siècle en siècle, s'est complu à les travestir. Philippe-Auguste fait détruire le pont de Bouvines pour mettre ses soldats dans l'alternative de vaincre ou de mourir. Il envoie un parlementaire à l'Empereur pour lui proposer de remettre au lendemain la bataille qui ne peut être livrée un dimanche. Au moment où il se repose près de l'église de Bouvines, il fait tailler des soupes dans des coupes pleines de vin, et convie ses barons à en prendre leur part, pour éprouver leur fidélité, imitant ainsi la Cène. Alors se place le fameux épisode de la couronne : « Vous voyez que je porte la couronne de France, dit-il à ses chefs de corps, mais je suis un homme comme vous; si vous ne m'aidiez pas à la porter, je ne pourrais en soutenir le poids. » Il l'ôte alors de sa tête et la place sur un autel dressé exprès : « La voici, je veux que vous soyez tous rois, comme je le suis, et en vérité, je ne pourrais sans vous gouverner mon royaume. » Ainsi le fait parler Richer, moine de Sénones; mais le Ménestrel de Reims lui attribue une proposition encore plus étrange dans la bouche d'un Capétien du XIIIe siècle : « Si vous croyez que la couronne soit mieux portée par l'un de vous que par moi, je la lui abandonne sa bonne volonté. »

Après une lutte de trois heures, les Français parviennent à atteindre le comte de Flandre. Ferrand fait une vaillante défense ; à la fin, couvert de blessures, il est désarçonné et jeté à terre. A moitié mort de fatigue, il se rend à Gile d'Aci et aux deux frères Hugue et Jean de Mareuil. Ferrand pris, la défaite des Flamands se change en débandade. La victoire sur cette partie du champ de bataille assurait l'armée française contre le danger d'être tournée et acculée au marais de la Marcq, d'où elle ne serait pas sortie.

Au centre, l'action commença plus tard, Philippe attendant l'arrivée des communes de France, un peu lentes à rebrousser chemin. *COMBAT AU CENTRE.* Elles apparaissent enfin, l'oriflamme de Saint-Denis en tête, et se hâtent à travers les escadrons des chevaliers, pour aller prendre leur place habituelle devant le Roi. Ces bourgeois de Corbie, d'Amiens, de Beauvais, de Compiègne, d'Arras, peu nombreux relativement aux masses de l'infanterie ennemie, sont arrivés hors d'haleine au moment où l'empereur Otton ordonne l'attaque.

Les fantassins de Lorraine, d'Allemagne et de Flandre, placés devant la bannière impériale, se forment en coin et pénètrent dans les *PHILIPPE EN PÉRIL.* rangs des communiers de France qu'ils défoncent. Otton, avec sa chevalerie, les suit de près, profite de leur trouée, et parvient en vue de Philippe-Auguste ; mais Guillaume des Barres et une partie des chevaliers de l'escorte royale, tournent au grand galop l'infanterie allemande ou lui passent sur le corps, et piquent droit sur Otton. Philippe-Auguste veut les suivre ; il se heurte aux fantassins de l'Empire, de plus en plus nombreux, qui avancent toujours. Un instant il est séparé des siens, enveloppé par la piétaille, qui, avec les crochets de ses piques, le harponne pour l'arracher de sa selle et réussit en effet à le faire tomber. On se jette sur lui ; on essaie de trouver le défaut de son haubert pour lui porter un coup de dague. Heureusement, l'armure est solide. Le chevalier Pierre Tristan arrive au secours du Roi ; descendu de cheval, il lui fait un rempart de son corps. Galon de Montigni, qui porte la bannière, l'agite désespérément. Le signal est aperçu de Guillaume des Barres ; il abandonne les chevaliers d'Otton, et tombe sur ces vilains qui ont osé terrasser un roi de France. Philippe-Auguste remonte à cheval et charge les Impériaux.

Pendant que Barthélemi de Roye, Guillaume de Garlande et *DÉFAITE ET FUITE D'OTTON* Gautier de Nemours restent autour de lui, Guillaume des Barres, Gérard la Truie, Pierre Mauvoisin cherchent Otton, et, après une charge furieuse, l'atteignent. Pierre Mauvoisin saisit son cheval par la bride. La Truie le frappe de son poignard en pleine poitrine, mais l'arme glisse sur l'armure, et un second coup, mal dirigé, crève l'œil du cheval. L'animal blessé se cabre, tourne sur lui-même, emporte Otton, mais s'abat bientôt. Bernard de Horstmar relève Otton et lui donne son propre cheval. Mais Guillaume des Barres saisit l'Empereur à la nuque et le serre à l'étouffer. Pour lui faire lâcher prise, Gérard de Randeradt, Otton de Tecklenburg et Conrad de Dortmund éventrent son cheval. A pied, seul, enveloppé d'ennemis, Guillaume les tient pendant quelque temps en respect, si terrible qu'ils n'osent l'approcher et se contentent de lui lancer leurs armes à la tête. Enfin, accablé par le nombre, il allait être tué ou pris ; Thomas de Saint-Valeri, accouru avec des chevaliers et des piétons, le dégage. Otton avait pu prendre la fuite : « Nous ne verrons plus sa figure d'aujour-d'hui, » dit Philippe-Auguste. L'Empereur, après s'être débarrassé des insignes impériaux qui l'auraient fait reconnaître, alla d'une seule traite jusqu'à Valenciennes.

Sa disparition n'empêche pas les comtes westphaliens et saxons de faire leur devoir. Ils soutiennent vaillamment le choc de l'ennemi : suivant leur tactique habituelle, ils tuent les chevaux, renversent les cavaliers et essaient de les blesser à terre. Mêlée effrayante, par une chaleur torride, au milieu d'une telle poussière que le ciel en était noirci et que les combattants s'apercevaient à peine ! Cependant, sur ce terrain aussi, la victoire finit par rester aux Français. L'aigle d'or, le dragon impérial, et le char qui les portaient avaient été démolis, brisés en morceaux et jetés aux pieds de Philippe-Auguste. Quand les quatre barons Tecklenburg, Horstmar, Dortmund et Randeradt, furent pris les armes à la main et ramenés, garrottés, au camp français, les ducs de Lorraine, de Brabant et de Limbourg comprirent que tout était perdu : ils s'enfuirent par la route de Tournai, de toute la vitesse de leurs chevaux.

COMBAT A L'AILE GAUCHE. A l'Ouest, non loin du marécage de la Marcq, s'était livrée la troi-sième bataille entre l'aile gauche des Français et l'aile droite des coalisés. Ici un tableau plus confus, où il est malaisé de distinguer nettement les différentes lignes et de saisir l'encnaînement des incidents.

Renaud se bat contre Robert de Dreux ; Salisbury et ses Anglais, contre le comte de Ponthieu et l'évêque de Beauvais, Philippe. Celui-ci se tient d'abord tranquille, pour ne pas violer la prescription canonique qui lui défendait de verser le sang. Puis, lorsqu'il voit Salisbury enfoncer, avec ses mercenaires, les milices du Ponthieu et menacer le pont de Bouvines, il lance ses soldats et s'avance, son énorme masse d'armes à la main, au devant de la cavalerie anglaise. Il atteint Salisbury, et, d'un seul coup sur le heaume, le fait tomber à demi assommé !

Mais l'intérêt de l'action se concentre ici autour du comte de Boulogne, Renaud, traître à Philippe-Auguste, et suspect aussi à l'Empereur et à ses barons. Cette situation particulière explique ses paroles, sa conduite, l'emportement de désespoir avec lequel il luttera jusqu'à la fin. Au moment où l'Empereur a fui, où les Anglais reculent devant l'évêque de Beauvais, il s'adresse à Hugue de Boves, son ancien ami, celui qui l'avait accusé de lâcheté à Mortagne : « Voilà la bataille que tu as conseillé de livrer et dont, moi, je ne voulais pas. Tu vas fuir, saisi de la panique comme les autres ; moi, je vais combattre, et je serai pris ou tué. » Il tint parole. Pendant toute l'après-midi, il se battit avec rage. Il s'était placé, avec une chevalerie d'élite, au milieu d'une double ligne de fantassins rangés en cercle. De cette espèce de tour vivante, s'ouvrant pour le laisser passer, se refermant sur lui quand il revenait prendre haleine, il faisait des sorties rapides, qui jetaient le désordre dans les rangs français. La cavalerie de Philippe se heurtait à cette forteresse hérissée de piques, impossible à entamer.

Le jour déclinait. Le centre et l'aile gauche des alliés étaient en déroute. Otton avait disparu ; Ferrand était prisonnier ; Renaud résistait encore. On voyait de loin sa haute taille, son énorme lance, et la double aigrette noire, en fanons de baleine, qu'il avait plantée sur le sommet de son casque, afin de se grandir encore. A la fin, les Français réussirent à le surprendre hors de sa tour. Six chevaliers seulement, qui avaient lié leur sort au sien, l'entouraient. Un sergent de l'armée capétienne, Pierre de la Tournelle, parvient à se glisser sous son cheval et l'éventre, tandis que les deux frères Jean et Conon de Coudun renversent un chevalier qui cherchait à sauver le comte de Boulogne en l'entraînant. Renaud tombe, la cuisse droite engagée sous le cheval mort. Les Français se disputent le prisonnier. Un valet d'armée, de la maison du frère Guérin, lui arrache son heaume et, après lui avoir taillade la figure à coups de couteau, essaye d'introduire son arme à la partie inférieure du haubert pour lui percer le ventre. Mais il ne peut trouver le joint. Guérin, accouru, se fait reconnaître de Renaud, qui se rend à lui, demandant la vie sauve. Le comte s'efforçait de se lever, quand il aperçoit un groupe de chevaliers du parti impérial qui se dirigent vers lui pour le dégager. Il feint alors de ne pouvoir se tenir sur ses pieds et retombe lourdement. Les Français le poussent, le frappent et le hissent, bon gré, mal gré, sur un cheval, pour le conduire devant le Roi.

Le soleil allait disparaître. Il ne restait plus debout sur le plateau qu'une troupe de sept cents Brabançons, débris de la nombreuse infanterie que l'Empereur avait amenée. Ces braves gens n'avaient pas voulu fuir et refusaient de se rendre. Philippe-Auguste les fit massacrer jusqu'au dernier par les troupes du seigneur de Saint-Valeri. Les prisonniers nobles, parmi lesquels se trouvaient de hauts personnages, cinq comtes, vingt-cinq barons à bannières, étaient si nombreux que Philippe en fut presque embarrassé. Aussi défendit-il de poursuivre les fuyards au delà d'un mille.

ENTHOUSIASME DES FRANÇAIS.

« Qui pourrait s'imaginer, s'écrie Guillaume le Breton, retracer avec la plume, sur un parchemin ou des tablettes, les joyeux applaudissements, les hymnes de triomphe, les innombrables danses des gens du peuple, les chants suaves des clercs, les sons harmonieux des cloches dans les églises, les sanctuaires parés au dedans comme au dehors, les rues, les maisons, les routes, dans tous les villages et dans toutes les villes, tendues de courtines et d'étoffes de soie, tapissées de fleurs, d'herbes et de feuillage vert; les habitants de toute classe, de tout sexe et de tout âge accourant de toutes parts pour assister à un si grand triomphe; les paysans et les moissonneurs, interrompant leurs travaux, suspendant à leur cou leurs faux et leurs hoyaux (car c'était l'époque de la moisson), et se précipitant pour voir enchaîné ce Ferrand, dont peu auparavant ils redoutaient tant les armes. Les paysans, les vieilles femmes et les enfants ne craignaient pas de se moquer de lui, profitant de l'équivoque de son nom, qui pouvait s'entendre aussi bien d'un cheval que d'un homme. De plus, par un hasard merveilleux, les deux chevaux qui le traînaient prisonnier dans une civière étaient de ceux auxquels leur couleur a fait donner ce nom. On lui criait que maintenant il était « ferré, » qu'il ne pourrait plus ruer, lui qui, auparavant, gonflé d'orgueil et de graisse, levait le talon contre son maître. Ceci se passa sur toute la route jusqu'à ce qu'on fût arrivé à Paris. Les bourgeois parisiens, et par-dessus tout la multitude des étudiants, le clergé et le peuple, allant au devant du Roi, chantant des hymnes et des cantiques, témoignèrent par leurs gestes et leur attitude extérieure de la joie qui remplissait leur âme. Le jour ne leur suffisait pas pour se livrer à l'allégresse; durant sept nuits de suite ils illuminèrent, de sorte qu'on y voyait comme en plein jour. Les étudiants surtout ne cessaient de se réjouir dans de nombreux banquets, dansant et chantant sans s'arrêter. »

Ce mouvement d'enthousiasme populaire, le premier qui se soit clairement manifesté à l'occasion d'une victoire royale, révèle l'immense progrès de la Monarchie. Le mot de patriotisme et les idées qui y sont comprises s'appliquent mal au Moyen âge; mais ce sentiment unanime des Français de la terre capétienne prouve cependant qu'une nation est née. La bataille de Bouvines est le premier événement national de notre histoire, le prélude de cette unité morale et matérielle que les rois du xiii⁰ siècle étaient appelés à réaliser.

IV. — LES CONSÉQUENCES DE LA VICTOIRE

C'ÉTAIENT les plus graves intérêts de l'Europe qui avaient été en jeu à Bouvines. La Monarchie française saura-t-elle triompher de la Féodalité, la dynastie de Hugue Capet rester au pouvoir, la France échapper à l'invasion et au partage? Les rois de la maison d'Anjou pourront-ils conserver leur empire continental et imposer aux Anglais le régime d'absolutisme inauguré par Henri II? En Allemagne, la couronne impériale appartiendra-t-elle au gibelin Frédéric ou au guelfe Otton, la Papauté l'emportera-t-elle sur l'Empire, le chef de l'Église sur un excommunié? Questions vitales pour trois peuples : le succès de Philippe-Auguste les avait résolues.

En France, la Royauté est décidément hors de pair. La Féodalité, *RÉSULTATS* battue dans la personne du comte de Boulogne et du comte de *POUR LA FRANCE.* Flandre, passe au second plan. Philippe aurait eu le droit de faire mettre à mort, comme coupables de lèse-majesté, les vassaux rebelles tombés entre ses mains : il se borna à les incarcérer. Guillaume le Breton célèbre cette clémence en termes peut-être exagérés; le Roi aimait mieux tirer de l'argent de ses prisonniers que de les tuer. Le lendemain même de Bouvines, Renaud ayant envoyé un émissaire à Otton pour l'engager à recueillir, à Gand, les débris de l'armée impériale et à recommencer la guerre avec le concours des villes flamandes, le roi de France, furieux, lui jeta à la face toutes ses perfidies et termina par ces mots : « Voilà tout ce que tu as fait contre moi. Cependant je veux bien t'accorder la vie : mais tu resteras emprisonné jusqu'à expiation complète de tes crimes. »

On enferma Renaud d'abord à Péronne. Guillaume le Breton le *RENAUD* représente dans ce premier cachot « rivé à la muraille par une chaîne *EMPRISONNÉ.* longue seulement d'un demi-pas. Au milieu de cette chaîne s'en rattache une autre de dix pieds de long, fixée à un tronc d'arbre que deux hommes pourraient à peine porter. » Il fut ensuite interné au Goulet, en Normandie. Personne n'osa solliciter son élargissement. Le règne de Philippe-Auguste passa, puis celui de Louis VIII, celui de saint Louis commença, et le comte de Boulogne vivait toujours *in carcere duro.* Il avait la perfidie dans le sang; libéré, il aurait trahi encore. D'ailleurs sa place était prise. Ses fiefs appartenaient au seigneur qui avait épousé sa fille Mathilde, et ce seigneur était Philippe

Hurepel, le fils légitimé de Philippe-Auguste. Renaud mourut treize ans après Bouvines; le bruit courut qu'il s'était tué.

Le comte de Flandre, Ferrand, devait rester treize ans, lui aussi, dans la tour du Louvre. Quelques mois après la grande bataille, la comtesse Jeanne de Flandre alla trouver Philippe-Auguste, à Paris, pour demander la libération de son mari. Tout ce qu'elle put obtenir du Roi, ce fut la convention du 24 octobre 1214, qui stipulait : l'internement du fils du duc de Brabant, comme otage; la destruction des fortifications de Valenciennes, d'Ipres, d'Audenarde et de Cassel, aux frais des habitants; l'obligation pour les gens de Flandre de ne bâtir aucune forteresse nouvelle; la réintégration des châtelains de Bruges et de Gand, alliés du roi de France, dans leurs terres et propriétés. Ces conditions remplies, « il serait fait du comte de Flandre selon la volonté du vainqueur, libre de lui accorder, ou non, la permission de se racheter [1]. » Cette convention, les villes de Flandre ne l'acceptèrent pas; elles ne pouvaient consentir à démolir leurs remparts et à se mettre ainsi sous le coup d'une invasion française. Au reste, les Flamands n'aimaient pas ce comte étranger. Jeanne elle-même, qui ne vivait pas en très bonne intelligence avec son mari, n'était pas fâchée de régner seule. Ferrand resta en prison, et Philippe-Auguste eut le double plaisir de tenir sous sa main un feudataire dangereux, et de laisser gouverner le comté de Flandre par une femme incapable de résister à ses volontés.

Le Roi tira parti de sa clémence à l'égard d'autres feudataires. Le comte de Nevers, Hervé de Donzi, l'allié de Jean-sans-Terre et d'Otton, fut simplement condamné à prendre pour gendre un petit-fils de Philippe-Auguste (1215). Philippe de Courtenai, son complice, répondit de la fidélité de sa famille en se liant par une convention onéreuse (1217). On ne vit plus, sur le territoire capétien, ni manifestation d'indépendance ni tentative de rébellion.

Le soir même de la bataille, Philippe avait envoyé à Frédéric Hohenstaufen, son allié d'Allemagne, les débris de l'aigle doré qui était tombé entre ses mains. Le jeune concurrent d'Otton IV n'avait fait aucun effort pour se joindre aux Français : il était resté à distance, en Alsace et dans le Palatinat, attendant l'issue du combat. Quand le désastre d'Otton fut connu, il vit qu'il avait cause gagnée. Les villes du Rhin se soumirent à lui, sauf Aix-la-Chapelle, qui fit une ombre de résistance, et Cologne, la grande cité guelfe, où Otton s'était réfugié avec sa femme Le royaume d'Arles reconnaît sa sou-

1. « Erit in voluntate domini regis, pro placito suo, » telle est la lettre du traité.

veraineté. Le roi de Danemark, Waldemar, traite avec lui et obtient, en récompense, une partie du territoire de l'Elbe-Inférieur. La féodalité lorraine se hâte d'abandonner le vaincu et de se donner à Frédéric.

Au retour de Bouvines, plus obéré et plus isolé que jamais, Otton vécut de la charité des habitants de Cologne. Le 25 juillet 1215, Frédéric, au milieu d'une affluence considérable de nobles et de clercs, se faisait couronner pour la seconde fois à Aix-la-Chapelle. Pour complaire au Pape, son protecteur, il prit la croix. Otton dès lors se sentit perdu ; les bourgeois de Cologne commençaient à trouver encombrants cet exilé criblé de dettes et surtout sa femme, Marie de Brabant, qui passait son temps à perdre aux dés l'argent qu'elle n'avait plus. Quand Frédéric parut devant la ville (3 août), ils déclarèrent à Otton qu'ils paieraient ses dettes et lui donneraient en outre 600 marcs, mais à condition qu'il s'en irait. Le lendemain, pendant que Frédéric entrait par une porte, le Guelfe et sa femme, déguisés en pèlerins, s'enfuyaient par l'autre.

OTTON A COLOGNE. SA MORT.

Otton, réfugié dans son patrimoine, à Brunswick, n'ayant pour tout soutien dans l'Empire que le margrave de Brandebourg, occupa ses dernières années par des luttes malheureuses contre les Danois et l'archevêque de Magdebourg. Il mourut le 19 mai 1218. On dit que, la veille de sa mort, cet excommunié endurci se fit frapper de verges par les prêtres qui l'entouraient, et que, pendant qu'on le flagellait jusqu'au sang, il chantait : *Miserere mei, Domine*, se plaignant que les coups ne fussent pas assez forts. Otton disparu, Frédéric commença, sous la haute protection de Philippe-Auguste et de l'Église romaine, un règne qui ne devait pas finir sous les mêmes auspices.

De tous les coalisés contre le roi de France, Jean-sans-Terre fut celui auquel la défaite sembla d'abord apporter le moindre dommage. A la nouvelle du désastre, il s'écria : « Je n'ai pas de chance ! Depuis que je me suis réconcilié avec Dieu et que j'ai soumis mon royaume à l'Église romaine, il ne m'arrive que des malheurs ! » C'est pourtant Rome qui devait le sauver.

RÉSULTATS POUR L'ANGLETERRE.

Philippe-Auguste ne s'était pas arrêté longtemps à Paris pour jouir de son triomphe. Il rejoignit son fils Louis. Quand les vassaux aquitains de Jean-sans-Terre apprirent que le roi de France avait passé la Loire, la défection générale commença autour du Plantagenêt. Le plus anglais des barons du Poitou, le vicomte de Thouars, donna l'exemple. Jean ne voulait pas hasarder une nouvelle bataille. Il ne recevait aucun secours de ses sujets insulaires, furieux contre lui. Se retirer en Gascogne, sans savoir quel accueil lui ferait la féo-

dalité de cette région, travaillée par les agents français, était dangereux. Philippe-Auguste avait pris position à Loudun, avec le gros de
ses forces; il pouvait achever la conquête du Poitou, de la Saintonge, peut-être même chercher à s'emparer de son rival. Jean estima
qu'il n'avait plus qu'à se soumettre. La question était de savoir si le
roi de France se contenterait de sa soumission.

PAIX DE CHINON.   La Papauté s'interposa. La paix en Europe, la croisade en
Orient, telle était, nous le savons, la politique des gens d'Église.
Innocent III avait, en outre, des raisons de protéger les Plantagenêts.
L'Angleterre, depuis 1213, lui appartenait. Suzerain et, par suite,
haut propriétaire de l'île, il était obligé de défendre le vassal de
l'Église romaine. Le légat Robert de Courçon était anglais et désireux
d'éviter à Jean-sans-Terre la suprême défaite. Le 18 septembre 1214,
la paix fut signée à Chinon.

Elle devait durer cinq ans. Jean paya 60 000 livres à son ennemi.
Il acceptait implicitement les résultats de la conquête française en
Anjou, en Bretagne et dans une grande partie du Poitou. C'était se
tirer d'affaire à bon compte, si l'on songe que Philippe-Auguste tenait
presque la terre et la personne de son adversaire entre ses mains
Guillaume le Breton attribue le fait à la générosité habituelle du roi
de France. L'opposition énergique d'Innocent III, résolu à tout pour
sauver son protégé, contribua beaucoup peut-être à ce résultat. Quoi
qu'il en soit, lorsque Jean-sans-Terre quitta l'Aquitaine (octobre), il
dut emporter la conviction que tout espoir de reconstituer l'empire
continental fondé par son père était perdu. A peine eut-il débarqué en
terre anglaise qu'il s'aperçut que sa royauté même avait reçu une
atteinte profonde. Un des effets les plus curieux et les plus importants de la victoire de Bouvines allait se produire à ses dépens.

LES ANGLAIS
ET JEAN-SANS-
TERRE.   L'Angleterre ne connaissait pas le régime de la grande féodalité;
il ne s'y trouvait pas, comme en France, de hautes baronnies, suze-
raines de seigneuries inférieures; point de hiérarchie à plusieurs
étages. Plutôt sujets que vassaux du Roi, les féodaux anglais n'étaient
pas séparés les uns des autres par des diversités de condition rigoureusement tranchées, ni les classes, par des barrières presque insur-
montables. Plus directement rapprochés du gouvernement central,
moins défendus contre lui, les sujets de Jean-Sans-Terre sentaient
plus vivement les inconvénients et les abus du despotisme. Placés
presque au même degré de subordination et subissant à peu près
la même somme d'exploitation tyrannique, ils étaient amenés à se
connaître, à s'unir, et à tirer de leur union contre la Royauté le moyen
de limiter son pouvoir. Telle est la cause générale et profonde du
mouvement qui devait aboutir à la grande Charte. Le double désastre,

essuyé en 1214, par Jean-sans-Terre, décida les Anglais à passer de
la résistance sourde à l'insurrection.

Déjà, en 1213, lorsque Jean avait abdiqué entre les mains d'Innocent III, les barons avaient mis l'occasion à profit pour lui arracher
des concessions politiques. L'archevêque de Cantorbery, Étienne de
Langton, n'était pas seulement l'homme du Pape et le représentant
d'intérêts purement spirituels. Il avait trop souffert de la tyrannie du
souverain pour ne pas chercher tous les moyens de lui lier les mains.
A la fin de l'année 1213, dans une réunion de nobles et d'évêques
tenue à Saint-Paul de Londres, l'archevêque leur montra et leur fit
lire une charte du roi Henri Iᵉʳ, renouvellement de la « loi du roi
Édouard, » qui promettait à l'Église le respect de ses biens et la liberté
de ses élections; aux nobles, la libre transmission de leurs fiefs; à
tous les Anglais, une bonne monnaie et une législation plus douce
pour les dettes et les amendes. Ces seigneurs, qui prenaient une
ancienne concession royale comme texte de leurs revendications, faisaient, sans en avoir conscience, une grande chose. Ils fondaient le
régime constitutionnel, devenu, dans le monde moderne, la loi politique des nations civilisées.

Les contemporains de Jean-sans-Terre n'ont pas fait attention à
ce petit incident de Saint-Paul de Londres, si gros de conséquences,
et Jean lui-même s'en soucia peu. Il fut plus irrité de voir ses barons
d'Angleterre refuser de le suivre, pour la plupart, dans sa campagne
de France, et se désintéresser de la perte de ses États de terre ferme·
Les Anglais ne voulaient dépenser ni leur sang ni leur or pour conserver à un roi discrédité des fiefs et une puissance militaire qui ne
servait qu'à les opprimer. Lorsque Jean fut de retour, vaincu et
humilié, avec la prétention de prélever une lourde taxe sur les sujets
qui n'avaient pas pris part à la guerre, l'indignation se tourna en
révolte. Les conciliabules secrets des seigneurs se multiplient. A
Londres, ils vont en armes trouver le roi (25 déc. 1214), exigent
de lui qu'il jure de leur accorder les libertés contenues dans la charte
du roi Henri, et ne se retirent qu'après avoir obtenu des garanties.
A Brackley (27 avril 1215), ils renouvellent leur demande et pré-
sentent à Jean une pétition de quarante-neuf articles, prototype
de la grande Charte.

Les privilèges du Clergé seront maintenus et la liberté des élections ecclésiastiques assurée, les droits de la Noblesse confirmés, la
sauvegarde royale accordée aux marchands. Le Roi sanctionnera les
privilèges des bourgs, des villes, de Londres surtout; et il faut
remarquer ici cet accord des nobles et des bourgeois qui, en France,
eût été impossible et qui aura de si heureuses conséquences pour les

L'ASSEMBLÉE DE SAINT-PAUL.

LA GRANDE CHARTE.

destinées de la nation anglaise. Il donnera à tous des garanties de liberté individuelle, rendra bonne et prompte justice, et adoucira le tarif des amendes. Le droit de lever l'aide royale sera limité à trois cas déterminés, hors desquels il y aura nécessité, pour le Roi, de consulter l'assemblée des barons et des évêques. Le pouvoir des fonctionnaires devra être restreint. La navigation sur les rivières sera libre, et les forêts royales ne pourront être étendues. Un dernier article stipule qu'un comité de surveillance de vingt-cinq barons élus par l'assemblée sera chargé de veiller à l'exécution des promesses royales et de contraindre le souverain, « même par la force s'il en est besoin, » à se conformer aux dispositions de la charte. Telles sont les concessions que la noblesse et le clergé de l'Angleterre réclamaient d'un despote qui, jusqu'ici, n'avait connu d'autre loi que son intérêt particulier et ses caprices.

« Pourquoi ne me demandent-ils pas aussi ma couronne? » s'écria Jean, et il repoussa en jurant toutes les propositions. « Jamais, dit-il, je ne me mettrai dans leur servage. » Aussitôt les barons, soutenus en secret par l'archevêque de Cantorbéry, se donnent un chef militaire, Robert Fitz-Gautier, et marchent sur Londres. Les bourgeois, très favorables au mouvement, ouvrent leurs portes. On s'arme sur tous les points du royaume, notamment dans le Nord, où la noblesse s'apprête à rejoindre celle du Sud. Les chefs de l'Écosse et du pays de Galles promettent leur concours. C'est la guerre civile qui va s'ouvrir entre le Roi et la nation. Le 15 juin 1215, dans la plaine de Runnymead, près de Windsor, le roi d'Angleterre, entouré de ses barons en armes et menaçants, apposa son sceau à l'acte solennel qui limitait le pouvoir royal. Il se soumettait au contrôle des vingt-cinq élus. Ainsi la victoire de Philippe-Auguste n'avait pas seulement pour conséquence d'enlever définitivement à Jean-sans-Terre ses possessions du continent. Elle l'atteignit jusque dans son île, brisa et humilia son autorité de roi [1].

Les deux pays s'engageaient dans des voies diverses. L'Angleterre allait à la liberté, et la France, à la monarchie absolue.

---

1. Sur la Grande Charte et la lutte de Jean Sans-Terre contre ses barons, voir, outre les ouvrages cités, p. 158, Bémont, *Chartes des libertés anglaises*, 1892. Lau, *Die Entstehungsgeschichte des Magna Charta*, 1857. Round, *An unknown charter of liberties*, dans English histor. review, VIII, 1893.

CHAPITRE V

LE GOUVERNEMENT DE PHILIPPE-AUGUSTE

I. LES ACQUISITIONS TERRITORIALES. PHILIPPE-AUGUSTE ET LA FÉODALITÉ. — II. LE ROI ET LE CLERGÉ. — III. LE ROI ET LES PAYSANS. — IV. LES VILLES ASSU-JETTIES. PRIVILÈGES ACCORDÉS PAR PHILIPPE-AUGUSTE AUX MARCHANDS ET AUX ARTISANS. — V. PHILIPPE-AUGUSTE ET LES COMMUNES. — VI. L'ADMINISTRATION ROYALE. LES BAILLIS. — VII. LES FINANCES. — VIII. L'ARMÉE.

I. — LES ACQUISITIONS TERRITORIALES. PHILIPPE-AUGUSTE ET LA FÉODALITÉ [1]

PHILIPPE-AUGUSTE est arrivé au point culminant. Par la politique et les armes, il a rendu la Royauté maîtresse de la France, et il a placé la France, en Europe, au premier plan. Nous avons vu le conquérant à l'œuvre : c'est le moment de faire connaître l'administrateur et l'homme de gouvernement.

L'extension considérable, sous ce règne, du domaine royal est le fait qui a le plus vivement frappé les contemporains. Presque tous les chroniqueurs emploient la même formule : « Philippe a reculé les limites du royaume, » *dilatavit* ou *ampliavit fines regni*. Le médecin Rigord, moine de Saint-Denis, lui attribue le surnom d'*Auguste* « parce que les auteurs anciens, dit-il, appelaient Augustes les empereurs qui augmentaient (du verbe latin *augeo*) le domaine de l'État;

EXTENSION DU DOMAINE ROYAL.

---

1. SOURCES. L. Delisle, *Catalogue des actes de Philippe-Auguste*, 1856. A. Teulet, *Layettes du Trésor des Chartes*, t. I, 1863 (Inventaires et documents des Arch. nat.). Le recueil des *Ordonnances des rois de France de la troisième race*, t. I, 1723.
OUVRAGES A CONSULTER. Les principaux livres d'un caractère général sont : Williston Walker, *On the increase of royal power in France under Philip Augustus*, 1888, thèse de Leipzig. Luchaire, *Manuel des institutions françaises, période des Capétiens directs*, 1892, passim. A. Longnon, *Atlas historique de la France*, 1885-1889. D'Arbois de Jubainville, *Histoire des ducs et des comtes de Champagne*, t. III et IV, 1861-1865. A. Vuitry, *Études sur le régime financier de la France avant la Révolution de 1789*, t. I, 1878 (1re série, ve-xiiie siècle).

et aussi parce que Philippe naquit au mois d'août. » Guillaume le
Breton n'appelle jamais son roi que le Grand, le Magnanime, ou
encore « le fils de Charlemagne, » *Karolides.* Dans son poème de la
Philippide, il le compare à Alexandre et à César, et il trouve que
Philippe est bien supérieur, « car le Macédonien n'a triomphé que
pendant douze ans, Jules César pendant dix-huit ans, tandis que
Philippe a vaincu ses ennemis pendant trente-deux ans sans interruption. » Un poète français du xive siècle, qui chanta ses hauts
faits, ne le désigne que sous le nom de « Philippe le Conquérant. »

Il suffit en effet de comparer la France de Louis VII avec celle
de Philippe-Auguste, le petit domaine de l'Ile-de-France et du Berri,
sans communication avec la mer, étouffé entre de puissants États
féodaux, avec le vaste ensemble de fiefs ajoutés par Philippe-Auguste
au patrimoine primitif : l'Artois, l'Amiénois, le Valois, le Vermandois, une grande partie du Beauvaisis, la Normandie, le Maine,
l'Anjou, la Touraine, un morceau important du Poitou et de la
Saintonge. Le nombre des prévôtés est monté de trente-huit à quatre-
vingt-quatorze. Le roi de Paris et d'Orléans est devenu le plus
grand seigneur de la France du Nord et le maître d'un territoire
étendu en Aquitaine ; la Royauté est établie à Dieppe, à Rouen,
dans certains ports de Bretagne et de Saintonge, c'est-à-dire mise au
rang des puissances commerçantes et maritimes. L'histoire n'offre
pas beaucoup de changements plus rapides et plus complets dans la
fortune d'un État.

LA SAUVEGARDE DU ROI.

Mais aux conquêtes qui se voient et peuvent se marquer sur les
cartes, il faut joindre les annexions de détail, faites obscurément et
par milliers, aux époques de guerre comme en pleine paix, celles
dont les chroniques ne parlent pas. Les agents royaux travaillent
dans les fiefs les plus éloignés, les plus hostiles. Sous prétexte d'accorder la *sauvegarde* du Roi à une ville, à un village, à une abbaye, à
un groupe de marchands, à une corporation d'ouvriers, ils prennent
pied dans une foule de localités isolées où se créent peu à peu des
foyers de propagande monarchique.

Avant l'avènement de Philippe-Auguste, ces actes de sauvegarde
étaient exceptionnels ; sous son règne ils deviennent fréquents : c'est
que les villages et les bourgs avaient intérêt à se mettre sous la protection d'un pouvoir fort. Saint-Satur en Berri (1182), Saint-André et
Couches en Bourgogne (1189 et 1186), les Mureaux près Mantes (1188),
Escurolles en Auvergne (1189), Boissi en Normandie (1205), Illier-
l'Évêque, au pays d'Evreux (1217), profitent de la sauvegarde royale.
Ces localités dépendaient surtout de seigneurs ecclésiastiques, qui

demandaient eux-mêmes à opposer le pouvoir bienfaisant du Roi à la tyrannie des châtelains. Il était plus rare que la protection royale s'appliquât aux domaines des seigneurs laïques. Des circonstances toutes spéciales ont pourtant permis à Philippe d'accorder sa sauvegarde à Périgueux (1204), à Limoges (1213) et aux habitants de Montpellier (1215). Même de simples particuliers pouvaient la recevoir : en 1211, Archambaud, bourgeois de Cahors, obtint pour dix ans la sauvegarde du Roi.

Par un autre procédé, le *pariage,* c'est-à-dire l'association du Roi avec les petits seigneurs ecclésiastiques ou laïques, en vue d'une administration commune, les agents de Philippe-Auguste introduisaient l'autorité de leur maître dans des pays qui ne lui appartenaient pas. On ne trouve pas de pariages royaux avant le règne de Louis VII, ce qui s'explique, la Royauté n'étant pas assez puissante pour qu'il y eût avantage à la prendre comme associée. Il y en eut quelques-uns sous Louis VII et un plus grand nombre sous Philippe-Auguste. La plupart des contrats de pariage sont conclus avec des seigneurs d'Église (Cusset en 1184, Angi en 1186, Dimont en 1187, Wacquemoulin en 1190, Dizi et Villeneuve-d'Hénouville en 1196); deux ou trois avec des seigneurs laïques (Concressault en 1182, Beaumont en 1204). *LES PARIAGES ROYAUX.*

Ces actes de pariage contiennent à peu près les mêmes clauses. Le seigneur déclare associer le roi de France à la moitié de ses propriétés et de ses revenus, et il énumère les objets partagés ainsi que ceux qui sont exceptés du partage. En général, les seigneurs paréagers, quand ils sont gens d'Église, gardent pour eux les revenus de caractère ecclésiastique, dîmes et produits des églises. Puis ils règlent l'administration de la localité mise en pariage; elle est régie soit par un prévôt commun au Roi et au seigneur local, soit par deux prévôts représentant les deux associés. En retour des avantages qui sont faits au Roi, le seigneur a bien soin de stipuler que le Roi ne pourra pas aliéner la moitié qui lui est échue et qu'elle restera indissolublement liée à la couronne. Car l'objet du pariage serait manqué, si le Roi avait le droit de se substituer un autre seigneur. Dans la plupart des actes de pariage, la conséquence immédiate de l'association du Roi est l'abolition de la taille et l'introduction de coutumes bienfaisantes, telles que celle de Lorris. Le pariage est donc l'occasion d'un affranchissement partiel.

On comprend tout l'avantage que la Royauté retirait de ces contrats. Un associé tel que Philippe-Auguste ne peut tarder à devenir un maître. Possesseur de la moitié d'une localité, le Roi étend vite son influence sur celle que s'est réservée le seigneur, et il finit, sinon par se l'approprier, au moins par y exercer l'autorité entière. Tout pariage prépare une annexion.

PHILIPPE ET LA PETITE FÉODALITÉ DU DOMAINE.
Mise hors de pair, comme puissance territoriale, la Royauté possède donc, pour la première fois, les moyens d'agir en souveraine dans les fiefs.

Philippe n'avait plus à redouter la féodalité de l'ancien domaine, celle qui avait donné tant de mal à Louis VI et inquiété encore Louis VII. Les châtelains de l'Ile-de-France, étroitement surveillés par les baillis royaux, n'osent même plus piller les terres d'Église. Les rébellions sont rares et vite réprimées.

Le seigneur de Rozoi, après que le roi de France a fait mine, en 1201, de marcher contre lui, signe cet acte de soumission : « Moi, Roger de Rozoi, déclare m'être mis à la discrétion de mon seigneur Philippe, illustre roi de France, et lui avoir fait réparation pour ne lui avoir pas rendu mes services, comme je les lui dois. Et quant aux « entreprises[1] » dont je me reconnais coupable envers les églises de Saint-Denis de Reims, de Saint-Médard de Soissons et d'autres encore, je donnerai telle satisfaction qu'il exigera. Quarante jours après qu'il aura fait connaître sa volonté, toutes les réparations seront ponctuellement accomplies. »

En 1205, Gui, seigneur de la Roche-Guyon, qui a communiqué avec un ennemi particulier du Roi, signe l'acte suivant : « Pour avoir parlé avec Gautier de Mondreville, traître à mon seigneur le roi de France et voleur, j'ai donné satisfaction audit roi ; je lui ai cédé, ainsi qu'à ses héritiers, mes droits sur Beaumont-le-Roger (une ville de Normandie). En outre, j'ai fait serment à mon seigneur le Roi que je ne passerai pas l'Epte ou l'Eure, pour aller en Normandie, sans sa permission. Je lui livrerai de plus tous mes autres châteaux pour qu'il en fasse sa volonté, toutes les fois qu'il me le demandera. Enfin, j'ai fait jurer à tous mes vassaux, sur l'Évangile, que, dans le cas où ils apprendraient que je cherche à nuire, en quoi que ce soit, à mon seigneur le roi de France, ils l'en avertiraient aussitôt et prendraient son parti contre moi. »

PHILIPPE ET LA GRANDE FÉODALITÉ.
Les hauts barons eux-mêmes ne résistaient plus. Un comte du Perche, en 1211, un seigneur de Montmorenci, en 1218, un comte de Dreux, en 1223, se soumettent à une obligation féodale que les vassaux ne subissaient qu'à leur corps défendant. Ils jurent de livrer leurs châteaux à leur suzerain, à toute réquisition, pour qu'il y mette garnison. « Je n'aurai pas le droit, écrit Robert de Dreux, d'installer

---

1. *Interceptiones*, euphémisme pour « brigandages. »

un châtelain dans mon château tant qu'il n'aura pas prêté serment au Roi. Les hommes de ma commune de Dreux jureront de ne jamais léser le Roi et de le servir au besoin. » Que devient, après un tel accord, l'indépendance du comte de Dreux?

En vertu d'un droit de suzeraineté qu'il est le premier à exercer régulièrement, Philippe-Auguste défend à ses vassales d'épouser les barons qui lui déplaisent et même les héritiers de certaines seigneuries, afin d'empêcher l'union de deux grands fiefs. Une comtesse d'Eu, une dame d'Amboise, une comtesse de Nevers, même une comtesse de Flandre se sont pliées à la volonté royale. Un puissant feudataire, le comte de Nevers, Hervé de Donzi, s'engage à ne donner sa fille ni à l'un des fils de Jean-sans-Terre, ni à Thibaut de Champagne, ni au fils du duc de Bourgogne, ni au seigneur de Couci.

Sous les règnes précédents, les ducs et les comtes réglaient leurs rapports avec les clercs, les bourgeois et les nobles de leur ressort féodal, sans demander au roi la confirmation de leurs actes. Sous Philippe-Auguste, le seigneur de Châteauroux, le seigneur de Bourbon, le comte de Nevers, le comte de Flandre, le duc de Bourgogne, demandent ou subissent la sanction du sceau royal pour les accords conclus avec leurs villes ou leur clergé. En 1194, Pierre de Courtenai, comte de Nevers, concède un privilège à ses manants d'Auxerre. Non seulement Philippe-Auguste confirme l'acte, mais il fait insérer un article aux termes duquel il est chargé lui-même de veiller à l'exécution du contrat; une autre clause stipule qu'il sera payé de sa peine : les bourgeois d'Auxerre verseront cent livres parisis au trésor royal.

PHILIPPE CONFIRME LES ACTES DES HAUTS BARONS.

Philippe-Auguste s'ingère dans la vie intérieure des nobles, et jusque dans leurs arrangements de famille. Il règle, en 1200, le partage de la succession d'Adam de Montfermeil. Il ne s'agit ici que d'un petit seigneur appartenant à la féodalité domaniale. Mais — ce que n'avaient pu faire ses prédécesseurs — il consacre aussi de son autorité les contrats d'intérêt privé, dans les baronnies les plus lointaines et dans les États féodaux de premier ordre. Le comte d'Auvergne, Guillaume, donne à sa femme, en 1212, trois localités du pays; le comte de Saint-Pol cède à son fils pour dix ans la jouissance de son comté (1223); un échange de mariages a lieu, en 1205, entre les comtes de Forez et les seigneurs de Dampierre; Aimar de Poitou revendique, en 1209, ses droits sur le Valentinois, etc. Tous ces actes reçoivent la confirmation royale. Il est probable que les intéressés eux-mêmes l'avaient demandée, croyant utile de faire valider leurs contrats par une puissance capable d'en assurer l'exécution. Mais ceci même prouve combien cette puissance avait grandi.

Par l'exemple de la Champagne, on peut voir comment un grand fief perdait alors l'indépendance sans être en guerre avec le Roi.

LE COMTÉ DE CHAMPAGNE SOUS PHILIPPE-AUGUSTE.

En 1201, Thibaut III, comte de Champagne, mourait, laissant une fille toute jeune, et sa veuve, Blanche, en état de grossesse. Immédiatement Philippe impose un traité à la comtesse. Blanche lui fait hommage, jure de ne pas se remarier sans son assentiment, s'engage à lui livrer sa fille et l'enfant dont elle est enceinte, et remet entre ses mains les châteaux de Brai et de Montereau. Peu après, lui naît un fils, Thibaut; mais elle convient avec le Roi que son fils restera en minorité jusqu'à l'âge de vingt et un ans. Dès que l'enfant atteint sa douzième année, Philippe conclut avec la mère un nouveau traité qui confirme le premier et l'aggrave (21 novembre 1213) : Blanche et Thibaut jurent de servir fidèlement le roi de France; ils s'interdisent, avant la majorité du comte, de fortifier Meaux, Lagni, Provins et Coulommiers, sans le consentement du roi, aux mains de qui resteront les places de Brai et de Montereau. Cette convention est garantie par tous les seigneurs de Champagne, et la comtesse promet de payer 20 000 livres parisis si, avant un mois, elle n'en a pas exécuté toutes les clauses. Pour plus de sûreté, Philippe exige, l'année suivante, que le jeune Thibaut lui fasse hommage, et celui-ci s'engage par un acte spécial à ne pas sortir du « bail » de sa mère avant l'époque fixée pour sa majorité.

Toutes les précautions sont bien prises pour que le comté de Champagne devienne une sorte d'annexe du domaine royal. Il faut que la comtesse demande au Roi l'autorisation de reconstruire un mur du château de Provins (1216) : encore Philippe lui défend-il d'y mettre des tourelles. Il lui envoie des mandements écrits du même ton que ceux qu'il adresse à ses baillis. En 1215, il lui annonce qu'il a modifié la législation relative au duel judiciaire : « Sachez que, sur le conseil d'hommes sages et dans l'intérêt général, nous avons décidé qu'à l'avenir les champions devront combattre avec des bâtons dont la longueur ne dépassera pas trois pieds. Nous vous mandons par la loi que vous nous devez, et vous requérons de faire publier et observer cette ordonnance dans toute l'étendue de votre État. »

PROCÈS DE LA SUCCESSION DE CHAMPAGNE.

La comtesse de Champagne obéit; elle a, d'ailleurs, besoin de l'appui du Roi contre un compétiteur au comté, Érard de Brienne. Cet aventurier est allé jusqu'au fond de l'Orient chercher, pour en faire sa femme, une fille de l'ancien comte de Champagne Henri II, et il la ramène en France pour opposer ses droits à ceux du fils de Blanche (1216). Blanche le fait excommunier par le Pape, et des agents de Philippe-Auguste l'arrêtent à son passage au Pui en Velai; mais Érard s'échappe et entre en Champagne, où la guerre commence. Philippe refuse l'hommage du prétendant sous prétexte que la loi féodale lui défend d'écouter les réclamations qu'on peut faire valoir sur le comté avant que le jeune Thibaut soit majeur. Érard en appelle à sa justice; la cour du Roi se réunit à Melun (juillet 1216); le procès est jugé et la sentence rendue en faveur de Blanche et de Thibaut.

Plus que jamais la Champagne est entre les mains de Philippe-Auguste. Thibaud devient majeur en 1222; mais le premier acte du jeune comte est un engagement de servir fidèlement le roi de France. En décembre 1222, les officiers du comte veulent saisir, suivant la coutume, les biens de l'évêque de Meaux décédé. Philippe-Auguste écrit directement aux baillis, prévôts et sergents de son vassal, comme à ses propres agents, et leur fait défense d'occuper les domaines épiscopaux.

LE DUCHÉ DE BOURGOGNE.

Le duc de Bourgogne, Eude III (1193-1218), est un allié fidèle de Philippe-Auguste, le docile exécuteur de ses volontés. Et quand il meurt, le roi de France a cette bonne fortune de voir la Bourgogne, comme la Champagne et la Flandre à la même époque, administrée par une femme qu'il est facile d'assujettir. Alix de Vergi, duchesse de Bourgogne comme tutrice de son fils mineur, Hugue IV, est obligée, pour entrer en possession du fief (août 1218), de s'engager à servir avec dévouement « son très cher seigneur Philippe, » de lui promettre qu'elle ne se remarierait pas sans son consentement et de lui donner, comme garantie de sa promesse, les principaux seigneurs de Bourgogne. « S'il arrivait, écrit-elle, ce qu'à Dieu ne plaise, que je manque à mes engagements, mes vassaux aideront, de tout leur pouvoir et de toutes leurs ressources, le seigneur Roi, jusqu'à réparation complète du tort que je lui aurai causé. »

LES HAUTS BARONS ACCEPTENT LA LÉGISLATION ROYALE.

Le temps n'est plus où les États souverains de la France seigneuriale n'avaient, avec la Royauté, que les rapports superficiels d'un vasselage de théorie. Nous constaterons ailleurs que les grandes seigneuries se résignaient à être justiciables de la cour de Philippe-Auguste; elles en arrivent aussi à accepter ses décisions législatives et à leur donner, chez elles, force de loi. Les hauts barons contresignent les ordonnances générales du Capétien : en 1214, celle qui établit que la femme aura en douaire la moitié des biens de son mari; en 1219, celle qui dispose que les parents de la femme décédée sans enfants n'hériteront pas des acquêts faits par elle et par son mari pendant la durée du mariage et n'auront droit qu'à son apport dotal. Ainsi la Féodalité accepte que le roi de France transforme la loi féodale : elle subit les innovations de ses légistes!

On ne voit pas qu'elle ait protesté contre l'établissement de 1209,

la plus importante de toutes les modifications apportées par Philippe
à la coutume. Lorsqu'un fief sera divisé entre plusieurs héritiers, ces
feudataires multiples seront tous les vassaux directs, non pas de l'un
d'entre eux, comme le voulait l'ancien usage, mais du suzerain du fief :
disposition favorable à l'autorité des hauts seigneurs, mais surtout à
celle du Roi, suzerain de tant de seigneuries. Supprimer des fiefs
intermédiaires et certains degrés de la hiérarchie, c'était changer les
bases du système féodal et préparer l'unité monarchique.

LE ROI ET LA   Pendant que Philippe-Auguste entamait ainsi l'indépendance des
FÉODALITÉ DE   hauts barons de la France capétienne proprement dite, il ne négligeait
L'EST ET DU MIDI. pas les moyens d'introduire son autorité dans ces pays de l'Est et du
Midi, où son père avait surtout gagné les clercs.

Sur la lisière du royaume d'Arles, il tâche d'attirer à lui et d'enlever à l'Empire les petits seigneurs et les grands barons. Dès 1188,
il reçoit l'hommage du sire de Tournon. En 1198, il confirme à
Guigue IV, fils du comte de Forez, Guigue III, les droits que Louis VII
avait reconnus à son père sur ses terres et celles de ses vassaux,
notamment la garde des routes. Il encourage ces comtes à s'allier,
par des mariages, avec la famille de Gui de Dampierre, seigneur de
Bourbon, serviteur zélé de la Royauté. En 1212, Bertran de la Tour
reçoit de lui, après l'hommage, les châteaux d'Orcet, de Montpeyroux
et de Coudes, en Auvergne. En 1219, un noble du Velai, Pons de
Montlaur, se reconnaît son vassal pour les châteaux de Montbonnet,
de Montauroux et de Chambon. La féodalité cévenole s'oblige à ne
pas construire de nouveaux châteaux depuis le Rhône jusqu'à Alais,
d'Alais à Montbrison et de Saint-Auban au Pui.

Dans le Périgord, le Limousin et le Querci, on commence à
sentir l'action du roi de France, et parfois les féodaux sollicitent sa
domination. Hélie de Périgord lui fait hommage pour son comté
(1204), Bertran de Gourdon pour sa seigneurie, que Philippe s'engage
à ne jamais séparer de son domaine (1211). En 1212, Philippe prend
le même engagement envers Robert, vicomte de Turenne, qui est
devenu son vassal. La même année, recevant l'hommage du comte
Archambaud de Périgord et de Bertran de Born, seigneur d'Hautefort, le fils du troubadour, il promet de maintenir sous son vasselage et dans son domaine direct le château d'Hautefort et le comté
de Périgueux.

On verra comment la guerre des Albigeois, en substituant à
l'ancienne maison de Saint-Gille celle d'un petit seigneur de la
Francia, Simon de Montfort, ouvrit le Languedoc à Philippe-Auguste.
Lorsqu'en 1216, Simon lui fit hommage pour le duché de Narbonne,

le comté de Toulouse et les vicomtés de Béziers et de Carcassonne, ce fut un événement de grande importance. La suzeraineté du roi de France sur le Midi, jusqu'alors vague et théorique, devenait directe et réelle.

Ainsi beaucoup de seigneuries du royaume, que le domaine capé- *PRÉPONDÉRANCE* tien n'englobait pas, tombaient peu à peu sous la domination du Con- *DE LA MONARCHIE.* quérant. Flandre, Ponthieu, Auvergne sont devenus des fiefs assujettis et surveillés par les agents du Roi. La Bretagne est entre les mains d'un Capétien de la branche cadette, Pierre de Dreux. On a vu que le Roi exerçait une sorte de protectorat sur la Champagne et la Bourgogne. Grandes conquêtes ou petites acquisitions, progrès accomplis par absorption violente ou par infiltration pacifique, tout contribue à préparer et à établir un ordre de choses vraiment nouveau.

A l'avènement de Philippe-Auguste, l'aristocratie féodale était encore la grande puissance territoriale et politique de la région française. A sa mort, par un renversement absolu des situations, par le déplacement de la propriété et du pouvoir, c'est la Monarchie qui prévaut.

II. — LE ROI ET LE CLERGÉ [1]

ONARQUE très chrétien, défenseur de la foi, protecteur de l'Église, Philippe-Auguste était tenu d'enrichir et de privilégier les chapitres et les abbayes, où clercs et moines priaient pour le salut de son âme, mais il ne prodigua ni son argent ni sa terre ; il a surtout confirmé les donations de ses prédécesseurs. Il ne s'est montré généreux que pour les églises situées hors de l'ancien patrimoine capétien, celles de la Normandie, de l'Aquitaine, du Languedoc. Il fallait bien se concilier le Clergé dans les provinces conquises, ou convoitées, et renouer la tradition des temps carolingiens, qui voulait que le clergé de la France entière fût sous le patronage éminent du Roi. Quand Philippe-Auguste accorde à l'évêque de Lodève le droit de se servir de la bannière capétienne, et aux moines de Sarlat, la confirmation des bienfaits de Louis le Débonnaire, il prouve la supériorité de la puissance royale sur les pouvoirs féodaux et fait pénétrer au loin l'influence de la Royauté.

Comme ses prédécesseurs, il fait campagne pour défendre les *PHILIPPE* évêques et les abbés contre les féodaux. En 1180, n'étant pas encore *PROTÈGE L'ÉGLISE.*

1. OUVRAGES A CONSULTER. J. Havet, *L'Hérésie et le Bras Séculier au moyen âge jusqu'au XIIIe siècle*, dans Biblioth. de l'Ecole des Chartes, t. XLI, 1880. P. Fournier, *Les Conflits de juridiction entre l'Eglise et le pouvoir séculier de 1180 à 1328*, dans Rev. des questions historiques, t. XXVII, 1880 ; *Les Officialités au moyen âge*, 1880.

roi en titre, il allait dans le Berri châtier le seigneur de Charenton, ennemi des moines, puis en Bourgogne, où le comte de Chalon et le seigneur de Beaujeu persécutaient l'Église. En 1186, sur la plainte des clercs, il mène contre le duc de Bourgogne l'expédition importante dont nous avons parlé [1], et, quand le duc est vaincu, il l'oblige à réparer les torts faits aux évêques. En 1210, ses soldats délivrent l'évêque de Clermont des vexations du comte d'Auvergne. Dans cette dernière circonstance, en même temps qu'il protégeait l'Église, le Roi trouvait l'occasion d'humilier un haut feudataire qui s'était coalisé avec les maisons de Flandre et de Champagne.

Philippe est moins pressé de se mettre au service du Clergé, quand son intérêt politique n'est pas en cause. Aux églises du pays de Reims, qui, après avoir refusé de se laisser taxer par lui, réclamaient en 1201 le secours de ses armes contre les comtes de Rethel et de Rouci, il fit cette réponse : « Vous ne m'avez aidé que de vos prières, je vous secourrai de la même façon. » La persécution devenant intolérable, les évêques insistent, avouent leur tort, supplient le Roi d'intervenir : « Voyant que la leçon a porté, » dit Guillaume le Breton, « Philippe le Magnanime se décide enfin à se mettre en marche. » Il concentre ses troupes à Soissons, et cette démonstration suffit : les nobles pillards donnent satisfaction à leurs victimes.

Quand le peuple et le Clergé, ces deux forces sur lesquelles il s'appuie, sont en querelle, il est fort embarrassé. S'il ne réussit pas à les réconcilier, et qu'il lui faille prendre parti, il soutient d'ordinaire les intérêts de l'Église.

L'ÉGLISE *DÉFENDUE PAR LE ROI CONTRE LES COMMUNES.* En 1222, à Noyon, un serviteur des chanoines de Notre-Dame ayant été arrêté par les magistrats municipaux dans le cimetière de la cathédrale et mis en prison, le chapitre essaye de se faire remettre le prisonnier, lance l'interdit sur la ville et excommunie le maire et les jurés. Aussitôt les bourgeois se rassemblent aux cris de : *Commune! Commune!* et pénètrent de force dans le cloître. Ils arrivent jusqu'à la cathédrale où l'on célébrait les offices. Les portes de l'église sont forcées, le peuple y pénètre en tumulte, maltraite tous les prêtres qu'il rencontre et notamment l'official, le juge de l'évêque, dont la robe est déchirée. Le doyen du chapitre, lui-même, est grièvement blessé. Philippe-Auguste dut aller à Noyon et imposer la paix.

Ce fut la commune qui en fit les frais. Par jugement du Roi, le maire fut contraint de relâcher son prisonnier, de payer aux chanoines une indemnité de 150 livres, de faire, avec six jurés, un dimanche, amende honorable à la procession. On condamna les bourgeois à

1. Voir plus haut, p. 88.

dénoncer les coupables encore inconnus; leurs magistrats jurèrent qu'ils ne mettraient jamais la main sur la personne des chanoines ou de leurs serviteurs. Enfin, le cri de : *Commune!* considéré comme séditieux, fut interdit.

Les juges municipaux de Noyon se querellaient aussi avec l'évêché pour des questions de juridiction. Impatienté de ces démêlés perpétuels, Philippe-Auguste rendit trois arrêts successifs et, trois fois, donna tort à la bourgeoisie. Il décida que la connaissance de toutes les querelles entre la commune et l'évêque appartiendrait, non aux échevins, juges communaux, mais au tribunal des francs-hommes de l'évêché.

Il fut obligé de protéger ainsi, dans la plupart des autres communes, le pouvoir, la propriété et la justice des clercs, sans cesse menacés par les bourgeois. A Sens, il excepte de la commune les sujets de l'Église pour les maintenir dans la dépendance de l'archevêque. Au Pui, à Tournai, à Beauvais, il contraint les habitants à s'acquitter envers l'évêque du devoir féodal. Il s'engage à ne pas laisser les bourgeois de Soissons relever les fortifications qu'ils avaient construites pour narguer leur seigneur ecclésiastique. A Compiègne et à Laon, il force les gouvernements municipaux à payer ce qu'ils doivent aux églises. Il veut que la commune de Vailli, en Soissonnais, laisse en paix les moines de Hesdin et fasse, tous les ans, lecture publique de la charte royale qui garantit les possessions des religieux de Vaucelles. Défense aux échevins de Tournai, aux jurés d'Arras et de Soissons d'empiéter sur les droits de l'évêché ou des chapitres. A Châlons, les bourgeois devront subir l'excommunication dont leur évêque les a frappés et lui donner satisfaction entière (1210). A Reims, Philippe enjoint aux échevins de rendre à l'archevêque les clefs de la ville et de ne pas recevoir les personnes qu'il a bannies. Enfin, il invite le maire et les jurés de Péronne, excommuniés par l'archevêque de Reims, à réparer leur faute et à payer au prélat une amende de cent livres, prix de leur absolution (1220).

Le roi de France remplit donc ses obligations envers l'Église; mais, *MOT DE PHILIPPE* en retour, il exige d'elle, avec rigueur, l'obéissance et tous les ser- *SUR SES RAPPORTS* vices auxquels il la croit tenue. Aussi lit-on avec surprise ce pas- *AVEC L'ÉGLISE.* sage de Joinville où saint Louis adresse ses suprêmes recommandations à son fils et lui donne Philippe-Auguste en exemple : « On raconte du roi Philippe, mon aïeul, qu'une fois un de ses conseillers lui dit que ceux de la Sainte Église lui faisaient beaucoup de torts et d'excès, en ce qu'ils lui enlevaient ses droits et diminuaient ses justices, et que c'était bien grande merveille qu'il le souffrît. Et le bon

Roi répondit en effet qu'il le croyait bien, mais il considérait les bontés et les courtoisies que Dieu lui avait faites : alors, il aimait mieux perdre de son droit qu'avoir débat avec les gens de la Sainte Église. »

La vérité est que la politique ecclésiastique de ce *bon roi* ne fut le plus souvent qu'une politique de conflits. Évêques traduits devant la justice royale, chassés de leurs sièges, privés de leurs « régales, » c'est-à-dire de leurs revenus temporels; diocèses occupés *manu mili-tari* et rançonnés par les officiers du Roi; mesures législatives prises expressément, avec solennité, pour arrêter les progrès de la justice d'Église; impôts extraordinaires prélevés de force sur les évêchés et les abbayes; obligation durement imposée aux membres du Clergé de soutenir le Gouvernement royal dans ses luttes fréquentes avec le Pape : par ces procédés, Philippe-Auguste a fait comprendre à tous qu'il entendait être le maître de ses évêques et de ses abbés, aussi bien que de ses barons.

PHILIPPE ET LES ÉLECTIONS ECCLÉSIASTIQUES. On ne peut dire pourtant qu'il ait abusé de son pouvoir pour vicier les élections ecclésiastiques et imposer ses créatures. Depuis Louis le Gros, l'intervention du Roi dans les opérations électorales consistait simplement à accorder aux électeurs l'autorisation d'élire, puis à exiger que leur choix fût soumis à son consentement. Un souverain comme Philippe-Auguste, résolu et sans scrupule, pouvait trouver dans l'exercice de ce droit un moyen de peser sur les électeurs et de pratiquer la candidature officielle. Mais on ne le voit guère refuser la permission d'élire ou l'approbation des élections faites. Il ne paraît même pas tenir beaucoup à cette prérogative de la souveraineté. En 1203 et 1204, quand il accorde au clergé de Langres et d'Arras l'abandon de la régale, il concède aux chanoines, par la même occasion et pour le même prix, la liberté d'élire leur évêque sans permission préalable. Devenu le maître de la Normandie, il renonce à conserver sur le clergé normand le pouvoir presque absolu des Plantagenêts, qui nommaient directement les évêques : il abandonne jusqu'au droit de régale. L'auteur de la *Philippide* lui fait dire : « A moi appartient le soin de tout ce qui touche le glaive temporel : le gouvernement du royaume me suffit. Je laisse aux hommes de Dieu à traiter les choses du service de Dieu. »

INGÉRENCE DE LA PAPAUTÉ DANS LES ÉLECTIONS. Une autre puissance se permettait ce que Philippe ne faisait pas lui-même. En 1199, à la mort de Michel, archevêque de Sens, le chapitre élit Hugue, évêque d'Auxerre; mais Innocent III donne l'archevêché à Pierre de Corbeil, évêque de Cambrai, son ancien professeur à l'Université de Paris. En 1204, à Reims, sous prétexte que les chanoines n'étaient pas d'accord, il nomme archevêque un de ses cardinaux, Guillaume Paré. En 1220, le clergé de Paris avait élu pour évêque, à une grande majorité, maître Gautier Cornu ; l'archevêque de Sens l'avait confirmé ; le choix était excellent, de l'aveu même du pape Honorius III ; mais celui-ci préférait l'évêque d'Auxerre, Guillaume de Seignelai, connu par son opposition à Philippe-Auguste, et le candidat du Pape fut transféré sur le siège de Paris. Comment expliquer que le Roi, en ces circonstances, ait laissé faire ? Il jugeait peut-être que les élections d'évêques étaient, en soi, chose indifférente et que le pouvoir civil n'avait pas à intervenir.

Au reste, ce protecteur de l'Église exerce sur elle son autorité. Il demande aux évêques et aux abbés, comme à ses barons, le serment de fidélité, le service d'ost, l'accomplissement de tout le devoir féodal. En 1193, Étienne, évêque de Tournai, reçoit l'ordre de comparaître avec son contingent la veille de l'Ascension et de la Pentecôte. L'évêque, un lettré, un pacifique, s'excuse : « Il ne connaît rien, dit-il, au service de la guerre ; depuis Chilpéric, les rois de France n'ont jamais demandé aux évêques de Tournai que la fidélité et l'assistance à la Cour. » Il implore la protection de l'archevêque de Reims, Guillaume de Champagne : « Mon père, lui écrit-il, il est bien difficile d'entrer en lutte avec le seigneur Roi, et pourtant il m'est impossible de faire ce qu'il demande. Je me trouve entre l'enclume et le marteau. Ou il faut que j'offense le Roi, ou il faut que je fasse un service que je ne dois pas. »

LE SERVICE MILITAIRE EXIGÉ DES ÉVÊQUES.

Le refus de service pouvait coûter cher. Les deux frères de Seignelai, Manassès, évêque d'Orléans, et Guillaume, évêque d'Auxerre. n'ayant pas envoyé leurs hommes à l'armée royale de Bretagne (1210), sous prétexte qu'ils n'étaient pas tenus au service d'ost quand le Roi ne commandait pas en personne, Philippe fait saisir leur temporel. Les évêques mettent l'interdit sur leurs diocèses et vont se plaindre à Rome. Innocent III intervient en leur faveur, mais il est obligé, en 1212, d'inviter les deux évêques à accepter un compromis. Le Roi resta en possession des revenus qu'il avait touchés pendant la séquestration des diocèses ; mais il donna aux évêques une indemnité de 300 livres et les dispensa du service militaire personnel, à condition que, suivant la coutume, ils enverraient leurs contingents.

RÉSISTANCE DES ÉVÊQUES D'ORLÉANS ET D'AUXERRE.

S'il exigeait de son clergé l'observation de la loi féodale, il ne jugeait pas qu'elle fût faite pour lui-même. En 1218, l'évêque d'Orléans, Manassès, se plaignit qu'il eût fait bâtir une grosse tour à Sulli, dans le château d'un feudataire de l'évêché. Le Roi répondit qu'il avait désintéressé, sur son trésor, des marchands que le châtelain de Sulli avait dévalisés, et que l'occupation du château n'était qu'une manière de remboursement. L'évêque va à Paris, offre au Roi de lui restituer ce qu'il a dépensé, Philippe s'obstina à garder sa tour. Il fallut l'intervention presque menaçante d'Honorius III pour qu'il consentît à une transaction. Manassès rentra en possession de la forteresse construite dans son ressort féodal, mais il fut tenu de la remettre au Roi à toute réquisition.

Vassal de l'Église pour certaines terres, Philippe refusa l'hommage, disant que le roi de France ne le devait à personne. La Royauté, par là, se mettait hors de la loi commune. Les évêques d'Amiens, de Térouanne, d'Auxerre, de Noyon, de Beauvais se trouvèrent ainsi frustrés de leur droit de suzerains. Philippe leur donna, il est vrai, des compensations : l'abandon de son droit de gîte, des rentes en vin ou en blé, plus rarement des terres, quelquefois même simplement (comme à Amiens) de bonnes paroles, un certificat de dévouement au Roi.

LES ÉVÊQUES ET LA JUSTICE ROYALE.

Il entendait, comme ses prédécesseurs, que l'Église fût soumise à sa justice. L'évêque d'Orléans, Manassès, était en procès avec lui au sujet du gîte royal de Meung et de Pithiviers. L'affaire fut portée devant la Cour, à Paris : mais l'évêque prétendit qu'il ne pouvait être jugé que par les évêques (1210). Il n'ignorait pas cependant qu'au XIIe siècle, des évêques et des abbés avaient comparu devant la Cour du Roi, où se trouvaient toujours, d'ailleurs, parmi les juges des gens d'Église. Le Roi confisqua une fois de plus le temporel de Manassès. Six ans plus tard, lorsque la Cour de France, où se trouvèrent réunis pour la circonstance les plus hauts barons et beaucoup de prélats, eut jugé le procès d'Érard de Brienne, prétendant au comté de Champagne, une voix s'éleva contre le jugement rendu, celle de Manassès. Il nia la compétence du tribunal, ce qui fit scandale au point qu'il fut obligé de désavouer ses paroles et de faire ses excuses au Roi et aux barons.

Son frère Guillaume, devenu évêque de Paris, n'était pas mieux disposé pour Philippe-Auguste. D'une mince question de propriété, l'affaire du Clos-Bruneau (1221), sortit un débat irritant entre le Roi et l'évêque. Guillaume fit traîner le procès en longueur, puis, un jour, déclara que la Cour du Roi n'était pas qualifiée pour le juger, et que la cause ressortissait aux tribunaux d'Église. Le Roi répliqua que l'évêque n'avait pas le droit de récuser et de déprécier ses juges. Sur quoi Guillaume quitta la Cour. Nous ne savons, au reste, comment finit l'incident.

LA JURIDICTION D'ÉGLISE.

Précisément à la fin du XIIe siècle et au commencement du XIIIe, la juridiction des tribunaux ecclésiastiques, fortifiés par l'institution des officialités, devenait envahissante. L'Église ne se contentait pas de connaître de toutes les causes où étaient impliqués ses membres; elle intervenait dans les démêlés des laïques, s'il s'agissait de personnes placées sous sa protection spéciale : les croisés, les orphelins, les veuves, les étudiants, les notaires, les sergents et les autres employés des seigneuries religieuses. Elle prétendait étendre aussi sa compétence à toutes les matières qui pouvaient, de près ou de loin, intéresser la religion. Non seulement les affaires spirituelles proprement dites, vœux, sacrements, dîmes, élections, délits commis dans les lieux saints, sacrilège, hérésie, sorcellerie, simonie, mais le mariage, les fiançailles, les séparations, l'adultère, la légitimation, étaient pour elle des cas religieux. Que restait-il aux tribunaux de la Féodalité et du Roi?

Un mouvement de réaction très vive contre les abus de la juridiction ecclésiastique se produisit alors parmi les féodaux, et la Royauté s'y associa. « Philippe voulait, » dit l'historien d'Auxerre, en 1180, à propos d'un conflit entre le gouvernement capétien et l'archevêque de Sens, « que les causes séculières fussent exclusivement jugées à sa cour et que l'archevêque se réservât seulement la connaissance des causes ecclésiastiques. » Mais distinguer les causes spirituelles des causes séculières, c'était à peu près impossible au Moyen âge. L'archevêque de Sens protesta contre les prétentions de Philippe et lui reprocha bien d'autres « empiétements nouveaux » sur le domaine ecclésiastique. Le Roi le mit dans l'alternative de céder ou de quitter son diocèse. L'archevêque préféra l'exil.

Un acte très significatif, la convention de 1205-1206, appliquée en Normandie, et peut-être aussi dans d'autres régions, disposa que les juges d'Église ne pourraient connaître des matières féodales ; qu'en certains cas les juges laïques auraient la faculté d'arrêter et de justicier les clercs coupables ; que le droit d'asile des édifices religieux serait limité ; que l'Église ne pourrait excommunier ceux qui font le commerce le dimanche ou qui négocient avec les Juifs ; qu'enfin, un bourgeois ayant plusieurs enfants ne pourrait donner à celui de ses fils qui serait clerc qu'une partie de ses terres inférieure à la moitié. La participation de la Royauté à cet acte législatif est très probable ; car le document est daté de Paris et porte en tête : *Propositions du Roi contre le Clergé*, ou encore : *Articles relatifs aux entreprises faites contre la juridiction du seigneur Roi*. Il s'agit bien d'une ordonnance rendue sous l'inspiration de Philippe-Auguste pour protéger ses droits contre les empiétements des clercs, et la Monarchie y fait cause commune avec la Féodalité.

En novembre 1206, le comte de Boulogne, le châtelain de Beauvais et un grand nombre de seigneurs normands réunis à Rouen attestent par serment les droits dont jouissaient le Roi et les seigneurs, dans leurs rapports avec le Clergé, au temps d'Henri II et de Richard

Cœur-de-Lion. Les signataires de cette déclaration solennelle, scellée de vingt-deux sceaux, ont voulu, disent-ils, « défendre leurs droits et ceux du Roi contre l'Église. » Un an après, les évêques de Normandie acceptaient un règlement de procédure qui déterminait les cas où la justice royale serait saisie (octobre 1207). Enfin, en 1218, l'archevêque de Rouen reconnaissait le pouvoir des baillis royaux dans les affaires de patronage des églises; il consentait à restreindre l'abus du droit d'asile et à promettre d'excommunier moins facilement les agents du Roi

Par les paroles, les écrits, les actes, Philippe-Auguste manifesta, en toute occasion, sa volonté arrêtée de subordonner la justice d'Église à la sienne et de tenir le Clergé en main.

III. — LE ROI ET LES PAYSANS[1]

CE roi de France, qui s'éloigna, sur tant de points, de la tradition de Louis VII, n'a pas laissé entrevoir, dans les préambules de ses chartes, qu'il plaignît beaucoup les paysans de condition servile.

Sans doute ces préambules n'étaient pas l'expression formelle des sentiments du souverain, et il faut se garder d'en exagérer la valeur historique. Mais les scribes qui les rédigeaient s'inspiraient souvent des dispositions du maître. Une seule fois, en confirmant une libération de trois cents serfs de l'abbaye de Saint-Aignan d'Orléans, Philippe a écrit par la plume de ses clercs : « Attendu que c'est faire un acte de piété que de délivrer du joug de la servitude l'homme formé à l'image de Dieu. » Cet acte pieux, il l'a fait rarement lui-même . dans la plupart des cas, il s'est borné à approuver, moyennant finances, les affranchissements accordés par les seigneurs ecclésiastiques et laïques.

On possède plus de 2 000 actes émanés de sa chancellerie : il n'y a que deux ou trois chartes d'affranchissement qui procèdent de lui directement. En 1220, il libère les hommes de Pierrefonds de la mainmorte et du formariage. En 1221, il exempte ses hommes de la Ferté-Milon des mêmes servitudes. Encore cette générosité n'est-elle pas gratuite. Les hommes de Pierrefonds devront payer vingt livres parisis de plus qu'auparavant; ceux de la Ferté-Milon, quarante livres. Le Roi a soin d'ailleurs de stipuler qu'ils resteront soumis à la chevauchée, à la taille, à tous les services et à toutes les coutumes

1. OUVRAGES A CONSULTER. Henri Sée, *Les classes rurales et le régime domanial en France au Moyen âge*, 1901. Luchaire, *Les Communes françaises à l'époque des Capétiens directs*, 1890 (chapitre sur la *Commune rurale* et la *Commune collective du Laonnais*).

non serviles qu'il exigeait d'eux avant la libération. Il leur défend expressément de se marier, maintenant qu'ils sont affranchis, avec des personnes de condition serve appartenant à d'autres seigneuries, car leurs biens et possessions auraient été, en ce cas, perdus pour lui.

Il prend aussi toutes les précautions nécessaires pour que ses hommes et ses femmes de corps ne se libèrent pas d'eux-mêmes, en désertant son domaine. Ses chartes de franchise ou de commune (notamment celles de Voisines, Saint-Quentin, Athies et Beaumont-sur-Oise) contiennent une clause portant que les serfs et serves de sa terre n'auront pas le droit de s'établir dans la localité affranchie, ou de faire partie de la commune. « S'il arrive, dit-il dans l'acte relatif à Saint-Quentin (1195), qu'un homme de corps nous appartenant soit reçu par mégarde dans la commune, nous ferons savoir aussitôt à la commune que cet homme est dans notre servage et les gens de la commune ne pourront pas le retenir. »

Il trouve naturel, au contraire, que les domaines seigneuriaux soient désertés au profit du sien. « Seront reçus dans cette franchise, dit l'acte relatif à Beaumont-sur-Oise (1223), tous les hommes, à quelque seigneurie qu'ils appartiennent, qui voudront s'établir à Beaumont, à l'exception de mes hommes et de mes femmes de corps, de mes hôtes et de leurs fils. » Des seigneurs voisins du domaine royal se trouvant lésés et portant plainte, Philippe fait des concessions. En 1187, le seigneur de Sulli-sur-Loire obtient, par faveur spéciale, que les hommes de Sulli ne soient pas reçus comme hôtes sur les terres du Roi. La comtesse de Champagne (1205), ayant représenté que les serfs champenois se réfugiaient en nombre dans la ville royale de Dimont (Yonne), le Roi déclare qu'il gardera tous les serfs qui y ont pris résidence depuis plus d'un an. Il accorde seulement que ceux qui s'y sont établis depuis ou s'y établiront à l'avenir abandonneront leurs propriétés au seigneur dont ils auront déserté la terre, ce qui, d'ailleurs, était de droit dans plusieurs coutumes.

Quand l'évêque de Nevers se plaignit, lui aussi, en 1212, du même dommage, Philippe voulut bien, dans la convention signée avec lui, insérer cette clause : « Si un serf épiscopal vient à s'établir dans notre domaine, nous le ferons saisir, et, après enquête sur sa condition, s'il est prouvé qu'il appartient réellement à l'évêché, nous le ferons remettre à l'évêque. » Mais il laisse à ce serf le droit de se racheter pour rester, libre, en terre royale, et stipule que l'évêque ne touchera que la moitié du prix de rachat; l'autre moitié devra revenir au Roi. Non seulement il bénéficiait de la présence, dans sa ville, d'un homme qui ne lui appartenait pas, mais il se faisait payer l'avantage d'avoir un sujet de plus. Beaucoup des serfs déserteurs de l'évêché de Nevers étaient allés se réfugier dans les villes royales de Bourges et d'Aubigni-sur-Cher. L'évêque avait renoncé à les revendiquer, mais il demanda qu'on les contraignît au rachat, et qu'il pût toucher, aux termes du traité, la moitié des sommes données par les affranchis. « Non, répondit Philippe-Auguste, pour ceux-là la convention n'est pas valable : ils sont couverts par la prescription. »

CONFIRMATION D'AFFRANCHISSE-MENTS.

Lorsque le Roi confirmait les affranchissements faits par autrui, le plus souvent par des églises, il y trouvait un double profit : de l'argent et de la considération. La Royauté apparaissait comme la puissance bienfaisante qui validait l'acte libérateur et le rendait définitif. Les paysans réservaient leur gratitude, non pas au seigneur immédiat qu'ils payaient, mais au suzerain éloigné dont l'intervention leur semblait désintéressée. Ils gardaient comme une relique la charte signée du Roi et scellée de son sceau. Parfois, pour donner plus de solennité à l'acte d'émancipation, le seigneur qui affranchissait allait accomplir la cérémonie au palais du souverain. En 1202, un noble des environs de Paris, Ferri de Palaiseau, libéra, devant Philippe-Auguste et sa cour, un certain nombre de serfs et de serves. L'intervention personnelle du roi semblait donner à l'affranchissement un caractère spécial d'inviolabilité.

LES HOTES ROYAUX.

Les privilèges accordés par Philippe-Auguste à la classe des *hôtes*, de condition plus ou moins libre, sont peu nombreux, et encore ont-ils le plus souvent pour objet, non d'améliorer la condition des hôtes royaux déjà établis, mais d'attirer des cultivateurs dans une localité déserte du domaine ou d'exempter de certaines charges les hôtes des lieux acquis en pariage. Il s'agit de gagner l'affection de sujets nouveaux. Ainsi s'explique, par exemple, la charte de coutumes accordée par le Roi, en 1196, aux manants du village de Villeneuve-Saint-Mellon ou Villeneuve-le-Roi. Ces hôtes ne paieront, comme impôt direct, qu'un cens de cinq sous et un setier d'avoine pour la maison qu'ils habitent; comme impôt indirect, qu'un tonlieu d'un denier pour chaque tonneau de vin vendu. Les amendes judiciaires, qui sont fixées communément à soixante sous, sont rabaissées pour eux à sept sous et demi. Leur service militaire est très allégé : ils n'iront à l'ost et à la chevauchée que lorsqu'ils pourront rentrer dans leurs foyers le soir même du jour où on les aura convoqués. Enfin le Roi déclare que leur village restera à perpétuité dans le domaine de la Couronne. Mais il faut noter que Philippe-Auguste octroie ces privilèges attrayants à une localité qui n'est pas encore peuplée. Il fonde une ville neuve et il y appelle les habitants.

Le Roi est beaucoup moins généreux pour les hôtes domaniaux déjà installés. Il leur défend expressément d'aller s'établir à Villeneuve-Saint-Mellon ou à Chaumont-sur-Oise. Dans la charte de Voisines (Yonne), accordée en 1187, il dit : « Quiconque aura séjourné dans ce village un an et un jour, sans avoir été l'objet d'aucune plainte et d'aucune revendication, restera libre et exempt de toute poursuite, à l'exception de nos hommes de corps et de nos *hôtes taillables*. On ne pourra les retenir que s'ils habitaient la localité avant l'octroi de la présente charte. » Il est clair que Philippe tient à conserver la propriété de ses hôtes, comme celle de ses serfs.

En somme, ce roi de France ne s'est intéressé à la libération du peuple rural que dans le domaine d'autrui, par exemple dans celui de l'évêque de Laon.

En 1174, l'appui du roi Louis VII avait permis aux serfs du Laonnais de s'organiser en une commune fédérative de dix-sept villages dont le centre était Anisi-le-Château (Aisne). Il leur avait donné une charte communale, toute semblable à celle qui régissait les bourgeois de Laon. L'évêque de Laon, Roger de Rozoi, aidé des seigneurs de la région, prit sa revanche trois ans après : il cerna les serfs près de la localité de Comporté, et en fit une effroyable boucherie. Quand Philippe-Auguste devint roi, en 1180, les malheureux paysans étaient retombés sous le joug de leur évêque. En 1185, les rigueurs et les exactions devinrent à ce point intolérables qu'ils se décidèrent à porter leurs réclamations au Roi. Philippe-Auguste, qui avait à se plaindre de l'évêque de Laon, se fit médiateur; il fixa le chiffre des tailles que l'évêque était autorisé à percevoir sur ses sujets et le taux des redevances auxquelles les serfs étaient assujettis envers deux officiers de l'évêque, le vidame et le prévôt. De plus, il institua douze échevins, pris parmi eux, chargés de répartir les tailles et de juger tous les différends qui pourraient s'élever entre eux ou avec l'évêque. On ne pouvait appeler des arrêts de ces magistrats nommés par le Roi que devant la justice royale.

Les villageois du Laonnais demandaient davantage : la commune. Entre 1185 et 1190, dans des circonstances que nous ignorons, Philippe-Auguste la leur rendit. Par contre, en 1190, partant pour la croisade et désirant plaire au Clergé, il la supprima. Mais la ténacité du paysan qui voulait s'affranchir égalait au moins celle du Clergé qui entendait rester le maître. Au commencement du XIIIᵉ siècle, les dix-sept villages, toujours cruellement opprimés, firent une tentative d'émigration en masse sur la terre d'un seigneur voisin, Enguerran de Couci. Elle ne réussit pas. Deux ans après, en 1206, les serfs du Laonnais tirèrent parti d'une brouille survenue entre l'évêque et le chapitre de Laon. Ils trouvèrent le moyen de se faire protéger par les chanoines. Ceux-ci devenus, contre l'évêque, les avocats de la

PHILIPPE-
AUGUSTE
ET LA COMMUNE
DU LAONNAIS.

cause populaire, accusèrent en justice Roger de Rozoi de maltraiter ses sujets et de les accabler de tailles illégales. Ce procès fut débattu devant le chapitre métropolitain de Reims, constitué en tribunal d'arbitrage. Les juges rendirent un arrêt qui était un désastre pour l'évêque. Ils donnaient raison aux villageois et remettaient les choses en l'état où elles se trouvaient en 1185. Ils faisaient revivre la décision de Philippe-Auguste qui imposait à l'évêque un maximum de tailles à prélever, et décrétaient qu'en cas de mésintelligence avec l'évêque et ses paysans, le jugement du démêlé appartiendrait au chapitre de Laon. C'était soumettre l'évêque à la tutelle de ses chanoines. Roger de Rozoi en fut si profondément humilié qu'il tomba malade et mourut quelque temps après.

La bienveillance, fort intermittente, que Philippe-Auguste témoigna aux serfs du Laonnais s'explique surtout par l'intérêt qu'il avait à diminuer la puissance temporelle de l'évêque de Laon. En général, il n'a rien fait, d'intention généreuse et préméditée, pour soulager la condition misérable des paysans. Cet homme pratique a gardé toutes ses faveurs pour la partie de la classe populaire qui pouvait lui donner aide et secours, c'est-à-dire pour les bourgeois.

IV. — LES VILLES ASSUJETTIES. PRIVILÈGES ACCORDÉS PAR PHILIPPE-AUGUSTE AUX MARCHANDS ET AUX ARTISANS [1]

PHILIPPE n'est pas le premier Capétien qui ait pris des bourgeois pour conseillers ou pour officiers, mais il a employé par système la bourgeoisie, surtout la bourgeoisie parisienne, comme organe de gouvernement, et ceci était nouveau.

PROGRÈS DE LA BOURGEOISIE.

Sous ce règne, les notables des villes participent à toutes les solennités et à toutes les grandes assemblées où sont convoquées la Féodalité et l'Église. Sans doute, ces bourgeois n'ont pas voix délibérative, ni même consultative : leur droit se borne presque toujours à acclamer, à témoigner par des cris leur approbation et leur joie. Toujours est-il qu'ils sont présents et qu'ils comptent. On a même vu des assemblées exclusivement bourgeoises, comme celle que Philippe réunit, en 1185, pour décider le pavage de Paris.

1. OUVRAGES A CONSULTER. Pigeonneau, *Histoire du commerce de la France*, 1885-1889, t. I E. Levasseur, *Histoire des classes ouvrières et de l'industrie en France avant 1789*, 1900, 2ᵉ édition. Lecaron, *Les origines de la municipalité parisienne*, dans les Mémoires de la Société de l'histoire de Paris, t. VII, 1880. R. de Lespinasse et Bonnardot, *Le Livre des métiers d'Etienne Boileau*, dans la Collection des Documents sur l'histoire de Paris, introduction, t. I, 1879.

Le Gouvernement de Philippe-Auguste.

Un événement d'une haute portée pour le développement poli- *PARTICIPATION DES BOURGEOIS AU GOUVERNEMENT.*
tique de la classe bourgeoise fut l'organisation des pouvoirs publics
comme Philippe-Auguste la régla au moment de partir en croisade [1].
Dans toutes les prévôtés du domaine royal, le prévôt ne pourra
traiter les affaires de la ville, siège de sa juridiction, qu'avec le concours de quatre bourgeois. A Paris, il y en aura six. A ces six Parisiens est confiée, pendant l'absence du Roi, la garde du trésor et
même celle du sceau royal. Chacun d'eux aura une clef des coffres
déposés au Temple. Dans le cas où le Roi mourrait au cours de son
pèlerinage, une certaine somme sera conservée pour les besoins de
l'héritier, le prince Louis, et la garde de cette somme est remise non
seulement aux six bourgeois mais à « tout le peuple de Paris. » Ainsi,
dans toutes les villes, les représentants de la bourgeoisie sont associés
aux fonctionnaires du Roi et, à Paris, ils ont la haute main sur les
finances et sur l'administration générale du royaume. Les noms des six
bourgeois : Thibaut le Riche, Othon de la Grève, Ébrouin le Changeur,
Robert le Chartrain, Baudouin Bruneau et Nicolas Boisseau figurent, en
effet, dans les chartes émanées, en 1190 et 1191, du conseil de régence.

Aussitôt revenu en France, Philippe reprit son autorité pleine et
entière, mais une telle marque de confiance donnée aux habitants
des villes laissa dans leur mémoire un souvenir reconnaissant. Toute
trace de leur passage au pouvoir ne disparut pas ; il y avait eu relations nouées et habitudes prises ; l'alliance conclue entre la Royauté
et le peuple survécut à la circonstance qui l'avait fait naître.

Le premier service que rendit Philippe-Auguste à la bourgeoisie *PHILIPPE PROTÈGE LES MARCHANDS.*
de son domaine fut de poursuivre les châtelains péagers qui augmen-
taient indûment leurs taxes, en établissaient de nouvelles ou rançonnaient les trafiquants. En 1209, le fils d'un grand seigneur du Berri,
Eudes de Déols, est accusé devant la Cour du Roi d'avoir arrêté et
dévalisé des marchands. Philippe se transporte aussitôt à Château-
meillant et oblige le coupable à se soumettre d'avance aux conclusions
d'une enquête. En 1216, il impose au comte de Beaumont-sur-Oise
un tarif des droits à percevoir sur les marchands de la rivière d'Oise.
En 1187, il avait pris sous sa garde un accord commercial des armateurs parisiens avec le seigneur péager de Maison-sur-Seine, Gazon
de Poissi : si le receveur du péage exigeait des redevances abusives, les
marchands étaient autorisés par le Roi à passer outre sans forfaire.

Les marchands que Philippe avait surtout à cœur de satisfaire *PRIVILÈGES ACCORDÉS A LA HANSE DE PARIS.*
étaient ceux de sa ville de Paris. Il n'a donné aux Parisiens aucune
liberté d'ordre administratif ou politique, mais il a largement pri-

1. Voir plus haut, p. 104, ce qui a été dit, en général, du *Testament* de 1190.

vilégiés leurs principaux commerçants réunis en corporation ou *hanse*. La hanse des « marchands de l'eau » de Paris représentait déjà, moralement, la population parisienne tout entière. Philippe l'a comblée de mesures protectrices, faites pour garantir et accroître le monopole du commerce de la Seine qu'elle exerçait avec une âpreté jalouse. Il semble même s'identifier avec elle. En 1213 le chapitre d'Auxerre cède « à Philippe et aux marchands de l'eau » certains domaines situés sur la rivière de l'Yonne.

En 1192, Philippe-Auguste, réglementant le commerce du vin, confère aux seuls marchands de Paris le droit de faire mettre à terre, pour le vendre, les vins amenés par eau. En 1200, le comte d'Auxerre, Pierre de Courtenai, avait osé contester aux bourgeois de Paris le droit d'aller à Auxerre décharger leurs cargaisons de sel. Philippe oblige ce grand seigneur à reconnaître par charte solennelle qu'il a commis un abus de pouvoir, *excessum*. En 1204, le Roi renouvelle le monopole de la hanse, déjà concédé par Louis VII. En 1214, il lui donne un nouveau port sur la Seine (au quai de l'École). Enfin, en 1220, il lui cède les « criages » de Paris, jusque-là affermés au profit de la Royauté. La hanse eut seule le privilège de nommer et révoquer les crieurs, fixer les tarifs et le mode de perception, vérifier les poids et les mesures; elle obtint même la basse justice, c'est-à-dire le droit de juger les infractions faites à ses privilèges et les délits commis par ses membres, pour tout ce qui n'était pas vol, blessure ou meurtre. Cette juridiction accordée aux marchands de Paris et à leur prévôt fut le point de départ de l'autorité que les échevins parisiens exercèrent plus tard sur toute la ville.

LES MARCHANDS DE PARIS ET DE ROUEN.

La difficulté, pour le Roi, était de concilier le monopole des négociants de Paris avec les intérêts des autres corporations d'armateurs, celle de Rouen, ou de la basse-Seine, et celle des Bourguignons de la Haute-Seine et de l'Yonne. En 1204, ces derniers se plaignirent des empiétements de la hanse parisienne : Philippe leur accorda le droit de commercer en amont de Sens, jusqu'à Villeneuve-Saint-Georges et en aval jusqu'à Argenteuil : mais, pour dépasser ces limites, il leur fallait s'associer à un marchand de Paris. Les Normands, de leur côté, faisaient concurrence aux Parisiens. La vraie solution eût été de fondre en une les deux corporations rivales, mais l'esprit du temps répugnait à ces procédés. Du moins Philippe-Auguste favorisa tous les accords qui s'établirent entre les marchands de Paris et de Rouen, notamment ceux de 1210. Normands et Parisiens, associés pour le commerce, durent se prêter un serment de fidélité mutuelle. Les marchands de Rouen purent vendre leur sel dans un des ports de Paris, à condition de prendre un des mesureurs patentés par la hanse. Mais,

au total, Philippe se montra toujours plus favorable à ses anciens
sujets qu'aux nouveaux. Un rude coup fut porté au commerce de
Rouen, quand il eut défendu d'apporter par eau en Normandie les
vins du Midi et de l'Anjou, tandis qu'il permettait aux vins de France
et de Bourgogne d'arriver à Rouen par la Seine.

Protéger les marchands de son domaine, c'était pour Philippe-
Auguste obéir aux intérêts évidents du fisc royal; mais il comprit
aussi la nécessité d'attirer chez lui les marchands étrangers et de les
retenir par d'habiles mesures. Cela était méritoire, car en ce temps
l'usage féodal permettait, aussitôt la guerre déclarée, de se jeter sur
les marchands de la seigneurie ou de la nation ennemie. Les trafiquants étrangers étaient même responsables, en temps de paix, des
dettes que leur seigneur ou leurs compatriotes ne payaient pas.
En 1185, au moment où Philippe est en guerre avec le comte de
Flandre, il annonce aux marchands de la Flandre, du Ponthieu et du
Vermandois, pays ennemis, qu'ils peuvent venir sans crainte à Compiègne pour la foire de carême et qu'en guerre comme en paix ils ne
courront aucun risque. Il les prend sous sa protection, même pour les
années suivantes. En 1193, il déclare aux marchands d'Ipres qu'ils
n'ont rien à redouter dans ses États : on ne les arrêtera pas pour l'argent qui lui serait dû par le comte de Flandre ou par d'autres, et s'il
survient une difficulté avec leur seigneur, ils auront quarante jours
pour sortir du royaume avec tous leurs effets. Six ans plus tard, Philippe fait savoir que tous les marchands pourront naviguer sur la
Somme, de Corbie à la mer, sans avoir à craindre aucune revendication, pourvu qu'ils acquittent les péages accoutumés. On ne pourra
les saisir que pour leurs propres dettes ou pour celles qu'ils auront
garanties. « Qui mettrait la main sur eux, » ajoute le Roi, « s'en prendrait à notre personne. » Jamais un roi de France n'avait comblé
de telles faveurs le commerce étranger.

Philippe se rendait très bien compte de l'importance des foires
de Champagne, fréquentées par les commerçants de l'Europe entière.
En 1209, il prend sous sa sauvegarde, à l'aller et au retour, tous les
marchands qui s'y rendent, « italiens ou autres. » Il veut qu'ils soient
traités « comme ceux de sa propre terre. » D'autre part, il défend les
intérêts des marchands français à l'étranger. Un billet de lui existe
encore dans les archives de la Tour de Londres, adressé à Hubert de
Bourg, le grand justicier d'Angleterre, et rédigé d'un ton assez impé-
rieux. Les marchands d'Amiens avaient fait au gouvernement anglais
une livraison de blé et ne parvenaient pas à en obtenir le paiement.
« Nous vous mandons, écrit Philippe-Auguste, de leur régler leur
compte, et de faire pour eux ce que vous voudriez que nous fissions

pour les marchands d'Angleterre. Il ne faut pas que nos gens d'Amiens aient à souffrir plus longtemps de ce retard prolongé. »

PRIVILÈGES ACCORDÉS AUX CORPS DE MÉTIERS.   Moins riches et moins en vue, les petits commerçants et les ouvriers formaient une sorte de démocratie au-dessous de l'aristocratie des changeurs, des armateurs et des grands industriels. Philippe-Auguste semble s'être moins occupé de ces métiers inférieurs.

A Paris, il a donné aux drapiers, en 1189, vingt-quatre maisons confisquées sur les Juifs : les drapiers étaient déjà probablement organisés en corps. Les bouchers lui doivent (1182) la première charte de confirmation des statuts que Louis VII leur avait donnés, sans les faire rédiger ; on voit par cette charte que les privilèges de la corporation dataient au moins de Philippe Ier. Les bouchers peuvent vendre librement bétail et viande moyennant un droit annuel payable au Roi et à celui qui tient du Roi la boucherie en fief. En 1210, Philippe leur cède le monopole de leur métier. Le *Livre des métiers*, rédigé au temps de saint Louis, fait remonter jusqu'à lui certains privilèges des couteliers, des boulangers, des ouvriers en laiton, des marchands de toiles, des fripiers : mais le texte de ces concessions a disparu.

Philippe-Auguste a exempté de tailles les tisserands d'Étampes (1204), moyennant le paiement d'une rente de vingt livres, et leur a permis d'élire quatre prudhommes assermentés au Roi, chargés d'administrer les affaires du métier, de surveiller la fabrication et d'avoir soin que le travail commence et cesse aux heures réglementaires. Aux bouchers de Bourges, il a donné le monopole de la boucherie moyennant une rente de cent livres parisis (1211) ; aux bouchers d'Orléans, la permission d'exercer dans quarante « étaux » ou boutiques et le droit d'avoir deux maîtres de leur métier (1221). Enfin il a confirmé le monopole des boulangers de Pontoise, et protégé les tanneurs de Senlis contre un seigneur de la localité. En somme, malgré la rareté et l'insuffisance des documents, on entrevoit qu'avec son esprit d'ordre et son instinct d'autorité, il a voulu prendre part à la règlementation des corps de métiers, en témoignant un intérêt spécial à ceux de Paris.

CONCESSION DE FRANCHISES AUX BOURGEOIS.   Il ne s'est pas contenté de protéger les associations restreintes formées par les marchands et les artisans. Il a aussi, dans les villes sujettes administrées par des prévôts, amélioré la condition de l'ensemble des bourgeois en vue d'un intérêt immédiat ou lointain. Tantôt il a confirmé les actes de ses prédécesseurs, les reproduisant à la lettre, ou avec très peu de modifications. Tantôt il a développé les privilèges antérieurs : augmentant les droits des bourgeois de

Châteauneuf de Tours en 1181; achevant, en 1183, d'émanciper les bourgeois d'Orléans et des villages voisins; permettant, en 1197, à tous les citoyens de Bourges de désigner un de leurs amis pour gérer leur fortune après leur mort et servir de tuteur à leurs enfants, etc. Enfin il a privilégié des localités qui n'avaient encore obtenu aucune franchise. Mais, en ce cas, il s'est borné, le plus souvent, à appliquer les dispositions de la célèbre charte de Lorris en Gâtinais, œuvre de Louis le Gros.

Ferrières et Voisines en Gâtinais, Angi en Beauvaisis, Nonette en Auvergne, Saint-André-le-Désert près de Cluni, Dimont dans l'Yonne, Cléri près d'Orléans, Cinquoins en Berri, ont été dotées par Philippe des franchises de Lorris. Ce n'étaient pas des villes, mais des villages ou de petits bourgs; la plupart même ne lui appartenaient pas tout entiers; il ne les possédait qu'à moitié, comme associé, en vertu de ces contrats de pariage dont il a été question plus haut. Quand il accorde une coutume autre que celle de Lorris (par exemple à Wacquemoulin et à Villeneuve-Saint-Melon, en 1196, à Beaumont-sur-Oise, en 1223) il s'inspire toujours plus ou moins des dispositions de la charte-type, ou bien il reproduit celles qu'avaient octroyées les seigneurs dont il a pris la place.

On voit donc qu'il n'a guère fait, en cette matière, que suivre et imiter ses prédécesseurs. Cependant on trouve, dans les actes de franchise revêtus de son sceau, des innovations qui marquent un progrès sur la législation du passé. A Châteauneuf de Tours (1181) et à Orléans (1187), Philippe-Auguste a permis aux bourgeois d'élire des notables chargés de répartir et de recueillir l'impôt royal. Dix prudhommes (*decem burgenses probi homines*), élus pour un an, remplissaient cet office, conjointement avec les agents royaux de la ville et avec un représentant du pouvoir central envoyé spécialement à cet effet. Tous les autres bourgeois juraient d'obéir à leurs prescriptions. Les enfants et les étrangers domiciliés, à Orléans ou à Tours, prêtaient le même serment. On ne trouve pas d'exemples de cette institution dans les chartes royales antérieures.

V. — *PHILIPPE-AUGUSTE ET LES COMMUNES* [1]

DANS ses rapports avec les villes libres, les communes proprement dites, le gouvernement de Philippe-Auguste n'est plus une imitation : il est original. Ce roi est le seul dont on puisse vrai-

1. SOURCES. Bréquigny, *Ordonnances des rois de France*, t. XI et XII (supplém.), 1769-1777 OUVRAGES A CONSULTER. Luchaire, *Les Communes françaises*, 1890. Giry, *Les Etablissements de Rouen*, 1883-1885, et *Documents sur les relations de la Royauté avec les villes en France de 1180 à 1314*, 1885. A. Thierry, *Recueil des Monuments inédits de l'histoire du Tiers Etat*, 1850-1870.

ment dire qu'il fut l'allié et le protecteur des communes. Avant lui, la monarchie les avait souvent combattues ou même détruites ; après lui, elle les a exploitées jusqu'à l'abus, opprimées, et finalement supprimées.

Rares ont été les cas où Philippe a fait preuve d'hostilité à l'égard des institutions communales. Nous avons dit pourquoi il abolit, en 1190, la commune rurale du Laonnais constituée aux dépens de l'évêque de Laon et qu'il avait autorisée au début de son règne. S'il a détruit la commune d'Étampes en 1199, après lui avoir permis de subsister pendant quelques années [1], c'est qu'il était bien difficile qu'il laissât cette ville, très importante alors et située au milieu du domaine capétien, garder une municipalité indépendante. Les bourgeois de Châteauneuf de Tours, sujets du chapitre de Saint-Martin, supportaient avec peine la domination de leur abbé. Un mois avant la mort de Louis VII, alors que Philippe-Auguste gouvernait en réalité le royaume, ils essayèrent de se confédérer secrètement. Les chanoines se plaignirent au Pape qui envoya un délégué pour juger ce procès. Les bourgeois produisirent une lettre de Louis VII qui les autorisait à former une commune ; mais cette lettre fut reconnue fausse, et ils perdirent leur cause. Pour les dédommager, Philippe leur donna, en 1181, cette organisation municipale des dix prudhommes dont on a déjà parlé, et qui eut pour effet de les soustraire aux exigences financières des chanoines. Mais peu satisfaits de cette demi-indépendance, ils instituèrent de nouveau la commune en 1184. Le chapitre les excommunia, les fit condamner une fois de plus par le Pape, et obtint de Philippe-Auguste la suppression de la commune. Le Roi ne pouvait pas oublier qu'il était le chef honoraire des chanoines de Saint-Martin. Quand les bourgeois s'insurgèrent encore en 1212, il supprima même le gouvernement des dix élus.

De telles rigueurs sont exceptionnelles. Philippe-Auguste est, de tous nos rois, celui qui a confirmé ou créé le plus grand nombre de communes.

Dans l'ancien domaine, Corbie, Soissons, Noyon, Beauvais, Vailli en Soissonnais, Compiègne, Bruyères en Laonnais, Saint-Riquier, Laon, Senlis, Mantes, ont obtenu de lui le renouvellement

---

1. Il y a là une petite énigme, dont on aura peut-être la clef, si l'on admet une conjecture que nous suggère l'examen attentif de l'acte de suppression. Il n'y est question que des hommes ou des hôtes des églises et des nobles d'Etampes, et non pas des hommes du Roi. Il serait donc fort possible que les hommes du Roi habitant la ville, les *burgenses Stampenses*, suffisamment pourvus qu'ils étaient de privilèges et d'exemptions, n'aient pas fait partie de cette commune. Elle n'aurait compris que les hôtes taillables des seigneurs ecclésiastiques et laïques d'Etampes, et se serait fondée par une insurrection que le Roi aurait peut-être tolérée au début, du moment qu'il s'agissait de sujets autres que les siens, et qu'il pouvait trouver quelque avantage à affaiblir dans Etampes les seigneuries rivales de la sienne.

Le Gouvernement de Philippe-Auguste.

des chartes communales octroyées par ses prédécesseurs. Ces confir-mations contiennent, d'ordinaire, quelques articles nouveaux. Ils ont pour objet soit de mettre plus d'ordre et de régularité dans les rap-ports du Roi avec la commune, soit d'accroître les prérogatives admi-nistratives et judiciaires des bourgeois Ainsi, à Soissons (1181) et à Vailli (1185), une disposition additionnelle supprime la main-morte. A Senlis (1202), Philippe-Auguste donne par surcroît à la commune le droit de faire justice de tous les crimes et délits commis dans la ville ou la banlieue. Auparavant, la justice communale n'intervenait que si la partie lésée était un habitant ayant juré la commune, ou un marchand venant à Senlis pour son négoce, et si plainte était portée aux juges municipaux. De personnelle et de conditionnelle qu'elle était, la juridiction de la commune de Senlis devient, par la charte de confirmation, territoriale et obligatoire. A Beauvais (1182) et à Saint-Riquier (1189), la clause ajoutée par Philippe-Auguste donne aux bourgeois le droit, qu'ils n'avaient pas, d'élire un maire. Enfin, dans plusieurs de ces actes confirmatifs, le Roi supprime le droit de gîte que lui devait la commune, servitude toujours onéreuse et odieuse, et le remplace par une rente perpétuelle.

Dans les pays annexés, Philippe s'est empressé de renouveler les chartes communales accordées par les comtes d'Amiens, les ducs de Normandie, les ducs d'Aquitaine et les comtes de Ponthieu. Il l'a fait en sa double qualité de seigneur et de roi, à Amiens, Saint-Quentin, Doullens, Abbeville, Rouen, Falaise, Caen, Pont-Audemer, Poitiers, Niort et Saint-Jean-d'Angeli. En Normandie pourtant, il a réagi contre la prodigalité excessive avec laquelle les Plantagenêts, notam-ment Jean-sans-Terre, avaient multiplié les communes. Celles d'Évreux, d'Harfleur, de Bayeux, de Domfront, d'Alençon semblent avoir disparu après la conquête de 1204.

C'est de Philippe-Auguste et non pas de Louis le Gros que l'his-toire peut dire qu'il a été un créateur de communes Dans le domaine ancien, Chaumont, Pontoise, Poissi, Sens, Villeneuve en Beauvaisis, Cerni et Crépi en Laonnais ; dans le nouveau, Crépi en Valois, Hesdin, Bapaume, Fillièvre en Artois, Montdidier, Athies, Cappi, Péronne, Chauni, Brai-sur-Somme en Picardie, Andéli et Nonancourt en Normandie lui doivent le régime communal. Il a fondé des com-munes jusque dans son domaine particulier, contrairement, semble-t-il, à la politique traditionnelle des Capétiens. *CRÉATION DE COMMUNES.*

Les raisons de cette conduite de Philippe-Auguste sont faciles à deviner. S'il a rétabli, en 1186, la commune de Sens, créée, puis abolie dans la première période du règne de Louis VII, c'est que l'institution de la commune renforçait, à Sens, le pouvoir du Roi, *COMMUNE DE SENS.*

contrebalancé fortement par celui de l'archevêque et de l'abbé de Saint-Pierre-le-Vif. D'ailleurs, accorder une charte communale aux bourgeois de Sens parut le seul moyen de mettre fin à la guerre que les habitants et l'archevêque se faisaient depuis plus d'un demi-siècle.

RAISON MILITAIRE.   Une raison d'autre sorte a décidé le Roi à émanciper les populations de l'Artois, du Vermandois et du Vexin, parties du domaine les plus exposées aux attaques venues d'Angleterre, de Flandre et d'Allemagne. Philippe voyait dans les communes des postes fortifiés, défendus par une milice aguerrie. Il voulait qu'à côté des villes simplement privilégiées, fondées ou développées en vue de l'exploitation agricole et financière, et situées en général dans l'intérieur du domaine, il existât des villes de défense, où l'esprit militaire pût s'entretenir et se transmettre. La commune ainsi comprise devait être surtout placée dans les « marches », c'est-à-dire aux frontières de la France capétienne. Sous son règne, des communes fortifiées ont souvent arrêté l'ennemi. En 1188, Henri II d'Angleterre envahit le Vexin et essaye de surprendre Mantes, que Philippe-Auguste, pressé de se rapprocher de Paris, avait laissée sans défense. Mais la milice de Mantes résista avec tant d'énergie que le Roi eut le temps d'accourir.

RAISON POLITIQUE.   Dans les pays annexés, c'est la raison politique qui le poussa à complaire aux bourgeois, désireux d'avoir une commune. Il devait, pour consolider sa conquête, se montrer aussi libéral que les seigneurs qui l'avaient précédé. En Normandie — avec la réserve que nous avons faite tout à l'heure — et en Aquitaine, les Plantagenêts avaient propagé la célèbre charte des *Établissements de Rouen*; Philippe n'eut qu'à sanctionner les générosités déjà faites. Mais ailleurs il prit l'initiative, surtout en Artois, en Vermandois et en Valois. Après la mort du comte de Flandre, Philippe d'Alsace (1191), quand il eut mis la main sur l'Artois et une partie du Vermandois, il se hâta d'accorder la commune à Hesdin (1192), à Montdidier (1195), à Roye (1197). Il l'octroya ensuite à Fillièvre (1205), à Cappi et à Péronne (1207), à Athies (1211) et à Chauni (1213). Le Valois lui échut en 1214, après la mort de la comtesse de Beaumont, à qui il en avait laissé l'usufruit; dès 1215, il établissait une commune à Crépi, la capitale de ce petit État.

RAISON FINANCIÈRE.   Cette politique s'explique encore par l'intérêt fiscal : les chartes des communes que le Roi a créées se terminent presque toutes par une disposition sur la rente que la commune doit lui servir. A Cerni en Laonnais, les habitants doivent doubler, chaque année, tous les revenus du Roi; à Crépi, doubler les redevances en grains, vins et deniers; la commune, à Pontoise, doit fournir une rente de

Le Gouvernement de Philippe-Auguste.

500 livres; à Sens, une rente de 600 livres parisis et de 120 muids de blé. Ces rentes compensaient les pertes que faisaient subir au Roi l'abandon d'un certain nombre de ses droits lucratifs — entre autres de la basse justice — et la suppression de la prévôté royale ou d'une partie de ses revenus. Tout compte fait, le trésor du Capétien n'y perdait pas et les bourgeois y gagnaient un surcroît de liberté.

D'ailleurs, les chartes communales de Philippe-Auguste ne représentent pas des types nouveaux de constitutions libres. Presque toutes celles qu'il a octroyées ne sont que des reproductions ou des imitations des chartes de Mantes, de Laon, de Soissons, de Saint-Quentin et de Rouen, dont il n'était pas l'auteur. Seule, celle de Péronne, accordée en 1207, doit être considérée peut-être comme sa création propre. Elle institue, pour l'administration municipale, un maire, des échevins et un conseil de jurés. Elle règle minutieusement le mécanisme de l'élection des magistrats, les devoirs de leur office, le droit qu'ils ont d'imposer la cité sous le contrôle de six élus, et l'exercice de la justice par les échevins. Les corps de métiers servent de base à l'organisation municipale, car ce sont eux qui ont charge d'élire les vingt-quatre électeurs, lesquels nomment à leur tour les jurés. Rien n'indique que l'autorité royale ait le moyen d'intervenir dans les élections. La commune de Péronne semble posséder le maximum d'indépendance politique qui puisse être dévolue alors à une association de bourgeois.

Philippe-Auguste a donné aux villes libres bien d'autres preuves de sympathie et d'intérêt par son intervention fréquente dans les affaires et la vie intime de leurs habitants. Il voulait maintenir chez eux la tranquillité et l'ordre et régler pacifiquement leurs rapports avec la Féodalité et avec l'Église. Quelquefois même, il s'est fait l'exécuteur des mesures de haute police prises par les municipalités communales, comme en 1202, quand il bannit du royaume deux individus reconnus coupables de parjure envers la commune de Laon.

Il est bien entendu, au reste, que ce bienfaiteur des communes tient à exercer tous ses droits et conserve toutes ses prérogatives. Dans la charte accordée aux bourgeois de Poitiers, en 1214, il fait mention expresse de ses droits d'ost et de chevauchée, de taille et de justice. En 1220, il oblige le maire et les jurés de Saint-Riquier à reconnaître qu'ils lui doivent l'ost et la moitié d'un gîte, et il se réserve, à Caen, le service militaire et la taille.

Dans tout le royaume, le Roi apparaît comme le chef et le protecteur des villes libres. En 1183 et en 1187, il consacre de son autorité la commune de Dijon établie par le duc de Bourgogne. En 1221, il approuve les modifications apportées à la charte de Doullens par

LA CHARTE DE PÉRONNE.

PHILIPPE INTERVIENT DANS LA VIE DES COMMUNES.

PHILIPPE CONFIRME LES COMMUNES SEIGNEURIALES.

un comte de Ponthieu. En 1208, le seigneur de Poix en Picardie,
Gautier Tirel V, venait de confirmer la charte communale accordée
aux habitants de ce bourg par son père, Gautier Tirel IV. Non content
d'avoir obtenu la confirmation du nouveau seigneur, de sa femme et
de son fils, les bourgeois voulurent encore se procurer celle du roi
de France. Une délégation de la commune se rendit à Paris, accom-
pagnée du seigneur de Poix et fut admise avec lui dans le palais de
la Cité. Gautier demanda au Roi, en son nom propre et au nom des
bourgeois, de prendre la commune sous sa protection spéciale et perpétuelle. Le Roi fit droit à la requête et remit aux mains du seigneur
la charte de garantie scellée de son sceau, mais il fut convenu que
la commune paierait au Roi une rente ou cens perpétuel de dix livres,
sans préjudice de ce qu'elle devait à son seigneur direct, pour le prix
de la confirmation. A force de voir le Roi confirmer les octrois de
communes et de privilèges émanés des grands vassaux, on finira par
croire que les villes lui appartiennent tout autant qu'aux barons dont
elles dépendent; ce que plus tard les légistes exprimeront par cette
formule : « que le Roi est le seigneur naturel de toutes les communes
du royaume. »

On comprend que la commune d'Amiens ait demandé à Philippe-
Auguste, au moment où il renouvelait sa charte constitutive (1190),
d'ajouter cet article final : « Nous voulons et nous octroyons à la
commune que jamais il ne soit loisible, à nous et à nos successeurs,
de mettre ladite commune hors de notre main. » Les bourgeois
veulent que le Roi leur garantisse la perpétuité du régime sous
lequel ils sont appelés à vivre. Avant tout, ils demandent à ne plus
passer de main en main, au hasard des successions féodales et des
mariages seigneuriaux. A leurs yeux, la Royauté n'est pas seulement
la paix et la justice, mais encore la fixité des institutions et la sécurité
de l'avenir.

VI. - *L'ADMINISTRATION ROYALE. LES BAILLIS* [1]

PHILIPPE-AUGUSTE a donné à la dynastie capétienne les trois
instruments de règne qui lui manquaient : des fonctionnaires
dociles, de l'argent et des soldats.

LA COUR DU ROI.   L'organe principal du gouvernement est toujours la *curia regis*.
Cette cour, composée surtout de nobles et d'évêques, c'est-à-dire des

---

[1]. OUVRAGES A CONSULTER. Outre le livre déjà cité de Walker : H. Froidevaux, *De regiis
conciliis Philippo II Augusto regnante habitis*, 1891 (thèse de Paris). A. Cartellieri, *Philipp II
August*, livre I, 1898. Borrelli de Serres, *Recherches sur divers services publics du XIII⁰ au
XVII⁰ siècle*, 1895. L. Delisle, introduction au *Catalogue des actes de Philippe-Auguste*, 1856;

« grands du royaume, » conservait le caractère qu'elle avait eu sous les rois précédents, tour à tour concile, tribunal, conseil de guerre, assemblée électorale, administrative ou politique. Elle se réunit partout où se trouve le Roi et quand il lui plaît, sans périodicité aucune, sans droit d'initiative ni droit de suffrage régulier. C'est un corps consultatif dont le Roi requiert l'approbation, mais qui ne peut lui imposer sa volonté. Très nombreuses sous les premiers Capétiens, les assemblées royales sont déjà moins fréquemment convoquées, surtout à la fin du règne de Philippe-Auguste, parce que la Royauté était alors moins obligée d'emprunter aux évêques et aux comtes les forces dont elle avait besoin. Les barons laïques y viennent en plus grand nombre, indice de l'autorité croissante que prend la Monarchie sur la société féodale. Les représentants des villes y tiennent, d'autre part, une place plus importante. Enfin, dans ces assemblées plénières, les affaires de justice ne sont plus traitées que par exception, comme ce grand procès de la succession du comté de Champagne qui, en 1216, réunit à Melun les pairs du royaume avec une foule nombreuse de prélats et de barons.

C'est qu'en effet, l'évolution s'est accomplie qui tendait, depuis *LES PALATINS.* un siècle, à concentrer les pouvoirs de la Cour du Roi entre les mains des conseillers intimes du palais. Ce conseil étroit, cette *curia regis* au sens restreint, était chargée par le souverain de préparer et de traiter les affaires courantes, de juger les procès ordinaires, de prendre des mesures d'administration quotidienne. Depuis Louis VII, la Royauté inclinait visiblement à choisir, pour cette besogne, des hommes d'humble origine, instruments obscurs, mais solides et maniables, d'une monarchie qui se concentre et se fortifie. Philippe-Auguste a fait de cette tendance un système. Les légistes de profession, qui n'apparaissent que par exception à la cour de son prédécesseur, sont déjà, sous son règne, mentionnés en plus grand nombre.

Plus que personne, il a réagi contre l'ingérence des hauts barons *PHILIPPE* et même des grands officiers du palais dans le gouvernement effectif *SUPPRIME DEUX* de l'État. Avant lui, sans doute, les rois se défiaient de l'autorité *GRANDS OFFICES.* exercée par les titulaires des grands offices : le sénéchal, le chancelier, le connétable, le chambrier, le bouteiller. Louis VI et Louis VII

Mémoire sur les baillis du Cotentin, dans les Mémoires de la Société des antiquaires de Normandie, t. XIX, 1851 (Cf. Quénault, *Les grands baillis du Cotentin, ibid.*, t. XXV, 1863); *Fragments de l'histoire de Gonesse...* (§ 1 : Pierre de Thillay [bailli de Philippe-Auguste]), dans la Bibliothèque de l'Ecole des Chartes, 4ᵉ série, t. V, 1859 (t. XX de la collection), pp. 114 et 247. Beautemps-Beaupré, *Notice sur Guillaume des Roches, sénéchal d'Anjou, du Maine et de Touraine (1199-1222)*, 1889-1890 (extr. des Rech. sur les anc. jurid. de l'Anjou et du Maine, t. I). Ch.-V. Langlois, *Les Origines du Parlement de Paris*, dans la Revue historique, t. XLII.

étaient déjà entrés en lutte avec ces « domestiques » de haut parage, qui prétendaient se perpétuer dans leur fonction et en faire un fief indépendant. Philippe, plus hardi, a supprimé en fait les deux grands offices réputés les plus dangereux, celui du sénéchal, ou le « dapi- férat, » en 1191, et celui du chancelier à partir de 1185. Et s'il a beaucoup employé, dans ses négociations et dans ses guerres, le chambrier Barthélemi de Roye, les connétables Raoul de Clermont, Dreu de Mello et Mathieu de Montmorenci, le chambellan Gautier de Nemours, les maréchaux Robert et Henri Clément, c'est que ces personnages, roturiers ou de petite noblesse, étaient en réalité dans sa main.

PROGRÈS DE LA JUSTICE ROYALE.
La plus lourde tâche de ces palatins est l'expédition des procès, qui abondent alors, la Royauté étant devenue plus puissante et le domaine s'étant étendu. La compétence des juges de Philippe- Auguste se fortifie tous les jours : les barons et les prélats eux- mêmes obéissent plus docilement qu'autrefois à leurs sommations et à leurs arrêts. Nous avons parlé cependant des résistances qui se pro- duisirent en certains cas, surtout de la part de l'Église, qui ne pouvait se résoudre à accepter les décisions d'une juridiction laïque. Mais Philippe prit des mesures énergiques contre les récalcitrants et montra qu'il entendait mettre hors de pair la souveraineté de sa jus- tice. Son tribunal commence à régler les affaires intérieures des grandes baronnies; les seigneurs qui ont assisté aux jugements se croient obligés de notifier quelquefois, eux-mêmes, par lettres patentes, les sentences rendues et de les consacrer ainsi de leur autorité. Quand ils veulent échapper aux juges royaux en recourant à l'arbitrage, ils prennent soin d'obtenir au préalable l'agrément du Roi; enfin l'action de la justice royale se fortifie encore par un emploi plus général de l'*enquête*, décrétée par mandement du Roi et poursuivie sur place par des commissaires de son choix. La procédure d'enquête équivalait à une sorte de prolongement de la cour, rendue ainsi présente jusque dans les localités les plus éloignées. Elle devait faciliter singulière- ment l'*appel au Roi* qui deviendra fréquent à l'époque de saint Louis.

LES CHEFS DU PALAIS SOUS PHILIPPE- AUGUSTE.
De tous temps, les palatins avaient eu leurs chefs, personnages à qui la faveur royale donnait une influence prépondérante. Ces direc- teurs du conseil royal étaient en général des évêques ou des abbés, le corps ecclésiastique seul pouvant fournir aux souverains des hommes assez instruits, assez entendus aux affaires, assez haut placés dans l'opinion, pour servir utilement un gouvernement et une politique. Mais Philippe-Auguste avait une personnalité trop accusée, et il était trop défiant, pour s'effacer devant ses ministres. Les clercs dont il s'est servi ne l'ont jamais dominé.

Au début du règne, un moine de Grandmont, frère Bernard du Coudrai, correcteur du prieuré de Vincennes, paraît tout au moins l'inspirateur de sa politique religieuse; il est l'auteur de la persécution contre les Juifs; Philippe, partant pour la croisade, l'adjoignit aux régents. De 1184 à 1202, se place à la tête du conseil royal l'archevêque de Reims, Guillaume de Champagne, oncle maternel de Philippe, le plus haut personnage ecclésiastique du royaume, cardinal et légat permanent du Saint-Siège, un administrateur actif, en même temps qu'un lettré et un savant. Il est « l'œil et la main du Roi, » ou « le Roi en second » disent les textes contemporains. C'est lui qui, pendant la croisade, est officiellement chargé de la régence, avec sa sœur, la reine-mère Adèle; mais on a vu que Philippe eut soin de ne lui laisser qu'un pouvoir limité et contrôlé par des conseillers intimes de petite naissance, clercs et bourgeois[1].Dans la dernière période du règne, l'homme de confiance fut un Hospitalier, frère Guérin, qui avait tous les talents, dirigeant à la fois le palais, les affaires ecclésiastiques, la chancellerie et l'armée. Philippe trouva en lui un ami sûr, un auxiliaire incomparable, mais il ne lui permit jamais de porter le titre de chancelier, quoiqu'il en remplît les fonctions. Les ecclésiastiques avec lesquels Philippe gouvernait ne furent jamais, pour lui, que des premiers commis

Dans l'administration du domaine, Philippe-Auguste n'a pas fait que développer ou amender les institutions déjà établies par les premiers Capétiens : il a innové en créant les *baillis*.

INSTITUTION DES BAILLIS.

Nous savons par quels procédés rudimentaires les rois de la troisième race, comme tous les hauts barons de leur époque, exploitaient leurs possessions directes[2]. Louis VI et Louis VII avaient essayé de restreindre l'autorité de leurs prévôts, fonctionnaires trop peu dociles, en distinguant le ressort propre de la justice royale d'avec celui de la justice prévôtale, en donnant à leurs bourgeois et à leurs paysans des franchises qui devaient les soustraire aux exactions des officiers royaux, et en prenant soin de limiter l'action de chaque prévôt à sa circonscription. Mais ces mesures n'avaient pas suffi à diminuer sérieusement les inconvénients et les dangers de l'administration prévôtale. Quand le domaine royal se fut accru et que les affaires locales eurent pris un caractère de multiplicité et de complexité qu'elles n'avaient jamais eu avant l'ère des conquêtes, la gestion domaniale par les prévôts devint insuffisante. La suppres-

---

1. Voir sur ce personnage Mathorez, *Essai sur la vie et le rôle politique de l'archevêque Guillaume aux Blanches-mains,* dans les Positions des thèses des élèves de l'Ecole des Chartes, a.1897.
2. *Histoire de France*, t. II, 2ᵉ partie, p. 177.

sion de l'office du sénéchal de France, chargé autrefois de surveiller les prévôtés, rendit une réforme du système administratif encore plus nécessaire.

Philippe-Auguste, tout en conservant les prévôts, leur superposa des agents faciles à déplacer, révocables et soumis, les baillis. Le nom n'était pas nouveau, mais la chose l'était. Les baillis de Philippe-Auguste, en effet, sont, non plus des officiers affermant leurs charges, comme les prévôts, mais de véritables fonctionnaires nommés et salariés par le Roi. Ils ont une circonscription beaucoup plus étendue que la prévôté. Sous Philippe-Auguste, les circonscriptions des baillages ne sont pas encore permanentes comme elles le deviendront au cours du XIIIᵉ siècle. Les baillis sont des lieutenants du Roi, détachés de la *curia regis* pour administrer, juger et percevoir les revenus de la couronne. Leur ressort n'est pas encore géographiquement bien délimité; le nombre des prévôtés soumises à leur contrôle est variable. Ils peuvent être investis à plusieurs d'un même baillage : bref, ce sont plutôt des agents de l'administration centrale, des juges « itinérants » que des fonctionnaires locaux établis à poste fixe.

LES BAILLIS DANS LE TESTAMENT DE 1190.

L'institution des baillis, dont la date d'origine ne peut être connue avec précision, précéda de quelques années le départ de Philippe-Auguste pour la troisième croisade. C'est dans l'acte célèbre de 1190 que le Roi détermine clairement, pour la première fois, la subordination des baillis au pouvoir central et la supériorité hiérarchique des baillis sur les prévôts. Les baillis doivent aller rendre leurs comptes à Paris trois fois par an et tenir régulièrement des assises judiciaires dans les localités de leur ressort.

LES BAILLIAGES SOUS PHILIPPE-AUGUSTE.

Au commencement du XIIIᵉ siècle, la correspondance administrative de Philippe montre les baillis royaux, les « grands baillis, » établis à Gisors, à Orléans, à Sens, à Bourges, à Senlis, en Vermandois, à Arras, à Saint-Omer et Aire, à Amiens, et, quand la Normandie est annexée, dans le pays de Caux et dans le Cotentin. Les prévôts de Paris, qui étaient tantôt de petits seigneurs (Anseau de Garlande en 1192, Hugue de Meulan en 1196, Robert de Meulan en 1202), tantôt des bourgeois (Thomas en 1200, Nicolas Arrode et Philippe Hamelin en 1217) avaient une importance particulière et pouvaient être assimilés à des baillis. Investis de tous les pouvoirs, à la fois administrateurs, juges, receveurs et officiers de police, les baillis commencent déjà à faire une rude guerre aux seigneuries. Les nobles, surtout, ne les aiment pas, et sans doute le chroniqueur artésien connu sous le nom d'*Anonyme de Béthune* s'est fait l'interprète des rancunes féodales quand il dit, après avoir parlé de la victoire de Bouvines : « Toute la terre du roi Philippe resta dès lors en grande paix, si ce n'est que

ses baillis faisaient beaucoup de tort, et aussi les baillis de son fils
(le prince Louis, suzerain de l'Artois). Un sien sergent, Nivelon le
Maréchal, bailli d'Arras, mit en tel servage toute la terre de Flandre,
que tous ceux qui en entendirent parler s'émerveillaient comment on
le pouvait souffrir et endurer. » Ce bailli d'Arras, Nivelon le Maréchal,
qui resta en fonctions de 1202 à 1219 au moins, avait l'autorité d'un
vice-roi.

Les pays de la Loire et de l'Aquitaine qui furent enlevés aux
Plantagenêts (l'Anjou, le Poitou et la Saintonge) ne furent pas,
comme la Normandie, annexés directement au domaine. Philippe n'y
mit pas ses baillis : il se contenta de donner à certains représentants
de la noblesse locale, qui eurent le titre de *sénéchaux*, le caractère
d'agents du Roi en leur laissant celui de feudataires héréditaires.
Guillaume des Roches, dont on connaît le rôle dans l'histoire de la
réunion de l'Anjou, de la Touraine et du Maine, fut investi de la
direction politique et administrative de ces trois pays. La sénéchaussée de Poitou, Saintonge et Guyenne fut confiée à Aimeri,
vicomte de Thouars. L'institution de ces sénéchaux de grande
noblesse était évidemment une mesure transitoire. On ne pouvait
songer à supprimer brusquement, du premier coup, l'indépendance
des Angevins et surtout des Poitevins.

LES SÉNÉCHAUX DANS L'ANJOU ET LE POITOU.

Tels furent les procédés administratifs par lesquels Philippe-
Auguste élargit et en même temps concentra l'autorité dont il disposait. Le premier des rois capétiens, il a eu la volonté et la force
de fonder un gouvernement. Le peuple semble lui en avoir su gré.
Il se rappela du moins qu'il aimait à faire bonne et exacte justice,
et que, sous cette main ferme, les abus de pouvoir des agents royaux
ne restaient pas longtemps impunis. L'anecdote suivante prouve que
Philippe a laissé le renom d'un justicier.

Un bailli du Roi avait grande envie d'une terre que possédait
un chevalier, son voisin, mais il ne put le décider à la vendre. Le
propriétaire mourut, laissant une veuve qui, elle aussi, refusa de
se dessaisir de son bien. Le bailli alla chercher deux portefaix sur
la place publique, les habilla convenablement, leur promit de l'argent, et, la nuit suivante, les mena au cimetière où le chevalier
était enterré. Avec l'aide des deux hommes, il ouvre la tombe, met
le mort sur ses pieds et l'adjure, devant ses deux témoins, de lui
vendre le domaine en question. « Qui ne dit mot consent, » dit l'un
des témoins, le marché est conclu. On met de l'argent dans la main
du cadavre ; la tombe est refermée, et, le lendemain, le bailli envoie
ses ouvriers travailler sur la terre comme si elle lui appartenait.
La veuve réclame : il affirme que la vente a eu lieu. L'affaire est

UN BAILLI DE PHILIPPE-AUGUSTE.

portée devant Philippe-Auguste. Le bailli produit ses deux témoins qui attestent la vente. Le Roi s'avise d'un stratagème. Il prend l'un des témoins à part, dans un coin et lui dit : « Sais-tu le *Pater noster?* récite-le. » Et pendant que l'homme murmure son oraison, Philippe s'écrie de temps à autre, de façon à être entendu de la galerie : « C'est bien cela, tu dis la vérité. » La récitation faite : « Tu ne m'as pas menti, dit le Roi : tu peux compter sur ta grâce, » puis il le fait enfermer dans une chambre. Alors il se retourne vers le second témoin : « Voyons, ne mens pas non plus ; ton ami m'a révélé tout ce qui s'était passé, aussi vrai que s'il avait récité le *Pater noster.* » L'autre, croyant que tout est découvert, finit par avouer le stratagème. Le bailli se jette aux pieds du Roi : Philippe le condamne au bannissement perpétuel et donne à la pauvre veuve la maison et les domaines du coupable. « Ce jugement, conclut le chroniqueur, vaut bien celui de Salomon. »

VII. — LES FINRNCES [1]

BUDGET DE PHILIPPE-AUGUSTE.

IL fut grand amasseur de trésors, disent de Philippe-Auguste les chroniques contemporaines. Il a, en effet, de toutes façons, accru les revenus de la Royauté. En 1223, un dignitaire de l'église de Lausanne se trouvait à Paris au moment de la mort du roi de France. Les officiers de l'hôtel lui assurèrent que, tandis que le père de Philippe, Louis VII, n'avait eu que 19 000 livres à dépenser par mois, son fils, Louis VIII, possédait un revenu *quotidien* de de 1 200 livres.

REVENUS DOMANIAUX.

Par le fait même de la conquête, les revenus ordinaires, c'est-à-dire les cens, les tailles et les autres perceptions domaniales, les produits de la justice et surtout les amendes, les coupes dans les forêts royales, les droits de chancellerie, les reliefs et les autres droits féodaux, l'argent provenant des successions dévolues au fisc, les droits d'amortissement payés par les églises qui acquéraient des terres, toutes ces ressources, dont vivaient les Capétiens comme les chefs d'États féodaux, étaient devenues naturellement plus fructueuses. Mais elles n'auraient pas suffi aux besoins toujours croissants d'une royauté qui se trouvait sans cesse en état de guerre et

---

1. OUVRAGES A CONSULTER. Borrelli de Serres. *Recherches sur divers services publics du XIIIe au XVIIe siècle*, 1895. F. Gerbaux. *Les décimes ecclésiastiques au XIIIe siècle*, dans les Positions des thèses des élèves de l'Ecole des Chartes, 1881. L. Delisle, *Mémoire sur les opérations financières des Templiers*, dans Mém. de l'Acad. des Inscriptions, t. XXXIII, 2e partie, 1889. L. Lazard, *Essai sur la condition des Juifs dans le domaine royal au XIIIe siècle*, 1887. M. Prou, *Esquisse de la politique monétaire des rois de France du Xe au XIIIe siècle*, 1901.

dont la diplomatie travaillait toute l'Europe. Pour se procurer l'argent nécessaire, Philippe-Auguste eut recours à deux moyens principaux : la transformation des prestations et des corvées en taxes pécuniaires, ce qui facilitait et régularisait singulièrement la perception des droits domaniaux; et, d'autre part, le développement de certains revenus extraordinaires, qui, sous les règnes précédents, produisaient peu ou ne produisaient rien.

En 1201, Philippe-Auguste transforme en taxe le « hauban, » perception en nature, vin fourni aux échansons royaux par certains commerçants et industriels de Paris, d'Orléans et de Bourges. En 1215, il décrète que les corvées dues par les hommes du Valois et de la Ferté-Milon seront remplacées par une contribution en numéraire. Le fait le plus caractéristique est la conversion en impôt du service militaire des bourgeois, la perception, de plus en plus généralisée, de « l'aide de l'ost. » Un document de 1194, appelé « prisée des sergents, » prouve que déjà, à la fin du XIIᵉ siècle, un certain nombre de villes, surtout celles qui n'avaient pas l'organisation communale, étaient abonnées au rachat du service d'ost et de chevauchée moyennant une redevance fixe. Paris donnait ainsi 4 000 livres à Philippe-Auguste, Bourges 3 000, Orléans 1 500, Étampes 1 000, etc. *TRANSFORMATION DES SERVICES EN TAXES.*

En droit, les villes étaient tenues de fournir au Roi, selon ses besoins, des fantassins armés, des « sergents ; » elles pouvaient envoyer, au lieu de leurs propres bourgeois, des soldats de profession recrutés à leurs frais; en fait, elles trouvaient plus simple de payer une somme équivalente à la fourniture militaire qui leur était imposée. Le roi préférait de beaucoup cette manière de faire qui lui permettait de recruter des sergents mercenaires, des soldats de métier, qu'il adjoignait à ses chevaliers soldés. Cette organisation du rachat de l'obligation militaire paraît bien être l'œuvre de Philippe-Auguste; les rois du XIIIᵉ siècle ne feront que la développer. Par là se révèle une fois de plus le sens pratique qui est le trait essentiel de son gouvernement.

Jusqu'à lui, les Capétiens n'avaient joui du droit de « relief » (prélevé par le suzerain sur toute terre vassale qui change de propriétaire) que sur leur domaine propre. Philippe Iᵉʳ, Louis VI, Louis VII, n'y ont pas assujetti la grande féodalité. Cela se vit, pour la première fois, sous Philippe-Auguste. En 1195, la comtesse de Flandre lui donne, en guise de relief, les tours de Douai, et, en 1199, le comte de Nevers lui abandonne, au même titre, la ville de Gien. En 1212, le nouveau comte de Blois et de Chartres paye 5 000 livres parisis au Roi, suzerain supérieur de son fief; et, en 1219, la fille qui lui succède donne à son tour, pour le relief, la châtellenie de Nogent-l'Erembert. *RELIEF PRÉLEVÉ SUR LES BARONNIES.*

Exploiter financièrement les grands États féodaux, c'était une nouveauté hardie.

Autre nouveauté, l'art de pressurer les Juifs devenu presque une institution, une ressource régulière de la Royauté.

On les avait généralement tolérés en France jusqu'à la fin du XIIᵉ siècle, et nous savons que Louis VII les protégea. Philippe commença par les déposséder en partie (1180); mais, après les avoir fait emprisonner, il les mit en liberté moyennant une rançon de 15 000 marcs. Bientôt il décréta contre eux l'expulsion en masse et la confiscation totale (1182). Leurs débiteurs furent libérés de leurs dettes, sauf un cinquième que le Roi s'adjugea. Plus tard, il trouva le système le plus conforme aux intérêts de son trésor : il laissa revenir les bannis (1198), et, suivant l'exemple de certains hauts barons, il organisa une exploitation spéciale des Juifs. Il y eut désormais un produit des Juifs, légalement établi : il consistait dans la taille ou cens annuel auquel ils étaient soumis, dans les amendes judiciaires, et dans les droits de sceau qui frappaient leurs transactions écrites.

Mais les voisins de Philippe-Auguste se plaignent que le Roi accapare leurs Juifs, comme il attirait leurs serfs. Par un traité conclu en 1198, le Roi et le comte de Champagne s'étaient garanti la pleine propriété de leurs Juifs, et chacun des deux contractants avait promis de ne pas garder les Juifs de l'autre. Il paraît que le Roi ne tint pas sa promesse. En 1203, la comtesse de Champagne lui adresse des réclamations au sujet du plus riche des Juifs champenois, Cresselin, qui s'était établi en terre royale. Cresselin promit de ne plus quitter la Champagne et donna des otages. Le Roi déclara qu'il ne l'aiderait pas à déserter, mais qu'il lui permettrait de faire des prêts sur sa terre.

Non seulement Philippe-Auguste ne chasse plus les Juifs, mais, par les ordonnances de septembre 1206 et de février 1219, il facilite et développe leurs opérations de banque moyennant certaines garanties et restrictions. Aucun Juif ne pourra prêter à un intérêt supérieur à deux deniers pour livre et par semaine (43 pour 100 par an). Les Juifs devront faire sceller leurs contrats d'un sceau spécial. Ils ne pourront recevoir en gages ni les vases ou ornements d'église, ni les terres ecclésiastiques, ni les instruments de labour. Dans chaque ville, deux prudhommes seront commis à la garde du sceau des Juifs. Ces mesures fiscales donnèrent au Roi de beaux profits. Le produit des Juifs, qui, dans le compte de 1202, ne monte qu'à 1200 livres, atteignit en 1217 le chiffre de 7550 livres. Aussi Philippe-Auguste allait-il jusqu'à défendre ces contribuables productifs contre l'intolérance de l'Église et du peuple. En 1204, il interdit à des clercs d'excommunier

Le Gouvernement de Philippe-Auguste.

les chrétiens qui entraient en rapports de commerce avec les usuriers israélites et travaillaient à leur service.

Quand le besoin d'argent se faisait impérieusement sentir, Philippe ne connaissait ni chrétiens ni Juifs. Il savait que les évêques, les chanoines, les abbés, grands propriétaires terriens, étaient aussi des capitalistes, et que le numéraire s'amassait dans les monastères et les cathédrales. Le clerc ne dépensait pas autant que le chevalier et il ne cessait de s'enrichir par des donations : il pouvait donc payer des contributions. Le Roi, patron et protecteur du Clergé, pensait que ce patronage lui donnait droit à des subsides. Souvent, il envoyait à Jérusalem, sur les instances du Pape ou des chrétiens de Syrie, des corps de troupes et de l'argent. N'était-il pas juste qu'on lui laissât prendre sa part des revenus ecclésiastiques du pays?

EXPLOITATION FINANCIÈRE DU CLERGÉ.

En temps ordinaire, le « droit de régale » permettait au suzerain de jouir du temporel des évêchés vacants. Aussitôt que la mort du prélat était annoncée, les officiers royaux saisissaient les revenus épiscopaux, s'installaient dans les villas et les châteaux du diocèse, prélevaient des tailles sur les diocésains, nommaient même aux prébendes et aux bénéfices ecclésiastiques : usage si utile à la Royauté qu'elle fut souvent accusée de prolonger à dessein les vacances des sièges. Philippe-Auguste exerça avec la dernière rigueur ce droit lucratif. En 1206, à la mort d'un évêque d'Auxerre, les forêts de l'évêché sont coupées et le bois mis en vente; on pêche le poisson de tous les étangs; les gens du Roi se saisissent des troupeaux, emportent le blé, le vin, le foin des granges épiscopales, enlèvent jusqu'aux poutres et aux moellons que l'évêque avait fait préparer pour la construction d'une chapelle. Les maisons qu'il habitait sont entièrement démeublées : il n'en reste que le toit et les murs; des sujets de l'évêché sont arrêtés, torturés, mis en rançon. Et cependant Philippe avait déclaré par deux fois (en 1182 et en 1190) qu'il renonçait à son droit de régale en faveur du chapitre d'Auxerre. Les chanoines portèrent plainte : on remit sous les yeux du Roi ses lettres de renonciation; on lui en fit lecture, mais il les arracha des mains du lecteur et prétendit n'avoir rien concédé. Innocent III ordonne à l'archevêque de Tours et à l'évêque de Paris de menacer le roi de France des censures ecclésiastiques, s'il ne réparait pas les torts faits à l'Église d'Auxerre. Il fallut que le nouvel évêque donnât une grosse somme d'argent, moyennant quoi Philippe, par une charte d'avril 1207, déclara se désister de la régale « par piété et pour le salut de son âme et de celle de ses parents. »

DROIT DE RÉGALE.

Presque partout à cette époque, sous la pression d'une opinion que le Clergé inspirait, les souverains féodaux renonçaient à un usage

SUPPRESSION DE LA RÉGALE.

aussi abusif. Philippe se vit obligé lui-même de céder au courant et
d'affranchir certaines églises de la régale : Langres et Arras en 1203,
con en 1207, Nevers et Rouen en 1208, Lodève en 1210. Mais ces
concessions n'étaient pas gratuites : le Roi exigeait de l'évêque et des
chanoines une rente ou un capital une fois payé : il en coûta mille
livres aux clercs d'Arras pour n'être plus soumis à la régale. Philippe,
en abandonnant son droit, faisait encore un sacrifice, car les comptes
royaux nous apprennent qu'en 1202, la régale de Mâcon lui rapporta
2 047 livres, et celle de Reims, pour dix-huit semaines de vacance,
2 668 livres.

Il se dédommagea par les impôts extraordinaires qu'il levait sans
ménagement, et qui pesèrent surtout sur le Clergé. De son règne date
l'habitude de soumettre les clercs de France à des taxes générales, à
des décimes, autorisés ou non par la cour de Rome. Il n'a pas inventé
« l'aide ecclésiastique pour le cas de croisade » — Louis VII l'avait
levée en 1147, — mais Philippe recommença l'expérience à plusieurs
reprises.

DÉCIMES
PRÉLEVÉS
SUR LE CLERGÉ.
En 1188, il demande aux clercs du royaume, pour aider à la délivrance de la Terre Sainte, le dixième de leurs revenus : c'est la dîme
saladine. L'Église proteste ; le célèbre archidiacre Pierre de Blois se
refuse à payer : il organise la résistance, écrit aux Églises d'Orléans,
de Chartres, de Coutances, pour les engager à ne pas céder. « Prenez
garde, dit-il aux évêques, la dîme deviendra peu à peu une habitude
et, ce précédent une fois établi, l'Église tombera en esclavage. Si
votre Roi veut absolument s'en aller en Terre Sainte, qu'il ne prenne
pas l'argent de son voyage sur les dépouilles des églises, sur la sueur
des misérables ; qu'il paye ses dépenses et celles de sa suite sur les
revenus de son propre domaine, ou sur le butin qu'il arrachera aux
Infidèles. Ceux qui vont combattre pour l'Église ne doivent pas commencer par la voler. Les entreprises entamées sous de pareils auspices
tournent mal. » Puis il soutient, à grands renforts de textes bibliques,
la thèse de l'immunité complète de la société ecclésiastique. « Sous
le règne de Pharaon, dit-il, l'édit qui établissait l'impôt général sur le
cinquième des biens respecta le privilège de la classe sacerdotale.
Dans le livre des Nombres, Dieu exempte la tribu de Lévi de toute
charge publique et ne la soumet qu'à la juridiction du grand pontife.
Un prince n'a pas le droit d'exiger du prêtre autre chose que le travail de l'oraison. Le roi Philippe a reçu de l'Église la puissance souveraine, mais ce n'est pas pour l'opprimer ni pour ravir le bien des
pauvres. »

Cette résistance des clercs n'explique pas seule l'insuccès de la
dîme saladine : l'opération manqua encore pour d'autres raisons. Le

taux de l'impôt était excessif, hors de proportion avec le numéraire
existant, et les procédés d'évaluation et de perception étaient par trop
défectueux ; si bien qu'en 1189 le Roi fut obligé d'annuler son ordonnance et de s'engager à ne renouveler jamais cette tentative. Il tint
ce serment comme beaucoup d'autres ; il recommença en 1215 et
en 1218, mais avec plus de succès. L'ère des décimes ecclésiastiques
était ouverte et la charge, pour le clergé de France, deviendra écra-
sante sous les successeurs de saint Louis.

Pour imposer son clergé, Philippe ne prenait pas toujours la
peine de demander la permission du Pape, et quand les prélats tar-
daient à s'exécuter, il employait la force. En 1186, il exigeait de l'abbé
de Saint-Denis, Guillaume de Gap, une contribution de mille marcs.
Tout à coup on apprend que le Roi arrive à Saint-Denis. « Il descend dans l'abbaye, dit Rigord, comme dans sa propre chambre. »
L'abbé, effrayé, réunit le chapitre et plutôt que d'en passer par la
volonté royale, déclare donner sa démission. Il est immédiatement
remplacé.

« En 1194, dit le même chroniqueur, Philippe, roi des Français
ayant appris que le roi d'Angleterre, Richard Cœur-de-Lion, avait
chassé et dépouillé de leurs biens les clercs de l'église Saint-Martin de
Tours, prit toutes les églises de sa terre appartenant aux évêques et
aux abbés qui étaient les sujets de son ennemi. Se laissant séduire par
de mauvais conseillers, il chassa les moines et les clercs qui s'y con-
sacraient au service de Dieu et s'appropria leurs revenus. Il accabla
même, sans ménagements, d'exactions odieuses et extraordinaires, les
églises de son propre royaume. » C'est ce que Rigord appelle les
« persécutions exercées contre l'Église », mais tout en blâmant son
maître, il plaide en sa faveur les circonstances atténuantes. « La véritable intention du Roi, dit-il, en amassant ainsi des trésors, était de
les faire servir à délivrer la terre de Jérusalem du joug des païens,
à la rendre aux chrétiens et à défendre vigoureusement le royaume
de France contre ses ennemis, quoiqu'en disent certains *indiscrets* qui,
faute d'avoir bien connu les projets et la volonté du Roi, l'ont accusé
d'ambition et de cupidité. »

Un de ces indiscrets était certainement l'archevêque de Lyon, Jean
de Belmeis. Dans un voyage en Angleterre, se trouvant à Londres,
il causait avec quelques grands personnages du pays. Comme ces
derniers se plaignaient beaucoup de la dureté du roi Richard,
leur souverain : « Ne parlez donc pas ainsi, leur dit Jean, je vous
assure que votre roi est un ermite en comparaison du roi de France.
Celui-ci, l'an dernier, a osé extorquer aux églises et surtout aux
monastères, l'argent qui devait entretenir et payer ses soldats. »

Voilà en effet la vraie raison de cette politique fiscale, et Philippe-Auguste l'avouait : « Si j'ai amassé des trésors en différents lieux et me suis montré économe de mon argent, dit-il un jour, c'est que mes prédécesseurs, pour avoir été trop pauvres, et n'avoir pu, dans les temps de nécessité, donner une paie à leurs chevaliers, se sont vu enlever, par la guerre, une bonne partie de leurs États. »

LE TRÉSOR DU ROI AU TEMPLE.
Les Templiers, à cette époque, servaient de banquiers aux Capétiens aussi bien qu'aux Plantagenêts. Le compte des revenus du Roi en 1202 montre que l'argent envoyé par les prévôts et les baillis était déposé au Temple de Paris. Le chef du service de la trésorerie fut, depuis 1202, le Templier frère Aimard, un haut dignitaire de l'ordre, puisqu'il porta le titre de commandeur des maisons du Temple en France. Il figure, non seulement comme trésorier, mais comme administrateur, juge et même diplomate dans les actes de la chancellerie. On le voit présider les services de l'échiquier de Normandie (1213-1214), voyager en Italie pour le compte du Roi (1216), recevoir les engagements des vassaux et juger à titre d'arbitre d'importants procès. Il fut choisi par Philippe en septembre 1222 comme exécuteur de son testament; la reine Ingeburge, en 1218, lui avait confié la même mission, ce qui montre en quelle estime on le tenait.

FRÈRE AIMARD, TRÉSORIER DE PHILIPPE-AUGUSTE.
C'est lui qui fut chargé, en 1204, de la grande opération monétaire qui suivit la conquête de la Normandie. Au nom du Roi, il s'entendit avec les barons de cette province pour y régler le cours des monnaies. Le résultat de cette conférence fut la substitution de la monnaie tournois à la monnaie d'Angers. En 1214, Philippe ordonna que la monnaie parisis aurait cours sur les terres de l'évêque et du chapitre de Beauvais. Le chapitre résista pendant un an, mais l'évêque était Philippe de Dreux, le cousin germain du Roi, et il ne s'associa que mollement à la protestation des gens de Beauvais. La monnaie royale finit par l'emporter sur la monnaie seigneuriale; vers 1220, les deniers beauvaisis semblent ne plus avoir cours. De même, en 1186, Philippe avait introduit sur les terres de l'abbé de Corbie la monnaie parisis. C'est un autre aspect de la conquête de la France par la Royauté [1].

Les bourgeois qui obtenaient de Philippe des privilèges avaient soin d'y faire insérer une clause qui les garantissait, moyennant une redevance spéciale, contre l'affaiblissement de la monnaie (chartes d'Orléans, 1183, et de Saint-Quentin, 1195). Les habitants

---

1. M. Prou a montré que c'est seulement par voie de fait et sans contester le droit des seigneurs que Philippe poursuivit l'extension du monnayage royal.

des communes demandaient et recevaient l'assurance que la monnaie royale n'y serait pas changée sans le consentement du maire et
des jurés.

VIII. — L'ARMÉE [1]

L'ARMÉE de Philippe-Auguste n'est pas la grande « ost » féodale,
composée des troupes fournies, de par la loi des fiefs, par les vassaux de la couronne. Il n'a mis en branle la masse des contingents
féodaux que dans les cas d'extrême nécessité, ou lorsqu'il n'était pas
pressé d'agir, ce qui lui arriva rarement. On ne voit le plus souvent
auprès de lui qu'un corps de chevaliers soldés, renforcé d'un nombre
plus ou moins considérable de sergents à pied et à cheval, et de
bandes de routiers de profession. C'est une troupe royale, qu'il peut
mener où sa politique l'exige et garder aussi longtemps que la solde
ne fait pas défaut. Il n'est pas le premier roi de France qui ait commencé à soudoyer régulièrement une cavalerie permanente ; Louis VII
l'avait fait avant lui ; mais Philippe a donné à cette institution la
fixité qui lui manquait. Les Plantagenêts d'ailleurs l'avaient précédé
dans cette voie. Henri II, Richard et Jean-sans-Terre n'employaient
à peu près que des mercenaires et confiaient les commandements
aux chefs de bandes.

Le noyau des forces militaires de Philippe-Auguste se compose
de *milites* plus ou moins nobles, servant sous les ordres du connétable et des maréchaux. Les comptes du Trésor sont remplis de
mentions relatives à la solde de cette cavalerie : on y voit que la
dépense faite pour cent chevaliers pendant dix jours montait à trois
cents livres. Philippe payait aussi en terres : il donnait de véritables
fiefs militaires, presque toujours à titre révocable ou viager.

L'armement et le costume de ces soudoyers est celui de tous les
cavaliers nobles à la fin du XIIe siècle. Ils portent le *haubert*, tunique
en mailles d'acier descendant plus bas que le genou, avec les jam-
bières de cuir couvertes également de mailles. Sur le cou, et enve-
loppant toute la tête de façon à ne laisser découverts que le nez et
les yeux, ils ont le capuchon de mailles et, sur la tête, le *heaume*,
casque pointu en acier, légèrement recourbé sur le devant, emboî-
tant bien l'occiput et protégeant le nez par un *nasal* élargi à la base.
Leur arme principale est l'épée, très large, pendant sur la jambe

*L'ARMÉE
DE PHILIPPE-
AUGUSTE.*

*LES CHEVALIERS
DU ROI.*

---

1. OUVRAGES A CONSULTER. Boutaric, *Institutions militaires de la France.* H. Delpech, *La
Tactique au XIIIᵉ siècle,* 1885. G. Köhler, *Die Entwickelung des Kriegswesens und der Kriegführung in der Ritterzeit,* 1886-1889.

gauche et attachée à un ceinturon. De la main droite ils tiennent la lance, munie d'un large fer en triangle et surmontée du gonfanon ou de l'enseigne à plusieurs flammes. La main gauche porte l'*écu*, bouclier de bois léger, bordé de métal, long de 1 mètre 50 environ, en forme d'amande pointue. Le champ de l'écu est d'ordinaire peint de couleurs voyantes : au milieu est une bosse en saillie, l'*umbo*; à l'intérieur, un système de courroies permet à l'homme de suspendre son bouclier à son cou et de le tenir ferme avec le bras. L'armure, relativement légère et souple, lui laisse la liberté de ses mouvements.

LES SERGENTS DU ROI.
    L'autre élément important de l'armée capétienne est la troupe roturière des *sergents*, à pied ou montés (*pedites* ou *servientes ad equos*). Moins couverts de mailles que les chevaliers, ils portent, au lieu de heaume, le simple chapeau de fer ou de cuir et se servent surtout d'armes qui ne sont pas réputées nobles, la pique ou la massue hérissée de pointes. Beaucoup de ces sergents étaient levés et entretenus par le Roi lui-même; il tirait les autres des villes de son domaine, surtout de celles qui, organisées en commune, possédaient une milice déjà exercée. Sens, Laon, Tournai en fournissaient 300; Compiègne, Pontoise et Mantes, 200, Beauvais, 500, l'abbaye de Saint-Germain des Prés, 140, etc. Certaines villes, on l'a vu, donnaient, au lieu de sergents, une somme tenue pour équivalente; d'autres localités, comme Lorris et Corbeil, n'étaient pas assujetties à une taxe fixe : elles payaient « à la volonté du Roi. » Pour la paye de vingt-et-un sergents à cheval, pendant une semaine complète, Philippe-Auguste dépensait environ 4140 francs, c'est-à-dire à peu près vingt-quatre francs par sergent et par jour. Quelques-uns de ces soldats, peut-être ceux qui formaient sa garde permanente, recevaient de lui des dons importants, en terres ou en revenus. L'un obtient la jouissance viagère de la voirie de Paris; l'autre, une boutique devant le Châtelet; d'autres, une porte de ville, un moulin, les arches d'un pont, un four, des droits d'usage dans une forêt royale, des vignes, des arpents de terre labourable. Il est clair que le corps des sergents royaux était fort apprécié de Philippe.

ARCHERS ET ARBALÉTRIERS.
    Les autres fantassins, plus légèrement équipés, ont la spécialité des armes de trait : frondeurs, archers, arbalétriers. Dans les engagements, ils sont disposés en tirailleurs sur le front de bataille; ils commencent le combat en criblant de pierres et de flèches les cavaliers ennemis. Dans les sièges, ils facilitent l'approche des murailles à ceux qui manœuvrent les machines de guerre et préparent les escalades et les assauts. A la fin du XIIe siècle, l'archer commence à être remplacé par l'arbalétrier, dont l'arc est plus

pesant, muni d'un étrier où le pied tire sur la corde, et le trait — le carreau — plus lourd que la flèche et plus meurtrier. C'est Richard Cœur-de-Lion, qui mit, dit-on, l'arbalète à la mode, et Philippe n'aurait fait que l'imiter. Les arbalétriers du roi de France sont beaucoup plus souvent mentionnés que ses archers. Le maître des arbalétriers (*balistarius*) est un personnage très important, à qui le roi ne ménage pas les libéralités.

L'armée capétienne est complétée par des services auxiliaires, sapeurs, mineurs et ingénieurs, chargés de disposer les « engins » (*ingenia*) ou machines de siège. La guerre consistant alors surtout dans les opérations d'attaque des fortifications, l'art de combler les fossés pour y appuyer les échelles d'escalade ou les tours roulantes, de pratiquer les brèches dans les murailles, de ruiner les remparts par la sape et le feu, était tenu en grand honneur. Philippe y excellait et s'en faisait gloire. A chaque page de son histoire militaire il est question de galeries de bois ou « chats » roulant sur plancher mobile et s'appuyant aux remparts pour protéger les sapeurs; de « beffrois » à plusieurs étages, qui déversent les soldats sur le haut de la muraille ennemie; de machines à percussion, « béliers » ou « moutons » qui ébranlent les murs, enfin de machines de jet, « pierrières et mangonneaux » qui lancent sur l'assiégé d'énormes pierres ou des boîtes à feu. Tous ces engins, souvent très coûteux et très compliqués, étaient construits par le corps des charpentiers royaux, dirigés par un *ingeniator*. *INGÉNIEURS ET MACHINES DE GUERRE.*

Vient enfin la horde des valets de camp, des ribauds, et l'interminable charroi des bêtes de somme qui portent les provisions, les bagages, les tentes des combattants, souvent même l'argent et les archives du Roi. *L'ARMÉE ROYALE EN MARCHE.*

Arrivés au lieu du campement, les hommes installent leurs « trefs » ou pavillons, tentes coniques ou à deux pans, de toutes couleurs, au milieu desquelles se dresse celle du Roi, surmontée d'un aigle ou d'une pomme dorée. Pour un séjour un peu prolongé, on prend la précaution d'entourer le camp d'un fossé que borde une palissade. Des veilleurs de nuit, les « gaîtes », donnent l'éveil en cas d'alarme. Quand il faut lever le camp, les piquets (les « paissons ») sont retirés à la hâte, les tentes repliées autour du poteau central et troussées sur les sommiers. Puis la colonne reprend sa marche, exposée à bien des surprises, car les troupes en mouvement ne connaissent guère, à cette époque, l'art de se dissimuler et de se garder. Dans sa lutte contre Richard Cœur-de-Lion (notamment à Fréteval), Philippe fut plusieurs fois attaqué à l'improviste par l'ennemi, qui se dérobait derrière un bois.

　　Il est rare que les armées belligérantes se concentrent de propos délibéré en rase campagne, pour en venir aux mains La vraie bataille, comme à Bouvines, est un fait exceptionnel. Et quand elle a lieu, les princes et les chefs de guerre ne se mettent pas en frais de stratégie. Rien de plus élémentaire que la tactique de combat d'un roi de France, à la fin du XIIᵉ siècle. Le gros de l'armée est précédé d'une avant-garde et appuyé sur un corps de réserve, minimum de précautions. Les archers et les arbalétriers commencent par lancer des projectiles; puis les sergents se prennent corps à corps, enfin la cavalerie noble s'ébranle et, au besoin, passe sur sa propre piétaille. Les chevaliers les plus forts et les mieux armés sortent des rangs et défient les adversaires qu'ils choisissent : ainsi s'engagent partout des duels qui donnent au champ de bataille l'aspect d'un désordre inextricable. Les masses qui sont aux prises par petits groupes ont cependant, dans l'ensemble, un mouvement d'avancement ou de recul, dû aux résultats des engagements partiels. L'objectif est de traverser l'armée ennemie de part en part, et d'aller saisir, dans le groupe central où se tient le chef, l'enseigne brandie par le porte-drapeau.

　　Dans cette mêlée confuse, les fantassins, sergents et valets, interviennent pour aider les chevaliers de leur parti, remplacer les chevaux blessés ou tués, et surtout pour capturer les cavaliers désarçonnés. L'action finit avec le jour. Le lendemain, on enterre les morts, on procède aux opérations d'échange ou de rachat des prisonniers nobles ; on achève les blessés roturiers, non-valeur dont on ne peut rien tirer. Cette physionomie traditionnelle d'une bataille au temps de Philippe-Auguste est à peine variée par l'emploi de certaines ruses de guerre qui n'ont rien d'une tactique supérieure, les embuscades ou « aguets » et les fausses retraites.

　　Le véritable progrès militaire (et Philippe lui-même y contribua) est dans l'art de construire, d'attaquer et de défendre les forteresses. Les châteaux, au temps des Capétiens et des Plantagenêts, sont déjà très différents de ceux du XIᵉ siècle. Au lieu de ces donjons isolés, de forme carrée ou rectangulaire, sans ouvertures ni créneaux, blocs énormes protégés par leur seule masse et l'épaisseur de leurs parois[1], apparaissent des fortifications d'ensemble; le donjon n'est plus qu'un élément de la résistance, le dernier refuge des défenseurs. On continue sans doute à placer le fort principal sur un lieu élevé d'accès difficile, mais on l'enveloppe d'une double ou triple enceinte de remparts flanqués de tours ou de demi-tours arrondies, séparés

1. Voir *Histoire de France*, t II, 2ᵉ partie, p 15-16.

par des fossés larges et profonds. Les murailles sont bâties autant que possible sur le roc vif, de manière à éviter les effets de la mine souterraine ; les remparts sont crénelés et garnis de chemins de ronde. Parfois même cette grande fortification centrale est protégée par une série de forts détachés, d'ouvrages avancés qui en interdisent les abords. C'est ainsi, on l'a vu, que se présentait le Château-Gaillard, le chef-d'œuvre de Richard Cœur-de-Lion.

Les nombreux châteaux bâtis par Philippe-Auguste se reconnaissent au plan rectangulaire de l'enceinte, aux tours semi-cylindriques qui la défendent, aux énormes donjons ronds qui les dominent. Le château du Louvre et sa grosse tour, où le Roi gardait (depuis 1202 tout au moins) son trésor et ses archives, ont disparu : mais à Dourdan, à Issoudun, à Gisors, les constructions de Philippe sont encore debout. De toutes ses villes, même les plus paisibles, il aurait voulu faire autant de places fortes. Rigord et Guillaume le Breton citent avec admiration les remparts qu'il a élevés, les murs qu'il a réparés, les châteaux qu'il a fait sortir de terre.

En 1190, au moment de partir pour la croisade, « il ordonne d'entourer la partie de Paris située au nord de la Seine d'un mur continu, bien garni de tourelles et de portes fortifiées, et d'en faire autant dans les autres cités royales. » A partir de 1210, lorsque la coalition commence à menacer la France, le Paris de la rive gauche est clos à son tour. De cette grande enceinte de Philippe-Auguste, quelques fragments subsistent encore. Il suffit de les regarder pour se convaincre que les maçons du Roi bâtissaient bien. La muraille avait une épaisseur de trois mètres à fleur de sol, de deux mètres et demi à une hauteur de six mètres ; elle était percée de portes et de poternes flanquées de tours rondes engagées dans le rempart, 34 au sud de la Seine, 33 au nord. Philippe n'épargnait pas l'argent [1] et sa prévoyance entrait dans le plus menu détail, comme le prouvent les devis (que nous possédons encore) de certains travaux de fortification. A Corbeil, il veut que le mur ait sept toises de hauteur et six pieds d'épaisseur. A Orléans, il faut quinze pieds d'épaisseur pour la muraille, quarante pieds de large et vingt de profondeur pour le fossé, quatorze

LE MUR
DE PHILIPPE-
AUGUSTE
A PARIS.

---

1. Guillaume le Breton affirme que le roi de France prit tout à sa charge. Il poussa même la délicatesse, alors qu'il aurait pu exproprier, pour cause d'utilité publique, les possesseurs du sol où s'éleva la muraille et se creusa le fossé, jusqu'à les dédommager aux frais de son trésor. « Il fait passer, ajoute-t-il, l'équité avant le droit. » Connaissant l'homme, nous avons quelque doute : ce ne serait pas la première fois que Guillaume le Breton aurait exalté les vertus de son héros aux dépens de l'exacte vérité. La grande *Chronique latine de saint Denis*, encore inédite, qui fut écrite au XIVe siècle et qui reproduit le passage de Rigord relatif à la fameuse muraille, ajoute au contraire que la construction fut faite aux frais des bourgeois de Paris, *de substantia civium*, et qu'il en fut de même dans les autres villes. D'où tient-elle ce renseignement ? Nous l'ignorons.

toises de haut pour la tour. « Il fortifia de même, dit Guillaume le Breton, les autres cités, bourgs et municipes du royaume, tous entourés de murs et de tours inexpugnables. »

Nous avons dit que, dans la pensée de ce roi guerrier, les communes devaient être avant tout des forteresses, et les milices communales des garnisons. Mais Philippe a rarement employé ces milices comme troupes d'offensive, à titre de contingents réguliers, destinés à donner dans les batailles. Il savait bien que cette infanterie bourgeoise n'avait, comme élément tactique, qu'une mince valeur.

Il est vrai qu'on les voit à Bouvines, dans la circonstance la plus critique de sa vie, et que, s'il faut en croire une opinion encore trop répandue, les milices communales auraient alors décidé de la victoire et scellé glorieusement de leur sang le pacte conclu entre le Tiers État naissant et la Monarchie. Mais nous savons que les communiers de Corbie, d'Amiens, de Beauvais, de Compiègne et d'Arras n'ont paru sur le champ de bataille que pour être culbutés par la chevalerie allemande. Leur présence a été si peu remarquée, elle a si peu contribué au succès final, que, dans le onzième chant de sa *Philippide*, consacré tout entier à l'épisode de Bouvines, Guillaume le Breton n'a pas jugé à propos de développer ou simplement de reproduire le court passage de sa *Chronique en prose* où il est question des communes.

Ce qui explique peut-être la formation de la légende, c'est qu'un document d'archives énumère les prisonniers que les différentes communes du Nord remirent entre les mains du prévôt de Paris, peu de temps après la bataille. On en a conclu que ces prisonniers étaient ceux que les milices communales avaient eu elles-mêmes l'honneur de capturer. Il n'en est rien : ce sont ceux que le Roi avait simplement donnés à garder aux communes pour être dirigés postérieurement sur Paris et incarcérés soit au Louvre, soit au Châtelet. Dans cette conjoncture, ce ne sont pas les milices communales qui ont rendu service au Roi, mais les communes elles-mêmes, considérées comme places de sûreté.

CHAPITRE VI

LA FIN DU RÈGNE

I. L'EXPÉDITION DU PRINCE LOUIS EN ANGLETERRE. — II. LES PRÉLIMI-
NAIRES DE LA CROISADE DES ALBIGEOIS. — III. LA GUERRE SAINTE. SIMON DE MONTFORT
ET LA CONQUÊTE DU LANGUEDOC. — IV. LES CAPÉTIENS DANS LE LANGUEDOC. MORT DE
PHILIPPE-AUGUSTE. L'HOMME ET LE ROI. -- V. LE RÈGNE DE LOUIS VIII.

I. — L'EXPÉDITION DU PRINCE LOUIS EN ANGLE-
TERRE [1]

APRÈS avoir raconté la bataille de Bouvines, la *Chronique inédite de Béthune* dit de Philippe-Auguste : « Oncques puis ne
fut qui guerre lui osât mouvoir : mais il vécut depuis en grande
paix. » En effet, pendant les neuf dernières années de sa vie (1214-
1223), le roi de France ne fait plus la guerre en personne. Ce n'est
pas que l'âge ait brisé sa vigueur ni diminué son appétit d'acquisitions territoriales ; il n'avait, après sa grande victoire, que quarante-
neuf ans. Mais il voulait organiser et consolider ses conquêtes,
ne plus s'avancer qu'à coup sûr, sans rien risquer. Sa diplomatie
continue d'agir ; son armée se montre encore en Angleterre et en
Languedoc, mais ce n'est plus lui qui la commande. Il dirige les
affaires de loin, sans sortir de ses châteaux de Paris, de Melun, de
Saint-Germain, de Compiègne ou d'Anet. Sur la scène, on ne voit
plus que l'héritier du royaume, le prince Louis, chargé de l'action
extérieure, avec une indépendance apparente qui ne fut, pour Phi-

PHILIPPE-
AUGUSTE APRÈS
BOUVINES.

---

1. SOURCES. Les principales sont : le poème sur Guillaume le Maréchal, l'*Histoire des ducs
de Normandie et des rois d'Angleterre*, la Chronique de Roger de Wendover, contenue dans
celle de Mathieu de Paris (édition Luard, 1872-83, dans *Rer. brit. medii aevi scriptores*, n° 57),
et la correspondance d'Honorius III, dans Pressutti, *Regesta Honorii papae III*, 1888.
OUVRAGE A CONSULTER. Petit-Dutaillis, *Étude sur la vie et le règne de Louis VIII*, 1894,
1re partie.

lippe-Auguste, qu'un moyen de tenter encore la fortune sans engager sa personne ni sa responsabilité directe.

L'insurrection qui avait triomphé, après Bouvines, du despotisme de Jean-sans-Terre, permettait au roi de France de reprendre le projet qui lui tenait tant au cœur : l'annexion de l'Angleterre. Mais il ne voulait pas entrer en lutte ouverte avec Innocent III. Les prétentions du prince Louis, mari de Blanche de Castille, à la couronne anglaise, lui fourniront le moyen de reprendre l'entreprise sans se compromettre. Il suffira que le fils ait l'air d'agir de sa propre initiative, ce qui permettra au père, tout en l'aidant sous main, de le désavouer en cas d'insuccès. Une comédie commença, qui allait durer deux ans (1215-1216).

JEAN-SANS-TERRE APRÈS LA GRANDE CHARTE

Après qu'il eut signé sa déchéance, Jean eut un accès de rage et de désespoir. Une chronique anglaise rapporte qu'il s'écria : « Maudite soit la misérable et impudique mère qui m'a engendré! Pourquoi m'a-t-on bercé sur les genoux? Pourquoi une femme m'a-t-elle nourri de son lait? Pourquoi m'a-t-on laissé grandir pour mon malheur? On aurait dû m'égorger au lieu de me nourrir. » Il grinçait des dents, roulant les yeux, mordait et rongeait des morceaux de bois. Les routiers qui sont à sa solde se moquent de lui pour exciter sa fureur. « Voici, disent-ils, le vingt-cinquième roi d'Angleterre, celui qui n'est plus roi, pas même un roitelet, mais l'opprobre des rois. Voici le roi sans royaume, le seigneur sans seigneurie, celui dont la vue fait vomir, parce qu'il est devenu corvéable, la cinquième roue d'un chariot, un roi de rebut. Pauvre homme, serf de dernière classe, à quelle misère, à quel esclavage te voilà réduit! »

Cependant Jean-sans-Terre ne perdit pas la tête. Il usa, au contraire, de toutes les ressources d'une diplomatie fort habile à diviser ses adversaires. Pour ajouter aux raisons que le Pape avait de le protéger, il déclare prendre la croix, plaçant ainsi sa personne et ses terres sous la sauvegarde des lois chrétiennes. Innocent III défend son vassal et protège le croisé. A Étienne Langton, l'archevêque de Cantorbery, qui dirige la noblesse anglaise, il ordonne, dans une lettre demi-menaçante, d'apaiser le conflit; aux nobles d'Angleterre, de cesser leurs conciliabules illégaux, de payer l'impôt de l'écuage et de se réconcilier avec leur Roi. Pour tâcher de séparer la cause du Clergé de celle des laïques, Jean accorde à l'Église anglaise une complète liberté d'élection, tout de suite confirmée par une bulle d'Innocent. Mais il était trop tard. Les Anglais sentirent le piège et restèrent unis.

INNOCENT III ANNULE LA GRANDE CHARTE.

A Rome, les envoyés de Jean se plaignirent de l'attentat commis par des vassaux rebelles à leur Roi et au Pape, leur haut suzerain : « Jean, disaient-ils, n'a cédé qu'à la force; les barons, au mépris de la protection apostolique, se sont emparés de la capitale du royaume et menacent de saisir le reste. » Quand Innocent III les eut entendus, et qu'il eut pris connaissance des articles de la grande Charte, « il fronça le sourcil avec colère et s'écria : Hé quoi! les barons d'Angleterre s'efforcent de détrôner un roi qui a pris la croix et qui s'est mis sous la protection du Saint-Siège apostolique! ils veulent transférer à un autre le domaine de l'Église romaine! Par saint Pierre, nous ne pouvons laisser une telle audace impunie. » Le 24 juin 1215, une bulle datée d'Anagni, considérant que les barons d'Angleterre n'avaient tenu aucun compte de l'appel adressé par Jean à la cour de Rome, ni de la souveraineté de l'Église romaine, annula simplement la grande Charte : « Au nom du Dieu tout-puissant, Père, Fils et Saint-Esprit, par l'autorité des apôtres Pierre et Paul et par la nôtre, sur l'avis commun de nos frères, nous réprouvons complètement et condamnons cette charte; défendons, sous peine d'anathème, que le Roi prenne sur lui de l'observer ou que les barons, avec leurs complices, en exigent l'observation : déclarons nulle et cassons tant la charte elle-même que les obligations ou cautions, quelles qu'elles soient, faites pour elle ou relativement à elle; voulons enfin qu'en aucun temps cette charte ne puisse avoir aucune force. » Et le même jour, Innocent III écrivait aux barons d'Angleterre que le traité imposé par eux au roi Jean, par violence et par crainte, « était non seulement vil et honteux, mais encore tellement injuste et illégal qu'il devait être à juste titre réprouvé de tous. »

Jean ne s'abandonnait pas. Sachant le danger qui le menaçait du côté de la France, il tâchait de se concilier Philippe. En avril 1215, il avait payé 66 000 marcs à des marchands français qui prétendaient avoir été dépouillés, au mépris de la trêve de Chinon, par des vassaux de l'Angleterre. En juillet, il écrivait « à son très cher seigneur Philippe, illustre roi de France, » pour lui annoncer que les autorités de Londres laisseraient les marchands de France emporter de la ville, sans être inquiétés, leurs marchandises et leur argent. En septembre, il lui envoyait une ambassade, et lui donnait toutes les garanties pour la sécurité des marchands français venus dans l'île. Il écrivait ce billet : « Nous vous envoyons le prieur de Coventry et notre chambrier de Reading pour vous faire savoir que, si nous avons des torts envers vous, nous sommes prêts à les réparer. » *JEAN NÉGOCIE AVEC PHILIPPE.*

Par malheur Jean n'était pas seul à négocier avec la France; les promesses des insurgés tentaient Philippe-Auguste. Dès le début des troubles, il avait écrit aux barons d'Angleterre pour les engager à continuer la résistance et à rester unis. Il offrait de leur envoyer des machines de guerre et d'empêcher le départ des chevaliers que Jean *MENÉES DE PHILIPPE EN ANGLETERRE.*

appelait de France à son secours. Il correspondait secrètement avec Étienne de Langton. Ces menées n'échappèrent pas à Innocent III, qui défendit à Philippe et à Louis de favoriser des sujets rebelles. Le roi de France s'arrangea de manière à ne pas se brouiller avec Rome, tout en poursuivant ses intrigues de l'autre côté de la Manche. Assurés de son appui, les barons redoublèrent d'audace.

« Un jour, » raconte l'*Histoire des rois d'Angleterre et ducs de Normandie*, « les Vingt-Cinq (c'étaient les surveillants que la grande Charte avait donnés au roi d'Angleterre) vinrent à la Cour du Roi pour rendre un jugement. Le Roi était au lit, malade, au point de ne pouvoir marcher. Il pria les juges de venir conférer dans sa chambre. Ils s'y refusèrent, cela étant contraire à leur droit, et mandèrent au Roi que, s'il ne pouvait se tenir sur ses pieds, il n'avait qu'à se faire porter. Le Roi se fit porter dans la salle où les Vingt-Cinq avaient pris séance : pas un ne se leva au moment de son entrée, parce que cela aussi était contre leur droit. Tels sont, ajoute le chroniqueur, les actes orgueilleux et les outrages dont ils l'accablaient tous les jours. »

Quand les barons apprirent que la grande Charte avait été cassée par le Pape, ils prirent les armes. Jean-sans-Terre fut mis hors la loi. Cette fois, les Anglais se résolurent à changer de dynastie. Louis de France ne pouvait-il pas faire valoir sur l'Angleterre les droits de sa femme Blanche de Castille, nièce de Jean? Des négociations s'échangèrent, pendant les mois de septembre et d'octobre 1215, entre le roi de France et les barons anglais. Philippe exigea vingt-quatre otages, fils de nobles, qu'il fit, sous bonne garde, interner à Compiègne. Alors seulement il permit au prince royal, que les révoltés avaient élu à Londres, de s'engager à fond avec eux. Louis leur enverra d'abord des troupes, et, au printemps prochain, il s'embarquera.

Des hommes de loi aux gages de Philippe-Auguste ou de son fils rédigent, pour le répandre en Angleterre et à Rome, un long mémoire justificatif destiné à prouver que le trône anglais est vacant depuis le jour où la Cour des pairs de France a condamné Jean-sans-Terre à mort comme coupable du meurtre d'Artur. Le fils de ce condamné, Henri, n'a donc aucun droit à remplacer son père, et Louis de France, élu par la Noblesse et le Clergé, — d'ailleurs neveu du roi déposé, — est le légitime propriétaire de la couronne anglaise. Ce manifeste était un mensonge d'avocat, mais il s'agissait de se donner l'apparence du droit.

Le Pape, bien qu'il ne fût peut-être pas dupe de cet artifice, ne voulait pas courir le risque d'une rupture ouverte avec le roi de France. Il se contenta d'excommunier nominativement les nobles rebelles et les bourgeois de Londres, et de suspendre l'archevêque de Cantorbery. Aux seigneurs de France et d'Angleterre, à Philippe-Auguste lui-même, il adressa des lettres pressantes, comminatoires, pour les engager à ne pas secourir et même à combattre les insurgés Jean n'était plus que le protégé du sous-diacre Pandolfo et du cardinal Galon de Beccaria. C'était la Papauté et ses légats qui, sous le nom du Plantagenêt haï, discrédité, régnaient en Angleterre.

L'historien officieux, Guillaume le Breton, prétend que l'entreprise de Louis fut tout d'abord désapprouvée par son père [1]. L'anecdotier connu sous le nom de Ménestrel de Reims affirme, contre toute vérité, que Philippe refusa d'accueillir les ouvertures des barons anglais, sous prétexte « qu'il avait assez de terre. » Assez de terre! c'était bien mal connaître le roi de France! « Le roi dit qu'il ne s'en mêlerait pas. Quand messire Louis vit que son père ne voulait pas s'en mêler, il lui dit : « Sire, s'il vous plaisait, j'entreprendrais « cette besogne. — Par la lance Saint-Jacques, » répondit le roi, « tu « peux faire ce qu'il te plaît, mais je crois que tu n'en viendras pas « à bout, car les Anglais sont traîtres et félons, et ils ne te tien- « dront pas parole. — Sirè, » dit messire Louis, « que la volonté de « Dieu en soit faite. » La vérité est que, dans cette affaire, le père et le fils étaient absolument d'accord.

PHILIPPE D'ACCORD AVEC SON FILS.

A l'assemblée de Melun (avril 1219), le légat du Pape, Galon, se présente pour dissuader le roi de France de permettre à son fils de s'embarquer pour l'Angleterre, « propriété de l'Église romaine en vertu du droit de seigneurie. » — « Le royaume d'Angleterre, » répond sur le champ Philippe, « n'a jamais été le patrimoine de saint Pierre ni « ne le sera. Le trône est vacant depuis que le roi Jean a été condamné, « dans notre Cour, comme ayant forfait par la mort d'Artur. Enfin, « aucun roi ni aucun prince ne peut donner son royaume sans le con- « sentement de ses barons, qui sont tenus de défendre ce royaume. Et « si le Pape a résolu de faire prévaloir une pareille erreur, il donne à « toutes les royautés l'exemple le plus pernicieux. » Le lendemain, Louis de France paraît à l'assemblée : après avoir jeté un regard de travers sur le légat, il va s'asseoir à côté de son père. Galon prie le prince de ne pas aller en Angleterre occuper le patrimoine de l'Église romaine, et le Roi, de s'opposer au départ de son fils. Le Roi répond : « J'ai toujours été dévoué et fidèle au seigneur Pape et à l'Église de « Rome, et me suis toujours employé efficacement à ses affaires et à « ses intérêts. Aujourd'hui ce ne sera ni par mon conseil ni par mon « aide que mon fils Louis fera quelque tentative contre cette église.

ASSEMBLÉE DE MELUN.

1. « Patre penitus dissentiente. »

« Cependant, s'il a quelque prétention à faire valoir sur le royaume
« d'Angleterre, qu'on l'entende, et que ce qui est juste lui soit accordé. »

« Alors un chevalier, chargé de parler au nom de Louis, se lève
et fait valoir les arguments produits dans le fameux mémoire. Le
légat les réfute, et termine par une nouvelle sommation au Roi et à
son fils de ne pas se mêler des affaires anglaises, mais cette fois il
ajoute une menace d'excommunication. Louis se tourne vers son
père : « Seigneur, je suis votre homme-lige pour le fief que vous
« m'avez assigné en deçà de la mer, mais il ne vous appartient pas de
« rien décider au sujet du royaume d'Angleterre. Je m'en rapporte au
« jugement de mes pairs pour savoir si vous devez me forcer à ne pas
« poursuivre mon droit, et un droit de telle nature que vous ne pouvez
« m'en rendre justice. Je vous prie de ne vous opposer en rien à la
« résolution que j'ai prise d'user de mon droit, car je combattrai pour
« l'héritage de ma femme, jusqu'à la mort, s'il le faut. » Cela dit, il
quitte l'assemblée avec les siens. Il ne restait plus au légat qu'à
demander à Philippe-Auguste un sauf-conduit jusqu'à la mer. « Je
« vous le donne volontiers, » dit le Roi, « pour la terre qui m'appar-
« tient, mais si par malheur vous tombez entre les mains d'Eustache
« le Moine (un célèbre pirate, au service de la France) ou des autres
« hommes de mon fils Louis, qui gardent la mer, vous ne me rendrez
« pas responsable des choses fâcheuses qui pourront vous arriver. »
« A ces mots, ajoute le chroniqueur Roger de Wendover, le légat se
retira, tout en colère, de la Cour du Roi. »

LEVÉES D'HOMMES ET D'ARGENT. Cependant Philippe-Auguste, continuant la comédie, confisqua
ou feignit de confisquer la terre du prince royal, l'Artois, et les
domaines des chevaliers qui s'embarqueraient avec lui. En même
temps, il laissait Louis réunir 1200 chevaliers; du nombre étaient la
plupart des héros de Bouvines : Guillaume des Barres, Saint-Pol,
Guillaume des Roches, le vicomte de Melun, Couci, Sancerre, la
Truie. Si le Roi avait dirigé lui-même l'entreprise, il n'aurait pas
choisi d'autres soldats.

Il fournissait aussi l'argent. Les sommes destinées à payer la campagne furent levées avec rigueur dans toutes les provinces royales.
Dans l'Artois, la taxe de guerre fut perçue « au nom du Roi. » Tous
les hauts barons qui refusèrent de payer furent obligés de consentir
un emprunt forcé. Le duc de Bourgogne, Eude III, versa mille marcs.
En Champagne, la comtesse Blanche, régente au nom de son fils
mineur Thibaut IV, refusa de rien payer sous prétexte qu'elle ne
voulait pas contribuer à une attaque contre un prince croisé. Quelques jours après, comme elle était à table avec son fils, une troupe
de chevaliers et de sergents force les portes et la défie de la part de

Louis de France; elle s'enfuit, épouvantée, dans sa chambre. Philippe-Auguste sévit contre les auteurs de ce coup de main. Il désavoua ses agents et son fils, une fois de plus. Mais comment toutes ces levées d'hommes et d'argent se seraient-elles faites si le roi de France ne l'avait pas permis? Aussi le pape Innocent III, après avoir excommunié Louis, s'apprêtait à frapper Philippe. La mort ne lui en laissa pas le temps (16 juillet 1216).

Lorsque Louis de France débarqua, le 21 mai 1216, à Stonor, dans l'île de Thanet, la situation des barons insurgés était compromise. Jean-sans-Terre avait fait venir du continent 15 000 routiers, commandés par deux aventuriers, Savari de Mauléon et Fauquet de Bréauté. Ces brigands avaient saccagé l'Angleterre, rançonnant les paysans, souillant les églises, commettant toutes les atrocités. Avec leur aide, Jean prit Rochester, dévasta le Northumberland et bloqua presque les barons dans Londres. Mais, à l'arrivée des Français, dont il n'avait pas osé empêcher le débarquement, tout changea. Le prince royal entra à Londres sans coup férir, reçut à Westminster les hommages des évêques, des nobles, des bourgeois, et confirma les privilèges et la grande Charte, sans prendre pourtant le titre de roi. L'archevêque de Cantorbery, Étienne Langton, toujours à Rome, ne pouvait le sacrer, et d'ailleurs Louis était excommunié. Mais, qu'importait le titre? On le prendrait après la victoire. L'activité du légat Galon et ses anathèmes n'empêchèrent pas la grande majorité des nobles et des évêques de se grouper autour du Français. Les routiers, que Jean-sans-Terre commençait à payer mal ou à ne plus payer, l'abandonnèrent. Tout l'est de l'Angleterre, sauf trois villes, Lincoln, Windsor et Douvres, était au pouvoir de Louis, qui se crut assuré de la couronne, lorsque Jean mourut, le 19 octobre 1216.

LE PRINCE LOUIS EN ANGLETERRE.

Or, la mort de Jean devait avoir des conséquences tout opposées. Il laissait un fils de neuf ans, Henri, qui n'était pas responsable des crimes de son père. Un conseil de régence, dirigé par le cardinal Galon, légat du nouveau pape Honorius III, et par le vieux comte de Pembroke, Guillaume le Maréchal, est aussitôt constitué. « Jusqu'ici, écrit, en décembre 1216, le pape Honorius, nous avons montré beaucoup de sollicitude pour la défense du royaume d'Angleterre, propriété du Siège apostolique, mais il faut maintenant nous en occuper plus activement, puisque Jean, d'illustre mémoire, a remis entre nos mains et sous notre tutelle son fils et sa royauté. Il ne convient pas qu'on puisse nous comparer au mercenaire qui, à la vue du loup, laisse là ses brebis et s'enfuit. »

MORT DE JEAN-SANS-TERRE.

Galon fait sacrer et couronner à Westminster le jeune Henri III; aussitôt après, onze évêques abandonnent le parti de Louis de France.

COURONNEMENT D'HENRI III.

Le nouveau souverain prend la croix. Honorius l'appelle « son très cher fils, pupille du Saint-Siège et croisé. » Galon est le chef officiel du conseil de régence. Sa signature et son sceau figurent au bas des actes administratifs. Très habilement, il fait jurer au jeune Roi les articles de la grande Charte, oubliant fort à propos que cette constitution avait été flétrie et cassée par Innocent III. En même temps, il négocie avec les nobles rebelles pour les détacher de Louis et des Français excommuniés « ennemis de Dieu et de l'Église; » la guerre qui leur est faite est légitime et sainte : c'est une croisade. Les partisans d'Henri III, les « chevaliers du Christ, » reçoivent du cardinal l'ordre de porter une croix blanche sur la poitrine. Ceux qui ont fait vœu de partir en Terre Sainte pourront remplir leur engagement sans quitter l'Angleterre même, en se battant contre les étrangers.

SITUATION DE LOUIS DE FRANCE. Certains chroniqueurs anglais ont affirmé que Louis de France dut sa défaite à son mauvais gouvernement; il aurait traité l'Angleterre en pays conquis, s'appropriant les biens des barons, persécutant les églises qui refusaient d'adhérer à sa cause. En réalité, il s'est conduit, notamment à l'égard du Clergé, avec toute la modération possible. L'état de guerre et la brutalité des mœurs du temps expliquent qu'il ait été obligé de punir durement certaines défections et de rançonner quelques établissements religieux pour subvenir aux frais de sa campagne, mais il n'y eut pas de spoliation méthodique. L'impopularité des Français et de leur chef, au début même de l'expédition, est une légende. Le grand malheur, pour Louis de France, est d'avoir eu affaire à Rome et à ses légats.

DÉFAITE DES FRANÇAIS A LINCOLN. Au reste, la fortune des armes lui fut presque toujours contraire. Il ne réussit pas à prendre **Douvres,** dont la possession lui était nécessaire. Il alla faire une **courte** apparition sur le continent pour y chercher de l'argent et des renforts (janvier 1217). Philippe-Auguste, visiblement refroidi pour une entreprise qui n'avançait pas et subissant les éternels assauts d'Honorius III et de ses légats, fit, sans abandonner son fils, moins d'efforts pour lui venir en aide. Continuant son rôle, il affecta de ne pas parler au prince royal excommunié, mais ne l'empêcha point de faire ses affaires et de se rembarquer. Quand il reprit la campagne, le 22 avril, Louis commit l'imprudence de diviser ses forces devant des ennemis bien commandés. Pendant qu'il essayait de s'emparer de Douvres, le gros de son armée s'attaquait au château de Lincoln, défendu par les royalistes de Guillaume le Maréchal et les bandes de Fauquet de Bréauté. Les mesures habiles de ce routier décidèrent du succès. Quatre cents chevaliers du parti de France durent se rendre, et parmi eux, la plupart des chefs de l'insurrection anglaise. Un poète du temps a célébré cette victoire, qu'il attribue à Dieu même, protecteur de la dynastie légitime. « Le sacre a donné au jeune Henri une maturité soudaine. Conduits par Galon, le cardinal, astre de justice et miroir de raison, les fidèles qui portent sur leur poitrine la croix blanche s'élancent contre les sacrilèges et une sainte conversion transforme les lièvres en lions. C'est Dieu qui a combattu pour l'enfant. »

Le 24 août 1217, une flotte française composée de six grands vaisseaux et de soixante-dix barques transportait une centaine de chevaliers et un certain nombre de sergents, sous le commandement du pirate Eustache le Moine. Elle rencontra dans le port de Calais la flotte d'Henri III, forte de dix-huit vaisseaux. La nef d'Eustache le Moine fut prise avec tous les chevaliers qu'elle contenait, beaucoup de Français capturés ou noyés. Eustache fut décapité et sa tête promenée sur une pique dans tout le pays de Cantorbery. Vaincu sur terre comme sur mer, le fils de Philippe-Auguste se décida enfin à abandonner l'entreprise. Le 11 septembre, il signait le traité de Lambeth. Le cardinal et les régents, trop heureux de voir partir les Français, acceptèrent un article secret qui accordait à Louis une indemnité de guerre de 10 000 marcs.

DESTRUCTION DE LA FLOTTE FRANÇAISE.

La dynastie des Plantagenêts continua donc à régner, humiliée, il est vrai. Vassale et tributaire du Saint-Siège, elle était obligée de reconnaître la grande Charte, imposée par une coalition de nobles, de clercs et de bourgeois. L'Angleterre était si appauvrie qu'elle mit plus de trois ans à payer l'indemnité promise. Sur le continent, contente de garder ses possessions de Saintonge et de Gascogne, elle ne fit, tant que vécut Philippe-Auguste, aucun effort pour rompre la paix et reprendre les territoires perdus. Le traité conclu à Chinon en 1214 fut renouvelé en 1220 pour quatre ans. Le roi d'Angleterre semblait accepter, au moins provisoirement, le fait accompli.

II. — *LES PRÉLIMINAIRES DE LA CROISADE DES ALBIGEOIS* [1]

C'EST à la fin du règne de Philippe-Auguste que le comté de Toulouse, la seule grande domination féodale qui eût gardé véritablement son indépendance, a été entamé par les armes et la politique

---

1. Sources. Pour ce paragraphe et le suivant : La *Chronique* de Pierre des Vaux-de-Cernai, dans le recueil des *Historiens de France*, t. XIX, et celle de Guillaume de Puylaurens, *ibid.* La *Chanson de la Croisade contre les Albigeois*, par Guillaume de Tudèle et un poète anonyme, édition Paul Meyer, 2 vol., 1875-1879. La Correspondance d'Innocent III, dans la *Patrologie latine*, t. CCXIV-CCXVII. Le *Catalogue des actes de Simon et d'Amaury de Montfort*, publié par A. Molinier, dans la Bibliothèque de l'Ecole des Chartes, t. XXXIV, 1873. Cf. De

du Conquérant et de son fils. Une série d'événements extraordinairement tragiques, où la Royauté d'abord ne prit aucun parti, leur permit d'étendre leur autorité sur ce pays lointain, qui semblait habité par un autre peuple et vivre d'une autre civilisation.

HÉRÉSIES DU LANGUEDOC ET DE LA PROVENCE.

Dès le milieu du XIIᵉ siècle, l'Église avait, dans les vallées du Rhône et de la Garonne, un ennemi qu'il n'était plus possible de négliger. Des croyances nouvelles, issues soit d'un radicalisme religieux poussé à l'extrême, soit d'une importation de dogmes étrangers, s'étaient élevées contre la doctrine et la discipline catholiques. La religion *vaudoise* avait gagné de proche en proche les pays riverains du Rhône, et la religion *albigeoise* le Languedoc, les Pyrénées orientales et centrales et la Gascogne. La France du Midi avait déjà sa langue, sa littérature, sa civilisation spéciale : il semblait qu'avec la communauté de foi fût sur le point de disparaître le seul lien qui rattachât les gens du Midi à ceux du Nord.

LES VAUDOIS.

Vers 1170, un riche marchand de Lyon, Pierre Valdo, saisi, comme tant d'autres, de la passion de réformer l'Église, faisait transcrire à ses frais, en langue vulgaire, les Évangiles, certains livres de la Bible et des extraits des premiers Pères. C'était une manifestation nouvelle de la tendance qui poussait les âmes d'élite à retourner au christianisme et à l'Église du premier âge. Valdo laisse son commerce et ses biens pour vivre dans la pauvreté et prêcher le pur Évangile. Il entraîne un groupe de disciples, parle dans les rues, sur les places, dans les maisons. Il ne se sépare pas d'abord, et peut-être n'a-t-il jamais eu l'intention de se séparer de l'Église romaine. C'est un réformateur laïque, un purificateur de la foi. Cependant l'archevêque de Lyon lui interdit cette prédication, et, comme il persiste, l'excommunie. Pierre Valdo en appelle au Pape. Alexandre III, plus indulgent que l'archevêque, le loue d'avoir fait vœu de pauvreté et l'autorise même à prêcher, pourvu que le clergé de la ville le lui permette et le lui demande. Valdo et ses disciples se résignent, pendant quelque temps, à subir ces conditions; mais le pape Lucius III excommunie comme hérétiques « les pauvres de Lyon; » c'est ainsi qu'on appelait les disciples de Valdo. Alors quittant Lyon et le pays

Smedt, *Les sources de l'histoire de la croisade contre les Albigeois,* dans la Revue des Questions historiques, t. XVI, 1874, et P. Meyer, Introduction à l'édition de la *Chanson de la Croisade.*

OUVRAGES A CONSULTER. W. Preger, *Ueber die Verfassung der französischen Waldesier in der älteren Zeit,* 1891 (t. XIX des Abhandlungen der historischen Classe der Königlich Bayerischen Akad. der Wissenschaften). C. Schmidt, *Histoire et doctrine de la secte des Cathares ou Albigeois,* 1849. E. Dulaurier, *Les Albigeois ou les Cathares du Midi de la France,* dans le Cabinet historique, t. XXVI, 1880. Ch. Molinier, *L'Inquisition dans le Midi de la France au XIIIᵉ et au XIVᵉ siècle, études sur les sources de son histoire,* 1880 (thèse de Paris), F. Hurter. Balme et F. Lelaidier, *Cartulaire ou histoire diplomatique de saint Dominique,* 1893-1897, 2 vol.

lyonnais, ils se répandent en Franche-Comté, en Bourgogne, en Dauphiné, jusqu'en Lorraine au Nord, jusqu'en Provence et en Narbonnaise au Sud. A la fin du XIIᵉ siècle, l'Église avait affaire aux Vaudois, à la fois à Metz, à Strasbourg et à Montpellier.

Ces Vaudois qui, deux siècles plus tard, seront relégués dans les hautes vallées des Alpes, vivront jusqu'au XVIᵉ siècle et donneront des précurseurs à la Réforme. Ils ont pu durer si longtemps, parce que, s'ils étaient séparés de l'Église catholique, ils demeuraient au moins des chrétiens. A la vérité, ils n'admettaient ni la présence réelle, ni l'ordination, ni le culte des saints, ni le purgatoire; ils ne pratiquaient ni le jeûne ni l'abstinence; leur culte se réduisait à la prédication, à la prière, à la lecture de l'Évangile et des livres saints; ils reconnaissaient à tout homme en état de sainteté le pouvoir de confesser et d'absoudre, mais ils n'avaient point une métaphysique et une théologie antichrétiennes; enfin, le valdisme était une religion de pauvres gens et semblait par là moins redoutable. Tout autre fut le caractère et très différente la destinée de l'autre hérésie.

LES ALBIGEOIS.

La religion des Languedociens et des Gascons, dite des *Albigeois*, a des origines obscures. Les Albigeois n'ont pas écrit leur histoire : on ne sait ce qu'ils étaient et ce qu'ils pensaient que par les récits de leurs persécuteurs et les procès-verbaux des tribunaux qui les condamnèrent. Ce qui est certain, c'est que le terrain avait été préparé pour l'hérésie, dans cette partie de la France, par la prédication de Pierre de Bruys et de Henri de Lausanne [1]. En 1163, le concile de Tours dénonce les progrès menaçants d'une croyance qui, de Toulouse, se répandait « comme un cancer » sur les contrées voisines. Les évêques du Midi réclament l'aide du bras séculier, mais les seigneurs du Languedoc refusent leur concours. Le clergé languedocien confère avec les chefs de l'hérésie, au château de Lombers, près d'Albi; il essaye inutilement de les intimider pour les convertir.

PROGRÈS DE L'ALBIGÉISME.

En 1167, les Albigeois se sentent assez nombreux et assez forts pour tenir une sorte de concile à Saint-Félix de Caraman, où ils achèvent de fixer leur discipline, leur organisation et leur culte. On vit même apparaître dans l'assemblée un évêque hérétique de Constantinople, Nicétas, venu, semble-t-il, pour établir un lien permanent entre les cathares de la France méridionale et ceux de l'empire grec. Le comte de Toulouse, Raimond V, écrivit en 1177 au chapitre général de Cîteaux pour lui signaler le développement effrayant de l'hérésie. « Elle a pénétré partout. Elle a jeté la discorde dans toutes les familles, divisant le mari et la femme, le fils et le père, la belle-

1. *Histoire de France*, t. II, seconde partie, p. 361 et suivantes.

fille et la belle-mère. Les prêtres eux-mêmes ont cédé à la contagion. Les églises sont désertées et tombent en ruines. Pour moi, je fais tout le possible pour mettre fin à un pareil fléau ; mais je sens que mes forces restent au-dessous de cette tâche. Les personnages les plus considérables de ma terre se sont laissés corrompre. La foule a suivi leur exemple et abandonné la foi, ce qui fait que je n'ose ni ne puis réprimer le mal [1]. »

LA MISSION DE 1178.   L'hérésie des Albigeois procédait du manichéisme et nous en avons déjà marqué les caractères essentiels [2]. Elle admettait deux morales, l'une pour les *Parfaits*, l'autre pour la masse des simples croyants. Comment cette religion de provenance asiatique a-t-elle fait des adeptes dans la patrie des troubadours et de l'amour libre? comment a-t-elle enfanté les saints, les inspirés, les martyrs qui bravèrent l'Inquisition? Le phénomène n'est pas facile à expliquer. Les hérétiques proprement dits, qui pratiquaient les observances du catharisme, trouvèrent appui dans la masse des catholiques tièdes ou à demi ébranlés. L'ensemble formait, dans la population du Midi, une minorité imposante, redoutable par le rang et l'influence des nobles qui la dirigeaient. Déjà en 1178, Louis VII et Henri II faillirent commencer la croisade des Albigeois. Le roi de France et le roi d'Angleterre résolurent une expédition en Languedoc, mais ils se ravisèrent, on ne sait pourquoi, et s'arrêtèrent à une demi-mesure. Des ecclésiastiques et des prédicateurs, dirigés par le légat Pierre de Pavie, l'abbé de Clairvaux, Henri, les archevêques de Bourges et de Narbonne, les évêques de Bath et de Poitiers, escortés de gens de guerre que devaient commander le comte de Toulouse, le vicomte de Turenne et le seigneur Raimond de Castelnau, reçurent la mission de se rendre dans les pays contaminés, de prêcher et de convertir, de rechercher les propagateurs de l'hérésie et de les condamner.

PIERRE MORAN.   Dès le mois d'août 1178, ils arrivent à Toulouse, où les hérétiques, maîtres de la ville, réduisaient presque les catholiques à cacher leur foi. Ils sont mal accueillis; on les montre au doigt, on les injurie dans la rue. Mais le légat ordonne à l'abbé de Clairvaux de prêcher cette foule hostile. Il exige que le clergé et la noblesse de Toulouse dénoncent les hérétiques avérés et même les suspects. En tête de la liste, grossie tous les jours par des délations anonymes, se

1. Cette lettre permet, avec d'autres témoignages précis, de réfuter l'opinion d'érudits (parmi eux M. A. Molinier, dans la préface du t. VI de la nouvelle *Histoire du Languedoc*) qui pensent que les textes contemporains auraient exagéré le nombre des hérétiques. Ceux-ci n'auraient formé, en réalité, dans le Languedoc, qu'une minorité infime. L'auteur d'un livre récent sur l'histoire des tribunaux de l'Inquisition, M. Tanon, professe l'opinion contraire et, selon nous, avec raison.
2. *Histoire de France*, t. II, seconde partie, p. 196.

trouvait un des plus riches habitants de la ville, un vieillard, Pierre
Moran, surnommé Jean l'Évangéliste parce qu'il était un des apôtres
de la nouvelle doctrine. Il est choisi par le légat pour servir d'exemple.
Cité devant le tribunal de la mission, Pierre Moran jure d'abord
qu'il n'est pas hérétique, puis, dans les explications embarrassées
qu'il donne, il laisse entendre qu'il n'accepte pas le dogme de la présence réelle. Aussitôt il est déclaré coupable d'hérésie et livré au
bras séculier, c'est-à-dire au comte de Toulouse.

L'accusé se résigne à une abjuration publique dans la basilique
de Saint-Sernin. Au jour fixé, l'église est envahie par la foule ; le
légat obtient à peine l'espace de quelques pieds carrés nécessaire
pour dire la messe. Pierre Moran apparaît, pieds nus, torse nu, et
s'avance vers l'autel, l'évêque de Toulouse et l'abbé de Saint-Sernin
lui donnant la discipline à coups de verges. Il se prosterne aux pieds
du légat, abjure son erreur et anathématise lui-même les hérétiques.
On le réconcilie avec l'Église, mais les conditions sont dures : tous
ses biens confisqués ; obligation de quitter le pays sous quarante
jours et d'aller à Jérusalem servir les pauvres pendant trois ans. En
attendant son départ, il fera chaque dimanche le tour des églises de
la ville, nu-pieds et se flagellant lui-même, restituera les biens pris au
Clergé ou acquis par l'usure et démolira un de ses châteaux où les
hérétiques avaient coutume de se réunir. Il paraît que la pénitence
fut scrupuleusement accomplie. Pierre Moran, revenu à Toulouse
trois ans après, rentra en possession de sa fortune et exerça même
encore des charges publiques. Au dire des missionnaires, d'autres
hérétiques notables allèrent se dénoncer eux-mêmes au légat et
obtinrent en secret la faveur d'être réconciliés.

Ce succès acquis, l'abbé de Clairvaux se rend dans la région
d'Albi et de Carcassonne, où l'hérésie était ouvertement protégée par
Roger II Trencavel, vicomte de Béziers, qui avait mis en prison
l'évêque d'Albi et le faisait garder par les sectaires. L'abbé de Clairvaux réclame la mise en liberté du prisonnier et prêche contre
l'hérésie. Le vicomte s'était retiré prudemment à l'extrême limite de
son fief ; sa femme, ses enfants, ses chevaliers étaient restés au château de Castres. L'abbé de Clairvaux y pénètre, déclare Roger
Trencavel traître, hérétique, parjure et, finalement, l'excommunie.

Cette hardiesse détermine la soumission de deux hérétiques de
marque, Raimond de Bauniac et Bernard Raimond. Ils se plaignent
au légat d'avoir été injustement bannis par le comte de Toulouse
et demandent un sauf-conduit pour aller se justifier. Les missionnaires les font comparaître à Toulouse, dans l'église Saint-
Étienne, où ils lisent une longue profession de foi. Ils déclarent ne

*SA
CONDAMNATION.*

*HENRI
DE CLAIRVAUX
A CASTRES.*

pas croire à l'existence d'un double principe, représentant le bien et le mal, mais à un Dieu unique, créateur du visible et de l'invisible. Ils reconnaissent que tout prêtre, même adultère et criminel, a le pouvoir de consacrer l'hostie et d'opérer la transsubstantiation; que les enfants sont sauvés par le baptême et que toute autre imposition des mains est hérétique; que le mariage n'est pas un obstacle au salut; que les archevêques, évêques, moines, chanoines, ermites, Templiers et frères de Saint-Jean de Jérusalem seront sauvés, qu'il faut visiter les églises, vénérer les saints, respecter les ministres du culte et leur payer la dîme. Credo d'une orthodoxie rigoureuse, qui nous fait connaître indirectement la doctrine même des Albigeois.

CONDAMNATION DE RAIMOND DE BAUNIAC ET DE BERNARD RAIMOND.

Raimond de Bauniac et Bernard Raimond sont ensuite conduits à l'église Saint-Jacques, plus vaste, où se trouvait réunie une foule considérable; ils relisent leur profession de foi. « Croyez-vous de cœur, » leur dit le légat, « ce que votre bouche vient d'affirmer? » « Nous n'avons jamais enseigné une autre doctrine, » répondent-ils. Mais le comte de Toulouse et d'autres fidèles, clercs et laïques, se lèvent et affirment qu'ils en ont menti. Des témoins jurent qu'ils les ont entendus prêcher contre la foi. Sommés de confirmer leur dire par serment, les deux hommes s'y refusent : cela même était un signe de catharisme. Le légat et les évêques renouvellent alors à la lueur des cierges, l'excommunication et la peine de l'exil qui les avait déjà frappés.

Cependant les résultats de la mission de Pierre de Pavie furent à peu près nuls[1]. Le Pape fut obligé, deux ans après, d'envoyer dans le Languedoc une nouvelle mission, dirigée par le même abbé de Clairvaux, Henri, devenu cardinal et légat. L'hérésie gagnait peu à peu toute la Noblesse. Si les hauts barons n'osaient se déclarer, ils laissaient leurs femmes et leurs fils entrer dans la secte, protégeaient ses ministres et affichaient leur mépris du culte catholique et de ses représentants.

RAIMOND ROGER, COMTE DE FOIX.

Le comte de Foix, Raimond Roger, vivait entouré d'hérétiques. Sa femme avait embrassé la religion vaudoise. De ses deux sœurs, l'une était vaudoise et l'autre cathare. Il va un jour s'installer dans le monastère de Saint-Antonin de Pamiers avec ses routiers, ses bouffons et ses courtisanes. Il enferme l'abbé et les chanoines dans l'église, gaspille les provisions du couvent et couche, avec toute sa suite, dans l'infirmerie. Au bout de trois jours, il chasse les religieux

1. « Parum profecerunt, » dit le chroniqueur Robert de Torigni, l'abbé du Mont-Saint-Michel, toujours si bien renseigné.

presque nus, avec défense aux habitants de Pamiers de les recevoir, puis il détruit le dortoir et le réfectoire et emploie les matériaux à reconstruire les fortifications de son château. Devant une procession qui passe avec des reliques, il reste à cheval, tenant la tête haute. De l'église d'Urgel « il enleva, dit le chroniqueur, toutes les fournitures, croix et vases sacrés ; il brisa même les cloches et ne laissa rien que les murailles. » Les chanoines durent lui payer une rançon. Il permit à ses routiers de « briser les jambes et les bras d'un crucifix pour s'en faire des pilons, avec lesquels ils broyaient le poivre et les herbes qu'ils mettaient dans leurs sauces. » Dans une autre église, son écuyer s'amusa, en sa présence, à placer son heaume sur la tête du Christ, à lui passer le bouclier, à lui chausser les éperons ; puis, saisissant sa lance, il chargea la sainte image et la cribla de coups, en criant : « Rachète-toi. »

D'autres grands seigneurs, le vicomte de Béziers et de Carcassonne (qui s'appelait aussi Raimond Roger), le comte Bernard de Comminges, le vicomte Gaston VII de Béarn, se conduisaient comme le comte de Foix.

Le comte de Toulouse, Raimond VI, qui succéda en 1194 à Raimond V, fut l'ami des hérétiques que son père avait persécutés. A en croire les chroniqueurs catholiques, il dépouillait les églises et détruisait les monastères. L'abbé de Grandselve, Arnaud Amalric, lui ayant signalé un hérétique de Toulouse coupable d'avoir souillé un autel et blasphémé en public, Raimond lui répondit que « pour des faits de ce genre, il ne sévirait jamais contre un compatriote. » Il permettait à des prédicateurs albigeois de prêcher la nuit dans son palais, faisait élever son fils à Toulouse dans la religion nouvelle et prodiguait faveurs et argent aux Cathares. On affirme même qu'il avait adhéré à l'hérésie et se faisait accompagner dans ses expéditions militaires par des évêques albigeois cachés sous l'habit laïque, afin de pouvoir, en cas de blessures mortelles, recevoir d'eux l'imposition des mains.

LE COMTE DE TOULOUSE, RAIMOND VI

Et pourtant il est hors de doute que ce même Raimond VI comblait de bienfaits les congrégations religieuses. Il était surtout l'ami des Hospitaliers de Saint-Jean de Jérusalem, et s'affilia même à leur ordre en 1218 « déclarant que, s'il entrait jamais en religion, il ne choisirait pas d'autre habit que le leur. » Des témoignages authentiques établissent qu'il avait fait de sa fille Raimonde une religieuse au couvent de Lespinasse, et que, même excommunié, il restait à la porte des églises pour assister au moins de loin aux cérémonies religieuses. Lorsqu'il rencontrait sur son chemin un prêtre portant l'eucharistie à un malade, il descendait de cheval, adorait l'hostie et suivait le prêtre. Lorsque les premiers franciscains s'établirent à Toulouse, il les réunit un jour de jeudi saint dans la maison d'un de ses amis, les servit à table de ses propres mains et poussa l'humilité jusqu'à leur laver et à leur baiser les pieds.

En réalité ce grand seigneur, intelligent et lettré, fut un assez triste personnage, qui avait tous les vices de la noblesse de son temps. Sa cour était remplie de ses concubines et de ses bâtards. Comme beaucoup de Méridionaux, il était indifférent en matière religieuse et, par là, tolérant. Il est possible que, suivant les circonstances et ses intérêts, il ait incliné vers la doctrine des Albigeois et encouragé ses ministres, tout en restant attaché publiquement à la religion paternelle et en la pratiquant comme le faisaient tous les hauts barons.

ON ESSAYE DE CONVERTIR LES HÉRÉTIQUES. Innocent III essaya d'abord de ramener les hérétiques par la persuasion. Dans le clergé du Midi, des hommes comme Azevedo, évêque d'Osma, et le chanoine Dominique, le fondateur de l'ordre des Frères Prêcheurs, reconnaissaient que la corruption des curés et des prélats était une des causes principales de l'hérésie. Ils voulurent retourner à la simplicité de l'Église primitive et s'en allèrent par le Languedoc, pieds nus et mendiant leur pain, pour prêcher et discuter avec les ennemis de la foi. Mais d'autres, l'abbé de Cîteaux, Arnaud Amalric, le troubadour converti, Folquet de Marseille, l'archidiacre de Maguelonne, Pierre de Castelnau, réclamaient l'extermination des Albigeois. Ce furent eux qui, à la fin, décidèrent le Pape à employer les moyens violents.

INNOCENT III S'ADRESSE AU ROI DE FRANCE. L'idée première d'Innocent III fut de s'adresser au roi de France. La croisade, si Philippe-Auguste en avait pris la direction, aurait été un acte régulier, accompli en commun par le Pape et par la suprême autorité laïque du pays. Mais, prié par Innocent en 1204, en 1205, en 1207, avec des instances toujours plus vives, le roi de France refusa. Nous verrons qu'il professait à l'égard des hérétiques les sentiments de ses contemporains et n'hésita pas, quand l'occasion s'offrait, à les brûler, mais il avait, au moment des appels du Pape, ses affaires particulières. Il poursuivait alors l'expropriation de Jean-sans-Terre : « Il m'est impossible, répondit-il à Innocent III, de lever et d'entretenir deux armées, l'une pour me défendre contre le roi d'Angleterre, l'autre pour marcher contre les Albigeois. Que le seigneur Pape trouve de l'argent et des soldats, qu'il oblige surtout les Anglais à rester en paix, et l'on verra. »

MEURTRE DE PIERRE DE CASTELNAU. Pendant ce temps, au Midi, les événements prenaient une tournure grave. Folquet de Marseille, l'implacable ennemi des hérétiques, était nommé au siège épiscopal de Toulouse (février 1206). En

La fin du règne.

1207, par deux fois, le légat d'Innocent, Pierre de Castelnau, excommunia Raimond VI. Or, le 12 janvier 1208, un écuyer du comte, fanatisé, tuait le légat d'un coup de lance dans une hôtellerie des bords du Rhône. « Avant de mourir, dit l'auteur de la *Chanson de la Croisade*, Pierre, levant ses yeux au ciel, pria Dieu en présence de tout le peuple de pardonner ses péchés à ce félon sergent. Quand il eut reçu la communion, vers le chant du coq, il mourut après, à l'aube naissante. L'âme s'en est allée au Père tout-puissant. A Saint-Gilles, on l'enterre avec force cierges allumés, avec force *kyrie eleison* que chantent les clercs. Quand le Pape apprit que son légat avait été tué, sachez que la nouvelle lui fut pénible. De l'affliction qu'il en eut, il tint la main à sa mâchoire et invoqua saint Jacques de Compostelle et saint Pierre de Rome. Quand il eut fait son oraison, il éteignit le cierge. Là fut frère Arnaud, l'abbé de Cîteaux et maître Milon, qui parle en latin, et les douze cardinaux tous en rond. Là fut prise la résolution par suite de laquelle tant d'hommes ont péri éventrés, et mainte dame a été dépouillée de son manteau et de sa jupe. »

Cet acte inouï, le meurtre d'un représentant direct du Saint-Siège, décida du sort des Albigeois.

Le comte de Toulouse — rien ne prouve qu'il ait été le complice du crime — se trouva dans la situation du roi d'Angleterre, Henri II, après le meurtre de Thomas Becket. Sans affirmer explicitement sa culpabilité, Innocent III la présume dans les lettres qu'il écrit, après l'attentat, aux évêques, aux barons du royaume et à Philippe-Auguste : « Quoique le comte de Toulouse soit déjà excommunié depuis longtemps pour plusieurs crimes énormes, cependant certains indices font penser qu'il est coupable de la mort de ce saint homme. Il a menacé publiquement de le faire mourir ; il lui a dressé des embûches ; il a admis le meurtrier dans son intimité, ainsi qu'on l'assure, et lui a fait de grands présents. Pour cette raison, nous le déclarons excommunié et, comme les saints canons ne veulent pas qu'on garde la foi à celui qui ne la garde pas à Dieu, après l'avoir séparé de la communion des fidèles, nous délivrons de leur serment, par l'autorité apostolique, tous ceux qui lui ont promis feauté, société ou alliance. Tous les catholiques, sauf le droit du seigneur principal, ont la permission non seulement de poursuivre sa personne, mais encore d'occuper et de garder ses domaines. »

Paroles graves, où se trouvaient en germe, légitimés d'avance, tous les faits qui vont suivre. La réponse de Philippe-Auguste, très curieuse, est bien du politique qu'il était. Il exprime brièvement ses regrets de la mort de Pierre de Castelnau, « un homme de bien, » et son indignation contre le comte de Toulouse, « un mauvais vassal ; »

INNOCENT III FULMINE CONTRE RAIMOND VI.

LETTRE DE PHILIPPE AU PAPE.

mais on voit qu'il est ému surtout de la prétention du Pape à
disposer des fiefs de Raimond VI excommunié : « Condamnez-le
comme hérétique ; alors seulement vous aurez le droit de publier la
sentence et de m'inviter, moi, le suzerain du comte, à confisquer
légalement les domaines de mon feudataire. Or, vous ne nous avez
pas encore fait savoir que vous teniez le comte pour convaincu d'hérésie. » Philippe refusait la responsabilité et la charge de la guerre
du Languedoc ; mais il ne voulait pas qu'un autre que lui prît possession des biens de son vassal.

SOUMISSION   Il était difficile de convaincre Raimond VI du crime d'hérésie.
DE RAIMOND VI. Nous avons montré que, comme d'autres grands seigneurs du Midi,
il favorisait les hérétiques sans répudier ouvertement l'ancienne religion. Quand il vit la noblesse catholique s'apprêter à obéir au Pape, il
essaya de détourner l'orage par une profession d'orthodoxie et une
soumission complète aux exigences d'Innocent. A Valence, puis à
Saint-Gilles, en présence du légat, il accepta humblement les conditions les plus dures : remettre sept de ses châteaux entre les mains
des représentants de l'Église romaine ; reconnaître au Saint-Siège la
propriété du comté de Melgueil ; s'engager par serment à expulser les
hérétiques, et prendre part à l'expédition dirigée contre ses propres
sujets. Le 18 juin 1209 eut lieu la pénitence solennelle. Le souverain
du Languedoc, nu jusqu'à la ceinture, une étole au cou, se plaça
à l'entrée de l'église de Saint-Gilles. Le légat Milon prit les deux
bouts de l'étole et, tirant après lui le pénitent, l'introduisit dans la
nef en le frappant d'une poignée de verges. Puis il lui donna l'absolution.

Mais la féodalité du Nord et du Centre avait terminé ses préparatifs : la guerre sainte commença (juillet 1209).

III. — LA GUERRE SAINTE. SIMON DE MONTFORT ET LA CONQUÊTE DU LANGUEDOC [1]

L'ARMÉE   UNE armée de 50 000 hommes, réunie à Lyon sous les ordres du
DE LA CROISADE.   légat Arnaud Amalric, descendit le Rhône. On y voyait les
archevêques de Reims, de Sens, de Rouen, les évêques d'Autun, de
Clermont, de Nevers, de Bayeux, de Lisieux, de Chartres, le duc de

---

1. OUVRAGES A CONSULTER. Outre ceux qui sont cités au paragraphe précédent : Dom Vaissète, *Histoire du Languedoc*, édit. Privat, t. VI, et les notes de M. A. Molinier. C. Douais,
Soumission de la vicomté de Carcassonne par Simon de Montfort et la croisade contre Ray
mond VI, comte de Toulouse (août 1209-avril 1211), 1884. Marcel Dieulafoy, *La bataille de*
Muret, dans les Mémoires de l'Académie des Inscriptions, t. XXXVI, 2ᵉ partie, 1901.

Bourgogne, les comtes de Nevers et de Saint-Pol, le chevalier Guillaume des Barres et le comte de Leicester, Simon de Montfort. Ce dernier, catholique plus passionné que les évêques, était un de ceux qui, lors de la quatrième croisade, avaient abandonné l'armée chrétienne et refusé de marcher sur Constantinople pour ne pas enfreindre la volonté du Pape. A défaut du roi de France, le commandement suprême avait été donné au légat.

PRISE DE BÉZIERS.

Le 24 juillet, les croisés arrivaient devant Béziers, la ville du vicomte Raimond Roger, un des fauteurs de l'hérésie. Là s'opéra la jonction de la grande armée avec un autre corps d'envahisseurs qui venait du côté d'Agen sous la conduite de l'archevêque de Bordeaux et avec les troupes réunies en Auvergne par l'évêque du Pui. Comme le comte de Toulouse, le vicomte proteste de son orthodoxie, rejette sur ses officiers la responsabilité des faveurs prodiguées aux hérétiques, s'excuse auprès du légat. Mais l'abbé de Cîteaux ne l'écoute même pas, et le siège commence. Il s'agissait de faire, au début de l'expédition, un exemple terrible. La ville fut prise. Sept mille personnes, des femmes, des enfants, des vieillards, massacrés dans la seule église de la Madeleine où l'effroi les avait jetés; la plupart des hommes valides exterminés; la ville pillée par les goujats de l'armée, « les ribauds, » tellement acharnés au butin que les chevaliers, enrageant de ne pas avoir leur part, furent obligés « de les jeter dehors à coups de trique, comme des chiens; » les ribauds, pour se venger, mettent le feu à la ville, qui brûla tout entière « en long et en travers, » tel fut le premier acte des croisés [1]. Chaque pas en avant de l'armée d'invasion fut marqué par une boucherie. Quand on pouvait mettre la main sur les Cathares qui, dans leur hiérarchie, se donnaient le nom de *Parfaits*, la joie était grande. Les récits d'exécutions sauvages abondent dans la *Chanson de la Croisade* et la *Chronique* de Pierre des Vaux-de-Cernai.

MASSACRES D'HÉRÉTIQUES.

Après la prise du château de Lavaur (mai 1211), « le seigneur Amalric de Montréal et quatre-vingts chevaliers sont attachés au gibet; mais les fourches patibulaires, mal plantées, tombent. Simon de Montfort, pressé d'en finir, ordonne que ceux qui n'ont pu être pendus soient simplement égorgés. Les pèlerins les saisissent et, en un clin d'œil, les massacrent sur place. » Giraude, dame de Lavaur, vieille femme très charitable, fut jetée dans un puits que l'on combla : « Dame Giraude, dit le poète Guillaume de Tudèle, fut prise, qui crie et pleure et braille; ils la jetèrent en travers dans un puits, bien le

---

1. Si le fameux mot : « Tuez-les tous, Dieu saura reconnaître les siens. » attribué par un moine cistercien au légat Arnaud Amalric, fut, comme tant de paroles historiques, fabriqué après l'événement, les croisés se sont conduits exactement comme s'il avait été prononcé.

sais-je, et ils la chargèrent de pierres. » Pierre des Vaux-de-Cernai termine le récit de ces horreurs en disant : « C'est avec une allégresse extrême que nos pèlerins brûlèrent encore une grande quantité d'hérétiques. » Aux Casses, près de Castelnaudary, « il y avait beaucoup d'hérétiques parfaits. Les évêques, à leur entrée dans le château, voulurent les prêcher et les arracher à l'erreur. Ils ne purent en convertir un seul et se retirèrent. Les pèlerins brûlèrent soixante de ces infidèles avec une très grande joie. » La foule des croisés est convaincue et désintéressée. Pour expier ses péchés et défendre la foi, elle a fait avec enthousiasme le voyage du Languedoc, infiniment plus facile et moins périlleux que celui de Jérusalem. L'occasion d'une croisade intérieure est de celle qu'il ne faut pas laisser échapper. C'est au chant du *Veni creator Spiritus*, que les hérétiques sont attaqués et leurs châteaux assaillis. Comment les croisés ne croiraient-ils pas que Dieu est avec eux? Des miracles s'accomplissent à chaque pas.

MIRACLES.   Le corps du martyr Pierre de Castelnau, au moment de sa translation, est retrouvé aussi sain et intact que s'il eût été enterré le jour même et répand au loin une odeur suave. La multiplication des vivres s'opère au profit des croisés : leurs cinquante mille hommes ont du pain en abondance, dans un pays où les moulins n'existent plus Un jour, sur l'ordre de Simon de Montfort, on attache au poteau pour y être brûlés deux hérétiques, un parfait, prêtre albigeois, et un de ses disciples, pauvre homme qui, épouvanté, déclara adjurer l'hérésie et vouloir rentrer dans le sein de l'Église romaine. « Montfort décida qu'on le brûlerait tout de même, en vertu de ce raisonnement captieux : s'il est sincèrement converti, il expiera ses péchés dans la flamme, qui purifie tout ; s'il n'est pas sincère, son supplice sera le juste châtiment de sa perfidie. On allume le feu. Le parfait est consumé en un moment ; l'homme qui avait abjuré sent ses liens rompus et sort du bûcher avec une simple trace de brûlure au bout des doigts. » Des croisés reçoivent des traits en pleine poitrine sans être blessés. Lorsqu'une troupe s'installe pour assiéger un château ennemi, les sources, auparavant insuffisantes, se mettent à couler abondamment. Eux partis, l'eau reprend son débit naturel. Puis ce sont des croix lumineuses que les catholiques aperçoivent en grand nombre sur les murailles récemment blanchies d'une église de Toulouse; une colonne de feu brille et descend sur les cadavres de croisés tués en embuscade; on retrouve tous ces corps gisant sur le dos, les bras étendus en forme de croix. Comment Pierre des Vaux-de-Cernai ne croirait-il pas aux faits merveilleux qu'il rapporte? Le légat du Pape et

La fin du règne.

l'évêque de Toulouse, témoins oculaires, s'en sont devant lui portés garants.

De ces croisés, beaucoup, une fois le vœu accompli et les quarante jours d'ost écoulés, se retirent sans être guère plus riches qu'au départ. Mais il en est qui restent dans l'espoir de faire fortune et de s'établir. Pour ceux-là, et surtout pour les directeurs de l'entreprise, la croisade conduit à la conquête, à la prise de possession des terres et des dignités féodales enlevées à l'hérétique. A prêcher la guerre sainte, le troubadour Folquet de Marseille avait déjà gagné l'évêché de Toulouse. Le légat du Pape, Arnaud Amalric, se fait investir de l'archevêché de Narbonne et défend avec âpreté son pouvoir temporel et le titre de duc qu'il revendiquait contre son compagnon d'armes, Simon de Montfort. Il en vient à l'excommunier. *MOBILES DES CROISES.*

Le plus heureux des envahisseurs fut ce petit seigneur de Montfort-l'Amauri, que ses talents d'homme de guerre et de politique et sa conviction farouche, placèrent bien vite au premier plan. Aussitôt après la prise de Béziers et de Carcassonne (septembre 1209), le légitime possesseur de ces deux villes, le vicomte Raimond Roger, jeté en prison, disparut « on ne sait comment. » Le premier soin des catholiques victorieux fut d'attribuer ce fief à l'un des leurs. Le duc de Bourgogne le refusa; les comtes de Nevers et de Saint-Pol répugnèrent également à le prendre. « Il n'y a personne qui ne croie se déshonorer en acceptant cette terre » dit la *Chanson de la Croisade.* Simon de Montfort, après s'être fait prier, se résigna au déshonneur. Il devint vicomte de Béziers et de Carcassonne, en attendant mieux. La croisade avait maintenant son chef laïque. Simon, d'une vigueur de corps et d'esprit sans pareille, se montre partout à la fois, payant de sa personne comme le dernier des soldats, et en même temps diplomate plein de ressources, organisateur très dur, mais très intelligent, des pays soumis. *SIMON DE MONTFORT.*

Cependant le comte de Toulouse, n'osant rompre avec le Pape et les catholiques ni se décider à se mettre à la tête des troupes albigeoises, n'agissait pas. Simon en profite pour enlever villes et places avec une rapidité foudroyante : en 1209, Limoux, Montréal, Fanjeaux, Castres, Carcassonne (dont il fait sa résidence principale), Mirepoix, Saverdun, Lombez et Albi ; en 1210, les châteaux de Minerve et des Termes; en 1211, ceux de Cabaret et de Lavaur. Il tente même une attaque sur Toulouse. Raimond VI montre alors un peu d'énergie. Il marche sur Carcassonne avec le comte de Foix : mais Simon arrête celui-ci à Castelnaudary et remporte une victoire complète. Les conséquences en furent graves. L'Agenais, après la reddition du château de Pennes, est envahi. Moissac, Castelsarrasin, *CONQUÊTE DU LANGUEDOC.*

Muret, Verdun, Saint-Gaudens ouvrent leurs portes aux croisés. Raimond VI ne gardait plus que Toulouse et Montauban (1212).

INTERVENTION DE PIERRE D'ARAGON. A ce moment intervint, pour sauver le comte de Toulouse et l'indépendance du Languedoc, le roi d'Aragon, Pierre II. Les deux versants des Pyrénées n'étaient alors qu'une même patrie. Languedoc, Catalogne, Aragon avaient les mêmes goûts pour la poésie et la même langue littéraire. Il se faisait, par-dessus les Pyrénées, un échange actif et continu de troubadours et de chevaliers, d'idées, de chansons et de marchandises. Les seigneuries de l'Espagne du Nord et de la France du Midi étaient étroitement liées par l'enchevêtrement des fiefs, les traités politiques et les mariages. L'Aragon ressentit donc vivement le coup porté à la noblesse du Languedoc. Pierre II s'inquiétait des agrandissements de Simon de Montfort, et, comme il prétendait, de son côté, à la domination du Midi, il avait intérêt à protéger son beau-frère Raimond VI. Mais avant de soutenir ouvertement le comte de Toulouse, il s'efforça d'arrêter la croisade en conciliant les adversaires. Innocent III, effrayé des succès de Montfort, las de céder aux exigences des chefs croisés, inquiet du sang répandu, approuva cette politique.

LE PAPE SOUTIENT LE ROI D'ARAGON. Le Pape ordonne à Simon de Montfort de s'acquitter envers le souverain espagnol des devoirs féodaux auxquels était tenu le vicomte de Béziers. Il l'informe que le même roi se plaint des ravages commis par l'armée catholique dans les États de ses vassaux, les comtes de Foix, de Comminges et de Béarn, et l'exhorte à les réparer. Il enjoint même au vainqueur du Languedoc de lâcher sa proie et de se rendre à la croisade contre les Sarrasins d'Espagne[1]. Visiblement Innocent III estime qu'on est allé trop loin dans la voie où il a lui-même engagé la Féodalité et l'Église. Mais il était trop tard pour réagir. La bulle du 1er juin 1213, exigée sans doute par le parti intransigeant, révoqua tout ce que Rome avait accordé elle-même au roi d'Aragon en faveur des barons du Languedoc et de Raimond VI.

Pierre II avait tenté aussi d'agir directement sur les évêques du Midi réunis au concile de Lavaur. Il se rendit auprès d'eux et les pria de restituer terres et châteaux aux comtes de Toulouse, de Foix et de Comminges. Puis il leur adressa un mémoire où il faisait l'apologie des seigneurs dépossédés, exposait leurs griefs et en demandait réparation. Les évêques refusèrent d'absoudre Raimond VI, ils repoussèrent toutes les réclamations du roi d'Aragon. Une tentative auprès de Philippe-Auguste n'ayant pas eu plus de succès, Pierre se déclara ouvertement pour les Albigeois et se résigna à la guerre.

1. Lettres du 15 et du 17 janvier 1213.

Simon de Montfort, après avoir pris l'un après autre tous les petits châteaux qui entouraient Toulouse, se préparait à investir la ville. Pierre II, avec le comte de Toulouse et le comte de Foix, 2000 chevaliers et 40 000 sergents, se présenta pour assiéger Muret (sept. 1213), et Montfort sortit pour la défendre. « En passant devant l'église du château, le chef des croisés voit l'évêque d'Uzès qui disait la messe : il entre et, interrompant le sacrifice, il se met à genoux, les mains jointes, et dit tout haut : « Mon Dieu! je vous offre et « donne mon âme et mon corps. » Il n'avait avec lui qu'environ mille cavaliers, tant chevaliers que sergents. Folquet, évêque de Toulouse, s'avance, la mitre en tête, revêtu de ses habits pontificaux et tenant dans ses mains un morceau de la vraie croix. Aussitôt chacun descend de cheval et vénère la relique. L'évêque de Comminges, craignant que la longueur de la cérémonie ne ralentît l'ardeur des croisés, prend cette relique des mains de l'évêque de Toulouse et, monté sur une élévation, il bénit toute l'armée en disant : « Allez, au nom de « Jésus-Christ. Je vous servirai de témoin et je vous serai caution au « jour du jugement que tous ceux qui mourront dans ce glorieux « combat obtiendront la récompense éternelle de la gloire des martyrs, « sans passer par le purgatoire. »

La bataille s'engagea dans la plaine basse et marécageuse des Pesquies, au pied des remparts de Muret (12 sept.). Raimond VI aurait voulu qu'on attendît de pied ferme, dans le camp, l'attaque des croisés. Le roi d'Aragon, qui ne s'accordait pas très bien avec son allié, rejeta dédaigneusement cette tactique. « Le choc fut si violent, dit Guillaume de Puylaurens, que le bruit des armes ressembla à celui que fait une troupe de bûcherons lorsqu'ils tâchent d'abattre, à grands coups de cognées, les arbres des forêts. » L'avant-garde des croisés ayant vivement attaqué celle des coalisés, qui se replia sur les ailes, le gros de l'armée, où se trouvait le roi d'Aragon, fut découvert, et deux chevaliers, qui avaient juré sa mort, finirent par l'atteindre. Il se battit vaillamment, mais fut tué avec tous ceux qui l'entouraient. Simon de Montfort, à la tête de l'arrière-garde, se jeta alors, avec sa furie ordinaire, sur l'armée albigeoise déjà désemparée, la prit de flanc et la mit en déroute. Pendant que les comtes de Toulouse, de Foix et de Comminges s'enfuyaient, les bourgeois de Toulouse et les sergents à pied essayèrent vainement d'emporter le château de Muret. Repoussés, ils se précipitèrent sur les bateaux qui les avaient amenés : mais la plupart se noyèrent, les autres furent massacrés ou pris.

D'après la *Chanson de la Croisade*, les coalisés auraient à peine résisté. « Pierre s'écrie : « Je suis le Roi! » Mais on n'y prit pas garde, et il fut si durement blessé et frappé que le sang coula jusqu'à terre. Alors il tomba mort tout étendu. Les autres à cette vue se tiennent pour trahis. Qui fuit çà, qui fuit là : pas un ne s'est défendu, et les Français leur courent sus et les ont tous taillés en pièces. Le carnage dura jusqu'à Revel. » Le fils du vaincu, le roi Jacques Ier d'Aragon, parle aussi, dans sa chronique, « de ceux qui prirent lâchement la fuite. » Mais il nous révèle que l'armée royale ne sut pas se ranger en bataille, que les opérations furent mal dirigées, et que son père, épuisé par les excès de la nuit précédente, ne pouvait se tenir debout.

SIMON POURSUIT LA CONQUÊTE.

C'en est fait de l'indépendance du Languedoc. Simon poursuit méthodiquement sa conquête. En 1214, il enlève Marmande et Cassencuil, s'installe dans le Quercy et dans le Rouergue, envahit même le Périgord. Puis il prend Montauban, entre dans Toulouse et dans Narbonne (1215). Les évêques et les abbés languedociens lui ouvrent d'eux-mêmes leurs diocèses et leurs villes. Simon les gagnait à sa cause en leur donnant terres et châteaux. L'abbé de Moissac, Raimond, reconnaît, dans un acte de septembre 1212, « que Dieu a justement attribué à Simon de Montfort les domaines du comte Raimond. » Le conquérant partagea avec cet allié les possessions comtales de Moissac.

STATUTS DE PAMIERS.

Peu à peu, les bourgeois du Midi se résignèrent aussi au changement de maître, quand ils virent que Simon était mieux qu'un batailleur. Dans une assemblée réunie par lui à Pamiers, en novembre 1212, il avait commencé à réorganiser le pays conquis. Quatre ecclésiastiques, quatre nobles français, deux chevaliers et deux bourgeois indigènes furent élus et chargés de rédiger un code de « bonnes coutumes » applicables au nouvel État. Les *Statuts de Pamiers* consolidaient la conquête et soumettaient le Languedoc à une domination à la fois militaire et sacerdotale : le service d'ost et les impôts y étaient réglés avec un soin minutieux, et la suprématie de l'Église hautement établie par le nombre et l'importance des privilèges et des exemptions attribués aux clercs. Le peuple languedocien, mieux protégé contre les grands, moins tyrannisé en détail, accepta la domination nouvelle. Elle diminuait l'anarchie féodale que les comtes de Toulouse n'avaient jamais su réprimer.

ATTITUDE DE RAIMOND VI.

Simon de Montfort devait sa victoire à lui-même, mais aussi à la médiocrité de son adversaire. Raimond VI ne mit aucune fermeté, aucun esprit de suite, dans cette lutte de dix ans. Sa conduite fut une succession incohérente d'actes de résistance ouverte, d'opposition sourde et de plate soumission aux ordres des légats et de la Papauté. Il aurait dû, dès le début, organiser franchement la résistance de la nationalité du Midi contre l'étranger, en groupant autour de lui la noblesse hérétique et celle qui protégeait l'hérésie. Mais il fallait rompre avec l'Église et il ne l'osa ou ne le voulut jamais. Au reste, cette attitude lui valut la protection d'Innocent III.

Dans cette affaire, la politique du Pape paraît singulièrement embarrassée. Il a ordonné la croisade, approuvé, au cours de la guerre, les actes des légats et de Montfort, et fulminé, à diverses reprises, contre le comte de Toulouse et ses adhérents. Il prend sa part des bénéfices de l'entreprise. En septembre 1209, lorsque Simon de Montfort a été élu vicomte de Béziers et de Carcassonne par les croisés, il a imposé ses sujets de trois deniers par feu pour en faire présent à l'Église romaine et au Pape, à titre de redevance annuelle. Innocent III accepte le cadeau et confirme le donateur dans la possession des terres conquises. Il agit de même après la prise d'Albi et la soumission de l'Albigeois. Dans ses lettres du 11 septembre 1212, il remercie Montfort du don de 1 000 marcs que celui-ci vient de lui offrir, et envoie un collecteur recevoir dans la province les revenus de l'Église romaine. Et néanmoins nous l'avons vu soutenir le roi d'Aragon contre Montfort et tenter une réaction. Il est certain qu'il n'approuvait pas les violences de ses légats. Tandis qu'en Languedoc, les conciles d'Avignon (1209) de Saint-Gilles (1210), d'Arles (1211), de Lavaur (1213), de Montpellier (1215), anathématisent le comte de Toulouse et ses alliés et le déclarent, à la fin, exproprié de tous ses domaines, à Rome, Innocent III reçoit Raimond VI, son fils, et ses ambassadeurs.

POLITIQUE D'INNOCENT III.

L'auteur de la *Chanson de la Croisade* a vu clair dans la conscience troublée du Pape. Son récit des grandes scènes du concile de Latran[1] où se débat, devant l'Église assemblée, la question de l'expropriation des vaincus (novembre 1215) est curieux et dramatique. « Les prélats et Folquet, l'évêque de Toulouse, disent à Inno- « cent : Seigneur, si tu leur rends leurs terres, nous sommes tous « demi-morts; si tu le donnes à Simon, nous sommes sauvés. — En « cette affaire, » répond Innocent, « je suis en désaccord avec vous. « Contre droit et raison, comment aurais-je l'injustice de déshériter « le comte de Toulouse qui est vrai catholique, de lui enlever sa terre « et de transporter son droit à autrui? Il ne me semble pas que ce « soit raison : mais je consens à ceci : Que Simon ait toute la terre « des hérétiques, du Rhône jusqu'au Port; qu'il n'ait pas celle des « catholiques, des orphelins et des veuves! » — A ces mots, il n'y a

SCÈNES DU CONCILE DE LATRAN.

---

1. Ou du moins des conférences préparatoires qui l'ont précédé, selon la remarque très juste de M. A. Molinier (*Histoire du Languedoc*, VI, 479).

prélat ou évêque qui ne se récrie. L'évêque de Toulouse prend la parole : « Sire, Pape véritable, cher père Innocent, comment peux-tu, « de cette façon déguisée, déposséder le comte de Montfort, qui est « fils de Sainte Église et ton partisan, qui supporte les peines, les « fatigues, les luttes et chasse l'hérésie? Ce que tu lui octroies équi- « vaut à une spoliation, car tu commences par favoriser le comte « Raimond. Tu le tiens pour catholique, homme de bien et pieux, « et aussi les comtes de Comminges et de Foix! Or donc, s'ils sont « catholiques et si tu les prends pour tels, la terre que tu octroies à « Simon, tu la lui reprends au même moment. Livre-lui la terre tout « entière, à lui et à sa lignée, sans réserve. Et si tu ne la lui donnes « pas en toute propriété, je demande que partout passe glaive et feu « dévorant. »

« L'archevêque d'Auch dit après Folquet : « Cher et puissant « seigneur, écoutez ce que dit l'évêque, qui est sage et savant. Si « le comte Simon perd la terre, ce sera une injustice et un désastre. » Plus de trois cents évêques disent au Pape à leur tour : « Sire, tu « nous donnes à tous un démenti. Nous avons prêché au peuple que « le comte Raimond est mauvais, que mauvaise est sa conduite et « que, pour cela, il ne conviendrait pas qu'il ait terre à gouverner. « — Seigneurs, » réplique Innocent, « vos cruels sentiments, ces pré- « dications pressantes et brûlantes auxquelles vous vous livrez contre « mon gré, je ne sais rien de tout cela, et je ne dois pas consentir à « vos désirs, car jamais, par la foi que je vous dois, il ne m'est sorti « de la bouche que le comte Raimond dût être condamné ni ruiné. « Et s'il est condamné (ce qui n'est pas), pourquoi son fils perdrait-il « la terre et l'héritage? Jésus-Christ, roi et seigneur, a dit que le péché « du père ne retombe pas sur le fils, et s'il a dit non, oserons-nous « dire oui? »

SENTENCE
RENDUE
CONTRE RAIMOND.

Le Pape prolonge sa résistance : mais la grande majorité des membres du concile est contre lui. La sentence est enfin rendue. Simon de Montfort gardera ce qu'il a pris, mais le comte Raimond VI ne sera pas complètement dépossédé. Son fils aura toutes les posses- sions des comtes de Toulouse au delà du Rhône. « Si ce fils se montre dévoué à Dieu et à l'Église, ajoute le Pape, s'il n'est envers eux ni orgueilleux ni traître, Dieu lui rendra Toulouse, et Agen, et Beau- caire. » Il semble bien qu'Innocent III se soit montré supérieur à l'Église par ses sentiments de justice et d'humanité.

IV — *LES CAPÉTIENS DANS LE LANGUEDOC. MORT DE PHILIPPE-AUGUSTE. L'HOMME ET LE ROI*[1]

DANS cette terrible affaire d'Albigeois, il se trouva que tout le monde travaillait, sans le savoir, pour le roi de France. Avec une patience de politique, observant de loin, intervenant sans intervenir, Philippe-Auguste attendait la fin.

Au commencement de l'année 1213, son fils, le prince Louis, avait fait comme tant d'autres barons de France son vœu de croisade[2]. Philippe lui laissa prendre la croix; il donnait ainsi quelque satisfaction aux évêques, qui s'obstinaient à solliciter son intervention, et à l'opinion, étonnée de voir le roi de France rester étranger à cette guerre religieuse. Mais cette prise de croix ne fut suivie d'aucun effet. Au plus fort de la lutte contre Jean-sans-Terre et la coalition européenne, Philippe ne pouvait disperser les forces de la Royauté. Et pourtant, il surveillait les événements du Midi. Il traitait Simon de Montfort en officier royal; il lui donnait des ordres comme à un bailli. En septembre 1214, Montfort, à Figeac, rendait la justice au nom du roi de France, « car le Roi, dit le moine de Vaux-Cernai, lui avait confié en beaucoup de choses le soin de ses intérêts propres. » Au reste nous savons que Philippe ne reconnaissait qu'à lui seul, suzerain général, le droit de confisquer une des hautes baronnies du royaume.

PHILIPPE-AUGUSTE ET SIMON DE MONTFORT.

En 1215, vainqueur de la coalition, il laissa le prince royal accomplir son vœu. Il avait intérêt à montrer au Midi une armée capétienne. En voyant arriver le prince royal, les chefs de la croisade s'inquiétèrent; mais l'attitude de Louis les rassura. Il venait, en pèlerin, sans rien exiger pour lui-même, seconder Simon de Montfort. Il lui assure la prise de possession du duché de Narbonne, au détriment de l'archevêque Arnaud Amalric; il l'aide à s'emparer de Toulouse, qu'il aurait volontiers brûlée, d'accord avec l'évêque Folquet, si Montfort n'avait mieux aimé garder une ville qu'il pouvait rançonner et exploiter à sa guise. Pour tant de services, le prince Louis se contente d'une relique possédée par l'abbé de Castres : la mâchoire de saint Vincent. Il s'en revint, avec ce trophée, retrouver Philippe-Auguste. « Le fils du roi de France, dit la *Chanson de la Croisade*, fut très bien accueilli, désiré et fêté par son père et par les autres. Il est venu en France sur

PREMIÈRE EXPÉDITION DU PRINCE LOUIS EN LANGUEDOC.

---

1. Ouvrages a consulter. Petit-Dutaillis, *Etude sur la vie et le règne de Louis VIII*, 1894 (1ʳᵉ partie).

2. M. Petit-Dutaillis pense que le prince royal fit son vœu sans l'aveu de son père et malgré lui. Il est difficile de croire que le prince, docile et toujours tenu en laisse, ait pu risquer de lui-même une telle manifestation d'indépendance.

son cheval arabe et conte à son père comment Simon de Montfort a su se pousser et s'enrichir. Le Roi ne répond mot et ne dit rien. » Il pensait davantage.

MORT DE SIMON DE MONTFORT.

Cependant, le décret du concile de Latran ayant laissé au comte de Toulouse et à son fils leurs domaines de la vallée du Rhône, Beaucaire, Nimes et la Provence, ils essayèrent de les reconquérir. Simon de Montfort, qui voulait tout l'héritage, les devança. Il paraît sur la rive gauche du Rhône ; Montélimar, puis l'énorme forteresse de Crest se rendent à merci (1217). Là il apprend que les Toulousains se sont révoltés et qu'ils ont rappelé le comte Raimond. Il court les assiéger. Le siège dura tout un hiver (1217-1218) ; les Toulousains serrés de près auraient sans doute fini par succomber, mais, d'une machine de guerre manœuvrée par des femmes de Toulouse, une pierre « alla tout droit où il fallait, et frappa si juste le comte de Montfort sur le heaume d'acier qu'elle lui mit en morceaux les yeux, la cervelle, les dents, le front, la mâchoire, et le comte tomba à terre, sanglant et noir. »

Brusquement, tout est remis en question. Le fils de Simon, Amauri, n'était pas de taille à remplacer son père. Il lève le siège de Toulouse. Raimond VI reprend partout l'avantage. On massacre les Français dans le Toulousain et dans le Comminges. A la fin de l'année 1218, le pape Honorius III supplie, à plusieurs reprises, Philippe-Auguste de se décider enfin à intervenir, mais Philippe préférait employer son argent et ses hommes à garder ses conquêtes d'Aquitaine. Il se contente d'autoriser son fils à faire une seconde expédition.

SECONDE CAMPAGNE DU PRINCE ROYAL.

Le fanatisme des chevaliers du Nord, depuis dix ans qu'on se battait dans le Languedoc, ne s'était pas adouci. Le massacre de Marmande, auquel participa Louis de France, fut plus effrayant encore que celui de Béziers, car il n'eut même pas pour excuse la fureur d'un assaut. La garnison s'était rendue à Amauri de Montfort et au prince royal. L'auteur de la *Chanson de la Croisade* raconte que Louis de France tenait un conseil de guerre dans sa tente, pour décider du sort des habitants. Un évêque demanda qu'ils fussent tous mis à mort comme hérétiques. On sauva cependant, grâce à l'intervention de quelques barons, le comte d'Astarac, qui avait commandé la défense, mais le reste fut condamné à périr : « Aussitôt le cri et le tumulte s'élèvent ; on court dans la ville avec des armes tranchantes, et alors commence l'effroyable tuerie. Les chairs, le sang, les cervelles, les troncs, les membres, les corps morts et pourfendus, les foies, les poumons brisés, gisent par les places, comme s'il en avait plu. La terre, le sol, la rue sont rouges du sang répandu.

Il ne reste ni hommes ni femmes, jeunes ou vieux, aucune créature n'échappe à moins de s'être tenue cachée. La ville est détruite, et le feu l'embrase. » L'historien Guillaume le Breton avoue les mêmes horreurs, en deux lignes : « On tua tous les bourgeois, avec les femmes et les petits enfants, tous les habitants, jusqu'au nombre de cinq mille. »

Au sortir de cette boucherie, le prince royal alla camper devant Toulouse, le 14 juin 1219, mais, le 1er août, après un blocus inutile, il retourna en France. Raimond VI avait battu les catholiques à Basiège, en Lauraguais; son fils reprenait, l'un après l'autre, les châteaux, les villes, les pays perdus (1219-1221). L'œuvre de la conquête se désagrégeait peu à peu. Alors le fils de ·Simon de Montfort se résigne à léguer ses domaines au roi de France. Le légat Conrad de Porto et les évêques du Midi insistent auprès de Philippe-Auguste pour qu'il accepte. Il se contente d'envoyer au secours d'Amauri 200 chevaliers et 10 000 hommes de pied sous les ordres de l'archevêque de Bourges et du comte de la Marche (1222). Évidemment, il voulait terminer à son profit l'affaire du Languedoc, sans s'y engager à fond.

D'ailleurs, au mois de septembre 1222, il sentait les premières *MALADIE ET MORT* atteintes de la maladie qui devait l'emporter. Il légua ses joyaux à *DE PHILIPPE-* l'abbaye de Saint-Denis et des sommes importantes aux chrétiens *AUGUSTE.* de Syrie, à l'Hôtel-Dieu de Paris et aux pauvres. Il n'oubliait ni sa femme Ingeburge, pourtant bien délaissée, ni son fils légitimé, Philippe Hurepel. Il recommandait au prince Louis, son héritier, « de n'employer les ressources du trésor qu'à la défense du royaume. » Il laissait enfin 50 000 livres pour dédommager les personnes qu'il avait injustement dépouillées ou qui avaient été victimes de ses « extorsions. » Il vécut encore presque un an, bien que la fièvre ne le quittât plus. En juillet 1223, le légat Conrad, l'évêque Folquet de Toulouse et beaucoup d'autres prélats s'étaient réunis à Paris pour y délibérer sur l'affaire d'Albigeois qui prenait décidément mauvaise tournure. Philippe, alors au château de Paci-sur-Eure, se proposait d'assister au concile, mais son mal s'aggrava. Le Roi se fit saigner (11 juillet) et, allant mieux, négligea de garder la diète qu'on lui avait prescrite. Le mercredi 12, on l'administra, puis on l'emmena à Paris, où il voulait mourir. Il n'eut pas le temps d'y arriver. La mort le prit, le 14, à Mantes, et le lendemain les funérailles du conquérant furent célébrées à l'abbaye de Saint-Denis. « On rapporte, dit un contemporain, qu'avant de mourir, Philippe appela auprès de lui son fils Louis et lui prescrivit de craindre Dieu et d'exalter son église, de faire bonne justice à son peuple, et surtout de protéger les pauvres et les petits contre l'insolence des orgueilleux. »

PHILIPPE-
AUGUSTE D'APRÈS
LES MONUMENTS.

C'est chose difficile que de faire un portrait de ce personnage, si grand dans notre histoire. Le sceau de Philippe, avec la tête royale vaguement esquissée, imberbe, et les cheveux flottants sur les épaules, est une imitation évidente et voulue de celui de Louis VII. On voyait encore au XVIIIᵉ siècle, dans l'abbaye de la Victoire, près de Senlis, une statue agenouillée du vainqueur, dont Montfaucon nous a conservé le dessin. Elle le représentait les mains jointes, avec une large face, des cheveux bouclés, des sourcils très accentués, un nez fin et légèrement pointu. Mais il n'y a aucune preuve que cette statue ait été commandée par Louis VIII ou par saint Louis, et l'ensemble du monument rappelle plutôt les figures sculptées ou peintes du temps de Philippe le Bel ou de Philippe de Valois. N'allons pas non plus chercher un portrait de Philippe-Auguste dans ces longues effigies, d'attitude hiératique, qui ornent les portails des églises du XIIIᵉ siècle. Aucune n'est caractéristique et ne peut donner lieu à une attribution assurée.

LE PORTRAIT DE
PHILIPPE DANS LA
« CHRONIQUE DE
TOURS. »

Parmi les historiens de cette époque, un seul a retracé le portrait physique et moral du Roi. C'est l'auteur de la *Chronique de Tours*, le chanoine de Saint-Martin, Païen Gâtineau, un homme intelligent, consciencieux, et qui a vu de près Philippe-Auguste et son successeur. « Philippe, dit-il, était un bel homme, bien découplé, d'une figure agréable, chauve, avec un teint coloré et un tempérament très porté vers la bonne chère, le vin et les femmes. Il était large envers ses amis, avare pour ceux qui lui déplaisaient, fort entendu dans l'art de l'ingénieur, catholique dans sa foi, prévoyant, opiniâtre dans ses résolutions. Il jugeait avec beaucoup de rapidité et de droiture. Aimé de la fortune, craintif pour sa vie, facile à émouvoir et à apaiser, il était très dur pour les grands qui lui résistaient, et se plaisait à nourrir entre eux la discorde. Jamais cependant il n'a fait mourir un adversaire en prison. Il aimait à se servir de petites gens, à se faire le dompteur des superbes, le défenseur de l'Église et le nourrisseur des pauvres. »

JUGEMENT DE
GILLE DE PARIS.

D'autre part, Gille de Paris, précepteur de Louis VIII, à la fin d'un poème latin, le *Carolinus*, dédié à son élève, nous a laissé ce jugement sur Philippe-Auguste : « Oui, sans doute, personne, à moins d'être un méchant et un ennemi, ne peut nier que, pour notre temps, Philippe ne soit un bon prince. Il est certain que, sous sa domination, le royaume s'est fortifié et que la puissance royale a fait de grands progrès. Seulement, s'il avait puisé à la source de la mansuétude divine un peu plus de modération, s'il s'était formé à la douceur paternelle, s'il était aussi abordable, aussi traitable, aussi patient qu'il se montre intolérant et emporté, s'il était aussi calme qu'actif, aussi prudent et circonspect qu'empressé à satisfaire ses convoitises, le royaume n'en serait qu'en meilleur état. Lui et ses sujets pourraient, sans trouble et sans tumulte, recueillir les fruits abondants de la paix. Les rebelles que l'orgueil dresse contre lui, ramenés par la seule raison, obéiraient à un maître juste et ne demanderaient qu'à se soumettre au joug. »

Gille de Paris révèle, très librement, un autre aspect du règne : « O France, tourmentée par les agents financiers de ton prince, tu as eu à supporter de dures lois et de terribles moments. » Il condamne sans hésiter la conduite de Philippe envers la malheureuse Ingeburge. « On s'étonne que le Roi persiste dans un amour défendu et que la femme qu'il a abandonnée ne puisse pas revenir au lit légitime. Voilà ce que l'opinion n'approuve pas et contre quoi proteste le cri public. » Et des paroles aussi hardies s'adressaient au fils même du Roi ainsi mis en cause! Le clerc s'aperçoit pourtant qu'il est allé un peu loin, et il termine par ces mots adressés à la France : « Regarde, cependant, partout ailleurs ; les autres rois, qui gouvernent à leur guise, sont encore de pire condition. Ils imposent au pauvre peuple, comme à l'Église, un joug encore plus despotique. Reconnais, en somme, que tu es gouvernée par un prince d'humeur bienveillante et ne te plains pas, obéissant à un tel roi, de ne pas être courbée sous la triste domination de Richard, ou rongée par la dure tyrannie d'un roi allemand. »

Quant aux historiographes, Rigord ou Guillaume le Breton, à les entendre, Philippe-Auguste, souverain parfait, aurait laissé l'exemple de toutes les vertus. Rigord célèbre sa douceur et même sa continence. Le Breton affirme qu'il n'a jamais pressuré son peuple « et qu'il est impossible de savoir si c'est le Roi qui a le plus aimé ses sujets ou les sujets qui ont le plus aimé leur roi. » Ne croyons pas davantage les chroniqueurs anglais qui flétrissent les perfidies de Philippe pour faire mieux ressortir les vertus chevaleresques de Richard Cœur-de-Lion, ni le poète Bertran de Born, qui raille à tout propos le roi de France pour « son inertie et sa couardise. » Rigord et le Breton sont des panégyristes, les Anglais et le troubadour, des ennemis. Le précepteur de Louis VIII et le chanoine de Tours sont d'honnêtes témoins. Le jugement qu'ils portent, commenté, complété par les documents et par les faits permet d'exprimer la vérité sur le Roi et sur le règne.

PHILIPPE-AUGUSTE D'APRÈS RIGORD ET LE BRETON.

Philippe-Auguste était religieux et même dévot à la façon de son temps. Avant de partir pour la croisade, il prie et pleure sur le pavé de la basilique de Saint-Denis, et il suit, « avec des soupirs et des

DÉVOTION DE PHILIPPE.

larmes, » comme le plus humble de ses sujets, les processions pour faire cesser les inondations de la Seine. Jamais il ne part en campagne sans être allé déposer sur l'autel de Saint-Denis une belle étoffe de soie ou d'autres cadeaux somptueux. A Bouvines, il est entré dans la petite église avant la bataille pour y prier; il a donné aux soldats sa bénédiction. En bon croyant, il déteste l'infidèle, l'hérétique. S'il a toléré les Juifs par calcul, il les a persécutés aussi par fanatisme. « En 1192, dit Rigord, Philippe, enflammé d'un saint zèle pour la foi, arrive à l'improviste au château de Brie-Comte-Robert et livre aux flammes plus de 80 Juifs qui s'y trouvaient réunis. » En 1210, il fait brûler les sectateurs de l'hérésiarque Amauri de Chartres. Son édit de 1181 a été le point de départ de l'interminable série des ordonnances royales dirigées, pendant tout l'ancien régime, contre les blasphémateurs; saint Louis les fera marquer au fer rouge; Philippe leur laisse l'alternative d'être jetés à la rivière ou de payer une certaine somme « aux pauvres du Christ. » Il est l'oint du Seigneur, le défenseur de la foi, celui qui enrichit l'Église et la protège contre ses ennemis. Aussi en sa faveur les miracles se multiplient : pour lui les moissons détruites repoussent plus abondantes, les torrents desséchés se remplissent subitement; les eaux des fleuves s'écartent et laissent passer l'armée royale. Lors de ses funérailles, à un endroit où les porteurs qui menaient son corps à Saint-Denis s'arrêtèrent pour se relayer, il se fit des guérisons merveilleuses. On y construira plus tard un sanctuaire, le prieuré de Saint-Julien-la-Croix-le-Roi.

SA POLITIQUE ECCLÉSIASTIQUE.   D'autre part, ce roi ne permet pas à la « Sainte Église » d'empiéter sur les droits de sa couronne. Il défend la juridiction laïque contre celle des clercs. Il brave les armes spirituelles, même lorsqu'elles frappent en lui le révolté contre les lois et les mœurs chrétiennes, l'homme qui a répudié injurieusement sa femme légitime. Il conduit sa politique comme il lui plaît, la maintient envers et contre tous, part pour la croisade et en revient à l'heure qu'il a choisie. Dans les affaires d'Angleterre, il est le lieutenant du Pape, tout le temps que son intérêt y trouve satisfaction; dès que le Pape veut lui arracher la proie qu'il croit tenir, il se soumet en apparence, mais, par un détour, il rentre dans ses voies.

ANECDOTES SUR PHILIPPE-AUGUSTE.   Les anecdotes qui ont couru sur le compte de Philippe-Auguste dans la société ecclésiastique et bourgeoise du XIIIᵉ siècle le représentent comme un prince assez débonnaire, qui avait la repartie prompte et ne manquait pas d'esprit. Un jour qu'il s'agissait d'une élection d'évêque, Philippe entre au chapitre, tenant en main la crosse pastorale, parcourt les rangs des chanoines et aperçoit parmi eux un homme maigre et de triste mine : « Tiens, lui dit-il, prends ce

bâton, pour que tu deviennes aussi gras que tes confrères. » Un his-
trion vient le trouver, le priant de lui accorder un secours, parce
qu'il était de sa famille. « Comment es-tu mon parent, dit Philippe,
à quel degré? — Je suis votre frère, seigneur, par Adam, le premier
homme : seulement son héritage a été mal partagé et je n'en ai rien
reçu. - Eh bien! reviens demain et je te donnerai la part qui t'est
due en toute justice. » Le lendemain, Philippe l'appelle devant toute
sa cour et lui remet un denier : « Voilà la juste portion que je te
dois; quand j'en aurai donné autant à chacun de nos frères, descendus
d'Adam comme toi et moi, c'est à peine si, de tout mon royaume, il
me restera un denier. »

    Il ne faudrait pourtant pas croire à la débonnaireté de Philippe-
Auguste. Saint Louis a raconté à Joinville ce mot de son grand-père
Philippe : « Il me disait qu'on devait récompenser ses gens, l'un plus,
l'autre moins, selon les services qu'ils rendent, et il ajoutait que nul
ne peut être bon gouverneur de sa terre s'il ne savait aussi hardiment et aussi durement refuser qu'il saurait donner. » Durement
refuser, ne devait guère coûter à Philippe-Auguste, car il n'avait
pas l'âme tendre, l'homme qui a mis à la retraite son père Louis VII,
relégué sa mère dans son domaine de douairière, épousé trois
femmes par raisons politiques et s'est conduit inhumainement avec
les deux premières, Élisabeth et Ingeburge. Il a aimé en son fils Louis
l'héritier qui continuerait son œuvre, mais il s'est défié de ce fils,
pourtant exemplaire, comme il s'est défié de tout le monde.

SA DURETÉ.

    L'auteur d'une compilation d'histoire romaine en langue fran-
çaise, comparant Philippe-Auguste à César, remarque qu'on pouvait
bien appeler « monseigneur Philippe de France » *le vallet maupigné*,
autrement dit le garçon mal peigné, parce que, « dans sa jeunesse,
il était toujours hérissé. » Il nous apprend aussi que Philippe « avait
autant de sens que Julius César, » mais qu'il n'était pas lettré. Philippe, en effet, s'il n'était pas un illettré, au sens étroit du mot, s'il
savait lire et écrire en français, n'avait pas eu le temps de s'instruire,
ayant été, dès l'âge de quatorze ans, jeté dans la politique et la
guerre. Il ne comprenait pas le latin : Innocent III se plaint à plusieurs reprises d'avoir été trahi par ceux qui traduisaient ses lettres
au Roi. En ce temps de poètes et d'artistes, a-t-il aimé la poésie et les
arts? La tradition le représente se divertissant après le repas aux chansons du trouvère Elinand, mais cette sorte de plaisir littéraire était
goûtée par les plus grossiers des féodaux. Tout au plus peut-on dire
qu'il savait le prix de la culture qu'il n'avait pas reçue. Il fit donner
à son fils, Louis VIII, une éducation qui paraît avoir été supérieure
à celle de la plupart des souverains et des hauts barons de son temps.

*IL N'ÉTAIT
PAS LETTRÉ.*

Tout considéré, Philippe fut un homme de guerre et un politique ; soldat quand il le fallait, mais sans folie chevaleresque, organisateur de troupes, constructeur d'engins et de murs ; politique
de premier ordre, dans le gouvernement de son royaume — où il
fit prévaloir son autorité sur tous, féodaux, clercs et bourgeois — et
dans sa diplomatie, qui travailla avec une étonnante activité la Chrétienté entière. Ni dans son gouvernement ni dans sa diplomatie il
n'a été gêné par un sentiment ou arrêté par un scrupule. Il est une
force toute entière appliquée à ses fins, un vigoureux, qui aime la
table, le vin et les femmes, s'emporte parfois aux accès de colère et
aux coups précipités, mais sait reculer et se ressaisir ; il est « sage, »
« prudent, » *sapiens*, *prudens*, comme disent les chroniques. La combinaison de cette habileté avec cette puissance naturelle explique les
grands succès de ce règne : le domaine royal étendu vers les frontières du royaume, l'autorité royale s'exerçant jusqu'à ces frontières,
la victoire sur la Féodalité, l'Angleterre et l'Empire coalisés, la
dynastie établie solidement, la France fondée.

V. — LE RÈGNE DE LOUIS VIII [1]

LOUIS VIII, le nouveau roi de France, avait trente-six ans. Il
était de petite taille, pâle, maigre, débile, de tempérament froid et
chaste ; très pieux, et, par là tenant plus de son grand-père Louis VII
que de Philippe-Auguste, il avait comme celui-ci l'esprit de décision,
l'entente des affaires, l'âpre ambition d'augmenter son domaine. Élevé
à l'école paternelle, fils très docile, il continua l'œuvre de Philippe
par les mêmes moyens. Rien ne fut changé ; il garda les ministres de
son père, et son règne ne fut qu'un prolongement et un achèvement.

Louis fut sacré le 6 août 1223 à Reims, et les Parisiens firent à
leur roi un accueil enthousiaste. Le changement de règne s'accomplit
sans difficulté. « Il n'est personne, dit Nicolas de Brai, qui ne respecte la majesté royale. La Normandie ne lève pas la tête : la Flandre
ne refuse pas de courber humblement le cou sous le joug d'un tel

1. SOURCES. Nicolas de Brai, *Gesta Ludovici VIII*, poème historique, dans le recueil des *Historiens de France*, t. XVII (les *Gesta Ludovici VIII* en prose ne sont qu'une compilation sans
valeur de la fin du XIIIᵉ siècle). La *Chronique de Tours*, probablement de Païen Gatineau,
chanoine de Tours, dans le recueil des *Historiens de France*, t. XVIII, p. 290. Le *Speculum
historiale* de Vincent de Beauvais, édit. de 1624. La *Chronique rimée* de Philippe Mousket,
édition Reiffenberg, 1836-1838, dans la Collection des Chroniques belges. Les chroniques
anglaises de Raoul de Coggeshall et de Roger de Wendover, précédemment citées, et celle
du chanoine de Barnwell, édit. Stubbs.
OUVRAGE A CONSULTER. Petit-Dutaillis, *Etude sur la vie et le règne de Louis VIII*, 2ᵉ partie, 1894.
Nous ne pouvons que suivre de près cette excellente monographie qui épuise le sujet.

Louis VIII.

maître. » Seule, la féodalité remuante du Poitou menaçait la paix, et l'Angleterre ne s'était pas résignée à la perte du continent.

Henri III continuait à s'intituler « duc de Normandie et comte d'Anjou, » comme si Bouvines eût été une victoire imaginaire. Ses conseillers eurent même la naïveté, aussitôt après la mort de Philippe-Auguste, d'envoyer une ambassade sommer le fils de restituer ce que le père avait pris. Louis rappela simplement aux Anglais que jadis, par un jugement légal, les barons de France avaient condamné Jean-sans-Terre à perdre toutes ses possessions continentales, sentence rendue et exécutée bien avant la naissance d'Henri III. Il laissa même entendre qu'il était disposé à continuer l'œuvre de son père, et peut-être même à rappeler, un jour, ses droits sur la couronne d'Angleterre.

C'était un hardi début de règne, mais les circonstances se présentaient bien. L'Angleterre était troublée par les mécontentements qu'avait provoqués l'administration d'Hubert de Bourg, et surtout par la révolte du chef des routiers, Fauquet de Bréauté. Le Pape, tuteur d'Henri III, avait besoin en Languedoc de l'aide de Louis VIII. Le roi de France était donc libre d'agir. C'est au Poitou qu'il s'en prit d'abord.

Les Poitevins s'étaient partagés entre les deux dominations. Poitiers avait gardé fidélité à la France : mais Niort et Saint-Jean-d'Angeli, un instant conquises par Philippe-Auguste, étaient retournées, entre 1214 et 1223, à l'Angleterre. La Rochelle ne s'était jamais soumise. Il fallait donc reprendre ces villes, alors très riches et très peuplées. Les Anglais ne pouvaient être chassés d'Aquitaine tant que le port de la Rochelle resterait ouvert à leurs marchands et à leurs soldats. D'ailleurs le pays était dans la plus complète anarchie; villes et barons se faisaient une guerre perpétuelle. Guillaume l'Archevêque, seigneur de Parthenai, crevait les yeux aux Niortais qui tombaient entre ses mains. L'Angleterre ne pouvant assurer la paix, les communes du Poitou et de la Saintonge commencèrent à regarder du côté de Paris.

La Noblesse aussi se détachait d'Henri III. Le plus puissant de tous ces barons, Hugue de Lusignan, comte de la Marche et d'Angoulême, mari d'Isabelle, la veuve de Jean-sans-Terre, réclamait Niort à Henri III et voulait le rappel du sénéchal d'Aquitaine, Savari de Mauléon, administrateur un peu rude, détesté des Poitevins. Louis VIII n'eut qu'à enchérir sur les offres que le roi d'Angleterre faisait à ce seigneur dangereux. D'autres barons, les vicomtes de Thouars et de Châtellerault, furent achetés. Les évêques de Limoges, de Périgueux, de Cahors, tenaient pour le roi de France, et leurs bourgeois lui étaient déjà tout acquis.

De Lorris, Louis VIII annonça à ses hommes de Limoges « qu'il ceignait l'épée pour faire triompher le droit ; » il convoquait leur milice à Tours pour le 24 juin 1224. L'armée qui s'y concentra était nombreuse, et tout le grand baronnage s'y trouvait : les comtes de Champagne, de Bretagne, de Blois, de Chartres, l'archevêque de Sens et beaucoup d'évêques, sans compter les conseillers et les chevaliers de l'entourage ordinaire du Roi. L'expédition devait être sérieuse et longue. Le plan de Louis VIII était de conquérir tout le Poitou et de franchir la Garonne pour aller attaquer Bordeaux. A ce moment, Guillaume le Breton, qui terminait sa *Philippide*, conseillait au Roi d'anéantir pour toujours la domination anglaise en allant jusqu'aux Pyrénées. Il l'encourageait même à passer la Manche pour déposséder Henri III.

Louis se dirigea sur la Rochelle, en traversant la terre du vicomte de Thouars, avec qui il traita. Niort, défendue par Savari de Mauléon, se rendit après un siège très court (5 juillet), et Saint-Jean-d'Angeli sans résistance. Arrivés devant la Rochelle, les barons français étaient déjà las de la guerre et menaçaient de se retirer. Thibaut de Champagne, le futur ennemi de la Royauté, fut celui qui montra le plus d'impatience. Mais, sur l'insistance des évêques, le siège commença (15 juillet).

Savari et sa garnison de deux cents chevaliers auraient pu tenir bon ; certaines communes de Gascogne, Bayonne entre autres, leur avaient envoyé des renforts, mais la fidélité des Rochelais n'était pas solide. Le parti français qui se trouva dans la ville intrigua avec l'ennemi. Le chroniqueur Wendover assure que les bourgeois, payés par Louis VIII, se livrèrent. A coup sûr, le gouvernement de l'Angleterre ne secourut pas la Rochelle. Le premier ministre d'Henri III, Hubert de Bourg, envoya quelque argent au lieu d'expédier des hommes et des vaisseaux. C'est qu'il·avait les mains liées par la révolte du routier Fauquet de Bréauté, peut-être soudoyé par Louis VIII, et que le pape Honorius lui-même défendit mollement son pupille Henri III. Il écrivait au roi de France pour lui reprocher d'oublier la Terre Sainte et de rompre la paix nécessaire à la croisade ; mais il ne mettait nullement en doute la légitimité de la conquête du Poitou. Il prit même le parti de Fauquet contre ceux qui l'accusaient de trahison. Le 3 août, la garnison de la Rochelle fit une capitulation honorable. Quelques jours après, les bourgeois juraient fidélité à leur nouveau maître.

Dès lors toute résistance cessa dans le Poitou. Nobles et villes se soumirent à l'envi : conquête rapide, due à l'argent de Louis VIII autant qu'à ses armes. « Le Roi s'en alla en Poitou, dit Philippe

Mousket, avec le comte de la Marche : maint écrin, maint tonneau
plein de deniers il menait avec lui, pour mieux terminer la guerre. »
Nous avons encore les chartes par lesquelles des châtelains, comme
Guillaume de la Motte et Bos de Matha, vendirent leur hommage au
fils de Philippe-Auguste, pour une rente de cent livres tournois.

Restait à conquérir la Gascogne. De Poitiers, où il resta, attendant l'issue de la campagne, Louis VIII envoya l'armée royale et le
comte de la Marche dans le Midi. Saint-Émilion, Saint-Macaire,
Langon, la Réole, Bazas même, en pleine terre gasconne, ouvrirent
leurs portes, ou envoyèrent leur soumission. Jamais les soldats capétiens n'étaient allés si loin de ce côté, depuis le couronnement de
Louis VII à Bordeaux; mais c'était Bordeaux qu'il fallait prendre, et
rien ne put fléchir les Bordelais, ni prières, ni menaces, ni argent.
Ils avaient trop d'intérêt à rester sous la domination de l'Angleterre,
leur grand débouché pour les vins. D'ailleurs ils ne voulaient pas
imiter les Rochelais avec qui ils étaient en concurrence, et qu'ils
détestaient. Le comte de la Marche, à qui la seigneurie de Bordeaux
avait été promise, reprit le chemin du Nord, et Louis VIII celui de
Paris (septembre 1224). Il y fut accueilli presque comme Philippe-
Auguste après Bouvines.

L'Aquitaine en effet semblait acquise. A l'exemple de son père,
Louis récompensa largement la noblesse poitevine et saintongeoise
par des pensions, les bourgeoisies par des privilèges. Limoges
obtient la confirmation des coutumes et libertés dont elle jouissait
au temps d'Henri II et de Richard. Saint-Jean-d'Angeli reçoit une
charte semblable à celle que Philippe-Auguste lui avait donnée
en 1204. Saint-Junien, Niort, Poitiers eurent leur part des libéralités
royales. La Rochelle surtout fut comblée, Louis promit, en confirmant ses libertés, de ne jamais la distraire de son domaine et de respecter ses fortifications. Il accorda son sauf-conduit à tous les marchands qui s'y rendraient. Nombre de riches bourgeois reçurent des
exemptions et des privilèges individuels. Mais le roi de France laissa
chez eux une garnison et il leur donna, pour les garder et les surveiller, ce même Savari de Mauléon qui avait essayé de les défendre
au nom d'Henri III. Las d'être appelé traître par les Anglais, l'aventurier s'était tourné, lui aussi, vers le plus fort, et avait livré au Roi
ses châteaux.

La Gascogne ne fut pas oubliée. Les gens de la Réole obtinrent
l'exemption de toute coutume en Poitou et l'assurance de rester toujours attachés au domaine. La même faveur fut accordée à Saint-
Émilion. Dans l'une et l'autre ville s'élevèrent d'ailleurs des forteresses commandées par des Français.

Cependant le roi d'Angleterre ne se résignait pas à être dépouillé. En 1224-1225, il traita avec tous les ennemis de la France. Un imposteur s'était fait passer en Flandre pour le comte Baudouin, empereur de Constantinople, qui avait disparu depuis 1205; Henri III négocia avec ce faux Baudouin. « Vous savez sans doute, lui écrivit-il, que le roi de France nous a enlevé une partie de notre héritage et, plein d'espoir, nous vous sollicitons de vouloir bien nous assister contre lui en aide et conseil, au lieu et à l'époque qu'il sera nécessaire; nous sommes prêts de notre côté à vous tendre, selon nos forces, un bras secourable. » Il s'allia avec les comtes d'Auvergne, spoliés par Philippe-Auguste, et même avec le propre cousin de Louis VIII, le comte de Bretagne, Pierre Mauclerc, qu'il gagna en lui donnant une partie du comté de Richmond et en promettant d'épouser sa fille Yolande. Il alla enfin jusqu'à proposer à Raimond VII, le comte de Toulouse excommunié, de le soutenir secrètement contre ses ennemis.

Honorius III recevait de lui lettres sur lettres et ambassades sur ambassades; il se décida, pour lui plaire, à prendre un ton plus ferme avec Louis VIII : « Faites attention, lui écrivit-il en 1225, la fortune peut changer : songez au sort d'Otton de Brunswick vaincu par le jeune Frédéric II. Commencez par rendre le Poitou, quitte à faire valoir vos droits, une fois la croisade terminée. » Louis se contenta de répliquer qu'il avait rompu la trêve avec l'Angleterre sur l'avis de ses barons et qu'il avait conquis le Poitou parce que le Poitou lui appartenait en vertu de la sentence prononcée contre Jean-sans-Terre. Le légat du Pape, Romain, cardinal de Saint-Ange, envoyé à Paris, n'obtint pas une meilleure réponse. Il osa demander, pour le roi d'Angleterre, la restitution de la Normandie, de l'Anjou et de l'Aquitaine : « Pas un pouce de la terre que mon père m'a laissée en mourant ne sera rendu aux Anglais, » dit Louis VIII, et le légat se garda d'insister. En réalité, ce que Rome voulait avant tout c'était que Louis s'engageât à fond dans « l'affaire d'Albigeois. »

Tout en négociant, Henri III essayait de reprendre par les armes le territoire perdu (1225-1226). Les marines des deux pays se donnaient la chasse et chacune faisait de bonnes prises sur les marchands de la partie adverse. Le frère du roi d'Angleterre, Richard de Cornouailles, arriva en Gascogne (mai 1225) avec une petite armée. La Réole tomba, par traîtrise, entre ses mains, et les bords de la Garonne, peu à peu, redevinrent anglais. A la Rochelle, un parti anti-français faillit livrer la ville à l'ennemi ; quatre bourgeois furent pendus. Les Français essayèrent inutilement de s'introduire dans Bordeaux, en corrompant l'archevêque. Le Poitou leur restait, à défaut de la Gascogne, et aussi le Limousin et le Périgord. Mais, pour combien de temps? Lorsque Louis VIII se mit en campagne contre les Albigeois (1226), Hugue de Lusignan, le comte de la Marche, commençait à se lasser de l'alliance française. Louis VIII n'avait fait que préparer, pour son fils, la conquête du pays aquitain.

La grande affaire du règne fut l'intervention française en Languedoc. Dès la fin de l'année 1223, le Pape et les évêques du Midi appelaient Louis « au nom de la gloire de sa race, pour le plus grand bien de son honneur et de son salut. » Le Roi fit ses conditions : la croisade sera conduite par des évêques du domaine capétien ; l'Église en paiera les frais — 60 000 livres parisis de contributions annuelles pendant dix ans —; le Roi et son armée auront pleine liberté d'agir en Albigeois ; les croisés jouiront des mêmes indulgences que s'ils allaient à Jérusalem ; les domaines du comte de Toulouse et des autres seigneurs du Languedoc, hérétiques ou fauteurs d'hérésie, reviendront au Roi ou à ceux qu'il désignera.

L'AFFAIRE D'ALBIGEOIS.

Honorius III trouva-t-il ces exigences trop dures ? En 1224, après s'être tant avancé, il recula. Il parut même se rapprocher de Raimond VII et vouloir l'amener à résipiscence. Il ne demandait plus au roi de France que de menacer le comte : « Raimond craint tellement la puissance de Votre Grandeur, écrivit-il à Louis VIII, que s'il vous sait prêt à employer toutes vos forces contre lui, il n'osera plus tergiverser et obéira aux ordres de l'Église. » Le Roi répondit assez sèchement que, puisqu'on refusait ses propositions, il ne se mêlait plus de l'affaire, et que c'était à l'Église à chercher les moyens de ramener le comte de Toulouse dans la bonne voie (mai 1224).

Au fond, le Pape ne se souciait pas de voir le roi de France confisquer la croisade. La guerre et ses horreurs lui répugnaient autant qu'à Innocent III. De plus, il hésitait entre l'entreprise d'Albigeois et celle de Terre Sainte qu'il négociait avec l'empereur Frédéric II. A la fin, la nécessité impérieuse d'arrêter le progrès des hérétiques le contraignit à employer Louis VIII, et le cardinal de Saint-Ange, le légat romain, fut chargé de renouer les négociations (mai 1225).

Ce légat prit tout de suite un grand ascendant sur le Roi, dont il devint un des conseillers les plus écoutés, l'accompagnant dans ses voyages et paraissant à ses côtés quand il recevait l'hommage de ses barons. Cette influence d'un étranger ne plut pas à tous. Les étudiants de l'Université de Paris, dont il avait brisé le sceau parce qu'il ne voulait pas leur accorder l'indépendance politique et judiciaire aux dépens du chancelier de Notre-Dame, s'ameutèrent un jour contre lui et l'assiégèrent dans le palais de l'évêque. Il eut de la peine à sortir de Paris sain et sauf. Cet homme habile et énergique engagea l'Église

LE CARDINAL DE SAINT-ANGE.

romaine dans la voie de la politique française, beaucoup plus avant que le Pape n'aurait voulu. Il organisa les grandes assemblées de Paris et de Bourges, où l'on devait prendre les résolutions décisives (janvier-mai 1226).

PRÉPARATION
DE LA
CROISADE.

Raimond VII y vint inutilement s'humilier, demander l'absolution, promettre de détruire l'hérésie. On se garda de l'absoudre. Au contraire, le légat lança contre lui la condamnation définitive. Amauri de Montfort, venu aussi pour revendiquer les biens de son père Simon, céda ses droits à Louis VIII. Le roi de France obtint, à peu de choses près, tout ce qu'il avait exigé : subsides, indulgences, pleine et entière disposition des terres dont il se rendrait maître. On eut de la peine à obtenir du Clergé, comme toujours, le paiement de la dîme de ses revenus ; il protesta, supplia, maudit la croisade ; quelques nobles aussi résistèrent. Le Roi et le légat tinrent bon, et l'expédition se prépara (mai 1226).

A Bourges se réunirent les archevêques de Sens et de Reims, les évêques de Tréguier, de Limoges, de Noyon et d'Arras, les comtes de Champagne et de Bretagne, et les seigneurs de Courtenai, Sancerre, Beaujeu, Saint-Pol, Bourbon, Couci. Du Midi terrifié arrivèrent, bien avant que Louis VIII fût parti, les soumissions écrites. « Nous sommes avides de nous mettre à l'ombre de vos ailes, » écrivait au Roi le petit seigneur de Laurac. Des hérétiques, des suspects, ou même des nobles qui craignaient simplement l'invasion des gens du Nord avaient couru jusqu'à Bourges, jusqu'à Paris. Tous les grands et petits seigneurs des Pyrénées, en France comme en Espagne, abandonnaient la cause albigeoise. Seuls les comtes de Foix et de Carcassonne, trop compromis, les villes de Toulouse, d'Agen, de Limoux, restèrent fidèles au comte Raimond.

DÉPART
DE L'ARMÉE
FRANÇAISE.

A la fin de mai, l'armée royale quitta Bourges pour gagner le Languedoc par Lyon et la vallée du Rhône, itinéraire habituel des croisés depuis 1208. En suivant la rive gauche du fleuve pour le franchir à Avignon, on effrayait les hérétiques, dont le Dauphiné et la Provence étaient remplis, en même temps qu'on montrait la bannière de Saint-Denis et les forces royales aux populations du royaume d'Arles, sujettes de l'Empire. Cette marche n'était pas sans danger ; l'Empereur pouvait prendre ombrage de ce passage armé sur son territoire, et Avignon, gouvernée par un podestat, fière de son indépendance, admirablement défendue par son enceinte et ses grosses tours, était en situation et en humeur de refuser le passage. Il s'y trouvait beaucoup d'hérétiques, cathares et vaudois, et de partisans de Raimond VII. Louis VIII compta que Frédéric II, alors ami de la France et du Pape, ne contrarierait pas les opérations de la croisade. Quant aux Avignonnais, il conclut avec eux un accord, aux termes duquel il serait admis avec son clergé et un petit groupe de chevaliers à pénétrer dans la ville; on lui fournirait des vivres, et des otages lui seraient livrés en garantie. Le 7 juin, les croisés établirent leur camp à une petite distance d'Avignon et commencèrent, sur un pont de bois, le passage du fleuve. Mais quand le roi de France et le légat se présentèrent pour entrer dans la ville, ils trouvèrent les visages hostiles et les portes fermées.

Il est à croire que les habitants d'Avignon avaient été effrayés *SIÈGE D'AVIGNON.* par quelque incartade de la chevalerie, ou pris de peur devant le flot d'hommes toujours grossissant. On les somma vainement de tenir leur promesse. Alors, le cardinal de Saint-Ange enjoignit au Roi « de purger Avignon de l'hérésie et de venger l'injure du Christ, » et les machines de siège furent mises en position.

L'entreprise coûta cher. Derrière leurs solides remparts, les bourgeois, bien pourvus de vivres, brûlèrent les machines des Français et firent des sorties meurtrières; les assiégeants, mourant de faim dans un pays que le comte de Toulouse avait dévasté, exténués par la chaleur torride, décimés par les maladies, fondaient à vue d'œil. Un assaut, tenté le 8 août, ne réussit pas, et 3 000 hommes, avec le comte de Saint-Pol, y furent tués. Le Roi fit creuser un fossé profond autour de la ville et, renonçant à la prendre de vive force, la tint bloquée. A la fin d'août, les Avignonnais, ainsi affamés et craignant la destruction totale et le sort de Béziers ou de Marmande, se rendirent. Il n'y eut pas de massacre, mais le châtiment fut rude : démolition des remparts, des tours, de 300 maisons fortifiées; les fossés comblés; défense de refaire les fortifications pendant cinq ans; les armes et les machines de guerre livrées aux vainqueurs; les habitants frappés d'une contribution de 6 000 marcs d'argent, obligés de payer la construction d'un château élevé contre eux et d'accepter comme évêque un moine de Cluni, à qui la ville dut faire un cadeau de mille marcs. Enfin, la bourgeoisie était condamnée à faire pénitence et à entretenir trente chevaliers en Terre Sainte pendant trois ans.

La chute d'Avignon fit du bruit. « Une telle crainte, une telle stu- *EFFET* peur, dit Nicolas de Brai, frappèrent les peuples de tout le pays que *DE LA CHUTE* les villes jusqu'alors indomptées et toujours rebelles envoyèrent leurs *D'AVIGNON.* députés avec des présents, pour déclarer qu'elles se livraient et qu'elles étaient prêtes à obéir. » Ainsi firent Nimes, Beaucaire, Narbonne, Carcassonne, Montpellier, Castres. La noblesse du Languedoc, de plus en plus terrifiée, multipliait ses lettres et ses actes de soumission. Sicard de Puilaurent et les bourgeois de sa ville écrivent à Louis VIII

« qu'ils se roulent à terre pour baiser les pieds de Sa Glorieuse Excellence; qu'une plénitude de bonheur a rempli leurs âmes au point que l'on ne peut traduire de tels sentiments par la parole ni par la plume. « Nous baignons de nos pleurs, ô illustre seigneur, les pieds de Votre « Majesté et nous supplions Votre Altesse, avec des prières pleines « de larmes, de recevoir miséricordieusement vos esclaves sous le « voile de vos ailes. » Le comte de Comminge et le comte de Foix eux-mêmes abandonnaient Raimond VII. Il semblait que la guerre sainte dût finir avant d'avoir commencé, faute de combattants.

Mais il s'était passé devant Avignon un incident grave. Le comte de Champagne, Thibaut, et le comte de Bretagne, Pierre Mauclerc, étaient arrivés en retard, après le commencement du siège. Thibaut s'était plaint de la longueur des opérations, et il avait intrigué avec les assiégés. Sa quarantaine terminée, il était parti au milieu des huées, malgré la défense du légat, et bien que le Roi, disait-on, l'eût menacé, s'il se retirait, d'aller brûler la Champagne. Un essai d'entente secrète s'était produit entre certains chefs d'États seigneuriaux : c'était le début d'une réaction que les succès de Philippe-Auguste et de son fils avaient fait naître, et que la première occasion favorable transformera en insurrection.

LOUIS VIII
EN LANGUEDOC. Arrivé dans le Languedoc par Béziers et Carcassonne, Louis VIII traversa le théâtre de la guerre albigeoise sans rencontrer d'autre obstacle qu'une courte résistance des habitants de Limoux : véritable promenade militaire dans ce pays de l'hérésie d'où les hérétiques semblaient avoir disparu. Ceux qui persévéraient dans le catharisme, n'osant se montrer, laissaient passer l'orage. Les évêques et les abbés du Languedoc conduisaient le Roi comme par la main, lui ouvraient toutes les portes, s'entremettant auprès des bourgeois et de la Noblesse pour les amener à se soumettre. On a dit avec raison « que le clergé méridional livra à Louis VIII le Languedoc hérétique, comme le clergé du VIᵉ siècle avait livré à l'orthodoxe Clovis le midi arien [1]. »

Louis ne pouvait trop récompenser de tels auxiliaires. A l'évêque d'Uzès, il donne tout ce que la maison de Saint-Gilles tenait de l'évêché; à l'archevêque de Narbonne, une rente de 400 livres; à l'évêque de Nimes, la ville de Milhau; à l'évêque de Mende, les régales de son diocèse. Il s'associe étroitement par un pariage à l'abbé de Saint-Antonin de Pamiers, promettant, si on lui garantissait la moitié des revenus de la ville, de défendre les droits des religieux. Il maintient au prieuré de Prouille (la fondation de saint

1. Petit-Dutaillis, *Louis VIII*, p. 323.

Dominique dont il sera question plus bas) les biens que lui avaient assignés Simon et Amauri de Montfort. Jamais n'était apparue plus étroite l'union de l'Église et de la Royauté.

Pour l'organisation du pays conquis, Louis n'eut qu'à compléter *ORGANISATION* les mesures prises par Simon de Montfort. Celui-ci avait créé des *DU PAYS CONQUIS.* postes de sénéchaux à Beaucaire, à Carcassonne, à Agen, à Toulouse. Le roi de France fit de Beaucaire et de Carcassonne les chefs-lieux de la domination royale dans le Languedoc. Il conserva la division des sénéchaussées en vigueries et en baillies, et, comme l'avait fait Montfort, diminua ou supprima les libertés municipales des villes du Midi. A Beaucaire, il remplaça les consuls par des syndics plus dépendants. Les cités les plus importantes, sauf Toulouse, furent surveillées par des garnisons.

On a vu qu'en 1212, Simon de Montfort avait soumis les pays hérétiques à un régime assez dur de centralisation et à la domination des évêques. Les *Statuts de Pamiers* restèrent, plus que jamais, la loi générale du Languedoc. Dans la nouvelle assemblée de Pamiers, qui se tint en octobre 1226, Louis VIII fit proclamer le principe que tous les fiefs et domaines à confisquer sur l'hérésie appartiendraient de droit au Roi, et prit des mesures pour donner plus d'efficacité à l'excommunication. L'excommunié qui résistait était puni d'une amende et même de la confiscation totale. Déjà, en avril 1226, il avait rendu une ordonnance qui, pour la première fois en France, condamnait officiellement l'hérétique convaincu à la peine du feu.

Toutes choses ainsi réglées à son profit et au profit de l'Église, *MORT* le Roi reprit le chemin de Paris en passant par l'Auvergne (oct. 1226). *DE LOUIS VIII.* Mais une maladie, contractée peut-être au siège d'Avignon, qui avait été fatal à tant de croisés, s'aggrava en route. Louis VIII, terrassé par la dysenterie, mourut le 8 novembre à Montpensier[1].

Pendant ce règne si court, mais si plein, la Royauté n'avait pas *GOUVERNEMENT* seulement accru ses ressources et son territoire : le progrès des *DE LOUIS VIII.* institutions monarchiques continua. Le pouvoir du Roi devenait assez solide pour que Louis VIII pût faire ce que n'avait pas osé Philippe-Auguste : relever les grands offices de la couronne et leur donner des titulaires. Le frère Guérin, le principal conseiller du père et du fils, fut enfin chancelier en titre, et la bouteillerie, si longtemps vacante, échut à un parent du Roi, Robert de Courtenai. Cependant la Royauté prenait toutes ses précautions contre les velléités d'inde-

1. Quand on ouvrit, en 1793, la tombe du fils de Philippe-Auguste, à Saint-Denis. on y trouva le bois pourri d'un sceptre, un squelette enveloppé d'un suaire grisâtre orné de galons d'or et sur le crâne une calotte blanche entourée d'une bande d'étoffe tissée en or.

pendance des officiers. En 1223, le maréchal Jean Clément jurait à son maître « qu'il ne retiendrait pas les chevaux confiés à ses soins, et ne prétendrait, pour lui et ses successeurs, à aucun droit héréditaire sur sa fonction. »

Louis VIII réunit les assemblées de barons et de prélats dans les mêmes conditions que ses prédécesseurs, avec cette différence pourtant qu'il ne convoqua plus ses fidèles, comme c'était l'usage avant lui, à dates fixes, notamment aux grandes fêtes religieuses ; il les manda quand il eut besoin de les consulter ; et, d'autre part, les assemblées tenues par lui paraissent compter moins d'évêques et plus de petites gens. Quant à la *Cour du Roi* proprement dite, elle ne fait plus guère que juger. Pour la première fois se manifestent les prétentions des *pairs de France* à connaître seuls des procès où l'un des leurs était impliqué. En 1224-1225, lors du procès célèbre de la comtesse de Flandre et de Jean de Nesle, ils voulurent faire prononcer l'exclusion des officiers de la Couronne. La comtesse réclama d'ailleurs contre la procédure suivie à son égard : au lieu d'être ajournée par deux chevaliers, elle aurait dû, dit-elle, l'être par ses pairs. La Cour du Roi, c'est-à-dire Louis VIII et ses conseillers intimes, décida que, « selon la coutume de France, » ces prétentions n'étaient pas fondées. Elle résista aussi aux archevêques et aux évêques qui, dans l'assemblée de Melun du 8 novembre 1225, « revendiquèrent le droit de juger, dans les affaires mobilières, toutes les personnes qui seraient citées devant eux par les gens d'Église. » « Le roi affirma, dit le chanoine de Tours, que cette prétention était complètement déraisonnable, puisque les affaires de biens meubles où n'intervenaient pas des questions de serment, de foi jurée, de testament ou de mariage, étaient des causes purement laïques qui ne regardaient pas le Clergé. »

Ceci n'empêche pas l'historien Nicolas de Brai d'affirmer « que le Roi au cœur de lion qui gouverne le royaume de France fut en tout temps le bouclier de la sainte Église. » On ne pouvait dire moins d'un prince qui dirigeait la croisade contre l'hérétique. En réalité, Louis VIII, moins violent que son père à l'égard du Clergé, a montré autant de fermeté et s'est efforcé, dans les conflits des clercs avec les bourgeois et les nobles, de tenir la balance égale.

Il a fait respecter strictement le droit de la Royauté sur le service d'ost et sur la régale dus par les diocèses. Quand il reçut l'hommage des évêques d'Angers, du Mans et de Poitiers, il promit de délivrer les biens diocésains à ces nouveaux élus, aussitôt qu'ils seraient confirmés, mais déclara que s'ils ne lui juraient pas fidélité dans les quarante jours, il leur reprendrait leurs revenus et en jouirait

jusqu'à soumission complète. Il n'eut de démêlés qu'avec l'archevêque de Rouen, qui voulait empiéter sur la juridiction des baillis
royaux, et avec les trois évêques normands de Coutances, d'Avranches
et de Lisieux, qui avaient abandonné l'armée d'Aquitaine, en 1224,
sous prétexte qu'ils ne devaient pas le service militaire personnel.
Au reste, comme ses prédécesseurs, il prodigua aux églises l'argent,
la terre et les privilèges ; il les défendit même contre ses officiers,
enlevant, par exemple, à ses baillis et prévôts d'Orléans toute juridiction sur l'abbaye de Saint-Mesmin, parce qu'elle était « sous sa protection personnelle. » Il protège enfin l'abbé de Corbie contre ses
bourgeois, les chanoines de Saint-Victor contre la commune de
Villeneuve-le-Roi, mais, d'autre part, il empêcha le chapitre de Laon
d'extorquer de l'argent aux hommes du village de Paissi. Sa politique
envers l'Église, une fois les droits royaux reconnus et respectés, fut
une politique de déférence et d'équité.

A l'égard des classes populaires et des inférieurs, il a continué
Philippe-Auguste et n'a point innové. L'allégation de Nicolas de
Brai « qu'il aurait délié les serfs du joug de la servitude » au moment
où il devint roi, est fort exagérée : mais il a supprimé la main-morte
dans le Berri et affranchi tous les serfs d'Asnières-sur-Oise. Son
ordonnance du 8 novembre 1223 sur les Juifs est assez rigoureuse,
puisqu'elle décide « que les intérêts des dettes contractées envers les
Juifs ne courront plus, » qu'on leur remboursera seulement les capitaux empruntés, et qu'ils n'auront plus le droit d'avoir un sceau pour
authentiquer leurs créances. En revanche, Louis VIII a favorisé l'établissement en France des banquiers italiens. En 1224, il accordait aux
Lombards d'Asti la permission de résider à Paris pendant cinq ans,
avec sauf-conduit sur la terre du Roi, et le privilège de n'être justiciables que de sa personne. C'est la première charte connue d'un roi
de France qui soit relative à l'établissement des Lombards dans le
domaine capétien. Du règne de Louis VIII date aussi le plus ancien
document authentique sur les maîtres et les ouvriers de la Monnaie
de Paris. La charte royale de novembre 1225 règle l'organisation
des ateliers monétaires, les rapports des membres de la corporation,
leurs devoirs et leurs privilèges et les amendes encourues en cas
d'infractions.

*SES RAPPORTS
AVEC LES
CLASSES
POPULAIRES.*

LIVRE III

LA SOCIÉTÉ FRANÇAISE

(FIN DU XIIe SIÈCLE ET COMMENCEMENT DU XIIIe)

CHAPITRE PREMIER

ÉTAT GÉNÉRAL DE LA SOCIÉTÉ

I. LES MISÈRES SOCIALES. LE BRIGANDAGE. — II. SUPERSTITIONS ET PRO-
DIGES. LE CULTE DES RELIQUES. LA CROISADE DES ENFANTS. — III. SYMPTOMES D'UN
ESPRIT NOUVEAU. LES ATTAQUES CONTRE LA FOI ET L'ÉGLISE.

I. — LES MISÈRES SOCIALES. LE BRIGANDAGE [1]

QUELS qu'aient été, déjà sous Louis VII, mais principalement sous Philippe-Auguste et Louis VIII, les progrès de la Monarchie, l'action du Roi pour le rétablissement de la paix et de l'ordre ne s'est guère fait sentir que dans les régions de la France du Nord immédiatement soumises à son autorité. Au Centre, au Midi, dans les provinces de l'ancien royaume d'Arles, là où les baillis capétiens ne se montrent pas et où domine une féodalité turbulente, l'anarchie subsiste et les conditions générales de la vie, dure pour les misérables, difficile même pour les classes d'en haut, n'ont pas changé. La prospérité et le bien-être n'existent vraiment que dans quelques provinces privilégiées, Flandre, Champagne, Normandie, Ile-de-France, et, en particulier, dans les grandes villes dotées de larges franchises, enrichies par l'industrie et le commerce, protégées par de bonnes murailles et par la police du haut suzerain. Ailleurs, surtout hors de la « paix du Roi, » il n'y a sécurité ni pour les biens ni pour les per-

---

1. OUVRAGES A CONSULTER. H. Géraud, *Le routier au XIIe siècle*, dans la Bibliothèque de l'Ecole des Chartes, a. 1841-1842. Le même, *Mercadier et les routiers au XIIIe siècle, ibid.* A. Leroux, *Le Massif Central*, 1898. Luchaire, *Un essai de révolution sociale sous Philippe-Auguste*, dans la Grande Revue, n° du 1er mai 1900.

sonnes; la guerre sévit perpétuellement et le brigandage est un fléau quotidien. Enfin, les calamités habituelles, incendies, famines, pestes, favorisées par l'ignorance des lois les plus élémentaires de l'hygiène et de l'économie politique, ont toujours le champ libre[1].

LES INCENDIES.

L'incendie surtout est la grande terreur de ces villes du Moyen âge aux rues étroites et tortueuses, où s'entassaient les maisons de bois[2]. Nous ne connaissons pas de textes de cette époque qui fassent la moindre allusion à l'organisation d'un service de secours; une maison qui brûlait embrasait tout le quartier et souvent la ville entière. De 1200 à 1225, Rouen brûla six fois. Les monuments de pierre, les églises, les donjons énormes, celui de Gisors, celui de Pompadour en Limousin, croulèrent dans les flammes. En 1188, Rouen, Troyes, Beauvais, Provins, Arras, Poitiers, Moissac furent détruites. A Troyes, le feu prit, la nuit, sur le champ de foire; l'abbaye de Notre-Dame-aux-Nonnains, la collégiale de Saint-Étienne, qu'on venait de reconstruire, le palais des comtes de Champagne, la cathédrale de Saint-Pierre, tout flamba. Les religieuses de Notre-Dame furent brûlées vives.

Le grand incendie de Chartres, en 1194, fit périr des centaines de malheureux et disparaître presque toute l'ancienne cathédrale. La crédulité de la foule apeurée était sans bornes. Rigord affirme qu'on voyait, dans les villes en flammes, des corbeaux voler, portant au bec des charbons ardents et brûlant les maisons épargnées. A ces catastrophes accidentelles s'ajoutaient les incendies allumés par les gens de guerre. L'incendie était un procédé militaire réglé, une institution. A côté des fourrageurs, qui pillent les campagnes, toute armée a ses « boutefeux, » chargés spécialement de brûler granges et maisons.

LA PESTE.

La peste, à son tour, ravage cette population malpropre, ces villes sans égouts, sans pavés, où les maisons n'étaient que des bouges suintants et les rues des cloaques. A Paris, « la plus belle des villes, » les bourgeois enterraient leurs morts dans la plaine des Champeaux, sur l'emplacement de nos Halles. Ce cimetière n'était pas clos; les passants le traversaient en tous sens et on y tenait des marchés. Par les temps de pluie, le charnier devenait un marécage

---

1. On ne peut sans doute juger absolument de l'état réel de la société du Moyen âge par les faits divers des chroniqueurs, les procès et conflits relatés dans les documents d'archives et les descriptions exagérées des poètes. Mais, somme toute, il y a concordance entre ces trois séries de témoignages, et si l'impression qui s'en dégage est plutôt sombre, c'est que la réalité, *à considérer l'ensemble des faits,* l'était aussi dans une certaine mesure. L'historien ne peut au reste décrire un état social que d'après les textes qui lui sont parvenus; il ne répond que d'une vérité relative : cette réserve est toujours nécessaire.

2. La maison de pierre est une rareté. L'autorité donnait une prime aux bourgeois qui bâtissaient en pierre. La petite ville de Rue, en Picardie, les exemptait d'impôts.

nauséabond. Ce fut seulement en 1187 que Philippe-Auguste l'entoura d'un mur en pierre, par respect pour les morts plutôt que pour la santé publique. Deux ans auparavant, le Roi et les Parisiens s'étaient décidés à faire un premier essai de pavage, mais tout au plus dans les grandes voies qui conduisaient aux portes; le reste n'était que bourbier, terrain d'élection pour ces maladies contagieuses contre lesquelles le Moyen âge ne savait prendre ni mesures préventives ni mesures curatives.

On subissait comme un châtiment d'en haut la peste, « le feu sacré, le feu divin, » *ignis sacer, ignis infernalis.* Pour les « ardents, » les remèdes étaient toujours les mêmes : processions, prières publiques, expositions dans les églises, supplications à quelques saints guérisseurs, saint Firmin, saint Antoine. A Paris, on portait les pestiférés à Sainte-Geneviève ou à Notre-Dame, sans craindre d'aggraver la contagion. Aux épidémies s'ajoutait la lèpre, fléau permanent de toutes les provinces françaises, redoutable aux riches comme aux pauvres.

La famine était alors moins fréquente qu'au XIᵉ siècle, où l'on a pu compter quarante-huit années de disette : mais pourtant, sous le règne de Philippe-Auguste, il y en eut onze. Celle de 1195 dura quatre ans. Le blé, le vin, l'huile, le sel atteignirent des prix extraordinaires. On mangeait du marc de vin en guise de pain, des bêtes crevées, des racines. Le jour de Pâques 1195, Alix, dame de Rumilli (une seigneurie du diocèse de Troyes), est surprise de voir qu'il y ait peu d'assistants à la messe. Le curé lui apprend que la plupart des paroissiens sont occupés à chercher des racines dans les champs. Alix leur fait distribuer des provisions et ordonne, comme mesure perpétuelle, que le tiers des grosses dîmes qui lui appartenaient serait remis le jour de Pâques à tous les habitants de la paroisse. Chacun d'eux devait recevoir en outre un pain de cinq livres. Mais que pouvait la charité devant l'immensité du désastre? En 1197, une foule innombrable de personnes moururent de faim : *innumeri fame perempti sunt,* dit la *Chronique de Reims.* Des expressions comme celles-ci : *multi fame perierunt, moriuntur fame millia millium,* reviennent souvent sous la plume des chroniqueurs.

Ce ne sont pas seulement les misérables qui ont faim. A Liége, où les pauvres, couchés dès la première heure aux portes des églises, demandent l'aumône, les riches « sont réduits à manger des charognes. » Les moines n'ont ni vin ni bière : ils mangent du pain de seigle (1197). La faim fait sortir le châtelain de son donjon. « Je reconnais, confesse en 1184 un petit seigneur champenois, Érard de Brienne, avoir enlevé du blé dans les granges de l'abbaye de Saint-

LES FAMINES.

Loup de Troyes : ce que je n'aurais pas dû faire; mais c'était pour approvisionner mon château. » — « Le besoin m'y obligeait, *necessitate mea compulsus,* » dit, en 1200, un autre seigneur de la même lignée, qui s'avouait coupable du même méfait.

LE BRIGANDAGE.   La famine engendrait le brigandage. Le fléau eut comme une recrudescence au déclin du règne de Louis VII et pendant celui de Philippe-Auguste presque tout entier. La France centrale, en particulier, est alors inondée de ces mercenaires appelés « routiers » et « cottereaux » ou encore, du nom des pays qui les fournissaient en abondance, « Aragonais, Navarrais, Basques et Brabançons. » Nous avons vu des bandes de routiers prendre une part active aux guerres de Philippe-Auguste et des Plantagenêts. Mais quand ces aventuriers cessaient d'être enrôlés, ils pratiquaient pour leur compte le pillage et l'assassinat.

LES ROUTIERS.   Le routier sévit surtout dans le Berri, l'Auvergne, le Poitou, la Gascogne, le Languedoc et la Provence, pays difficiles à surveiller et à défendre. Il s'attaque de préférence à l'Église, plus riche, et se venge, en ravageant ses terres, de ses excommunications. Les cottereaux du Berri, après avoir brûlé les églises, emmènent des troupeaux de prêtres et de religieux. « Ils les appelaient chantres, dit Rigord, par dérision, et leur disaient : « Allons, les chantres! en- « tonnez vos chants; » et ils faisaient pleuvoir sur eux les soufflets et les coups de verges. Quelques-uns, ainsi flagellés, moururent; d'autres n'échappaient à un long emprisonnement qu'en payant rançon. Ces démons foulaient aux pieds les hosties consacrées, et, avec les linges des autels, faisaient des voiles pour leurs concubines. » Le prieur de Vigeois en Limousin nous parle d'un chef de bande qui vendait les moines dix-huit sous pièce. Ceci n'empêchait pas d'ailleurs les membres de l'Église de recourir aux offices de ces brigands. En 1204, une lettre du pape Innocent III accuse un archevêque de Bordeaux de vivre entouré de routiers, et de gouverner ainsi sa province par la terreur. Il leur indiquait les coups à faire et participait aux bénéfices.

UN VOYAGE DE PARIS A TOULOUSE.   Un abbé de Sainte-Geneviève raconte à ses moines les péripéties d'un voyage de Paris à Toulouse : « la longueur de la route, le danger des rivières à franchir, le danger des voleurs, le danger des cottereaux, des Aragonais et des Basques. » Il chemine à travers des plaines dévastées et désertes, n'ayant sous les yeux que des spectacles de désolation : villages incendiés, maisons en ruines, murs d'églises à demi-écroulés, tout détruit jusqu'aux fondements, et les habitations humaines devenues des repaires de bêtes fauves. « Je conjure mes frères, écrit le voyageur en terminant, de supplier pour moi Dieu et la bienheureuse Vierge. S'ils me jugent capable de rendre service à notre église, qu'ils me fassent la grâce de me ramener à Paris sain et sauf. »

Au delà du Rhône, dans cette malheureuse province d'Arles nominalement soumise à l'Empereur, le brigandage est endémique. Le pape Célestin III énumère à l'archevêque d'Arles, Imbert, les diverses catégories de malfaiteurs qu'il doit punir. « Sévissez contre ceux qui dépouillent les naufragés ou arrêtent les pèlerins et les marchands; excommuniez ceux qui ont l'audace d'établir de nouveaux péages. Je sais que votre province est en proie aux Aragonais, aux Brabançons, et autres bandes d'étrangers. Frappez-les, mais frappez aussi ceux qui louent ces brigands et les reçoivent dans les châteaux ou dans les villes. »

Réduite à ses armes spirituelles, l'Église était impuissante. Quelquefois, lorsque les excès des routiers devenaient par trop insupportables, les hauts seigneurs et les rois se résignaient à des exécutions. Richard Cœur-de-Lion enveloppe, un jour, près d'Aixe en Limousin, une bande de Gascons; les uns sont noyés dans la Vienne, les autres égorgés, quatre-vingts ont les yeux crevés. Les cottereaux du Berri, mal payés par Philippe-Auguste, se révoltent et saccagent le pays. Le Roi les attire à Bourges, sous prétexte de leur verser leur solde. Une fois entrés, on ferme les portes, la chevalerie royale se jette sur eux, les désarme et leur prend tout l'argent qu'ils avaient volé. Mais presque toujours les crimes des routiers restaient impunis, la Noblesse étant complice ou n'osant pas agir. Le mal ne cessait pas de s'étendre. Les bandes de pillards grossissaient, en route, de tous les gens tarés ou proscrits : vagabonds, moines, fugitifs, chanoines défroqués, religieuses en rupture de cloître.

EXÉCUTIONS DE ROUTIERS.

En 1182, dans la France centrale, de l'excès de calamité et de désespoir sortit un soulèvement immense, un effort simultané des riches et des pauvres, des nobles et des vilains, pour organiser une force militaire et détruire le brigandage.

Le point de départ est, comme dans toutes les grandes crises de cette nature, une vision céleste. La Vierge apparaît à un charpentier du Pui-en-Velai, nommé Durand Dujardin. Elle lui montre une image qui la représente tenant le Christ sur les bras, avec cette inscription : *Agnus Dei, qui tollis peccata mundi, dona nobis pacem.* Elle lui ordonne d'aller trouver l'évêque du Pui et de réunir en confrérie tous ceux qui veulent le maintien de la paix. Au XIe siècle, les évêques avaient institué les associations de la paix de Dieu; mais,

LE CHARPENTIER DURAND.

avec le temps, et par l'effet d'une mauvaise organisation, la plupart de ces ligues s'étaient dissoutes. Ici ce n'est plus la paix de Dieu, mais la paix de Marie, la grande divinité du Pui, la patronne de la cathédrale, la Vierge noire devant laquelle défilaient les pèlerins.

CONFRÉRIE DES CAPUCHONNÉS.

La confrérie du charpentier, avec une rapidité merveilleuse, s'étend aux pays voisins et bientôt à beaucoup de provinces de la France centrale et méridionale. En quelques mois, de la fin de décembre 1182 à avril 1183, l'armée de la paix est organisée dans chaque région.

Les confrères portaient un petit capuchon de toile ou de laine blanche (d'où leur nom de « Capuchonnés, » *Capuciati*, ou de « chaperons blancs ») où étaient rattachées deux bandes de même étoffe tombant l'une sur le dos, l'autre sur la poitrine. » Cela ressemblait, dit le prieur de Vigeois, au pallium des archevêques. » Sur la bande de devant était fixée une plaque d'étain représentant la Vierge et l'enfant, avec les mots *Agnus Dei*. Les associés payaient, à chaque fête de la Pentecôte, une cotisation. Ils juraient d'aller à confesse, de ne pas jouer, de ne pas blasphémer, de ne pas fréquenter les tavernes, de ne porter ni vêtements efféminés, ni poignards. C'était par la foi, la discipline et la bonne conduite qu'ils devaient mériter de Dieu la victoire. Plusieurs de ces confrères vécurent saintement, si bien que sur la tombe de certains Capuchonnés, tués par des routiers, des miracles s'accomplirent. Les soldats de cette armée édifiante formaient une franc-maçonnerie très étroite dont les membres se juraient un dévoûment absolu. Quand un Capuchonné avait tué quelqu'un par hasard, si le frère du mort était de la confrérie, il devait aller chercher le meurtrier, le mener dans sa propre maison, et, oubliant son deuil, lui donner, avec le baiser de paix, à manger et à boire.

Le mouvement engloba les hauts barons, les évêques, les abbés, les moines, les simples clercs, les bourgeois, les paysans, même les femmes. Des confréries, analogues à celle du Velai, se constituèrent dans l'Auvergne, le Berri, l'Aquitaine, la Gascogne, la Provence. Les membres de ces associations s'appelaient les « Pacifiques, » ou simplement les « Jurés. » Leur nombre était considérable, *numerus infinitus*. Mais, sur l'action de ces ligues, nous ne sommes renseignés que par deux ou trois épisodes.

MASSACRE DES ROUTIERS A DUN-LE-ROI.

En 1183, les « Jurés » d'Auvergne massacrent trois mille routiers : victoire qui, dit-on, ne coûta la vie à aucun confrère. Une action commune est concertée entre les associés du Berri, ceux du Limousin et de l'Auvergne. Les routiers s'étaient réfugiés en masse dans la petite ville de Charenton en Bourbonnais, tandis que l'armée des confrères se concentrait à Dun-le-Roi. On somma le seigneur de

Charenton, Ebbe VII, d'expulser les cottereaux de son territoire, ce qui était plus facile à prescrire qu'à faire. Ebbe s'en tira par la ruse : il engagea les routiers à quitter Charenton pour se porter contre les ennemis : « Une fois que vous serez aux prises avec les Jurés, leur dit-il, je tomberai à l'improviste sur leurs derrières, et pas un n'en réchappera. » Les bandits sortent du château, dont on referme les portes; à peine sont-ils dans la campagne, sans point d'appui ni espoir de refuge, qu'on les enveloppe. « Quand ils se virent trahis, dit la *Chronique de Laon*, semblables à des bêtes fauves que dompte une main énergique, ils perdirent leur férocité naturelle; ils ne se défendirent pas et se laissèrent saigner comme des moutons à l'abattoir. » Dix mille routiers périrent dans cette boucherie; on trouva dans leur camp un amas de croix d'églises, de calices d'or et d'argent, sans compter les bijoux portés par les quinze cents femmes qui les suivaient (juillet 1183).

Par malheur, cette grande agitation entraîna des conséquences politiques et sociales qui n'avaient pas été prévues. Ce n'étaient pas seulement les voleurs et les assassins de profession que menaçait l'institution nouvelle, mais aussi les nobles châtelains, qui pillaient et rançonnaient le paysan. Malgré l'adhésion de bon nombre de seigneurs, la confrérie, fondée par un artisan, avait un caractère démocratique. Les droits et les devoirs étaient égaux pour tous sans distinction d'origine. L'union des bourgeoisies et des masses rurales dans un même corps, en vue d'une même action, devenait une arme à double tranchant. Les uns s'en servaient pour détruire le brigandage; d'autres eurent naturellement l'idée de l'employer à la réforme de l'ordre social. Une révolution germait. *LES CAPUCHONNÉS MENACENT L'ORDRE ÉTABLI.*

On ne lui laissa pas le temps de s'accomplir. Aussitôt que l'Église et la Noblesse s'aperçurent du danger, une réaction brusque commença. Ces ligueurs si pieusement enrégimentés sous la bannière de la Vierge, et en l'honneur desquels Dieu faisait des miracles, devinrent subitement, pour les chroniqueurs moines et clercs, des perturbateurs de la société. *RÉACTION CONTRE LES LIGUES DE LA PAIX.*

En 1183, le chroniqueur Robert, moine de Saint-Marien d'Auxerre, résumait, en les admirant, les exploits des Capuchonnés; en 1184, il les traite de sectaires, *secta Capuciatorum*, et il ajoute : « Comme ils refusaient insolemment l'obéissance aux grands, ceux-ci se sont ligués pour les supprimer. » Pour le chroniqueur anonyme de Laon, leur œuvre est le fait d'une rage insensée, *insana rabies Capuciatorum*. « Les seigneurs, dit-il, tremblaient à la ronde; ils n'osaient plus exiger de leurs hommes que les redevances légales; plus d'exactions, plus de précaires : ils en étaient réduits à se contenter des revenus qui leur étaient dus. Ce peuple sot et indiscipliné avait atteint le comble de la démence Il osa signifier aux comtes, aux vicomtes et aux princes qu'il leur fallait traiter leurs sujets avec plus de douceur, sous peine d'éprouver bientôt les effets de son indignation. » Il est fâcheux que ce manifeste des confrères de la paix ne soit pas arrivé jusqu'à nous.

GRIEFS CONTRE LES CONFRÈRES DE LA PAIX.

L'historien des évêques d'Auxerre les traite « d'abominables réprouvés, » et leur tentative « d'horrible et de dangereuse présomption. » « Ce fut dans la Gaule, dit-il, un entraînement général qui poussa le peuple à se révolter contre les puissances. Bonne au début, son œuvre ne fut que celle de Satan, déguisé en ange de lumière. La ligue des assermentés du Pui n'est qu'une invention diabolique, *diabolicum et perniciosum inventum.* Il n'y avait plus ni crainte ni respect des supérieurs. Tous s'efforçaient de conquérir la liberté, disant qu'ils la tenaient des premiers hommes, d'Adam et d'Ève, du jour même de la création. Ils ignoraient donc que le servage a été le châtiment du péché! Le résultat est qu'il n'y avait plus de distinction entre les grands et les petits, mais une confusion fatale, tendant à la ruine des institutions qui nous régissent par la volonté de Dieu et le ministère des puissants de ce monde. »

Mais voici qui est le plus grave : le moine d'Auxerre attribue aux Capuchonnés l'affaiblissement de la discipline religieuse et les progrès de l'hérésie. Eux-mêmes n'étaient-ils pas des hérétiques d'une certaine espèce, d'une hérésie sociale et politique? « Ce fléau redoutable, dit-il, *pestilentia formidabilis*, commença à se répandre dans la plupart des régions françaises, mais surtout dans le Berri, l'Auxerrois et la Bourgogne. Les sectaires en arrivaient à ce degré de folie qu'ils étaient prêts à s'arroger par le glaive les droits et les libertés qu'ils revendiquaient. »

L'ÉVÊQUE D'AUXERRE POURSUIT LES CAPUCHONNÉS.

Nous ne connaissons le détail de la répression que pour le diocèse d'Auxerre. L'évêque, Hugue de Noyer (1183-1206), était un noble d'humeur belliqueuse et hautaine. Or les « chaperons blancs » abondaient sur son territoire et jusque dans son propre domaine. « Il alla avec une multitude de soldats, dit la *Chronique d'Auxerre*, dans sa ville épiscopale de Gy (Nièvre), qui était infectée de cette peste, saisit tous les capuchonnés qu'il y trouva, les frappa de peines pécuniaires et leur enleva leurs capuchons. Ensuite, pour donner toute la publicité possible au châtiment de ces audacieux, pour apprendre aux serfs à ne pas s'insurger contre leurs seigneurs, il ordonna que, pendant une année entière, ils seraient exposés, tête nue, à la chaleur, au froid, à toutes les intempéries des saisons. On vit ces malheureux, en été, au milieu des champs, la tête découverte, griller au soleil, et, en hiver, trembler de froid. Ils auraient passé ainsi toute l'année, si l'oncle de l'évêque, Gui, archevêque de Sens, n'avait été touché de pitié et n'avait obtenu, pour eux, la remise de leur peine. Par ce moyen, l'évêque débarrassa sa propriété de cette secte fanatique. On en fit de même dans les autres diocèses, et ainsi, par la grâce de Dieu, elle disparut complètement. »

Partout, en effet, les Capuchonnés furent traqués comme des brigands. Il semble même qu'à la fin les nobles et les clercs aient lâché sur eux les routiers dont ils avaient juré l'extermination. Les bandes reprirent la campagne. En 1184, un des cottereaux les plus féroces, le Gascon Louvart, surprit « une armée de Capuchonnés, dit la *Chronique de Laon,* dans la localité appelée les Portes-de-Bertes, et la détruisit si complètement que, dans la suite, ils n'osèrent plus se montrer. » Plus tard, il prenait d'assaut la ville et l'abbaye d'Aurillac, et enlevait le château de Peyrat, en Limousin. Mercadier, pendant ce temps, saccageait Comborn, Pompadour, Saint-Pardoux, massacrait tous les habitants du faubourg d'Excideuil, et partageait les bénéfices de ses razzias avec les nobles du pays. Il continuera ses prouesses pendant seize ans.

Cet immense effort du peuple, uni aux hommes d'ordre de toutes conditions, avait tourné contre le peuple lui-même. Le brigandage se retrouva florissant, les routiers furent de nouveau les maîtres des campagnes, et une notable partie de la France retomba sous le régime de terreur et de désolation qui était pour elle l'état normal.

II. — SUPERSTITION ET PRODIGES. LE CULTE DES RELIQUES. LA CROISADE DES ENFANTS [1]

AU moral, la population française reste, dans l'ensemble, ce qu'elle était à l'âge précédent, soumise à l'Église, à ses ministres, et toujours attachée à la religion matérielle qui encadrait le dogme chrétien Par la superstition, le Moyen âge ressemble à l'antiquité et le chrétien du temps de Philippe-Auguste au païen d'autrefois.

Les Français du Midi, surtout, ont hérité des Romains la croyance aux augures. En pleine guerre des Albigeois, le comte de Toulouse, Raimond VI, refuse d'exécuter une convention parce qu'il a vu un oiseau, la corneille, que les paysans appellent l'oiseau de saint Martin,

1. OUVRAGES A CONSULTER. Riant, *Exuviae sacrae Constantinopolitanae,* 1877. Luchaire, *Le culte des reliques,* dans la Revue de Paris, n° du 1er juillet 1900. Roehricht, *Der Kinderkreuzzug von 1212* dans l'Historische Zeitschrift de Sybel, t. XXXVI, 1875. De Janssens, *Etienne de Cloyes et les croisades d'enfants au XIIIe siècle,* 1890.

voler à sa gauche. Un chef de routiers, Martin Algaïs, est tout heureux d'apercevoir un hobereau blanc aller de gauche à droite, en
s'élevant de toutes ses forces : « Sire, dit-il au baron qui le soldait,
par saint Jean! quoi qu'il arrive, nous serons vainqueurs. »

En 1211, un noble, Roger de Comminges, vient faire hommage à
Simon de Montfort. Au moment où la cérémonie commence, le comte
éternue. Aussitôt Roger, très troublé, prend à part les gens de son
escorte et leur déclare qu'il ne prêtera pas l'hommage parce que le
comte n'a éternué qu'une fois; tout ce qu'on ferait ce jour-là tourne-
rait mal. Pourtant Roger finit par s'exécuter, sur les instances des
siens, et de peur que Simon de Montfort ne l'accusât de superstition
hérétique. « Tous ces gens de Gascogne sont très sots, *stultissimi
homines terrae illius*, » conclut le chroniqueur Pierre des Vaux-
de-Cernai.

CRÉDULITÉ DES CHRONIQUEURS. Les moines qui écrivent l'histoire partagent les préjugés et les
terreurs de leurs contemporains. La Chronique de Rigord est pleine
de faits merveilleux : prédictions d'astrologues, effets extraordinaires
des comètes et des éclipses, apparitions célestes et terrestres, morts
ressuscités, interventions du diable, etc. Les fléaux naturels ne sont
que les coups frappés par la puissance de Dieu ou des saints : il faut
se soumettre, ou tâcher de détourner les calamités par la prière. De
là, cette grande influence de l'Église. Les oraisons de ses prêtres sont
le plus important des services publics; il ne souffre ni interruption
ni chômage; c'est la sauvegarde du peuple entier.

LE CULTE DES RELIQUES. A vrai dire, le peuple ne connaît qu'une religion : le culte des
reliques. Combien d'hommes de ce temps étaient capables de s'élever
aux conceptions métaphysiques et morales de la doctrine chrétienne?
Pour la foule, tout le divin est dans la vénération des restes des saints
ou des objets qui ont servi à Jésus-Christ ou à la Vierge. Rigord omet
ou indique, en deux lignes, des faits historiques de la plus haute
importance, mais il écrit deux grandes pages sur la procession de
1191. Le roi de France, Philippe-Auguste, était à la croisade; son
unique héritier, le prince Louis, était atteint d'une dysenterie dangereuse. On fait venir à Paris les moines de Saint-Denis, porteurs de
reliques célèbres : la couronne d'épines, un clou de la croix, le bras
de saint Siméon. La procession arrive à l'église Saint-Lazare; là, elle
en rencontre une autre, gigantesque, comprenant tous les religieux
et tous les clercs parisiens, avec l'évêque de Paris, Maurice de Sulli,
en tête, et une foule énorme. On se rend au palais. L'évêque, avec les
reliquaires, trace une croix sur le ventre du malade qui le jour
même est guéri. Quelque temps après, il s'agissait d'obtenir du ciel la
délivrance de la Terre Sainte, et l'heureux retour du Roi dans ses

États; on exposa à Saint-Denis même, sur l'autel de la grande église abbatiale, les corps des saints martyrs Denis, Rustique et Éleuthère. La reine-mère, Adèle de Champagne, et l'archevêque de Reims, ainsi que tous les fidèles, furent conviés à cette cérémonie.

Toutes les églises cherchaient à se procurer des reliques, et le premier soin de leur fondateur était d'y accumuler ces précieux objets [1]. Les contemporains n'épiloguaient pas sur leur provenance et ne soulevaient pas de questions d'authenticité. Personne ne s'étonnait de ce prodigieux amas d'ossements sacrés répartis en mille endroits différents, ni de l'impossibilité d'expliquer l'existence dans plusieurs sanctuaires d'un même objet. C'était seulement dans les hautes régions de l'Église qu'on pouvait s'inquiéter du développement excessif que prenait cette forme matérielle du sentiment religieux. Innocent III essaya de le limiter, en recommandant au clergé de France de n'accepter que les objets d'une authencité indiscutable. On inséra dans les canons du concile de Latran (1215) un article ainsi conçu : « Les prélats ne doivent pas permettre que ceux qui viennent visiter leurs églises pour y vénérer les restes des saints soient trompés par des reliques de provenance douteuse ou par de faux documents. » Mais cette prescription fut rarement observée.

Les scrupules des directeurs de l'Église, quand par hasard ils se produisaient, étaient mal accueillis par la foule, et les prélats qui osaient parfois exprimer leur sentiment à l'endroit des reliques couraient le risque de se faire mal juger, comme il arriva, dans

---

1. Nous possédons une sorte de journal des acquisitions de reliques faites pour le prieuré de Tavaux (Haute-Vienne), entre les années 1180 et 1213. Le document est très curieux. En 1181, c'est l'abbé de La Couronne, le chef de la maison-mère, qui donne au prieuré des reliques de saint Pierre, de saint Laurent, de saint Vincent et de saint Genès. L'année suivante, un ami du prieur lui signale une chapelle abandonnée où se trouvait une très vieille châsse, pleine de reliques anonymes : on l'emporte au prieuré. La même année, un prêtre offre aux moines de Tavaux un morceau de vêtement du martyr saint Thomas, un fragment du saint sépulcre et une des pierres avec lesquelles on lapida saint Étienne. Un prévôt envoie des reliques de saint Basile et de sainte Flavie. De son côté, le prieur de Tavaux se met en quête ; il rapporte du fameux sanctuaire de Saint-Yrieix deux dents du prophète Amos, des reliques de saint Martin et de saint Léonard et, par une autre série d'acquisitions, des reliques de la Légion Thébaine, de saint Priscus, des ossements, des cheveux et des fragments d'une robe de saint Bernard, enfin un morceau de la vraie Croix. Mais personne ne pouvait être comparé au cellerier du prieuré, Gérard, comme chercheur et découvreur de reliques. C'est à lui que les moines de Tavaux durent les restes de saint Pierre, de saint Jean l'Evangéliste, de saint Saturnin, de saint Sébastien, de saint Eustelle, des saints patriarches Abraham, Isaac et Jacob, etc. Telles sont les reliques de *provenance connue*; mais le journal de Tavaux en cite beaucoup d'autres : des morceaux de la robe de la Vierge, des cheveux de saint Étienne, un fragment de la crèche de Bethléem, un morceau du soulier de la Vierge, un peu de l'encens que les Mages apportèrent à Bethléem, des cheveux de saint Paul, un fragment de la croix de saint André et de la pierre sur laquelle s'était tenu le Christ quand il s'éleva au ciel, un doigt de saint Jean-Baptiste, une dent de saint Maurice, une côte de saint André, un fragment du cilice de Marie-Madeleine, un morceau de la mâchoire de sainte Radegonde, etc. Il faut songer que tous ces objets ont été acquis seulement en quelques années et se trouvaient dans l'église d'un prieuré du Poitou qui n'avait pas grande notoriété.

une circonstance curieuse, à l'évêque d'Orléans, Manassès de Garlande.

L'AFFAIRE DE LA
TÊTE DE SAINTE
GENEVIÈVE.

Au déclin du règne de Louis VII, en 1162, le bruit se répand tout à coup, parmi les bourgeois de Paris, que la tête de sainte Geneviève a disparu, volée sans doute. Grande émotion. Louis VII entre en fureur, et jure « par le saint de Bethléem » que, si l'on ne retrouve pas la relique, il fera battre de verges et chasser tous les chanoines de Sainte-Geneviève. Il envoie des soldats dans l'abbaye pour garder le trésor, et ordonne à l'archevêque de Sens et à ses suffragants de procéder à une enquête. Les chanoines étaient dans la désolation, et surtout Guillaume, le prieur, gardien des châsses et du trésor de l'église. Au jour fixé, le Roi et sa famille, l'archevêque de Sens, des évêques, des abbés, une foule de curieux remplissent l'église Sainte-Geneviève. On ouvre la boîte et l'on trouve la tête intacte. Le prieur Guillaume, à cette vue, entonne d'une voix formidable un *Te Deum* que le peuple chante avec lui. Alors l'évêque d'Orléans s'indigne et s'écrie : « Quel est l'intrigant qui se permet de chanter le *Te Deum* sans autorisation de l'archevêque et des prélats? Et pourquoi cette explosion de joie? Parce qu'on vient de trouver la tête d'une vieille femme quelconque, *vetulae cujusdam*, que ces religieux ont placée frauduleusement dans l'écrin! »

Vivement Guillaume réplique : « Si vous ne savez pas qui je suis, ne commencez pas par me calomnier. Je ne suis pas un intrigant, mais un serviteur de sainte Geneviève. La tête que vous avez vue est sans doute celle d'une vieille femme; mais on sait que sainte Geneviève, vierge toujours pure et immaculée, a vécu jusqu'à soixante-dix ans et au delà. Il ne faut pas que le doute entre dans vos esprits; faites préparer un bûcher, et moi, la tête de la sainte entre les mains, je passerai sans crainte à travers le feu. » L'évêque se met à ricaner en disant : « Pour cette tête-là, je ne mettrais pas ma main dans une coupe d'eau chaude, et toi tu traverserais un brasier! » Mais l'archevêque de Sens le fait taire : il loue, devant tous, le zèle de Guillaume et son ardeur à défendre la vierge sainte. « Quant à l'évêque calomniateur, ajoute, en guise de moralité, l'auteur de la Vie de saint Guillaume, son crime ne resta pas impuni. Quelques années après, enveloppé dans toutes sortes d'accusations, il fut chassé de son siège épiscopal et finit sa vie misérable par une mort qui ne l'était pas moins. »

LES RELIQUES DE
CONSTANTINOPLE.

Ces détails nous paraissent aujourd'hui intéresser médiocrement l'histoire de France : ils passionnaient les contemporains. Pour eux, il n'y avait pas d'événements plus importants qu'une exposition ou une translation de reliques, un miracle opéré sur le tombeau d'un apôtre ou d'un saint, un débat relatif à la possession d'un corps sacré. Quand les barons français et les Vénitiens eurent pris Constantinople en 1204, la France entière fut en joie. Se réjouissait-elle parce qu'un empire latin se substituait à l'empire grec, et que nos féodaux créaient, sur les rives du Bosphore et de la mer Egée, une seconde France? La cause de l'allégresse, c'était que chevaliers et pèlerins allaient revenir avec leur part d'un butin sacré, issu du pillage en règle des églises byzantines.

Le premier empereur latin de Constantinople, les évêques qui avaient pris part à l'expédition et le légat du Pape envoyèrent à Rome, aux souverains d'Occident, aux principales églises d'Italie, d'Allemagne et de France, des reliques connues et contrôlées. Deux prélats français, Garnier de Traînel, évêque de Troyes, et Nivelon de Chérizi, évêque de Soissons, furent successivement chargés de la distribution générale. Les objets envoyés étaient scellés du sceau impérial ou d'un sceau d'évêque, et accompagnés d'un chrysobulle (lettre de l'Empereur scellée d'une bulle d'or) attestant, comme un procès-verbal d'authenticité, la valeur de la relique. On avait compris la nécessité de mettre de l'ordre dans l'opération et de protéger contre la fraude l'opinion populaire trop facile à tromper. Les empereurs latins d'ailleurs battaient monnaie avec les reliques. Sous le règne de l'empereur Henri de Flandre, un banquier de Lyon, Pierre de Chaponai, servit d'intermédiaire pour ce genre de commerce entre l'Empire et les particuliers.

A côté des envois officiels, les expéditions de reliques d'un *LES CHERCHEURS* caractère plus ou moins clandestin se firent sans discontinuer pen- *DE RELIQUES.* dant tout le règne de Philippe-Auguste. Chaque réception de relique importante, venue d'Orient, donnait lieu à une grande fête : les fidèles y venaient de très loin, et le souvenir de cette fête était perpétué, les années suivantes, par une solennité commémorative. On y gagnait des indulgences ou des rémissions de pénitence, et il s'y faisait des miracles. Le jour de la réception solennelle des reliques destinées à l'abbaye de Notre-Dame de Soissons, le 27 juin 1205, un aveugle recouvra la vue. Quand on célébra la translation des reliques de saint Thomas, un charpentier, qui n'avait pas voulu observer la fête et était resté chez lui à travailler, mourut subitement.

Les pérégrinations souvent dangereuses des chercheurs de reli- *GALON DE SARTON* ques donnaient lieu à des récits pittoresques, colportés de province *ET LA FACE DE* en province pour l'édification de tous. Un clerc du diocèse d'Amiens, *SAINT JEAN-* nommé Galon de Sarton, se désolait de n'avoir aucune relique insigne *BAPTISTE.* à rapporter dans son pays natal. Après une expédition en Lycie, il fut nommé chanoine de l'église Saint-Georges de Mangana, à Constantinople. Un jour il découvre, près du mur de l'église, une cachette où les Grecs avaient enfoui plusieurs objets précieux. Elle contenait deux boîtes en argent, avec des inscriptions en lettres grecques. Il les emporte, comme un voleur, dans sa chambre, sans rien dire à personne, et se convainc bientôt qu'il a mis la main sur un trésor. Les reliquaires renfermaient la tête, un bras et un doigt de saint Georges, et la face de saint Jean-Baptiste. « On devine, dit l'auteur du récit, la joie dont son cœur fut inondé. » Il vend les reliquaires par morceaux, met les précieuses reliques dans deux sacoches qu'il attache sous ses deux bras et s'embarque (30 septembre 1206). Au bout d'un mois il aborde à Venise, traverse la Lombardie, les Alpes, échappe à tous les dangers. Mais, dans le diocèse de Belley, il est arrêté deux fois par des brigands et obligé de se racheter pour qu'on ne le fouille pas. Il craignait encore davantage les gens de l'évêché de Belley. Les habitants de ce pays étaient fiers de posséder un doigt de saint Jean : que feraient-ils, s'ils apprenaient le passage chez eux d'un pauvre clerc qui portait la tête presque entière du saint? Malgré de cruelles appréhensions, Galon finit par arriver, sain et sauf, en Picardie. Son entrée à Amiens fut un triomphe. L'évêque, Richard de Gerberoi, avec tout son clergé et tout son peuple, alla au-devant de celui qui apportait à la cathédrale ce présent inestimable : la face de saint Jean Baptiste. Le pèlerin donna la tête de saint Georges à l'abbaye de Marmoutier, le bras du saint à la collégiale de Picquigni où il était chanoine, et le doigt à l'église de Sarton, son village natal.

LES SAINTS VIVANTS. ALPAIS DE CUDOT.

Non seulement les reliques, mais des vivants aussi faisaient des miracles. Une bouvière de Cudot, au pays de Sens, Alpais, ne mange plus depuis dix ans. Elle vit toujours couchée; son corps est d'une prodigieuse maigreur et sa figure d'une beauté angélique. Lors des grandes solennités religieuses, elle est ravie en extase; conduite par un ange, elle se promène dans les espaces célestes. Au bout de quelques jours, elle revient à elle et il lui semble rentrer dans les ténèbres. Elle voit à distance et prédit l'avenir. Le chroniqueur de Saint-Marien d'Auxerre, qui a causé plusieurs fois avec elle, est stupéfait de la science et du langage de cette fille élevée aux champs. La vertu divine agissait de même dans une autre voyante, nommée Mathilde, que signale la *Chronique anonyme de Laon.*

Parmi les thaumaturges les plus célèbres de l'époque, deux hommes ont joué un rôle historique, deux prédicateurs de croisades, Eustache, abbé de Saint-Germer-de-Flai, et Foulque, curé de Neuilli.

EUSTACHE DE SAINT-GERMER-DE-FLAI.

L'abbé de Saint-Germer avait révélé au roi Henri II Plantagenêt une vision dans laquelle était prédite la mort prématurée de ses deux fils aînés. Chargé de prêcher en Angleterre la quatrième croisade, il sème, comme saint Bernard, les miracles sur sa route. Il ui suffit de bénir une source pour qu'elle rende la vue aux aveugles, la parole aux muets, le mouvement et la santé aux infirmes. Arrivé dans une ville qui manquait d'eau, au milieu du peuple réuni à l'église, il frappe une pierre de son bâton et l'eau coule, merveilleuse, guérissant toutes les maladies. A Londres, il essaie de réformer les mœurs ; il interdit de vendre le dimanche et veut obliger les bourgeois à faire la charité. Jaloux de son succès, les clercs d'Angleterre le trouvent encombrant. Ils le forcent à revenir en France, criant après lui : « Pourquoi viens-tu faucher la moisson des autres ? »

Foulque de Neuilli n'avait pas seulement l'éloquence qui entraîna les foules à la guerre sainte. Les chroniqueurs français et anglais affirment qu'il guérissait les aveugles, les sourds, les muets, les paralytiques par la prière et la simple imposition des mains. Ils nous montrent le saint, à Lisieux, reprochant au clergé de cette ville sa vie peu régulière. Les clercs le saisissent et le jettent en prison, les fers aux pieds. Mais Foulque se délivre tout seul, et il vient prêcher à Caen, où il étonne la foule par ses miracles. Les gardiens du château de Caen, croyant être agréables à leur maître, le roi d'Angleterre, l'emprisonnent et l'enchaînent de nouveau. Il sort encore de son cachot et poursuit sa vie errante. Cet homme extraordinaire transformait les femmes de mauvaise vie en mères de famille édifiantes, et les usuriers des villes en prodigues obstinés à donner tout leur bien aux pauvres. « Ces miracles-là, dit le chroniqueur Roger de Howden, n'étaient pas les moins étonnants. »

LE CURÉ DE NEUILLI.

Au mois de juin 1212 [1], un jeune berger de Cloyes, près de Vendôme, nommé Étienne, eut une vision, comme le charpentier du Pui. Dieu, sous la figure d'un pauvre pèlerin, lui demanda un morceau de pain et lui remit une lettre où il lui ordonnait d'aller délivrer le Saint-Sépulcre. Peu après, au moment où le berger chassait ses brebis d'un champ, il les vit s'agenouiller devant lui et demander grâce : c'était donc bien une mission divine qui venait de lui être donnée ! Il se mit à parcourir le pays, poussant le cri de la croisade : « Seigneur Dieu, relève la Chrétienté ! Seigneur Dieu, rends-nous la vraie Croix. » Comme il faisait partout des miracles, d'autres bergers

LE BERGER DE CLOYES.

1. Des historiens ont contesté la réalité d'un des évenements les plus incroyables de cette époque, la croisade des enfants en 1212. Ils n'y ont vu que la mise en œuvre d'une légende populaire. La science a pourtant démontré que cet étrange épisode était de l'histoire. Le mouvement s'est communiqué par contagion de la France à l'Allemagne ; les enfants allemands ont fait leur croisade, comme les enfants français, à la même époque et sous la même impulsion.

se joignirent à lui, et bientôt une foule d'enfants, âgés au plus de douze à treize ans, le prirent comme chef de croisade. La *Chronique de Laon* prétend qu'il en eut près de 30 000 sous ses ordres. D'autres enfants, inspirés comme Étienne, se seraient levés de plusieurs points de la France (ainsi, au XVe siècle, apparurent plusieurs Jeanne d'Arc) et les bandes, réunies d'abord autour de chacun de ces jeunes prophètes, auraient fait ensuite leur jonction sous le commandement du berger de Cloyes. A entendre un moine de Saint-Médard de Soissons, des quantités innombrables de poissons, de grenouilles, de papillons, d'oiseaux, émigrèrent à ce moment du côté de la mer; une multitude de chiens, rassemblés près d'un certain château de la Champagne, se divisèrent en deux camps, pour se livrer une bataille furieuse à laquelle très peu survécurent. Ces signes annonçaient de grands événements.

LA CROISADE DES ENFANTS.

Comment cette armée d'enfants put-elle se former et s'organiser, malgré la résistance des parents et du Clergé? A ceux qui leur demandaient où ils allaient, ils répondaient : « Vers Dieu! » Et la foule leur était favorable. Elle croyait aux miracles d'Étienne, convaincue que Dieu manifestait sa volonté dans ces âmes innocentes et que leur pureté devait racheter les péchés des hommes. Partout où ils passaient, les habitants des villes et des bourgs leur donnaient des provisions et de l'argent. On se pressait pour voir le chef des bergers, l'envoyé de Dieu; on se disputait, comme relique, un de ses cheveux, un morceau de ses vêtements. L'autorité finit cependant par s'émouvoir. Philippe-Auguste, après avoir demandé, sur ce prodige, l'avis des prélats et des maîtres de l'Université de Paris, ordonna aux enfants de réintégrer la maison paternelle. Une partie d'entre eux obéirent : le plus grand nombre résista.

Innocent III se contenta de dire, paraît-il : « Ces enfants nous font honte : pendant que nous nous endormons, ils s'acheminent gaiement à la délivrance du saint tombeau. » Il ne pouvait désapprouver l'entreprise. Rome envoyait, chaque année, des prédicateurs qui, dans les carrefours, les places publiques et les églises, prêchaient la croisade. Sous le pontificat d'Innocent III, l'ardeur et l'intensité de cette propagande enfiévraient les imaginations. Les femmes et les enfants surtout s'exaltèrent. Le chroniqueur Albert de Stades rapporte qu'à Liège, des centaines de femmes se tordaient dans des convulsions extatiques.

LES ENFANTS S'EMBARQUENT A MARSEILLE.

L'armée du berger de Cloyes ne resta pas uniquement composée d'enfants. Des prêtres, des marchands, des paysans et aussi des aventuriers, mauvais sujets qui se retrouvent dans toutes les croisades, s'y adjoignirent. Enfin, des bandes de femmes et de jeunes filles les accompagnaient. Les combattants du Christ, dont le nombre grossissait toujours, arrivèrent à Marseille. En tête on voyait l'enfant merveilleux, Étienne, dans une voiture richement ornée, entouré d'une garde du corps ; derrière, marchait la multitude des pèlerins et des pèlerines.

Les croisés s'étaient entendus avec deux armateurs marseillais, *ILS SONT VENDUS* Hugue Ferri et Guillaume de Porquères, qui s'étaient déclarés prêts, *COMME ESCLAVES.* « pour la gloire de Dieu, » à les transporter en Syrie, et qui leur procurèrent sept vaisseaux où on les entassa. Deux échouèrent près des côtes de Sardaigne, à l'île de San Pietro, et disparurent avec leurs passagers. Les autres furent conduits, par les armateurs, à Bougie, puis à Alexandrie. Ces négociants avaient eu l'idée très simple de vendre les pèlerins sur les marchés d'esclaves. Plusieurs milliers d'entre eux se trouvèrent ainsi transportés à la cour du Khalife, et parmi eux quatre cents clercs. « Ils y furent traités très honnêtement, dit le chroniqueur Aubri de Trois-Fontaines, car ce Khalife avait fait, sous l'habit de clerc, ses études à Paris. »

Les deux traîtres, Ferri et Porquères, ne restèrent pas impunis. Dans la guerre que l'empereur Frédéric II fit, dix-sept ans après, aux Sarrasins de Sicile, les deux Marseillais avaient comploté de vendre l'Empereur au principal émir sicilien ; mais ce fut l'émir qui fut pris par les Allemands et pendu. On accrocha ses complices à la même potence. En 1229, lorsque Frédéric II conclut un traité avec le sultan Al-Kâmil, il fit mettre en liberté un certain nombre des malheureux croisés de 1212. L'un d'eux raconta que ses compagnons d'infortune n'avaient pas été tous délivrés. Il en restait encore sept cents au service du gouverneur d'Alexandrie.

III. — *SYMPTOMES D'UN ESPRIT NOUVEAU. LES ATTAQUES CONTRE LA FOI ET L'ÉGLISE* [1]

L A grande masse de la population française a conservé les mêmes habitudes religieuses et morales qu'au temps de la première croisade, mais certains indices démontrent qu'un changement se prépare. Les dissidences apparaissent de plus en plus vives et nombreuses, et le respect du prêtre tend à s'affaiblir. La foule a beau

1. OUVRAGES A CONSULTER Ch. Jourdain, *Mémoire sur les sources philosophiques des hérésies d'Amauri de Chartres et de David de Dinant*, dans les *Excursions historiques et philosophiques à travers le Moyen âge*, 1888. H. Kroenlein, *Amalrich von Bena und David von Dinant*, dans les Theologische Studien, a. 1847. Hauréau, *Mémoire sur la vraie source des erreurs attribuées à David de Dinant*, dans les Mémoires de l'Académie des Inscriptions, t. XXXVII, 2ᵉ partie. E. Renan, *Averroès et l'Averroïsme*, 1867.

demeurer croyante : l'opposition religieuse et même l'esprit laïque
se développent dans certains milieux.

*LES FOYERS
D'HÉRÉSIE.*

On a vu plus haut comment une grande partie de la France du
Midi, désaffectionnée même du christianisme, avait brisé l'unité
religieuse de l'Europe, et quel violent effort l'Église et la Féodalité
avaient dû faire pour la rétablir. Mais, même dans la France du Nord,
les foyers d'hérésie se multipliaient : on les trouve à Arras, en 1183,
à Troyes en 1200, à la Charité-sur-Loire en 1202, à Braine en 1204.
Les pays les plus riches, les plus commerçants, les plus ouverts à la
culture intellectuelle, la Flandre et la Champagne, sont précisément ceux où les doctrines hétérodoxes se propageaient le plus aisément. Les pouvoirs publics appliquent aux hérétiques la peine du
feu devenue déjà presque légale, mais sans parvenir à faire cesser
les atteintes portées à la tradition et à la foi.

*AMAURI DE
CHARTRES.*

D'autre part, des théologiens et des philosophes de la grande
école parisienne de Notre-Dame, corporation déjà organisée qui
devient l'Université de Paris, usent de leurs privilèges et de leur
indépendance pour s'émanciper. Ouvertement, l'hérésie envahissait
l'école. Un maître ès arts, devenu théologien, Amauri de Bènes ou
de Chartres, avait enseigné publiquement que chaque chrétien était
un membre du Christ, par suite une partie de la divinité, et il avait
poussé jusqu'à l'extrême rigueur l'application de son panthéisme. Les
théologiens orthodoxes s'émurent. Amauri, attaqué et condamné par
ses collègues, fut obligé d'aller s'expliquer devant le Pape, qui condamna sa doctrine. De retour à Paris, il fit sa soumission devant les
universitaires assemblés, et mourut peu après, en apparence réconcilié avec l'Église. Ses opinions lui survécurent.

*LA RELIGION
DE L'ESPRIT.*

Le panthéisme d'Amauri de Chartres, propagé et exagéré encore
par ses disciples, donna naissance à une religion nouvelle, celle de
l'Esprit-Saint. Elle enseignait que le Nouveau Testament, qui avait
supplanté l'Ancien, avait lui-même fait son temps : après le règne du
Père et du Fils, celui de l'Esprit allait commencer. Chaque chrétien
étant une incarnation du Saint-Esprit et une parcelle de Dieu, les
sacrements devenaient inutiles : la grâce de l'Esprit suffisait pour
que tout le monde fût sauvé. Cette doctrine, née dans l'Université, s'y
répandit. En 1210, l'évêque de Paris et le chancelier de Philippe-
Auguste, frère Guérin, découvrirent les sectaires. Presque tous
étaient des maîtres ou des étudiants en théologie, diacres ou prêtres.
L'un d'eux, David de Dinant, qui avait rédigé un manuel de la doctrine, s'enfuit à temps. Beaucoup d'autres furent arrêtés et traduits
devant le concile de Paris que présidait Pierre de Corbeil, archevêque
de Sens (1210).

Le concile décréta que le corps de maître Amauri serait exhumé et jeté hors du cimetière, et sa mémoire excommuniée dans toutes les paroisses de la province de Sens. Des sectaires, les uns furent dégradés et livrés au bras séculier — une dizaine d'entre eux furent brûlés dans la plaine des Champeaux; — les autres, condamnés à la prison perpétuelle. On n'épargna que les femmes et les petites gens. Les cahiers de maître David de Dinant furent publiquement brûlés. On défendit sous peine d'excommunication d'étudier, dans les écoles, la philosophie naturelle d'Aristote, et le commentaire qu'en avait donné Averroès. Enfin le concile déclara tenir pour hérétiques tous ceux chez qui on trouverait le *Credo* et le *Pater noster* traduits en français. Ces prohibitions furent renouvelées, en 1215, par le légat Robert de Courçon.

C'était seulement une petite minorité d'esprits hardis qui osait attaquer la religion en face; mais elle souffrait indirectement des coups que l'on portait à ses ministres. Or la guerre faite à l'Église, à ses privilèges, à sa puissance, par ceux mêmes qui conservaient la foi, s'étendait et devenait plus violente qu'elle ne l'avait jamais été.

Le bourgeois, au moins celui des villes libres, est l'ennemi naturel des clercs, la révolution communale s'étant faite surtout dans les villes d'Église. Il a dû combattre l'évêque, le chapitre ou l'abbé, dans la période d'insurrection, pour lui arracher la liberté : mais, devenu libre, il rencontre toujours devant lui le domaine, la juridiction, les privilèges ecclésiastiques. Il continue donc la lutte, qui se manifeste par des procès devant les tribunaux, ou par la guerre dans la rue. On a déjà parlé de l'émeute qui ensanglanta Noyon en 1222[1]. En 1226, les gens de la commune de Newport, près de Dunkerque, étaient en conflit avec les chanoines de Sainte-Valburge, de Furnes, au sujet de la dîme sur les poissons. Les délégués du chapitre s'étant présentés pour la recevoir, la populace se jette sur eux, tue deux prêtres et blesse un clerc.

On comprend que le prédicateur Jacques de Vitri, dans son sermon adressé aux bourgeois, ait jeté, après tant d'autres ecclésiastiques, l'anathème sur les villes libres : « Si l'on force les voleurs et les usuriers à rendre gorge, comment ne devrait-on pas obliger à la restitution des droits volés ces communes brutales et empestées qui ne se bornent pas à accabler les nobles de leur voisinage, mais qui usurpent les droits de l'Église, détruisent et absorbent, par d'iniques constitutions, la liberté ecclésiastique? Cette détestable

1. Voir plus haut, p. 212.

race d'hommes court tout entière à sa perte; parmi eux, peu ou bien peu seront sauvés : tous marchent à grands pas vers l'enfer. La commune est un animal dont la queue se termine en pointe pour nuire au voisin et à l'étranger, mais dont les têtes multiples se dressent l'une contre l'autre; car, dans la même commune, ils ne font que s'envier, se calomnier, se supplanter, se tromper, se harceler, s'écraser mutuellement. Au dehors la guerre, au dedans la terreur. Mais, ce qu'il y a par-dessus tout d'abominable dans ces Babylones modernes, c'est qu'il n'existe pas de communes où l'hérésie ne trouve ses fauteurs, ses recéleurs, ses défenseurs, ses croyants. »

GUERRE DES NOBLES ET DES CLERCS.

Le Clergé n'est pas mieux traité par les nobles. Il n'y a pas de campagne où le donjon du châtelain ne soit un péril pour le monastère voisin, pas de ville où le comte ne se trouve en conflit avec l'évêque ou le chapitre. L'immense brigandage auquel les seigneurs, grands et petits, se livrent sur la terre d'Église et qui est aussi ancien que le régime féodal, ne semble pas près de prendre fin. Mais on voit maintenant autre chose que des razzias de châtelains besoigneux : dans les rangs supérieurs de la Féodalité, les barons se plaignent que leur souveraineté publique et judiciaire soit entravée par les tribunaux d'Église et par le pouvoir temporel des prélats. Nous les avons montrés entourant Philippe-Auguste, en 1205, pour protester contre le développement exagéré de la juridiction ecclésiastique. L'Église se défend par l'excommunication et l'interdit, mais l'arme spirituelle, dont elle abuse[1], commence à s'émousser. Le noble résiste plus longtemps à l'anathème; la guerre entre féodaux et prélats semble prendre un caractère plus marqué d'âpreté haineuse.

PIERRE MAUCLERC ET L'ÉVÊQUE DE NANTES.

Pierre de Dreux, comte de Bretagne, mérite son surnom de Mauclerc (mauvais clerc) : il passe sa vie à combattre l'Église, plus puissante, il est vrai, en Bretagne que partout ailleurs. Dans ce pays, le clergé paroissial percevait, outre la dîme, les redevances abusives du *tierçage* (impôt portant sur le tiers des successions mobilières) et du *past nuptial* (droit sur les mariages). Les évêques

1. Il n'est question dans les chroniques, les correspondances épistolaires et les cartulaires d'évêchés et d'abbayes que de barons excommuniés ou dont la terre est interdite. Les comtes de Champagne étaient parmi les hauts barons qui maintenaient le mieux l'ordre dans leur seigneurie et montraient le plus de respect à l'Église, à ses personnes et à ses biens. La comtesse Blanche de Navarre et son fils Thibaut IV n'étaient ni des persécuteurs ni des pillards. Or, on connaît au moins sept sentences d'excommunication lancées contre eux par les évêques champenois. Il suffisait d'une saisie opérée sur les biens d'une abbaye ou d'un chapitre par les officiers du comte, pour que celui-ci fût frappé. Innocent III dut inviter les évêques à se modérer, et Honorius III cassa une sentence d'excommunication prononcée contre la comtesse Blanche par l'abbé de Saint-Denis.

jouissaient des droits régaliens et prétendaient ne pas reconnaître la suzeraineté du comte. Aussi, dès 1217, Pierre de Dreux fait une guerre très vive à l'évêque de Nantes. Il laisse ses agents piller et brûler les maisons épiscopales, s'emparer des terres et des revenus, emprisonner, maltraiter et même torturer des clercs. L'évêque et son chapitre, obligés de quitter la Bretagne, cherchent asile dans les diocèses voisins.

Plusieurs fois excommunié par sa victime, Pierre de Dreux brave même le Pape. Honorius III, en 1218, lui reproche tous ses méfaits et l'engage à s'abstenir « de ces œuvres de mort, qui entraîneront, s'il ne se repent pas, la damnation éternelle; » sa résistance à l'excommunication, qu'il y prenne garde, l'expose au soupçon d'hérésie. En tout cas, s'il persiste dans son attitude, c'est l'autorité apostolique elle-même qui le frappera, et qui en viendra, s'il le faut, à délier ses sujets et ses vassaux du serment de fidélité : « Ouvre les yeux, lui dit le Pape en terminant, et prends garde de mettre le pied dans un filet tellement dangereux que tu ne pourras plus t'en retirer. » L'excommunication et l'interdit ne furent levés qu'après la pleine soumission du comte, le 28 janvier 1220. Les conditions qu'on lui imposa étaient sévères. Il restituait tout ce qu'il avait pris, désavouait et promettait de punir lui-même ses agents, indemnisait tous les sujets épiscopaux qui avaient souffert des violences de la guerre, renonçait à recevoir leurs hommages, enfin s'engageait à replacer l'évêque de Nantes et son église dans la même situation où ils se trouvaient avant l'ouverture des hostilités.

Le comte d'Auxerre, Pierre de Courtenai, était en lutte avec l'évêque d'Auxerre, Hugue de Noyers, qui l'excommunia. Toutes les fois que le comte se disposait à entrer dans sa ville, les cloches de la grande église sonnaient à toute volée pour prévenir les habitants et le clergé. Alors les églises se fermaient, le service religieux était rigoureusement interrompu, la cité se mettait en deuil. Quand le comte s'en allait, nouvelle sonnerie de cloches; les sanctuaires se rouvraient et l'on reprenait la vie normale. « Il ne pouvait, dit le chroniqueur, entrer ou sortir de la ville qui lui appartenait sans une très grande confusion, et surtout il n'osait pas y faire de longs séjours, à cause des clameurs du peuple. » Pour se venger, Pierre de Courtenai détruisit les églises de l'évêque, pilla ses domaines, fit crever les yeux à ses vassaux.

En 1203, il habitait Auxerre : on était par conséquent sous le régime de l'interdit. Le clergé avait refusé de donner à un petit enfant la sépulture ecclésiastique. La mère, criant et pleurant, alla porter plainte au comte. Celui-ci ordonna à ses officiers de prendre

PIERRE DE COURTENAI ET L'ÉVÊQUE D'AUXERRE.

avec eux le cadavre, de forcer le palais épiscopal, et d'enterrer l'enfant dans la chambre à coucher de l'évêque, devant son lit. Bientôt l'évêque et ses chanoines furent expulsés d'Auxerre. Pour faire céder Pierre de Courtenai, il fallut l'intervention de Philippe-Auguste et d'Innocent III. Mais la foule qui assista à l'amende honorable eut un spectacle étrange : le comte d'Auxerre, pieds nus, en chemise, dut aller, dans la chambre de l'évêque, déterrer de ses propres mains le cadavre de l'enfant enseveli depuis plusieurs mois, et transporter ces débris nauséabonds sur ses épaules, du palais jusqu'au cimetière.

ABBÉS ET ÉVÊQUES ASSASSINÉS.

La fureur de la lutte et l'exaspération des esprits pouvaient encore aller plus loin. L'assassinat des abbés et des évêques par des nobles devient un cas assez fréquent. Ainsi périrent l'abbé de Saint-Pierre de la Couture en 1211, l'abbé de Saint-Michel en Laonnais, en 1219, le prieur de Felletin en 1222. En 1220, l'évêque du Pui, Robert de Mehun, après avoir soutenu contre ses vassaux nobles et bourgeois une guerre impitoyable, fut tué par un chevalier qu'il avait excommunié.

LITTÉRATURE HOSTILE A L'ÉGLISE.

Les tendances hostiles à l'Église commençaient à se faire jour dans la littérature. Le début de la *Chanson des Lorrains* prouve que la Féodalité ne pardonnait aux prélats ni leurs richesses ni la difficulté qu'on éprouvait à les faire participer aux charges publiques. La satire du clergé des paroisses, qui remplit les fabliaux, ne s'inspire pas seulement de l'irrévérence gauloise; on y trouve un sentiment de mépris et de haine poussé parfois jusqu'à la férocité. Enfin, si la censure de l'Église par ses propres membres, clercs ou moines, était une tradition ancienne, l'âpreté des attaques dirigées contre la société ecclésiastique tout entière et surtout contre ses chefs par le moine Guyot de Provins, dans sa *Bible* écrite au commencement du XIIIe siècle, dépasse les limites connues. Aucun hérétique n'a parlé de Rome comme en parle ce bénédictin : « Rome nous suce et nous englout (nous dévore). Rome détruit et occit tout. Rome est la source de la malice, d'où coulent tous les mauvais vices. C'est un vivier plein de vermine. »

Le siècle de Philippe-Auguste est encore une époque de foi; mais l'esprit d'opposition à l'Église est né; il s'alimente aux foyers d'hérésie et de libre examen; il se nourrit des rancunes de la bourgeoisie militante, des haines et des convoitises de la Noblesse; il inspire, à certains égards, nous l'avons montré, la politique d'un roi absolu.

CHAPITRE II

L'ÉGLISE SÉCULIÈRE

I. L'ÉPISCOPAT. LES CATHÉDRALES. — II. LE CLERGÉ UTILITAIRE ET LE CLERGÉ HUMANISTE. — III. L'ÉCOLE DE PARIS. PROFESSEURS ET ÉTUDIANTS. — IV. LA PAPAUTÉ ET LE MOUVEMENT UNIVERSITAIRE. LES DÉBUTS DE L'UNIVERSITÉ DE PARIS.

I. — L'ÉPISCOPAT. LES CATHÉDRALES [1]

SI l'on se fiait aux prédicateurs et aux polémistes de ce temps, l'épiscopat français serait en décadence profonde. « Les évêques, dit Geoffroi de Troyes, sont des loups et des renards passés maîtres. Ils flattent et séduisent pour extorquer. Ils sont dévorés par l'avarice, brûlés du désir de posséder. Au lieu d'être les amis et les protecteurs des églises, ils en sont les ravisseurs. Ils les dépouillent, vendent les sacrements, violent la justice. Leur seule règle est leur propre volonté. Voyez-les marcher; ils ont la tête haute, un air cruel, des yeux farouches, la parole dure. Tout, dans leur personne, respire l'orgueil. Leur conduite est le renversement des bonnes mœurs : leur vie est l'iniquité même. Ils veulent être un objet de terreur pour leurs ouailles et oublient qu'ils sont des médecins, non pas des souverains. » Adam de Perseigne compare la vie des clercs à celle du Christ. « Il a souffert, et ils vivent dans les délices; il a porté un cilice, et eux portent des vêtements de soie. C'est avec le patrimoine du Crucifié qu'ils entretiennent leur luxe et leur orgueil. Ils se soucient

L'ÉPISCOPAT,
D'APRÈS LES
PRÉDICATEURS.

---

1. OUVRAGES A CONSULTER. P. Fournier, *Les Officialités au Moyen âge, étude sur l'organisation, la compétence et la procédure des tribunaux ecclésiastiques ordinaires en France de 1180 à 1328*, 1880. Victor Mortet, *Maurice de Sully*, 1890. Anthyme Saint-Paul, *Histoire monumentale de la France*, 3ᵉ édit., 1888. Male, *L'art religieux au XIIIᵉ siècle*, 1898. Kraus, *Geschichte der christlichen Kunst*, 1895-1897. G. Dehio et G. von Bezold, *Die kirchliche Baukunst des Abendlandes*, 1884. Gonse, *L'art gothique*, 1890. Berthelé, *L'architecture Plantagenet*, dans les *Recherches pour servir à l'histoire des arts en Poitou*, 1889.

non pas des âmes, mais de leurs oiseaux de chasses. Ils soignent non les pauvres, mais leurs chiens. Ils jouent aux dés, au lieu d'administrer les sacrements. Ils font du saint lieu un champ de foire, un repaire de brigands. »

SATIRE DE PIERRE
DE BLOIS CONTRE
LES OFFICIAUX.
Pierre de Blois s'en prend surtout aux juges et aux administrateurs des évêques, les *officiaux*, qui remplaçaient le prélat à son tribunal et le déchargeaient en partie du souci des affaires. Institués depuis peu, ces agents, révocables à volonté, représentaient dans le diocèse l'unité de direction et d'autorité, singulièrement compromise par les empiétements des archidiacres, mais ils abusèrent aussi de leur pouvoir. « Ils n'ont qu'une pensée : opprimer, tondre, écorcher les diocésains. Ils sont les sangsues de l'évêque ou les éponges qu'il presse de temps à autre. Tout l'argent qu'ils extorquent aux pauvres passe aux plaisirs et aux délicatesses de la vie épiscopale. Ces chicaniers chasseurs de syllabes, habiles à empêtrer dans leurs rets le malheureux plaideur, interprètent la loi à leur guise et traitent la justice en despotes. Ils rompent les contrats, nourrissent les haines, défont les mariages, protègent l'adultère, pénètrent en inquisiteurs dans l'intérieur des foyers, diffament les innocents et absolvent les coupables. En un mot ces fils de l'avarice font tout pour de l'argent. Ils sont eux-mêmes vendus au diable. »

L'ÉPISCOPAT,
D'APRÈS
LES STATUTS
DES CONCILES.
Des documents officiels attestent que beaucoup d'évêques menaient une vie peu exemplaire. Les décrets de deux conciles tenus l'un à Paris en 1212, et l'autre à Montpellier en 1214, contiennent mêmes prescriptions et mêmes défenses et nous renseignent ainsi indirectement sur les mœurs de l'épiscopat. On ordonne aux évêques de porter la tonsure et le vêtement de leur ordre. On leur défend de mettre des fourrures de luxe, d'user de selles peintes et de freins dorés, de jouer aux jeux de hasard, d'aller à la chasse, de jurer et de souffrir qu'on jure autour d'eux, d'introduire à leur table histrions et musiciens, d'entendre les matines dans leur lit, de parler de choses frivoles pendant l'office, et d'excommunier à tort et à travers. Ils doivent ne pas quitter leur résidence, convoquer leur synode au moins une fois par an, et, dans leurs visites diocésaines, ne pas mener avec eux une suite nombreuse, charge trop lourde pour ceux qui les reçoivent. Défense leur est faite de recevoir de l'argent pour conférer les ordres, pour tolérer le concubinat des prêtres, pour dispenser des bans de mariage, pour ne pas excommunier les coupables. Défense enfin de laisser célébrer des mariages illicites et de casser des testaments légitimes, de tolérer qu'on danse dans les lieux saints, qu'on célèbre la fête des fous dans les cathédrales, qu'on procède, en leur présence, aux duels judiciaires et aux jugements de Dieu.

Il ne faudrait pas croire absolument sur parole les sermonnaires, portés à voir le mal plutôt que le bien, ni conclure des prescriptions conciliaires que les mœurs générales de l'Église étaient déplorables. Il est certain pourtant que, malgré les grandes réformes de l'âge antérieur, l'épiscopat restait en partie féodal. Beaucoup de prélats appartenaient encore à la classe noble et vivaient comme des châtelains.

L'évêque d'Auxerre, Hugue de Noyers, est le type de l'évêque guerrier, qui se bat contre les nobles, tient tête même au Roi, et travaille âprement à augmenter le territoire et les revenus de son église. Il bâtit des maisons, vraies forteresses « entourées de larges fossés où l'eau est amenée de loin à grands frais, protégées par d'énormes palissades que surmonte un donjon, garnies de remparts à tourelles, de portes et de pont-levis » Un jour, le comte de Champagne, Thibaut, usant de son droit de suzerain, fit raser jusqu'au sol les murailles et les tours d'un de ces manoirs formidables, ne laissant debout que le logis d'habitation. « L'évêque d'Auxerre dépensait beaucoup, » ajoute le chroniqueur de l'évêché ; « il aimait la société des hommes d'armes, des chevaliers et prenait à leurs exercices et à leurs ébats plus de part que ne le permettait la gravité du sacerdoce. Il était fort lettré, apprenait les livres, et se reposait volontiers dans l'étude, quand il en avait le temps. Très actif pour ses intérêts, il ménageait peu ceux d'autrui, et fut dur pour ses sujets qu'il accabla d'exactions intolérables. »

A Narbonne, l'archevêque Bérenger II (1192-1211) est de ceux qui, selon l'expression même d'Innocent III, « ne connaissent d'autre Dieu que l'argent et ont une bourse à la place du cœur. » Il fait tout payer, même les consécrations d'évêques. Quand une église vient à vaquer, il s'abstient de nommer un titulaire afin de profiter des revenus. Il réduit de moitié le nombre des chanoines de Narbonne pour s'approprier les prébendes, et retient de même, sous sa main, les archidiaconés vacants. Dans son diocèse, « on voit, écrit le Pape en 1204, des moines et des chanoines réguliers jeter le froc, prendre femme, vivre d'usure, se faire avocats, jongleurs ou médecins. » Six ans après, Bérenger ne s'était pas amendé : Innocent III en était encore à prier ses légats d'user de la censure ecclésiastique contre lui et contre son collègue, l'archevêque d'Auch, qui, paraît-il, ne valait pas mieux.

Hélie Ier, archevêque de Bordeaux (1187-1206), frère d'un chef de routiers gascons très employé par Henri II et Richard, vivait entouré de soldats et mettait son diocèse en coupe réglée. On a vu plus haut que le Pape l'accusait de partager les bénéfices de ses bandes. Un

TYPES D'ÉVÊQUES.
HUGUE
DE NOYERS.

BÉRENGER
DE NARBONNE.

HÉLIE
DE BORDEAUX.

jour, Hélie s'installa dans l'abbaye de Saint-Yrieix avec ses routiers, ses chevaux, ses chiens de chasse, ses courtisanes et mena une telle vie, aux dépens des habitants et des moines, qu'après son départ les uns et les autres, dépouillés de tout, faillirent mourir de faim. Dans une lettre de 1205, Innocent III le compare « à un arbre vermoulu et stérile qui se complaît dans sa pourriture comme une bête de somme dans son fumier. »

MATHIEU DE TOUL.   L'évêque le plus extraordinaire de ce temps fut Mathieu de Lorraine, évêque de Toul (1198-1210). Il appartenait à la famille ducale. Avant son élection, prévôt de l'église de Saint-Dié, il vivait déjà en grand seigneur fastueux et dissolu, dilapidant les revenus de sa charge et forçant le doyen et les chanoines, ses collègues, à quitter la place. Devenu évêque, il exploita son diocèse avec tant d'impudence que le chapitre de Toul demanda au Pape sa déposition. Innocent III ordonne d'instruire son procès; mais, la veille du jour où Mathieu devait comparaître, le doyen de Toul fut saisi par des soldats, placé sur un âne, les pieds attachés sous le ventre de l'animal, et amené à l'évêque qui le fit jeter en prison et enchaîner. Un légat du Pape excommunia Mathieu : mais il fallut huit ans (1202-1210) pour que la sentence de déposition devînt définitive et que les fidèles de Toul pussent se choisir un autre évêque. Durant l'interminable procès, Mathieu avait bâti, sur les hauteurs qui dominent Saint-Dié, un château d'où il saccageait tout le pays. Le duc de Lorraine, son parent, fut obligé d'aller lui-même le démolir. Expulsé enfin de son domaine, Mathieu se retira dans un petit ermitage, en pleine forêt, où il vécut de chasse et de brigandage, n'attendant qu'une occasion de se venger sur son successeur. En 1217, il la trouva. Le nouvel évêque, Renaud, fut poignardé dans le défilé d'Étival, et Mathieu s'enfuit dans la montagne emportant les bagages épiscopaux, les chasubles, les vases et le saint chrême. Il fallut que Thibaud Ier, duc de Lorraine, tuât de sa main, au coin d'un bois, pour en débarrasser l'Église, cet évêque brigand et assassin (16 mai 1217).

A côté de ces types de prélats, survivances de la féodalité primitive et sauvage, d'autres se rencontrent, comme Étienne de Tournai, Guillaume de Champagne et Pierre de Corbeil, qui sont des théologiens, des humanistes, des politiciens, gens de lettres ou gens de cour. Paris eut même, au temps de Louis VII et de Philippe-Auguste, un évêque modèle, Maurice de Sulli.

L'ÉVÊQUE
MODÈLE. MAURICE
DE SULLI.   Fils de paysan, il fut envoyé à l'Université de Paris où il mena la vie de l'étudiant pauvre. On prétendit même qu'il avait mendié son pain et servi de domestique à de riches écoliers. Maître en

théologie, il devint chanoine, puis archidiacre de Notre-Dame. Sa
réputation de professeur et surtout de prédicateur le désignait
pour les situations les plus hautes. Élu évêque de Paris en 1160, il
ne chercha pas à jouer un rôle politique, bien qu'il jouît de la confiance des rois et des papes ; il excella dans la direction morale et
administrative de son diocèse, qu'il gouverna pendant trente-six ans.
On le considérait presque comme un saint. Un moine de l'abbaye
d'Anchin, qui le vit en 1182, parle de lui avec enthousiasme : « Maurice, évêque de Paris, vase d'abondance, olivier fertile dans la maison
du Seigneur, fleurit parmi les autres évêques de la Gaule. Sans
parler des qualités intimes que Dieu seul connaît, il brille au dehors
par son savoir, sa prédication, ses larges aumônes et ses bonnes
œuvres. C'est lui qui a reconstruit l'église de la Très Sainte Vierge
dans sa résidence épiscopale, et, pour une œuvre si belle et si somp-
tueuse, il s'est moins servi des ressources des autres que de ses
propres revenus. Sa présence à la cathédrale est fréquente, ou plutôt
continuelle. Je l'ai vu, dans une fête qui n'était pas une solennité,
à l'heure où l'on chantait vêpres ; il ne trônait pas sur son siège
d'évêque, mais il était assis dans le chœur, entonnant des psaumes,
comme les autres, entouré d'une centaine de clercs. »

Le trait nouveau, qui caractérise la plupart des évêques de cette *LES ÉVÊQUES*
époque, c'est qu'ils étaient de grands bâtisseurs. « En ce temps-là, » *BATISSEURS.*
dit la chronique des évêques d'Auxerre, « les populations s'enthou-
siasmaient pour la construction des églises neuves. » Mais l'initiative
venait des prélats. Chacun d'eux veut avoir une église bâtie dans le
nouveau style, et les vieux sanctuaires romans sont en beaucoup
d'endroits jetés à bas. La construction d'une cathédrale est l'œuvre
par excellence (*opus*) d'un épiscopat. Avec les « maîtres de l'œuvre, »
architectes et entrepreneurs, et les « gens de l'œuvre, » les ouvriers,
l'évêque, secondé par son chapitre et par des particuliers généreux,
élève le monument qui restera son meilleur titre au souvenir et à la
reconnaissance du peuple. Le temps de Louis VII et de Philippe-
Auguste est vraiment « l'ère des cathédrales. » Alors se produit la
merveilleuse expansion de cet art ogival dont on a déjà signalé les
origines et les premiers essais [1].

On se tromperait en croyant que nos cathédrales ont été, comme *LES CATHÉDRALES.*
l'enseignait Viollet-le-Duc, une création d'un art laïque né du mouvement communal et des libertés populaires. Sans doute le peuple
prend une part de plus en plus grande et directe à la construction

1. *Histoire de France*, t. II, seconde partie, p 407.

de la maison de Dieu. L'édifice, au lieu d'être exclusivement, comme jadis, l'œuvre d'architectes clercs ou moines, est maintenant construit en grande partie par des corporations de maîtres-maçons que le progrès de la bourgeoisie a affranchies comme toutes les autres. Mais ces laïques travaillent sous la direction et pour le compte de l'évêque. C'est lui qui, avec son corps de chanoines, est l'inspirateur, l'ordonnateur souverain et le principal bailleur de fonds de l'entreprise et, jusque dans les villes de commune, où le peuple turbulent était si constamment hostile au clergé, élève les cathédrales les plus somptueuses.

LOUIS VII ET LA RECONSTRUCTION DES ÉGLISES.

L'influence personnelle de Louis VII, ce prince dévôt, toujours entouré d'évêques, a sans doute contribué à cette grande manifestation de piété et d'art. Il est en relations continues avec les prélats bâtisseurs. Entre 1150 et 1180, dans les villes du domaine royal et des terres d'Église qui y sont comprises, s'élèvent de magnifiques églises de style ogival. Le gros œuvre de la cathédrale de Noyon, reconstruite par l'évêque Baudouin de Flandre selon les nouveaux procédés, est achevé en 1167. L'évêque Nivelon de Chérisi commence la cathédrale de Soissons dans les dernières années du règne de Louis VII. A Sens, l'archevêque Hugue de Touci fait bâtir la nef de Saint-Étienne, achevée vers 1168, et ici nous connaissons (chose peu commune) le nom de l'architecte, Guillaume de Sens, un maître que les Anglais appelèrent, en 1175, pour construire la cathédrale de Cantorbery. A Arras, à Cambrai, s'élèvent aussi de nouvelles cathédrales, qui n'existent plus aujourd'hui. L'évêque de Laon, Gautier de Mortagne, sur les ruines de la basilique romane bâtie déjà ou restaurée en 1114 après le terrible incendie de la commune laonnaise, édifie (de 1155 à 1174) le chœur et le transept de sa vaste église gothique ; elle est encore debout, avec ses quatre tours et ses énormes animaux symboliques suspendus sur la ville. C'est aussi l'époque de Saint-Frambourg de Senlis, du clocher neuf de Chartres, de Notre-Dame d'Étampes, de Saint-Quiriace de Provins, et à Paris même, du chœur de Saint-Germain des Prés, et de la délicieuse petite église Saint-Julien-le-Pauvre, où l'Université de Paris a tenu si longtemps ses assises. Enfin le chœur de Notre-Dame de Paris était déjà terminé, moins le grand comble, au moment où Philippe-Auguste devint roi.

HENRI II ET L'ARCHITEC-TURE ANGEVINE.

Pendant que les évêques de Louis VII semaient, par la France royale, les chefs-d'œuvre de l'art nouveau, la dynastie des Plantagenêts favorisait, dans la France de l'Ouest, un mouvement analogue, bien que moins important. Dans l'Anjou, la Touraine, le Maine et une partie du Poitou s'élevaient aussi de grandes églises,

conçues en général d'après un système mixte, où les voûtes arrondies en forme de dômes et de coupoles, comme à Saint-Front de
Périgueux, apparaissaient ramifiées de nervures ogivales. Il reste
encore des spécimens imposants de cette architecture « angevine » :
la nef de la cathédrale du Mans, l'église de Saumur, la cathédrale
de Saint-Maurice, à Angers, commencée entre 1150 et 1160, par les
architectes Normand de Doué et Mathieu de Loudun, enfin Saint-
Pierre de Poitiers, monument original, avec ses trois nefs d'égale
largeur et ses colonnes en quinconce qui l'ont fait comparer à une
mosquée. La première pierre en fut posée, en 1162, par Aliénor
d'Aquitaine; la reine d'Angleterre prit sa part des frais de la construction et, à sa mort, en 1204, il ne manquait plus à l'église que la
façade. Henri II encouragea de son argent les artistes de la pierre,
autant que les historiens et les poètes. Cette protection des œuvres
de l'esprit annonce un progrès de la classe féodale que d'autres
indices achèveront de révéler.

La belle époque de l'architecture gothique est le règne de Philippe-Auguste. Elle apparaît alors en sa forme sinon la plus riche,
au moins la plus pure et la plus élégante. L'harmonie des proportions, la belle ordonnance des ensembles, la sobriété classique de
l'ornementation caractérisent l'art de cette période et lui donnent
un charme particulier.

L'ART OGIVAL SOUS PHILIPPE-AUGUSTE.

Au Nord, dans la région capétienne, berceau de l'architecture
nouvelle, les chantiers sont en pleine activité. L'évêque d'Amiens,
Évrard de Fouilloi, commence à bâtir la plus complète de toutes nos
cathédrales, sur les plans de Robert de Luzarches (1220). Guillaume
de Seignelai pose, à Auxerre (1215), la première pierre du chœur
de son église : « Il ne voulait pas, dit la chronique, qu'elle fût inférieure, par la beauté de l'ensemble et du détail, à celle des autres
évêques. » A Châlons-sur-Marne, on consacre, en 1183, la nef et le
transept de l'église Notre-Dame; à Évreux, l'évêque Robert de
Roye entreprend, en 1202, de surélever sa grande nef et construit le
triforium; à Rouen, on travaille, depuis 1207, à Notre-Dame; à
Meaux, les libéralités de la comtesse Marie de Champagne permet-
tent aux évêques de continuer l'œuvre commencée sous Louis VII.
La cathédrale de Noyon s'achève; celle de Laon se continue : la
façade est contemporaine de la bataille de Bouvines, mais le chœur
ne sera terminé qu'en 1225. A Soissons, le chœur est achevé; il porte
sa date, gravée sur une pierre de la muraille : « Le 13 mai 1212, la
communauté des chanoines commença à entrer ici. » A Troyes,
l'évêque Hervé termine, avant de mourir (1223), le sanctuaire de
Saint-Pierre et les chapelles qui l'entourent. Enfin, Notre-Dame de

Reims, la grande merveille, sort de terre, l'archevêque Aubri de Humbert en pose la première pierre, en 1211; mais ici le travail sera lent : le chœur ne sera bâti qu'en 1241. On connaît depuis peu le nom de l'architecte, Jean d'Orbais, à qui revient décidément l'honneur d'avoir précédé le célèbre Robert de Couci[1].

Dans la vallée de la Loire et ses confins, les constructions sont moins nombreuses, mais quelques-unes sont parmi les plus belles. A Chartres, l'église romane avait été incendiée en 1194; l'évêque Renaud de Mouçon commence aussitôt à bâtir l'immense cathédrale; vers 1220, on plaçait la grande rose, et les voûtes étaient déjà en majeure partie achevées. L'historien Guillaume le Breton compare la couverture de l'église à une écaille de tortue : « La voilà qui surgit toute neuve, éblouissante de sculptures. C'est un chef-d'œuvre sans égal dans le monde entier. Il peut braver l'incendie jusqu'au jour du Jugement. » Au Mans, en 1217, l'évêque fait rebâtir le chœur de Saint-Julien; à Poitiers, on dédie le grand autel de Saint-Pierre (1199); à Bourges enfin on commençait la cathédrale Saint-Étienne (1192).

Le mouvement se propage même dans les provinces les plus éloignées. L'église primatiale de Lyon est bâtie sous la direction de l'archevêque Guichard dès 1175, et la cathédrale Saint-Étienne de Toulouse s'élève (1211) en pleine guerre des Albigeois. A Bayonne, l'évêque Guillaume de Donzac pose la première pierre (1213) de la cathédrale Sainte-Marie. En Bretagne, celles de Quimper et de Saint-Pol-de-Léon se complètent. Dans les Alpes, la cathédrale d'Embrun est commencée. Mais toutes ces merveilles étaient dépassées, dans l'opinion du monde chrétien, par la grande église royale de Paris, l'œuvre de Maurice de Sulli.

NOTRE-DAME DE PARIS.

Notre-Dame fut la pensée et l'occupation de toute sa vie. Il dépensa à la bâtir la plus grosse partie de ses ressources privées : la générosité de quelques grands personnages et les offrandes des fidèles n'ont servi que d'appoint. Louis VII donna 200 livres, le chevalier Guillaume des Barres, 50 livres, un neveu du pape Alexandre III, deux marcs d'argent. Particuliers et corporations rivalisaient à qui ferait cadeau d'autels, de stalles, de fenêtres, de vitraux. Les papes stimulèrent les libéralités par des indulgences, et les « oboles des femmes, » comme l'attesta plus tard le cardinal Eude de Châteauroux, firent le reste.

Il fallut d'abord préparer l'emplacement, démolir la vieille église romane de Notre-Dame et la petite église de Saint-Étienne-le-Vieux, acheter et abattre beaucoup de maisons, percer la rue Neuve-Notre-Dame, qui passait par les deux ponts et reliait la cité aux deux rives.

1. L. Demaison, *La cathédrale de Reims*, 1902.

Enfin le chœur commença à s'élever; en 1177, il était fini; en 1182, un légat du Pape consacrait le maître-autel; en 1196, à la mort de Maurice, les murs de la nef étaient bâtis et en partie couverts. On garda quelques sculptures de l'ancienne église, celles qui forment encore aujourd'hui, au bas de la tour Sud, le tympan de la porte Sainte-Anne où figure la Vierge entourée de l'évêque et du Roi [1].

II. — *LE CLERGÉ UTILITAIRE ET LE CLERGÉ HUMANISTE* [2]

L ES ecclésiastiques austères n'approuvaient pas ce déploiement de luxe dans les édifices religieux. Pierre le Chantre dénonce la passion contagieuse de bâtir, cette « fièvre des évêques », *morbus aedificandi*. Mais l'esprit conservateur avait d'autres inquiétudes, mieux fondées. Ce n'étaient pas seulement les églises qui changeaient. Des tendances nouvelles se faisaient jour dans l'école même, c'est-à-dire à la source de la science ecclésiastique et du sacerdoce.

Les disciples d'Abélard continuaient le maître. Pierre Lombard *PIERRE LOMBARD.* (mort en 1160), évêque de Paris avant Maurice de Sulli, avait écrit le *Livre des Sentences* (1152), où, clairement et logiquement, la science religieuse est synthétisée et comme organisée. Cette encyclopédie eut une vogue immense et fut le manuel classique que, pendant tout le Moyen âge, dialecticiens et théologiens commentèrent. Sans aller aussi loin qu'Abélard dans la critique et l'exégèse, plus prudent et plus modeste, Pierre Lombard travailla peut-être aussi sûrement à émanciper la raison humaine en appliquant la dialectique aux choses sacrées. Aussi fut-il attaqué de son vivant, comme après sa mort. On lui reprocha d'avoir nié l'humanité du Christ. Pour lui, la nature humaine n'aurait pas existé réellement dans le Christ : elle aurait été seulement comme le vêtement de la divinité. Des théologiens orthodoxes, Gautier de Saint-Victor, Robert de Melun et Maurice de Sulli lui-même réfutèrent cette doctrine avec l'approbation du pape Alexandre III. Un siècle après la mort de Pierre Lombard, on faisait encore le catalogue de ses hérésies.

---

1. V. Mortet, *Note sur l'âge des tours et la sonnerie de la cathédrale de Paris*, 1901.
2. OUVRAGES A CONSULTER. Kogel, *Petrus Lombardus in seiner Stellung zur Philosophie des Mittelalters*, 1897. Espenberger, *Die Philosophie des Petrus Lombardus und ihre Stellung im Zwölften Jahrhundert*, 1901. Hauréau, *Mémoires sur la vie et quelques œuvres d'Alain de Lille*, dans les Mémoires de l'Académie des Inscriptions, t. XXXVII, 1re partie. Baumgartner, *Die Philosophie des Alanus de Insulis*, 1896. P. Fournier, *Un adversaire inconnu de saint Bernard et de Pierre Lombard*, dans la Bibliothèque de l'Ecole des Chartes, a. 1886. Hauréau, *Histoire de la philosophie scolastique*, 1872-1880.

ALAIN DE LILLE.

Après lui, la gloire de l'École fut le « docteur universel » Alain de Lille (1128-1202), dialecticien et versificateur élégant, auteur admiré du poème *Anticlaudianus* et du traité *De planctu naturae*. Ceux qu'effrayaient les hardiesses de la philosophie firent sur lui cette légende : « La veille du jour où il devait exposer à Paris le mystère de la Trinité, se promenant sur le bord de l'eau, il vit un enfant qui, ayant fait un trou sur la berge, y portait dans une cuiller l'eau puisée à la rivière. « Que fais-tu, lui dit Alain? — Messire, ne le voyez-vous « pas bien? Je veux porter dans ce trou toute l'eau de cette rivière. — « Mais tu n'en auras jamais fini? — J'aurai plutôt rempli ma tâche que « vous la vôtre. — Et quelle est ma tâche? — Elle est d'expliquer « demain tout le mystère de la Trinité. » Alain interdit rentra chez lui, pensant que l'enfant disait vrai. » Et quittant Paris et sa chaire, il s'en alla garder les moutons dans l'abbaye de Cîteaux.

LA DIALECTIQUE ATTAQUÉE.

Entre 1192 et 1203, Étienne de Tournai signale au Pape « la maladie qui s'est glissée peu à peu dans le corps scolaire » et deviendra incurable, si l'on n'y prend garde. Les étudiants n'applaudissent plus que ceux qui leur apportent du nouveau; les professeurs se font de la réclame au détriment de la saine tradition; la dialectique s'exerce sur les mystères les plus sacrés de la religion. « Des bavards en chair et en os discutent irrévérencieusement sur l'immatériel, sur l'essence de Dieu, sur l'incarnation du Verbe. On entend dans les carrefours des raisonneurs subtils couper en trois la Trinité indivisible! autant d'erreurs que de docteurs, autant de scandales que d'auditeurs, autant de blasphèmes que de places publiques! » Au Pape d'aviser : « Il ne faut pas qu'on entende, au coin des rues, crier par celui-ci ou par celui-là : voilà le Christ, il est chez moi! Que la religion ne soit pas jetée en pâture aux chiens et les perles aux pourceaux. »

Non seulement, des moines comme Absalon, l'abbé de Saint-Victor, ne veulent pas que la dialectique s'exerce sur les dogmes, mais ils repoussent toute curiosité des choses profanes : « Nos écoliers, gonflés d'une vaine philosophie, sont heureux quand, à force de subtilités, ils ont abouti à quelques découvertes! Ne veulent-ils pas connaître la conformation du globe, la vertu des éléments, le commencement et la fin des saisons, la place des étoiles, la nature des animaux, la violence du vent, les buissons, les racines? Voilà le but de leurs études : c'est là qu'ils croient trouver la raison des choses. Mais la cause suprême, fin et principe de tout, ils la regardent en chassieux, sinon en aveugles. O vous qui voulez savoir, commencez, non par le ciel, mais par vous-mêmes; voyez ce que vous êtes, ce que vous devez être et ce que vous serez. A quoi sert de disputer sur les idées de Platon, de lire et de relire le songe de Scipion? A quoi bon tous ces raisonnements inextricables qui sont de mode et cette fureur de subtiliser où beaucoup ont trouvé leur perte? »

De ces craintes et de ces réprobations, il résulte que la science *LES UTILITAIRES.* divine elle-même était menacée. Un nombre croissant d'écoliers et de clercs désertait la théologie, soit par prudence, soit par lassitude, soit par intérêt, pour étudier le droit civil, le droit canon ou la médecine. Le clerc gradué en droit civil pouvait devenir juge et administrateur dans les cours des seigneurs laïques; la connaissance du droit canon le rendait apte aux mêmes fonctions auprès des seigneurs d'Église, apte aussi aux bénéfices, aux officialités, aux plus hautes dignités ecclésiastiques. La médecine, d'autre part, devenait un métier à nourrir son hôte. Fallait-il donc laisser mettre en péril la théologie, la science par excellence, la fin dernière de l'enseignement? Le pape Alexandre III défendit aux moines, puis bientôt à tous les clercs, l'étude du droit civil. Le concile de Latran, en 1179, interdit aux ecclésiastiques les fonctions d'avocat, de juge, d'administrateurs dans les cours laïques. Les prédicateurs (entre autres le chancelier de Paris, Prévôtin) tonnaient en chaire contre les jeunes clercs qui abandonnaient l'Écriture sainte; mais les mœurs et les intérêts l'emportèrent sur les règlements.

Alors le Pape se décida à restreindre sa prohibition pour la rendre plus efficace. En 1219, par la bulle *Super speculam*, Honorius III défendit tout enseignement de droit civil à Paris et dans le voisinage, sous peine d'excommunication. La Papauté n'avait pas l'intention, comme on l'a prétendu, d'arrêter le mouvement scientifique, de substituer le droit canonique au droit romain et de détruire la loi civile. Elle a voulu seulement sauver à Paris l'enseignement de la science sacrée, lui en donner pour ainsi dire le monopole, faire de Paris la grande école théologique de la Chrétienté.

Les clercs avaient un autre moyen d'échapper à la théologie. Ils *LES HUMANISTES.* se confinaient dans le culte des lettres latines et se passionnaient pour les poètes anciens, bons et mauvais, moraux ou immoraux. Ils les invoquaient comme des autorités et versifiaient, pour les imiter, des chansons, des contes, des odes, des comédies, avec un enthousiasme que retrouveront les humanistes de la Renaissance. Ces futurs chanoines, archidiacres, abbés et évêques composaient, sans penser à mal, des élégies érotiques, des vers bouffons ou des pièces dramatiques crûment indécentes, comme l'*Alda* du bénédictin Guillaume de Blois, dont la fin est intraduisible. L'âge mûr venu, ils expiaient ces péchés de jeunesse par des productions édifiantes. Une sorte d'idolâtrie sensuelle du paganisme, voilà où aboutissait, pour beaucoup de clercs et de prélats, l'étude de l'antiquité.

L'archidiacre Pierre de Blois (mort en 1200) représente assez bien ces lettrés de la nouvelle école. On le connaît surtout par sa correspondance, document précieux pour l'histoire politique et intellectuelle du temps. Intrigant, quémandeur de prébendes et de fonctions, flatteur des grands, des rois et des évêques, il recommande aux écrivains de s'attacher toujours à quelque grand personnage : « Les princes qui aspirent à la gloire, écrit-il à l'un de ses neveux, ne peuvent mieux faire que d'entretenir des hommes capables de transmettre leurs grandes actions à la postérité. Je ne sais si vous avez pris quelqu'un de nos princes pour sujet de vos éloges. Pour moi, dans mon livre *De prestigiis fortunae*, que je vous envoie, je loue les actions d'Henri II. »

Henri II, reconnaissant, l'a employé comme conseiller et comme ambassadeur. Sur sa recommandation, Pierre de Blois est devenu précepteur du jeune roi de Sicile, Guillaume le Bon, et même chancelier du royaume normand. On lui offrit deux évêchés en Italie et même l'archevêché de Naples; il refusa; en France et en Angleterre, seulement, on pouvait jouir d'une gloire lucrative. En fin de compte, il dut se contenter d'une place de secrétaire des archevêques dê Cantorbery et d'archidiacre à Bath, puis à Londres. D'odieuseŝ cabales, à l'entendre, l'empêchèrent de monter plus haut.

Il se consolait en pensant à sa renommée littéraire : « Notre nom, écrit-il à son neveu, littérateur comme lui, s'est répandu jusqu'aux derniers confins de la terre. Nos ouvrages ont pénétré partout! Ni l'eau, ni le feu, ni l'adversité, ni le temps, ne pourront les détruire. » Dans la préface de ses lettres, dont il publie le recueil à la prière du roi d'Angleterre, il s'accuse, mais pour la forme, d'avoir souvent cité l'antiquité profane. Au fond, il est fier de montrer sa science et son talent. L'évêque de Bath lui ayant reproché de se poser en modèle épistolaire : « Mon adversaire, réplique-t-il, trouve mauvais que je donne au public un témoignage de mon travail. Qu'il se taise, ou il entendra des choses qui ne lui plairont pas. J'en prends plusieurs de mes amis à témoin, j'ai coutume de dicter des lettres plus vite qu'on ne peut les écrire; ceci écarte tout soupçon de plagiat. L'archevêque de Cantorbery et vous, vous m'avez vu dicter à trois secrétaires différents, sur des matières diverses, et aussi vite que leurs plumes pouvaient courir. Mieux encore, j'ai dicté et rédigé en même temps une quatrième lettre; seul Jules César en a fait autant. Qu'on veuille bien, si on doute, me mettre à l'épreuve. »

Pierre de Blois avait tout embrassé, sinon tout étreint. A Paris, il avait étudié la rhétorique, la philosophie, les mathématiques et la médecine. Pour apprendre le droit, il alla passer deux ans à Bologne et, devant les étudiants enthousiastes du droit romain, il mit le Jugement dernier en formules de procédure. Revenu à Paris, il suivit les cours de théologie et fut élève de Jean de Salisbury, condisciple de Pierre de Vernon et d'Eude de Sulli. Son œuvre d'écrivain est abondante et variée, tous les genres en vogue y sont représentés : poésies légères, d'abord, il avoue lui-même avoir composé, dans sa jeunesse, « des bagatelles à la manière d'Ovide et des chants voluptueux ; » puis des traités sur l'Amitié, sur l'Utilité des tribulations, sur les Caprices de la fortune, sur la Pénitence des prêtres ; un abrégé des *Dictamina* de Bernard de Tours, enfin des sermons et des lettres.

Il a eu le mérite de défendre la littérature antique contre la sévérité de certains théologiens. « Malgré les aboiements des chiens et les grognements des porcs, écrit-il, je ne cesserai jamais d'imiter les anciens! ils seront mon occupation principale, et tant que je le pourrai, le soleil ne me verra jamais oisif. » Il a pour les anciens le respect et la reconnaissance que leur témoigne, par une métaphore célèbre, Bernard de Chartres. « Nous sommes comme des nains hissés sur les épaules des géants et nous voyons grâce à eux plus loin qu'eux-mêmes. » En Pierre de Blois se manifeste ainsi la transformation que produisait, depuis un demi-siècle, dans les idées et les habitudes des prélats, le goût des lettres profanes et des études juridiques.

Même parmi les simples curés dont se moquent les fabliaux, et à qui les conciles reprochent leur ignorance et leurs mauvaises mœurs, un esprit nouveau a pénétré. Un des historiens les plus intéressants de l'époque de Philippe-Auguste, l'auteur de la *Chronique d'Ardres et de Guines*, le curé d'Ardres, Lambert, est un lettré et un érudit. Il a étudié les origines de son église et de sa région. Amoureux de son clocher, il semble que, pour lui, le monde entier tienne dans la seigneurie d'Ardres, ce fief minuscule. Il célèbre dans la dédicace de son livre la gloire d'Arnoul II, seigneur d'Ardres, comme s'il s'agissait de César ou d'Alexandre. La seigneurie de Guines, vassale à la fois de la France et de l'Angleterre, devient sous sa plume « une des perles les plus précieuses de la couronne de France et l'un des diamants qui rayonnent d'un vif éclat sur le diadème des rois d'Angleterre. » Le siège du donjon de Sangate lui rappelle le siège de Troie : « Si Troie avait été aussi bien munie de soldats que Sangate, elle aurait résisté aux Grecs. »

Il cite à la fois, dans les premières pages de sa chronique, Ovide, Homère, Pindare, Virgile, Priscien, Hérodien, Prosper, Bède, Eusèbe et saint Jérôme. Il croit écrire en beau style, parce qu'il gâte sa

LE CURÉ LAMBERT D'ARDRES.

phrase par d'obscures élégances ; mais il a de la chaleur et du mouvement, et plusieurs de ses récits font tableau. Historien, il est
impartial, et, s'il se perd dans les légendes en cherchant les origines, il est exact à décrire ce qu'il a vu ; sa chronique nous donne
une réelle et vivante description de la petite féodalité Il se docu-
mente dans les livres d'histoire et dans les pièces d'archives. Il dit
lui-même qu'à défaut de sources écrites « il a interrogé les personnes
âgées. » Enfin il a le bon sens de ne pas vouloir composer, comme
faisaient tant d'autres chroniqueurs, une histoire universelle remon-
tant à Adam et Ève. Lui-même fait remarquer qu'il a rompu avec
cette tradition « pour s'enfermer dans les annales d'un tout petit
comté », heureux exemple, et qui aurait dû être suivi davantage.

Ainsi, même dans les couches du clergé inférieur, que la réforme
ecclésiastique de l'âge précédent n'avait pu pénétrer, la lumière commençait à percer çà et là. C'est que l'Église prenait de plus en plus
dans les grandes écoles le goût de la vie intellectuelle.

III. — L'ÉCOLE DE PARIS. PROFESSEURS ET ÉTUDIANTS [1]

L'ÉCOLE DE PARIS. L'EUROPE entière admirait nos écoles et surtout celle de Paris.
A la date de 1169, un roi d'Angleterre la traitait en puissance
dont le jugement devait faire loi. Henri II, en effet, dans sa querelle
avec l'archevêque Thomas Becket, s'offrit à accepter l'arbitrage
« soit de la Cour du roi de France, soit du clergé français, soit de
l'école de Paris. » L'abbé de Bonne-Espérance, Philippe de Harvengt,
écrivait à plusieurs de ses amis pour les féliciter de pouvoir étudier à Paris : « Heureuse cité, où les écoliers sont en si grand
nombre que leur multitude en vient presque à dépasser celle des
habitants laïques. » « En ce temps-là, affirme l'historien Guillaume le
Breton, les lettres florissaient à Paris. On n'avait jamais vu dans
aucune partie du monde, à Athènes ou en Égypte, une telle affluence
d'étudiants. »

Les professeurs et écoliers de Paris figurent au premier rang
dans toutes les solennités du règne de Philippe-Auguste. Le premier
empereur latin de Constantinople, Baudouin de Flandre, aurait voulu

---

1. OUVRAGES A CONSULTER. L. Delisle, *Les Écoles d'Orléans aux XIIe et XIIIe siècles*, dans
l'Annuaire de la Société de l'histoire de France, 1869. L. Maître, *Les Ecoles épiscopales et
monastiques de l'Occident depuis Charlemagne jusqu'à Philippe-Auguste*, 1866. Ch. Thurot, *De
l'organisation de l'enseignement dans l'Université de Paris au Moyen âge*, 1850. Budinski, *Die
Universität Paris und die Fremden an derselben im Mittelalter*, 1876. Haskins, *The life of
mediaeval students as illustrated by their letters*, 1898. Luchaire, *L'Université de Paris sous
Philippe-Auguste*, 1898.

des maîtres parisiens pour réformer les études de son empire; il pria
le Pape de les lui procurer. Innocent III, en effet, représenta à l'école
de Paris les services qu'elle pourrait rendre dans ce pays grec dont
l'Église venait d'être réunie enfin, après une longue séparation, à
l'Église latine. On dirait qu'il l'invite à émigrer en masse vers
l'Orient. Il lui vante la Grèce, « une terre remplie d'argent, d'or et
de pierres précieuses, où abondent le vin, le blé et l'huile. » Mais,
sans doute, ils ne furent pas nombreux, les docteurs de Paris qui
consentirent à quitter le Petit-Pont et la Cité pour aller « lire » sur
le Bosphore. Douze ans après, le pape Honorius III fait appel aussi
aux maîtres de Paris, mais il s'agissait d'aller moins loin, dans le
Languedoc, servir la bonne doctrine.

Si l'Église était fière de sa grande école, immense séminaire où
se fournissaient la France et l'Europe, cette énorme agglomération
de clercs dans une capitale était dangereuse pour l'ordre public et la
moralité des ecclésiastiques. Foyer de lumières, mais non d'édification.

Beaucoup de ces étudiants cosmopolites étaient des clercs
vagabonds, *vagi scolares*, qui faisaient, pour gagner leur pain,
tous les métiers. Débauchés, piliers de cabaret et fripons, les
« goliards », comme on les appelait alors, grossissaient la foule des
jongleurs, composaient des poésies latines satiriques et bachiques,
ou contaient en français des contes plus que licencieux. Un certain
nombre de nos fabliaux sont leur œuvre. Eux-mêmes se sont mis en
scène dans le conte du *Povre clerc* où le héros, sans feu ni lieu,
demande sa subsistance à la charité publique. « Il avait étudié à
« Paris si longtemps que, par pauvreté, lui convint la ville aban-
« donner. Plus rien à engager ni à vendre. Il vit bien qu'il ne pouvait
« plus rester en la cité : mauvais en eut été le séjour. Puisqu'il ne
« savait plus où se prendre, mieux valait laisser son apprendre. Il se
« mit donc en route pour son pays, car il en avait grand désir : mais
« d'argent il n'avait goutte, ce qui moult le déconforta. Le jour où ce
« clerc s'en alla, oncques ne but ni ne mangea. En une ville qu'il trouva,
« il entra chez un vilain et n'y rencontra que la dame du logis et sa
« servante : « Dame, dit-il, je viens d'école; j'ai beaucoup marché
« aujourd'hui. Pour Dieu, montrez-vous courtoise; hébergez-moi
« sans plus parler ». Et on l'héberge, mais, comme toujours, c'est le
maître de la maison qui paye les frais de l'hospitalité. Malin et jovial,
toujours prêt à taquiner le bourgeois et à séduire la bourgeoise, tel
apparaît l'écolier-clerc dans la littérature, comme dans la réalité.

Des domestiques laïques étaient attachés au service des étudiants
riches. Dans une certaine mesure, ils participaient aux privilèges

*LES MAUVAIS
ÉTUDIANTS.*

de leurs maîtres; or, c'étaient, pour la plupart, de mauvais sujets, « des voleurs, » dit le dominicain Étienne de Bourbon qui étudiait à Paris dans les dernières années de Philippe-Auguste. Quand les domestiques allaient au marché ou chez les revendeurs pour le compte de leurs maîtres, ils trouvaient le moyen de gagner « jusqu'à 75 et parfois 400 pour 100 » sur leurs achats.

Les conciles fulminent en vain contre les clercs de mauvaise vie et leur défendent de porter la tonsure, c'est-à-dire de prétendre au privilège ecclésiastique. Mais, dès le règne de Philippe-Auguste, la charité privée se préoccupe de fonder, en faveur des étudiants pauvres, des maisons de refuge qui leur fournissent le vivre et le couvert. C'est l'origine très humble des *collèges*, de ces établissements de boursiers dont le Paris de la rive gauche se couvrira peu à peu.

Le point de départ de ces créations fut l'acte charitable par lequel, en 1180, un bourgeois de Londres nommé Josce, revenant de Jérusalem, acheta une salle de l'Hôtel-Dieu de Paris, et fonda une rente qui permit d'y entretenir et d'y coucher dix-huit clercs écoliers. En retour, ils se chargeaient de veiller, à tour de rôle, les morts de l'hôpital et de porter, aux enterrements, la croix et l'eau bénite. Plus tard, ils sortiront de l'Hôtel-Dieu et posséderont une maison en propre. Ainsi fut institué le premier en date des collèges parisiens, celui des *Dix-huit*. L'exemple était donné : d'autres collèges s'établirent, comme celui de Saint-Honoré, fondé en 1209, par la veuve d'Étienne Bérot, pour treize écoliers pauvres. Déjà à cette époque, une autre maison de refuge pour étudiants, Saint-Thomas du Louvre, était en plein exercice, puisque ses administrateurs demandent au pape Innocent III, en 1210, la permission de se bâtir une chapelle et d'avoir un cimetière à eux.

Les prédicateurs du temps ne distinguaient pas souvent, entre les étudiants, les bons des mauvais. « Pour boire et manger, dit l'un d'eux, ils n'ont pas leurs pareils; ce sont des dévorants à table, mais non des dévots à la messe. Au travail, ils bâillent; au festin ils ne craignent personne. Ils abhorrent la méditation des livres divins, mais ils aiment à voir le vin pétiller dans leur verre, et ils avalent intrépidement. » Les professeurs eux-mêmes ne donnaient pas toujours le bon exemple. Pierre de Blois parle, dans une de ses lettres, d'un maître ès arts « devenu, dit-il, de dialecticien de première force un buveur consommé, *egregium potatorem*. » Et par force textes de l'Écriture sainte, il flétrit l'ivrognerie. Les assemblées des professeurs et aussi les réceptions d'étudiants à la licence étaient l'occasion de ripailles énormes. La confrérie scolaire, comme toutes les confréries du Moyen âge, aimait à banqueter.

« Quelle honte! dit Pierre de Poitiers, nos écoliers vivent dans des turpitudes qu'aucun d'entre eux, dans son pays, parmi ses proches, n'oserait même nommer. Ils dilapident, avec des courtisanes, les richesses du Crucifié. Leur conduite, outre qu'elle rend l'Église odieuse, est une ignominie pour les maîtres et pour les élèves, un scandale pour les élèves laïques, un déshonneur pour leur nation, et une injure envers le Créateur lui-même. » Le chancelier Prévôtin de Crémone nous montre l'écolier sortant la nuit, tout armé, dans les rues de Paris, enfonçant les portes des bourgeois, et remplissant les tribunaux du bruit de ses esclandres. « Tout le jour des femmes viennent déposer contre lui, se plaignant d'avoir été frappées, d'avoir eu leurs vêtements mis en pièces et leurs cheveux coupés. »

L'esprit de turbulence et de combativité est l'esprit même de l'école tout entière. Un prédicateur compare les professeurs, dans leurs querelles scolastiques, à des coqs toujours hérissés pour le combat. Et les élèves imitaient les maîtres, à cela près qu'ils en venaient tout de suite aux coups. On a extrait d'un sermon inédit le mot suivant de Philippe-Auguste. Quelqu'un parlait devant lui des écoliers batailleurs. « Ils sont plus hardis que les chevaliers, dit le Roi; les chevaliers, couverts de leur armure, hésitent à engager la lutte. Les clercs, qui n'ont ni haubert ni heaume, avec leur tête tonsurée, se jettent les uns sur les autres en jouant du couteau. »

En 1192, un étudiant est tué dans une bagarre par des paysans de l'abbaye de Saint-Germain des Prés, qui habitaient les terrains du petit ou du grand Pré-aux-Clercs. L'abbé, accusé en cour de Rome, dut prouver son innocence et détruire les maisons des meurtriers. En 1200, éclate une rixe plus sérieuse entre les étudiants et les bourgeois de Paris, soutenus par le prévôt du Roi, c'est-à-dire par la police. Un clerc d'une grande famille allemande, qui avait été proposé pour l'évêché de Liège, étudiait alors à Paris. Son domestique, entrant dans une taverne pour y acheter du vin, se querelle avec le marchand : il reçoit des coups et on lui brise sa cruche. Furieux, les étudiants allemands prennent fait et cause pour leur compatriote. Ils envahissent la boutique et laissent le tavernier à demi mort. Grand émoi parmi les bourgeois. Le prévôt de Philippe-Auguste, Thomas, suivi des bourgeois en armes, entre dans la maison des clercs allemands pour arrêter les coupables, qui résistent. Cinq universitaires, dont plusieurs clercs, sont tués. Les maîtres et les étudiants portent plainte aussitôt au Roi. Ils suspendront les cours et quitteront Paris, si l'on ne punit pas les meurtriers.

En ce temps-là, une grève des professeurs, la cessation des cours était une calamité publique, presque une offense à la religion, un

BAGARRES DE 1192 ET DE 1200.

arrêt brusque dans la vie ecclésiastique. Le roi de France fit tout ce qu'on lui demanda. Le prévôt de Paris fut jeté en prison avec ceux de ses complices qu'on put retrouver. Une partie des meurtriers ayant pris la fuite, Philippe fit démolir leurs maisons et arracher leurs vignes. Un peu plus tard, les écoliers prièrent le Roi de relâcher le prévôt et les autres détenus, condamnés à la prison perpétuelle, mais à condition qu'on leur remît les coupables pour être fouettés dans une école; après quoi on les tiendrait quitte de leur peine. Mais Philippe-Auguste répondit que son honneur ne permettait pas que des hommes du Roi fussent châtiés par d'autres que par le Roi. Le prévôt resta longtemps dans la prison royale. A la fin, il essaya de s'évader au moyen d'une corde; la corde cassa, et il tomba de si haut qu'il se tua.

C'est par les deux batailles de 1192 et 1200 que s'ouvre l'histoire politique de l'Université de Paris.

IV. — LA PAPAUTÉ ET LE MOUVEMENT UNIVERSITAIRE. LES DÉBUTS DE L'UNIVERSITÉ DE PARIS [1]

L'IMPORTANCE des associations puissantes et privilégiées d'étudiants était si grande, à la fin du XIIᵉ siècle, que la papauté jugea bon de s'emparer de cette force pour la diriger.

LA PUISSANCE ROMAINE EN FRANCE.

Déjà elle était maîtresse de l'Église, en France, comme dans tous les autres pays chrétiens. La correspondance des papes et surtout celle d'Innocent III montre que le clergé français a perdu son indépendance. Par l'appel à Rome, la curie romaine était le tribunal où aboutissaient tous les procès. Rome devenait, comme on l'a dit très justement : « un vrai champ de bataille pour les plaideurs, une sorte de bureau européen où, au milieu de notaires, de scribes et d'employés de toutes catégories, on ne s'occupait que de chicanes et d'affaires. » Le Saint-Siège suspendait, modifiait, cassait les sentences rendues en France par l'épiscopat. L'autorité des évêques était encore diminuée par la profusion des privilèges qui affranchissaient du diocésain les monastères et les chapitres.

INNOCENT III ET LE CLERGÉ FRANÇAIS.

D'ailleurs, le clergé lui-même hâtait son assujettissement en s'habituant à recourir au Pape comme à la source unique de toute autorité et de toute lumière. Évêques et abbés consultaient

1. SOURCES. Denifle et Chatelain, *Chartularium universitatis Parisiensis*, t. I, 1890. *Cartulaire de l'Université de Montpellier*, t. I, 1890
OUVRAGES A CONSULTER. Outre ceux qui sont cités au paragraphe précédent, Ch.-V. Langlois, *Les Universités du Moyen âge*, dans la Revue de Paris, 15 déc. 1895. Denifle. *Die Universitäten des Mittelalters bis 1400*, 1885. Hastings Rashdall, *The Universities of Europe in the Middle Ages*, 1895.

Innocent III, non seulement sur les questions de dogme et de discipline mais sur des points minimes de droit et de fait. On demandait,
par exemple, au Pape, quelle pénitence il fallait imposer à un moine
coupable d'avoir administré à une femme, malade d'une tumeur à la
gorge, un remède qui l'a laissé mourir. Un clerc blesse un voleur
entré la nuit dans son logis; quelle satisfaction devra-t-il donner à
l'Église? On prie le Pape de décider même sur des questions de
grammaire. Innocent III répond à tout : il agit et pense pour tout le
monde. Il règle les détails de l'observance monastique, jusqu'à s'occuper de la forme et de la longueur des couvertures de lit. Pour que
le pouvoir de la Papauté sur l'épiscopat fût absolu, il ne restait plus
au Pape qu'à nommer les évêques. Innocent III n'a jamais osé prétendre que cette nomination lui appartînt : mais en fait il a plus d'une
fois écarté les candidats qui lui déplaisaient, et substitué d'office ses
protégés aux personnes choisies par les électeurs[1].

Il était inévitable que la Papauté voulût mettre la main sur les
grandes écoles, où les clercs se préparaient au sacerdoce.

En 1179, le troisième concile de Latran, présidé par le pape Alexandre III, prenait dans son 18ᵉ décret une décision d'une importance
extrême. « Chaque église cathédrale devra entretenir un maître
chargé d'instruire gratis les clercs de l'église et les écoliers pauvres » : c'est l'enseignement gratuit au moins pour ceux qui ne
peuvent pas payer. « Défense est faite aux personnes qui ont la mission de diriger et de surveiller les écoles (c'est-à-dire aux chanceliers
et aux écolâtres), d'exiger des candidats au professorat une rémuné-
ration quelconque pour l'octroi de la licence » : c'est la gratuité de
la maîtrise. « Défense enfin de refuser la licence à ceux qui l'ont
demandée et en sont dignes » : c'est, dans un certain sens, la liberté
de l'enseignement. Le 11ᵉ décret du quatrième concile de Latran, tenu
par Innocent III en 1215, reproduit les mêmes prescriptions. Il décide
en outre que, dans chaque église d'archevêché ou église métropoli-
taine, il sera créé un *theologus*, chargé d'enseigner la théologie aux
prêtres de la province ecclésiastique et de surveiller l'exercice du
sacerdoce paroissial. Par ces deux décrets, la Papauté voulait compléter, régulariser, unifier l'organisation scolaire qui s'était établie
peu à peu, en créations isolées et spontanées, dans beaucoup de diocèses français, pendant le XIᵉ et le XIIᵉ siècle. Sur un point capital,
la liberté d'ouvrir un cours, la disposition relative à la « licence
d'enseigner » était une sorte d'affranchissement.

1. Voir plus haut, p. 214.

LES DÉCRETS
DE LATRAN
SUR LA LIBERTÉ
D'ENSEIGNER.

En réglant ainsi l'exercice de ce droit, le Pape avait surtout en vue les grandes écoles, *studia generalia*. On appelait ainsi celles où l'on enseignait l'ensemble des sciences alors connues : au premier degré, les arts libéraux, le *trivium* et le *quadrivium*, base immuable de l'édifice scolaire depuis les Carolingiens; au second degré, les études plus spéciales et de caractère professionnel : la médecine (*physica*), le droit civil (*leges*), le droit canonique (*decretum*) et la théologie (*sacra pagina*). Étudiants ès arts ou « artistes », médecins, légistes, décrétistes, théologiens, tous ceux qui se destinaient à la prêtrise et aux professions que nous appelons « libérales » se réunissaient de préférence dans certaines villes. Paris, Orléans et Angers au Nord, Toulouse et Montpellier dans le Midi, étaient, au temps de Philippe-Auguste, les grandes cités scolaires. Mais quelques-unes de ces écoles avaient déjà des spécialités qui attiraient le Français et l'étranger : à Paris, la dialectique et la théologie; à Orléans, le droit civil et la rhétorique ; à Montpellier, la médecine. Devant la prospérité croissante de ces écoles, celles de Chartres et de Reims, qui avaient eu, au XIᵉ siècle, leur période de gloire, déclinent et s'effacent. Elles tomberont peu à peu au rang de séminaires locaux.

C'est à la fin du XIIᵉ siècle et au commencement du XIIIᵉ que les collectivités scolaires s'organisent en corporations puissantes, universités de maîtres et d'élèves, *universitates magistrorum et scolarium*. Les éléments des universités existaient bien antérieurement à la formation de ces corps. La communauté de sentiments, d'idées et de méthode scientifique unissait depuis longtemps la population des écoles. Celle de Paris en particulier avait commencé à prendre conscience de son unité intellectuelle le jour où un professeur comme Abélard avait groupé autour de sa chaire la jeunesse de France et d'Europe. En ce sens, l'Université de Paris était faite dès le second tiers du XIIᵉ siècle.

Mais c'est seulement au début du siècle suivant que les organes de ce grand corps sont mentionnés dans les textes. L'association des professeurs apparaît dans un acte du pape Innocent III, de 1207-1209, et celle des écoliers dans un acte épiscopal de 1207. C'est en 1221, dans une bulle du pape Honorius III, qu'il est question du sceau que les maîtres et les écoliers parisiens ont fait « récemment » fabriquer à l'usage de leur corporation. A coup sûr, la corporation générale avait déjà son chef ou son directeur (*capitale*) en 1200, année où elle reçut du roi de France son premier privilège connu, car, dans cette charte, Philippe-Auguste comprend évidemment, sous le nom de *scolares*, tout le personnel de la grande école parisienne, maîtres et étudiants. Les facultés, groupes de maîtres et d'écoliers appartenant à une même spécialité d'études, commencent à être mentionnées, avec leurs chefs ou *procureurs*, à partir de 1219. Quant aux *nations*, c'est-à-dire aux associations universitaires par pays d'origine, il en est question pour la première fois en 1222.

Les deux actes les plus anciens qui ont émancipé et réglementé l'Université de Paris émanèrent, l'un du roi de France, l'autre de la Papauté.

La charte royale de 1200, accordée par Philippe-Auguste à la suite de l'émeute dont il a été parlé plus haut, enlève l'Université à la juridiction civile pour la soumettre exclusivement aux juges d'Église. Le prévôt de Paris ne pourra mettre la main sur un écolier qu'en cas de flagrant délit : il devra l'arrêter sans le maltraiter, à moins que le coupable ne fasse résistance, et il ne l'arrêtera que pour le remettre sur-le-champ à la justice ecclésiastique. Si les juges ne sont pas disponibles à l'heure de l'arrestation, on gardera le délinquant dans la maison d'un autre écolier jusqu'à ce qu'il puisse être traduit. Le trésor ou « capital » de l'Université ne pourra, sous aucun prétexte, être saisi par les agents du Roi; les juges d'Église, seuls, auront le droit de le mettre sous séquestre. Même les sergents ou domestiques laïques des écoliers ont leur privilège; les gens du Roi ne pourront mettre la main sur eux qu'en cas de délit évident. Mais il faut aussi que les étudiants soient protégés contre le mauvais vouloir des bourgeois de Paris. Ceux-ci devront jurer que s'ils voient un écolier maltraité par un laïque, ils n'hésiteront pas à en témoigner devant les juges. Si l'écolier est attaqué à main armée, à coups de bâtons ou à coups de pierres, les laïques, témoins de l'incident, seront tenus d'arrêter l'assaillant et de le livrer à la police royale. Dernière précaution : le prévôt de Paris en exercice et les bourgeois de Paris devront jurer, en présence de l'Université, qu'ils observeront de bonne foi les clauses de ce privilège. A l'avenir, tout prévôt, au moment de son entrée en charge, prêtera le même serment.

LA CHARTE DE PHILIPPE-AUGUSTE.

Voilà donc l'Université mise sous un régime à part, hors de la loi commune, privilégiée dans l'État. Le cardinal légat Robert de Courçon lui donna, en août 1215, sa première loi constitutive.

LE STATUT DE ROBERT DE COURÇON.

Une condition d'âge est fixée pour l'enseignement de la théologie comme pour celui des arts libéraux. Le maître théologien devra être âgé de trente-cinq ans et avoir au moins dix ans d'études théologiques. On ne l'admettra que s'il est de bonnes vie et mœurs et d'une capacité éprouvée. Pour être maître ès arts, il faut avoir au moins vingt ans, compter six années de scolarité et posséder la licence. D'autre part, il n'est pas permis d'ouvrir un cours pour le simple plaisir de faire quelques leçons, quitte à disparaître ensuite . le maître doit prendre l'engagement d'enseigner au moins pendant deux ans.

L'étudiant devenu maître ès arts devra avoir un extérieur décent, approprié à la condition ecclésiastique, qui est la sienne : il ne portera qu'une chape ronde, de couleur foncée et descendant jusqu'aux talons. Il remplira un autre devoir de convenance, auquel les universitaires, paraît-il, se dérobaient trop souvent : l'assistance aux obsèques des membres de la corporation. A la mort d'un écolier, la moitié des professeurs de la faculté à laquelle il appartenait suivra le convoi : au prochain décès, ce sera le tour de l'autre moitié. Le législateur qui établit cette sorte de roulement a bien soin de spécifier que les assistants ne pourront pas s'en aller avant la fin de la cérémonie. S'agit-il des obsèques d'un professeur? tous ses collègues doivent assister à la veille qui se fera dans l'église « jusqu'à minuit et même au delà. » Le jour de l'enterrement, tous les cours vaqueront.

« Il faut que tout écolier ait un maître à qui il s'attache; » ceci était dirigé contre la foule des pseudo-étudiants qui ne suivaient pas de cours. En outre, « il faut que tout maître ait juridiction sur son écolier, » *forum sui scolaris habeat,* indice du lien étroit alors établi entre le professeur et ses élèves. Il est leur directeur, leur juge; il est responsable de leur conduite, avec droit de correction; il est à la fois, pour eux, le maître et le magistrat.

Maîtres et écoliers ont le droit de se confédérer entre eux ou avec d'autres, de former des ligues assermentées, dans des circonstances nettement spécifiées : si un universitaire a été tué ou blessé, s'il a subi une injure grave, si on lui a refusé justice, s'il s'agit de fonder des sociétés de funérailles, si l'on a besoin d'imposer aux bourgeois de Paris une taxe des logements, etc. Ce dernier point était un sujet de discussions fréquentes. Les propriétaires parisiens, abusant de la difficulté qu'éprouvaient les étudiants à trouver un logis, majoraient leurs prix au delà de toute mesure.

En somme, Robert de Courçon reconnaissait formellement aux universitaires le droit de réunion et le droit de coalition.

L'UNIVERSITÉ DE MONTPELLIER. L'autre grande école de France, qui, avec celle de Paris, porta déjà, au temps de Philippe-Auguste, le nom d'université, était l'école de Montpellier. En tant que réunion des diverses facultés, elle ne sera officiellement constituée qu'en 1289, par une bulle du pape Nicolas IV; mais la faculté de médecine, tout au moins, apparaît comme corps organisé dès l'année 1220, et elle s'appelle déjà « Université, » le mot ayant ici un sens restreint. Le statut du cardinal Conrad de Porto, qui l'organise ou en sanctionne l'organisation, est le plus ancien acte constitutif d'une faculté française. On y voit clairement en quoi consistait le lien primordial établi entre les membres de l'association.

Elle est placée d'abord sous une juridiction spéciale, du moins, pour les affaires civiles ; et ce juge spécial est un des professeurs, nommé par l'évêque de Maguelone. Il juge avec le concours de trois autres professeurs (parmi lesquels se trouve le plus ancien en exercice), mais en première instance seulement. On fera appel de ses arrêts à l'évêque, qui, d'ailleurs, demeure seul investi de la justice criminelle. Ce juge civil peut être appelé le chancelier de l'Université, « *cancellarius universitatis scolarium.* » Le plus ancien professeur jouira de privilèges honorifiques : il aura le pouvoir de fixer la date et la durée des vacances scolaires ; on voit poindre ici l'autorité du chef de la faculté, que les textes postérieurs appelleront le *doyen*.

La corporation de Montpellier a donc ses chefs et, en partie, sa juridiction propre. Un autre article du statut de 1220 met hors de doute son caractère d'association de secours mutuel contre l'étranger. « Si un maître est attaqué dans sa personne ou dans celle d'un des siens par quelqu'un qui n'est pas de l'école, tous les autres maîtres et écoliers, requis à cet effet, lui apporteront conseil et aide. » Entre les membres du personnel enseignant devront s'établir des relations de bonne confraternité. « Si un professeur est en litige avec un de ses élèves, au sujet de son salaire ou pour toute autre raison, aucun professeur ne doit sciemment recevoir cet élève, avant que celui-ci ait donné ou promis satisfaction à son ancien maître. » Défense aux professeurs de se faire une concurrence déloyale. Enfin il est prescrit aux maîtres et aux étudiants d'assister tous avec exactitude aux funérailles des membres de l'Université.

De ces premiers actes de législation scolaire il ressort que l'Université, à Montpellier comme à Paris, est à la fois une société de secours mutuel et une confrérie religieuse. Elle est composée presque entièrement de clercs, de maîtres et d'étudiants portant la tonsure. C'est un organe de l'Église. Le premier document émané de l'Université de Paris (1221) est une lettre adressée aux religieux de l'ordre de Saint-Dominique récemment établis à Paris. Les « universitaires » demandent aux dominicains qu'ils veuillent bien les associer, comme confrères, au bénéfice de leurs œuvres spirituelles ; ils sollicitent la faveur d'être enterrés dans leur cloître, avec les honneurs réservés aux membres de la congrégation. Au reste, le sceau de l'Université de Paris en marque bien le caractère religieux. Il est divisé en plusieurs compartiments : dans la niche d'en haut, à la place d'honneur, apparaît la Vierge, Notre Dame, patronne des universitaires et de l'église où est née la grande école parisienne ; à gauche, l'évêque

CARACTÈRE RELIGIEUX DES UNIVERSITÉS.

de Paris, tenant sa crosse; à droite, une sainte entourée du nimbe.
Ce sont les personnages importants. Dans les cadres inférieurs, plus
exigus, se montrent docteurs et écoliers. Le tout est dominé par la
croix.

CE QUE FUT
LE MOUVEMENT
UNIVERSITAIRE.

Il n'est donc pas vrai que la fondation des Universités marque,
comme on l'a prétendu, une émancipation de l'esprit dans le domaine
religieux, ni que le « mouvement universitaire » ait eu pour objet
de remplacer par des corporations pénétrées de l'esprit laïque les
écoles cléricales des chapitres et des abbayes. Il est vrai, par contre,
qu'en se faisant universités, les associations scolaires se sont
affranchies du pouvoir ecclésiastique local pour se mettre sous la
main des papes. L'avènement des universités, c'est une diminution
de l'épiscopat, un progrès du Saint-Siège. Ce sont les papes qui
ont créé ou développé les corporations universitaires. Et leur intervention fut bienfaisante, car aux mains des évêques et des chapitres, des chanceliers et des écolâtres, le droit d'autoriser l'enseignement était considéré et pratiqué comme une source de profits.
On accordait la capacité d'enseigner, « la licence, » au gré des
caprices et des intérêts d'un corps de chanoines, d'un dignitaire diocésain; pis encore, on la vendait. Le Pape fit cesser ces scandales
par l'autonomie donnée aux universités. En même temps, il travaillait pour la Papauté. La fondation des universités françaises est
un épisode de l'évolution qui tendait, depuis le commencement du
Moyen âge, à établir la monarchie pontificale au-dessus des pouvoirs
locaux.

La charte de Philippe-Auguste et le statut de Robert de Courçon
devinrent immédiatement, aux mains des universitaires de Paris,
des armes de résistance et de combat. Ils allaient s'en servir contre
la police royale et les bourgeois, mais surtout contre l'évêque de
Paris et son chancelier.

LE CHANCELIER
DE NOTRE-DAME.

Le chancelier de Notre-Dame était un des premiers dignitaires
du chapitre, d'ordinaire un théologien en renom, un écrivain ou un
prédicateur estimé. Il avait une double fonction : il faisait rédiger,
sceller et expédier les actes passés par l'Église de Paris; d'autre part,
il représentait l'évêque comme directeur de l'enseignement dans
tout le ressort épiscopal, surveillait les écoles et conférait le droit
d'enseigner. Quand l'Université fut organisée, il continua d'exercer,
sur la corporation des maîtres et des étudiants, le pouvoir discipli-
naire et judiciaire qu'il possédait sur toutes les écoles de l'évêché.
Mais comme toutes les communautés puissantes, celle-ci aspirait
à se gouverner elle-même. La lutte s'engagea.

En 1219, Pierre de Nemours, évêque de Paris, et Philippe de Grève, le chancelier, déclarent excommuniés tous les universitaires qui se sont ligués ou se ligueront par serment, sans la permission de l'autorité épiscopale ou de ses délégués. Excommunié aussi quiconque aura vu des écoliers courir, la nuit, en armes, dans les rues, et ne les aura pas dénoncés à l'officialité ou à la chancellerie. L'Université refuse de se soumettre à ces décisions et elle en appelle au Pape. Elle enverra plaider sa cause à Rome. Mais il en coûte cher de se faire représenter à Rome, et le corps des professeurs et des étudiants n'a pas encore de fonds communs affectés à cet objet. On y pourvoira par une souscription (*collecta*). Maîtres et clercs s'engagent par serment à souscrire la somme fixée par leurs procureurs. L'argent recueilli, le représentant de l'Université se met en route. Alors le chancelier déclare excommunier tous les maîtres et tous les étudiants qui auront organisé ou payé la souscription. Ils ne seront même plus admis à se confesser.

L'émoi fut grand dans le personnel scolaire. L'Université supplie l'évêque de revenir sur une décision aussi rigoureuse. Les chanoines de Notre-Dame, le ministre de Philippe-Auguste, frère Guérin, joignent leurs instances à celles des universitaires. L'évêque et son chancelier restent inflexibles : ils suspendent des professeurs, incarcèrent des étudiants, si bien que l'Université riposte, à la fin, par une cessation générale des cours. « La voix de la science se tait à Paris, » écrit le pape Honorius III. Il est indigné (ce sont ses propres expressions) « qu'un officier de l'évêque attente à l'existence de la grande école parisienne et arrête le cours de ce fleuve de science qui, par ses multiples dérivations, arrose et féconde le terrain de l'Église universelle. » L'arrêt d'excommunication est cassé, l'ordre est donné au chancelier « et à ses complices » de venir se justifier à Rome.

Dès lors, les conflits se succèdent presque sans interruption. En 1220, Honorius avait transféré à l'évêché de Paris, contre la volonté de Philippe-Auguste, patron d'un autre candidat, l'évêque d'Auxerre, Guillaume de Seignelai. C'était un homme de combat qui, sur son premier siège, avait déjà soutenu une lutte des plus vives contre la Féodalité et contre le Roi. A Paris, il continua ; il eut avec Philippe-Auguste trois ou quatre démêlés. Pour un évêque de ce tempérament, la question universitaire se simplifiait : c'était la guerre déclarée aux maîtres et aux étudiants, l'appui sans réserve donné aux prétentions du chancelier. On s'aperçut que l'évêque Guillaume de Seignelai et le chancelier Philippe de Grève ne faisaient qu'un.

L'historien Guillaume le Breton affirme que l'évêque s'était rendu odieux au Roi et à l'Université tout entière. « Il se conduisit, dit-il, avec une telle malhonnêteté, que tous les professeurs de théologie et ceux des autres facultés cessèrent leur cours pendant six mois, ce qui le fit détester du Clergé, du peuple et de la Noblesse ». Mais l'annaliste de l'église d'Auxerre soutient vigoureusement Guillaume de Seignelai : « Il y avait parmi les écoliers parisiens de vrais bandits qui couraient en armes, la nuit, dans les rues, et commettaient impunément l'adultère, le rapt, le meurtre, le viol, les forfaits les plus honteux. Non seulement il n'y avait plus de sécurité pour l'Université, mais les bourgeois eux-mêmes ne vivaient plus tranquilles, le jour pas plus que la nuit. L'évêque sut débarrasser la ville de ces brigands ; les plus compromis furent, par ses soins, emprisonnés à perpétuité, les autres chassés de Paris, et tout rentra ainsi dans l'ordre. »

Entre ces deux appréciations contraires, où est la vérité? L'évêque de Paris représentait une cause très respectable, celle des bonnes mœurs. Le privilège de Philippe-Auguste était exorbitant. Mais Guillaume de Seignelai ne cédait-il pas aux suggestions de l'intérêt personnel? Dans une plainte adressée au pape Honorius, en avril 1221, il accuse les maîtres et les étudiants de former une conspiration permanente contre l'autorité du chancelier et la sienne. « Ils se sont fait fabriquer un sceau et se passent de celui de la chancellerie. Ils fixent arbitrairement la taxe des loyers, au mépris de l'ordonnance rendue, à ce sujet, par le Roi et acceptée par l'Université elle-même. Ils ont constitué un tribunal pour juger leurs procès, comme si la juridiction de l'évêque et du chancelier n'existait pas. »

DÉFAITE
DE L'ÉVÊQUE
DE PARIS.

Le règlement transactionnel de 1222, imposé aux partis par Honorius III, marqua le recul définitif de l'autorité épiscopale. Il annulait l'excommunication lancée contre les maîtres et les étudiants, et défendait à l'évêque d'incarcérer et de frapper d'amende les universitaires suspects ; on devait les admettre à donner caution : c'est l'*habeas corpus* de l'école de Paris. Interdiction à l'évêque, à l'official et au chancelier d'imposer aux licenciés un serment d'obéissance ou de fidélité quelconque. La prison construite par le chancelier sera démolie. Ni l'évêque ni ses officiers ne pourront infliger aux maîtres et aux écoliers une peine pécuniaire sous prétexte d'excommunication. Le chancelier ne donnera la maîtrise dans une faculté quelconque qu'aux candidats dont l'aptitude aura été attestée par leur professeur particulier et par un jury de professeurs élus *ad hoc*. Enfin l'évêque et ses officiers ne devront pas empêcher les maîtres admis à la licence par l'abbé de Sainte-Geneviève de commencer leur enseignement.

Cette dernière disposition révèle un fait capital dans l'histoi e de la corporation universitaire. Une grande partie des maîtres qui jusqu'alors habitaient la Cité autour de Notre-Dame, avaient passé le Petit-Pont et s'étaient établis sur le versant nord de la montagne Sainte-Geneviève. Ils étaient à l'étroit dans l'île, et puis ils voulaient s'éloigner de l'évêque, mettre la rivière entre eux et lui. Les maîtres ès arts, notamment, s'installèrent en nombre dans les rues du Fouarre, de la Bûcherie et de la Huchette, d'où ils émigrèrent sur toute la rive gauche. Mais l'abbé de Sainte-Geneviève, seigneur de ce territoire, avait, comme le chapitre de Notre-Dame, son autorité scolaire et le droit de créer des licenciés. L'Université lui demanda de faire concurrence au chancelier pour la collation des grades. L'exode hors de la Cité et la licence de Sainte-Geneviève affranchissaient la corporation.

En somme, les maîtres et les écoliers de Paris avaient réussi à se placer presque exclusivement dans la dépendance des papes. Cette évolution s'accomplit pendant le règne de Philippe-Auguste, mais, sauf l'acte unique de l'an 1200, tous les progrès de la corporation se sont réalisés en dehors du Roi. C'est le Saint-Siège qui a tout pouvoir sur les professeurs et les étudiants, sur les matières d'enseignement, comme sur le personnel chargé d'enseigner. Le Pape, et non pas le Roi ni l'évêque, règne sur l'Université.

CHAPITRE III

L'ÉGLISE MONASTIQUE

I. LA DÉCADENCE DES ORDRES RELIGIEUX. — II. DOMINIQUE ET LES FRÈRES PRÊCHEURS. — III. FRANÇOIS D'ASSISE ET LES PREMIÈRES MISSIONS FRANCISCAINES EN FRANCE. — IV. LA DIFFUSION DES ORDRES MENDIANTS.

I. — LA DÉCADENCE DES ORDRES RELIGIEUX [1]

DÉCADENCE
DE L'ORDRE
CISTERCIEN.

TROP riches et préoccupées d'intérêts matériels ou politiques, les congrégations religieuses, qui avaient été l'âme de la réforme ecclésiastique, n'étaient plus en état de remplir leur mission. L'ordre de Cîteaux lui-même, si admiré au XIIᵉ siècle pour la rigueur de sa discipline, était déchu. En 1191, son chapitre général est obligé de reconnaître « que la congrégation ne cesse d'acquérir, et que l'amour de la propriété y est devenu une plaie. » Il décrète donc qu'à partir de cette année tous les achats d'immeubles seront interdits, mais il fut obligé de renouveler cette défense en 1215, et, l'année d'après, elle était rayée des règlements. Les Cisterciens font même le commerce; ils vendent leur blé, leur vin au détail, dans des tavernes, aux portes des monastères; ils font même le gros négoce; ils vont aux foires, et l'ordre a ses vaisseaux de commerce sur les fleuves et les mers de l'Occident [2].

---

1. OUVRAGES A CONSULTER. Bruel, *Les Chapitres généraux de l'ordre de Cluny depuis le XIIIᵉ siècle jusqu'au XVIIᵉ*, dans la Bibliothèque de l'Ecole des Chartes, t. XXXIV. D'Arbois de Jubainville, *Etudes sur l'état intérieur des abbayes cisterciennes et principalement de Clairvaux, aux XIIᵉ et XIIIᵉ siècles*, 1858. San Marte et J.-F. Wolfart, édition de Guyot de Provins, dans les *Parcival Studien*, t. I, 1861. Otto Klein, édition des poésies du Moine de Montaudon, 1885.
2. S'il est des monastères trop riches, on constate que d'autres n'ont pas de quoi vivre et s'endettent. En 1196, l'abbaye de Saint-Bénigne de Dijon empruntait au Juif Valin une somme de 1 700 livres, au taux de 65 pour 100, et restait onze ans sans pouvoir se libérer. On connaît cette légende symbolique rapportée par Césaire d'Heisterbach : l'argent d'un usurier mis dans un coffre avec celui d'une abbaye, et le dévorant peu à peu, de sorte qu'à bref délai, de l'avoir des moines on ne trouva plus un denier.

L'Église monastique.

Même ceux qui paraissaient le plus zélés à observer la règle étaient gagnés par la contagion. Un chroniqueur cistercien qui vivait au temps de Philippe-Auguste, Césaire d'Heisterbach, raconte qu'un prieur, qui avait eu de son vivant une réputation d'austérité, apparut à une servante de Dieu, nommée Azeline. Son visage était pâle et décharné, sa robe sale et misérable : « J'ai subi, dit-il à Azeline, de grands supplices; mais, grâce à un frère qui m'a donné une très utile assistance, je serai délivré à la prochaine fête de la Vierge. » Azeline reprit tout étonnée : « Nous vous considérions comme un saint. » Il répondit : « Dieu n'a puni qu'une chose en moi, c'est que je me suis trop occupé d'augmenter les possessions du monastère. Le vice m'avait séduit sous les apparences de la vertu. »

Le moine du temps de Philippe-Auguste ne vit plus aussi enfermé dans son cloître. On le trouve dans tous les mondes et sur toutes les routes. « Quelle est la rue, la place, le carrefour où l'on ne voit pas des moines à cheval? » demande Philippe d'Harvengt, abbé de Bonne-Espérance. « Quelqu'un peut-il maintenant sortir de sa maison sans tomber sur un moine? Y-a-t-il une fête, une foire, un marché où les moines ne paraissent pas? On en voit dans tous les tournois et dans toutes les batailles. Les moines affluent partout où les chevaliers se rassemblent pour se battre. Que font-ils au milieu du choc des boucliers et du fracas des lances furieuses? Et pourquoi les autorise-t-on ainsi à sortir et à chevaucher? » Les chroniques et les correspondances montrent en effet les moines employés dans la politique et les affaires. Dans les chansons de geste, ils soignent les malades, ensevelissent les morts, et portent les messages des chefs féodaux.

L'acedia, ce spleen incurable, cette consomption mystique que réprouvent tous les prédicateurs, n'est qu'un désir passionné de quitter la prison monastique, de vivre au grand air, en liberté, au milieu du peuple qui agit et qui parle. L'Église prend les précautions les plus sévères pour retenir le moine à l'abbaye, mais règlements et anathèmes n'y peuvent rien. Tous les prétextes sont bons au moine pour s'évader : maladie qui oblige à retourner au pays natal, délégation auprès d'un prince, nécessité de traiter les affaires de l'abbaye en cour de Rome, voyage d'études aux grandes écoles, et surtout à Paris. Et beaucoup, sous prétexte d'aller à Rome en pèlerinage, faisaient, pour vivre, tous les métiers.

Le prieur de Montaudon était un noble de la famille des châtelains de Vic-sur-Cère, en Auvergne. Son père l'avait enfermé, tout jeune, dans l'abbaye voisine de Saint-Géraud d'Aurillac; l'abbé lui confia le prieuré de Montaudon. Mais ce moine était un poète d'un esprit original et mordant; les châtelains de la région se le dispu-

LE MOINE HORS DU COUVENT.

LE PRIEUR DE MONTAUDON.

tèrent, et sa renommée dépassa l'Auvergne. Il menait la vie des troubadours tout en gardant l'habit religieux, et courut de château en
château, prenant sa part de toutes les fêtes chevaleresques. Il visita
ainsi, s'il faut l'en croire, tout le midi de la France et même l'Espagne.
L'abbé d'Aurillac tolérait-il cette existence peu canonique parce que
le moine de Montaudon revenait de temps à autre dans son prieuré
où il rapportait tous les cadeaux dont on le comblait? A la fin, il
obtint le prieuré de Villafranca, en Roussillon, sur la terre de son ami
le roi d'Aragon, Alphonse II. « Celui-ci, dit la biographie provençale,
ordonna au moine de manger de la viande, de fêter les dames, de
chanter et de faire des vers. »

    Le prieur ne croyait pas même compromettre son salut par la
vie qu'il menait : « L'autre jour, conte-t-il dans une de ses poésies,
je fus en paradis, parce que je suis gai et joyeux, et que j'aime beaucoup le bon Dieu à qui tout obéit, la terre, la mer, la vallée et la
montagne. Et Dieu me dit : « Moine, pourquoi viens-tu ici? Et comment te portes-tu à Montaudon, là où tu as nombreuse compagnie?
— Seigneur, je suis resté au cloître un an ou deux, ce qui m'a valu
de perdre l'amitié des barons; mais vous êtes le seul que j'aime et
que je veuille servir. — Moine, répond Dieu, ne crois pas que tu me
fasses plaisir, en t'enfermant dans l'abbaye; pourquoi cesser guerres
et tensons? J'aime mieux te voir chanter et rire. Les princes en sont
plus généreux, et le prieuré de Montaudon ne peut qu'y gagner. »

LES ABBÉS
BATISSEURS.
    En ce temps là, on est bon abbé, loué par les chroniqueurs, si
l'on a augmenté les propriétés de l'abbaye et réparé ou construit des
bâtiments. Comme les évêques, les chefs d'abbayes ont la passion
de la bâtisse. Au sud de la Loire, le style roman produit encore deux
belles églises abbatiales : Saint-Julien de Brioude et Sainte-Croix de
Bordeaux; mais la plupart, au nord, l'abbaye du Val, l'église de
Longpont (Aisne), le chœur de Montier-en-Der, l'église Saint-Yved
de Braisne, celle de Saint-Pierre-le-Vif de Sens, l'abbaye d'Ourscamp,
l'église de l'abbaye de Saint-Mathieu-du-Finistère et la « Merveille »
du Mont-Saint-Michel sont du style ogival.

LE MONT-
SAINT-MICHEL
ET LA MERVEILLE.
    Cette dernière construction, due aux quatre abbés Robert de
Torigni, Jourdain, Raoul des Iles et Thomas des Chambres, contemporains de Philippe-Auguste et de Louis VIII, est le chef-d'œuvre de
l'art monastique. Elle se compose de deux corps de bâtiments à
plusieurs étages. A l'Ouest, le cellier (1204-1212), que surmonte la
splendide salle capitulaire, dite des « Chevaliers » (1215-1220), avec ses
quatre nefs sur croisées d'ogives et clefs sculptées, ses colonnes terminées par de riches chapiteaux et ses deux cheminées aux larges
manteaux en pyramide et, au-dessus, le cloître, terminé seulement à

la fin du règne de saint Louis, un des bijoux de l'art gothique, où tout est fait pour charmer : l'élégance des arcatures et des colonnettes disposées sur deux rangs, et la richesse infiniment variée des sculptures qui courent le long des galeries. A l'Est, l'aumônerie (1204-1212), et surtout le réfectoire (achevé en 1218), si imposant par sa double nef, ses neuf larges fenêtres et ses hautes voûtes reposant sur des colonnes sobrement ornées et très sveltes. Tout cet ensemble de bâtiments placé en haut d'un rocher inaccessible s'appuie sur un mur d'une hardiesse singulière, long de 70 mètres, élevé de 40 à 50. C'est que cette abbaye est une forteresse qui témoigne encore de la rudesse des mœurs et de la turbulence du milieu.

Il en est de même de l'église des moines noirs de Saint-Victor de Marseille, rebâtie en 1200. Avec ses deux tours semblables à des donjons, son porche et son mur formés d'énormes blocs non cimentés et d'aspect pélasgique, les quatre épais contreforts de son abside polygonale, ses fenêtres rares et haut placées, elle est faite pour soutenir des sièges. L'histoire des moines de Saint-Victor est en effet remplie de guerres et de combats avec les bourgeois de la ville et les comtes et les châtelains de la région. *SAINT-VICTOR DE MARSEILLE.*

Un mal incurable travaille le monde monastique : la discorde. Désobéissances, rébellions ouvertes, luttes intestines, sévissent dans ces maisons de paix et de prière.

En 1212, l'abbé de Cluni ordonne à un membre de son ordre, qui vivait scandaleusement, Geoffroi de Donzi, prieur de la Charité, de se rendre au chapitre général. Geoffroi refuse et envoie à l'abbé un moine qui déclare que son prieur en appelle au Pape. L'abbé prend le parti d'aller lui-même à la Charité, pour faire rentrer les religieux dans le devoir. A peine a-t-il franchi le seuil du prieuré avec sa suite, qu'il est accueilli par une grêle de pierres lancées du clocher. Son cheval est grièvement blessé et lui-même, à moitié lapidé, « tremblant de tous ses membres et livide, » dit la lettre d'Innocent III qui raconte cet incident, dut se réfugier chez un bourgeois. Des soldats aux gages du prieur occupent toutes les parties élevées des bâtiments du prieuré ; on organise des patrouilles et l'on ferme les portes de la ville. Il fallut parlementer avec les rebelles. *LUTTE ENTRE CLUNI ET LA CHARITÉ.*

Une entrevue eut lieu, à l'une des portes, entre les représentants du chapitre général et Geoffroi de Donzi, qui apparut entouré de moines portant d'énormes bâtons. Le prieur déclare qu'il n'a cure du chapitre et de ses corrections. « Il n'est tenu de répondre, en matière spirituelle, qu'au Pape, et, en matière temporelle, qu'au comte de Nevers, sous la garde de qui son prieuré est placé. Il n'acceptera aucune proposition de paix ou d'accord tant que l'abbé n'aura pas quitté la ville. » Le chapitre l'excommunie avec tous ses complices, le révoque de ses fonctions et le remplace par un moine de Cluni. Mais, pour exécuter ces mesures, il fut nécessaire d'avoir recours à Philippe-Auguste, qui obligea le comte de Nevers à forcer l'entrée du prieuré.

CONSPIRATIONS MONASTIQUES.

Dans les statuts du chapitre général de Cîteaux il est souvent question des conspirations formées par les moines contre leurs abbés. Le chapitre de 1183 assimile les conspirateurs aux voleurs et aux incendiaires, et les déclare passibles de l'excommunication. Celui de 1191 décide que les meneurs seront expulsés de l'abbaye et transférés dans un autre établissement de l'ordre, où ils recevront chaque semaine la discipline et seront mis, un jour entier, au pain et à l'eau. Le chef de la congrégation de Saint-Victor de Marseille avait aussi la plus grande peine à retenir sous sa domination les abbayes d'ordre inférieur ou les prieurés, toujours disposés à s'y soustraire. Les rébellions étaient si fréquentes qu'en 1218 on obligea tout moine chargé de l'administration d'un prieuré à prêter le serment suivant : « Je jure sur les saints Évangiles de Dieu entre vos mains, seigneur abbé, que, dès aujourd'hui, je serai fidèle et obéissant à vous et à vos successeurs, les abbés de Saint-Victor, et que je remplirai en toute fidélité la fonction que je reçois de vous. Toutes les fois qu'il vous plaira, sur l'avis des anciens du monastère, de m'enlever mon poste, je jure de n'y contredire en rien et de remettre entre vos mains, sans protestation ni résistance, le prieuré avec tout ce qui en dépend. »

TRAGÉDIES.

Les tragédies même ne manquent pas. En 1186, l'abbé de Trois-Fontaines, de l'ordre de Cîteaux, est assassiné par un moine. En 1210, les chanoines de Salles, près de Rochechouart, égorgent leur prieur au moment où il se levait pour chanter matines. La même année, l'abbé de Fontgombault est empoisonné. En 1216, un moine de l'abbaye de Déols est tué par un de ses frères. L'histoire des abbés de Saint-Viton de Verdun, à la fin du xiie siècle, n'est qu'une série de révoltes et d'abdications forcées; celle de l'abbaye de Sénones, criblée de dettes, n'est guère plus édifiante. A Tulle, en 1210, les moines sont partagés en deux factions, qui élisent chacune leur abbé, et la guerre amène la destruction du monastère. Peu s'en fallut qu'à Saint-Martial de Limoges, où, en 1216, trois abbés se disputaient la crosse, la même catastrophe n'arrivât. Mais le plus retentissant de tous les scandales fut la guerre civile qui éclata dans l'ordre de Grandmont, et dura près de soixante-dix ans.

LE SCANDALE DE GRANDMONT.

Grandmont présentait alors cette singularité d'être une congrégation religieuse dirigée et gouvernée au temporel par un corps vingt fois plus nombreux de convers ou d'administrateurs laïques. Les convers disposaient de l'argent, des domaines et de l'autorité. Or, en 1185, lors de l'élection du prieur général, les moines eurent leur candidat et les convers un autre; un schisme se produisit qui troubla toutes les maisons de l'ordre. Les frères laïques enfermèrent les moines dans leurs cellules et les accablèrent de mauvais traitements. « Ils jettent sur nous leurs mains violentes, écrivaient les moines à Innocent III (1214), menacent de nous fendre la cervelle si nous essayons de résister en quoi que ce soit à leurs caprices et jettent des choses sales dans notre manger, *cibos nostros coinquinant.* » Philippe-Auguste intervint deux fois, inutilement, entre ces frères ennemis (1188 et 1190). Innocent III n'eut pas plus de succès. Les troubles se prolongèrent jusqu'au milieu du xiiie siècle. La décadence des anciens ordres religieux, déplorée de toutes les âmes croyantes, n'avait jamais fourni pareil aliment à la satire.

C'est le moment où Guyot de Provins écrit sa *Bible* : elle est dirigée surtout contre les moines de toutes couleurs, et aucun ordre ne trouve grâce devant la critique malicieuse de ce Bénédictin. Les moines noirs de Cluni? Leurs abbés sont de mauvais administrateurs qui exploitent les prieurés jusqu'à les ruiner. « Ils ont installé dans le cloître trois vieilles, laides, sales et cruelles : la trahison, l'hypocrisie, la simonie. » L'ordre blanc de Cîteaux? On n'y trouve point de fraternité. Les Cisterciens n'ont aucune pitié les uns pour les autres ; ils ne songent qu'à gagner terre et argent. « Ils convoitent tout ce qu'ils voient et font peur aux pauvres gens, qu'ils réduisent à la mendicité. Chez eux les simples moines vivent durement, mais les dignitaires se traitent bien. A eux l'argent, la viande, les gros poissons. Ils ont double infirmerie. Ils boivent les vins clairs et envoient les troubles au réfectoire. » A Grandmont, les moines bavardent au dortoir, à l'église, au cloître; « on leur sert de beaux poissons, des sauces chaudes et de fortes épices. Au coucher, ils se font bien laver et tressent leurs barbes avec soin pour qu'elles soient belles et luisantes le jour où ils voient du monde. » Et puis, ces convers qui battent les vrais moines! « C'est la charrue devant les bœufs. »

Les chanoines blancs de Prémontré? un ordre en décomposition; les moines y frappent leurs abbés : ils avaient de grands biens qu'ils sont en train de perdre; criblés de dettes, ils ne font que vendre et mettre en gages. « Ce que je dis d'eux, ajoute le poète, ne peut leur faire du mal : ils s'entendent mieux que personne à se détruire eux-mêmes. » Les Templiers, avec leurs manteaux blancs où brille la croix, sont de vaillants chevaliers : ils tiennent bien leurs maisons et rendent bonne justice; mais ils ont deux vices, convoitise et orgueil, dont on les blâme fort. Les Hospitaliers (que Guyot a vus à Jérusalem) ont oublié leur nom : bien que très riches ils ne donnent plus l'hospitalité et ignorent la charité. Enfin les frères convers de Saint-Antoine sont des truands, des charlatans. Voyez-les quêtant partout pour leurs hôpitaux, avec une cloche pendue au cou de leur cheval, depuis l'Écosse jusqu'à Antioche. De tout ce qu'ils recueillent, pas un sou ne revient aux églises. Ils font le commerce et l'usure; ils ont femmes et enfants. « Ces moines marient fort bien leurs filles, mais de saint Antoine, ils ne se soucient pas plus que de deux billes. »

La conclusion de Guyot de Provins, c'est que les œuvres de la vie religieuse n'ont pas de valeur, si elles ne sont accompagnées de pitié et de charité. « Une congrégation est faite de charité, et de charité doit être pleine. Un moine peut souffrir grand'peine, lire, chanter, travailler, jeûner; s'il n'a charité en soi, rien ne lui compte, à mon avis. Il est comme une maison vide où les araignées tissent leur toile, mais détruisent vite ce qu'elles ont filé. Chanter et jeûner n'est pas ce qui sauve l'âme, mais bien la charité et la foi. »

Des esprits chrétiens devaient donc rêver un autre idéal de vie monastique, une forme plus intelligente et plus morale de perfection religieuse? Demander aux moines, avant tout, la foi et la charité, n'est-ce pas dire que les temps sont venus pour une réforme radicale et décisive de l'Église régulière? Elle sera l'œuvre de saint Dominique et de saint François.

II. — DOMINIQUE ET LES FRÈRES PRÊCHEURS [1]

NOUS avons vu l'Espagnol Dominique, chanoine d'Osma, entreprendre la prédication et la conversion des hérétiques du Languedoc. Le futur fondateur de l'ordre qui devait créer l'Inquisition et fournir les inquisiteurs à toute l'Europe crut, avec quelques hommes de bien, qu'il suffirait, pour avoir raison de l'hérésie, de se présenter devant les hérétiques en apôtres du Christ, pauvre, pieds nus, avec la besace du mendiant et le bâton à la main, de discuter avec eux, et de les amener, par la puissance de la vertu et de la parole, à abjurer leurs fausses doctrines.

A Béziers, à Carcassonne, à Montréal, à Fanjeaux, à Pamiers, au cœur même de la région la mieux gagnée à l'hérésie, Dominique et ses compagnons, pendant les trois années qui précèdent la terrible

1. OUVRAGES A CONSULTER. Chapotin, *Histoire des Dominicains de la province de France,* 1898. Balme et Lelaidier, *Cartulaire de saint Dominique,* 1894. Reichert, *Monumenta ordinis Fratrum Predicatorum historica,* en cours de publication depuis 1896.

guerre (1205-1208), ont, avec les chefs des hérétiques, des conférences doctrinales. Ils dissertent sur les textes évangéliques, devant un tribunal d'arbitres composé de laïques nobles et bourgeois, et devant le populaire accouru en masse. Ce fait, attesté par des témoignages irrécusables, prouve à la fois le courage de Dominique et la tolérance des Albigeois. Il jette un jour curieux sur l'état d'âme de ces populations du Midi, où hérétiques, catholiques et Juifs s'entremêlaient et se coudoyaient sans trop de haine. Ce n'est pas dans les domaines de Philippe-Auguste et des hauts barons du Nord, que des catholiques auraient discuté avec l'hérétique, au lieu de le brûler. Le pape Innocent III patronna les efforts généreux de Dominique et de ses acolytes, mais il est à croire qu'il ne faisait pas grand fonds sur le résultat.

Il arriva ce qui était fatal : les conférences contradictoires n'aboutirent qu'à confirmer chacun des partis dans son opinion. Les arbitres ou bien refusèrent de se prononcer, ou bien se prononcèrent en faveur des Albigeois, vers qui ils inclinaient secrètement. Les catholiques faisaient grand bruit de quelques conversions obtenues par les prédicateurs et des miracles de Dominique, preuves de sa mission divine. « Cependant, dit l'historien Pierre de Vaux-Cernai, les hérétiques, malgré ces prodiges réitérés, ne se convertirent pas. » Les conférences du Languedoc n'empêchèrent pas plus la guerre des Albigeois que le colloque de Poissi, au XVIᵉ siècle, n'empêchera les guerres de religion.

En 1208, après le meurtre de Pierre de Castelnau, commence la croisade qui, huit années durant, poursuivra son œuvre. Dominique ne pouvait arrêter cette guerre qu'il aurait voulu prévenir. Il fut l'ami de Montfort, et accepta de lui, pour un monastère qu'il avait fondé, les dépouilles des vaincus. A Muret, pendant la bataille, il se tenait avec les évêques et les alliés dans l'église : « Tous chantaient à haute voix, dit l'historien Bernard Gui, le *Veni Creator*, et ils répétaient avec ardeur ce cri : « Seigneur, repousse l'ennemi et « donne-nous aussitôt la paix! » et en criant et en chantant ainsi ils poussaient de telles clameurs qu'ils semblaient plutôt rugir que prier. »

DOMINIQUE ET SIMON DE MONTFORT.

Cependant Dominique continuait son apostolat, en s'attachant surtout à convertir les femmes, selon l'habitude et la tradition de l'Église. Dès l'année 1206, il avait fondé à Prouille, près de Fanjeaux, une communauté pour servir de refuge aux femmes hérétiques converties et aux filles des nobles languedociens morts ou ruinés. Jusque-là, ces enfants avaient été recueillies dans des communautés albigeoises où on leur enseignait la mauvaise doctrine. Il fallait les

LE COUVENT DE PROUILLE.

reprendre à l'hérésie, et faire d'elles de ferventes auxiliaires de la foi [1].

Pendant que Dominique parcourt le Languedoc en prêchant, les miracles ne cessent pas. Le saint a perdu l'habitude de dormir, il jeûne au pain et à l'eau, et il n'en paraît que plus frais et mieux portant : *pulchrior et pinguior apparebat.* Sur la route de Montréal à Carcassonne, il commençait sa prédication; un orage éclate : « Ne vous éloignez pas, crie le bienheureux à ses auditeurs, » et d'un signe de croix, il apaise l'orage. Plus tard, on érigea, en cet endroit, un petit oratoire, et l'on constata qu'autour il ne tombait jamais ni pluie, ni grêle. Aujourd'hui encore, dit-on, en temps d'orage, les gens des environs accourent à l'oratoire et s'y tiennent à genoux.

Bientôt Dominique conçut l'idée d'étendre son apostolat hors du Languedoc, hors de la France même, parmi toutes les nations chrétiennes. En 1216, il réunit à Prouille les premiers frères qui vont constituer la congrégation des Prêcheurs : la liste est cosmopolite, comme le voulait l'œuvre à entreprendre; on y voit un Français, un Provençal, deux Toulousains, six Espagnols, un Navarrais, un Anglais, un Lorrain, un Normand. Il est décidé, dans cette première assemblée, que la règle de l'ordre sera celle des chanoines réguliers de Saint-Augustin telle qu'elle est établie à Prémontré, sauf les différences nécessitées par la mission même des frères, qui, au lieu de rester enfermés dans un cloître, ont pour devoir de prêcher et d'enseigner.

A la fin de l'année 1216, Dominique est à Rome, où il prêche et enseigne dans le palais apostolique et dans la ville. Il lit et interprète les épîtres de saint Paul et l'Apocalypse, et obtient d'Honorius III la bulle du 22 décembre 1216 qui confirmait solennellement l'ordre canonial fondé par lui. Puis il rentre en France. Le 15 août 1217, à Prouille, nouveau Christ, il dit à ses disciples : « Allez dans le monde entier, et prêchez l'Évangile à toute créature. » Et la dispersion s'opère. Deux frères restent pour diriger la maison de Toulouse : deux autres pour garder celle de Prouille; quatre Espagnols partent pour l'Espagne; lui-même, Dominique, avec un autre frère, repren-

---

1. C'était une congrégation de femmes cloîtrées, assujetties au silence, à la prière et au travail des mains, la création n'avait rien de particulièrement original. Devenu chef d'ordre, Dominique fit comme tous les chefs d'ordre : voulant la pauvreté pour lui-même, par esprit de mortification et pour donner l'exemple, il ne la voulut pas tout d'abord pour sa communauté. Au contraire, de 1208 à 1216, il reçut au nom des religieuses de Prouille un grand nombre de donations en revenus, en dîmes et même en terres, en vignes, en immeubles de toutes espèces : et non seulement il accepte les dons, mais il fait des achats. Il suffit de parcourir le *Cartulaire de Prouille* et le *Cartulaire de saint Dominique* des PP. Balme et Lelaidier, où toutes ces opérations sont énumérées avec soin, pour se convaincre que la règle de la pauvreté collective n'est pas encore dans la pensée du fondateur. Dominique reçoit de toutes mains.

dra le chemin de Bologne, enfin sept autres frères partiront pour
Paris. Les universités de Paris et de Bologne faisaient de ces deux
villes les capitales intellectuelles de l'Europe, un ordre fondé pour la
prédication et l'enseignement devait chercher le moyen d'y agir pour
le plus grand bien de la Chrétienté. Dès l'année 1220, le chapitre
général décidait que les grandes assemblées annuelles de l'ordre se
tiendraient alternativement à Bologne et à Paris. Cette règle d'alternance devait être observée jusqu'au milieu du xiiie siècle. Cependant,
du temps de Philippe-Auguste, deux chapitres généraux furent tenus
à Paris, en 1222 et 1223.

Cet exode des frères de Saint-Dominique étonna les catholiques
du Languedoc, qui voulurent le retenir sur le champ de bataille,
encore disputé par l'hérésie. Mais Dominique se contenta de leur
répondre : « N'y contredisez pas, je sais bien ce que je fais. » Et à ses
frères, qui doutaient du succès de l'entreprise, il disait : « Ne craignez rien, tout vous réussira à souhait. » L'un d'eux cependant,
frère Jean de Navarre, ne voulait pas partir sans argent pour le long
voyage de Paris. « Allez, lui dit Dominique, comme les disciples du
Christ, sans porter ni or ni argent, confiez-vous dans le Seigneur :
rien ne manquera à qui craint Dieu. » Le frère insistant, Dominique se jette à ses pieds, pleure, et enfin ordonne qu'on remette
aux partants la modique somme de douze deniers.

Dans ses paroles, dans sa conduite, il s'inspirait des paroles et des
grandes scènes de l'Évangile. Il imitait Jésus-Christ. Aussi l'acte
de 1217 est-il enveloppé de merveilleux. On conta qu'une vision avait
inspiré Dominique. Il priait une nuit à Rome, dans la basilique de Saint-
Pierre, quand lui apparurent les deux apôtres, Pierre et Paul. Pierre
lui remit un bâton, Paul, un livre : « Va prêcher, lui dirent-ils, puisque
Dieu t'a donné cette mission. » Au même moment, il aperçut les
frères de son ordre dispersés par tout l'univers, marchant deux à
deux et prêchant la parole du Christ. » C'est cette vision qu'a repro-
duite l'admirable fresque de Fra Angelico. Le miracle accompagne
les Prêcheurs envoyés au loin par Dominique. Un frère de la mission
de Paris, Laurent, un Anglais, a eu la révélation de la grande fortune qui attendait les frères dans Paris ; il a vu les maisons qu'ils
habiteraient, et compté les novices qu'ils recevraient.

*IMITATION
DE L'ÉVANGILE.*

De 1217 à 1221, la fondation dominicaine se développe rapidement, régulièrement, en gardant les caractères qui lui ont été assignés
dès le début.

*CARACTÈRES
DE LA FONDATION
DOMINICAINE.*

Cet ordre des Prêcheurs est un instrument de la puissance apostolique. Honorius III confirme, protège l'institution nouvelle et mul-

tiplie en sa faveur les concessions de privilèges et les donations. Dominique accepte avec empressement l'investiture pontificale. En s'appuyant sur la puissance à qui appartenait déjà le gouvernement général des âmes chrétiennes, il donnait ainsi à son œuvre le caractère d'universalité qui devait en garantir le succès.

Voué à l'enseignement et à la science, l'ordre est une congrégation d'intellectuels. Dominique prend possession de la grande école de Bologne, y recrute des docteurs et des lettrés, et donne pour chef à son couvent bolonais un des plus savants théologiens de France, maître Renaud, doyen de Saint-Aignan d'Orléans. A Milan, où il va prêcher, il recrute trois jurisconsultes distingués. La mission parisienne, les sept disciples délégués sous la direction du frère Mathieu de France, arrivent à Paris au commencement de 1217. Ils louent d'abord une petite maison entre le palais de l'évêque et l'Hôtel-Dieu, à droite du Petit-Pont; puis, grâce à la libéralité d'un professeur de l'Université, Jean de Barastre, ils s'établissent dans une maison appelée l'Hôtel-Dieu de Saint-Jacques, rue Saint-Jacques, en face de l'église Saint-Étienne des Grès, en terrain universitaire. Bientôt l'ordre des Prêcheurs et l'Université se pénètrent intimement. Peu d'années après la mort de Philippe-Auguste, un grand nombre d'universitaires sont affiliés à l'Ordre, et Jourdain, le successeur de Dominique, appelle de ses vœux et prévoit « le moment où tous les membres de l'Université seront Dominicains. »

La pauvreté enfin demeure un des caractères essentiels de l'institut des Frères Prêcheurs. Au début, Dominique n'avait pas renoncé à la propriété collective pour son ordre, mais ses relations personnelles avec François d'Assise, l'adorateur de la pauvreté, changèrent ses idées. Ces deux hommes se sont connus, estimés, aimés. S'il n'est pas vrai, comme a prétendu le dominicain Barthélemi de Trente, que l'intimité ait été telle entre eux qu'ils n'avaient plus qu'une seule pensée et un seul vouloir, il paraît bien que Dominique, ayant vu à Rome et en Italie le résultat extraordinaire obtenu par la prédication de François d'Assise, s'est modelé sur lui. Dominique déclare, à Bologne, que ses frères « mendieront pour vivre. »

PREMIERS COUVENTS DOMINICAINS EN FRANCE.

En France, les Prêcheurs s'établissent peu à peu dans toutes les provinces, à Reims en 1219, à Metz en 1221, à Limoges dès 1219, à Poitiers dès 1220, à Lyon, berceau de l'hérésie vaudoise, dès 1218 : ici, c'est hors des murs qu'ils demeurèrent, au sommet de la colline de Saint-Just. On les voit enfin, dès 1221 et 1222, à Montpellier et à Bayonne. Lorsque Dominique mourut, le 6 août 1221, la famille dominicaine comptait, en Europe, plus de soixante couvents.

III. — *FRANÇOIS D'ASSISE ET LES PREMIÈRES MISSIONS FRANCISCAINES EN FRANCE* [1]

L E réformateur d'Assise, l'auteur du *Cantique au soleil*, celui qui embrassait dans sa charité universelle les hommes, les bêtes et la nature, a résumé toute sa doctrine dans ces quelques mots : « Si tu veux arriver à la perfection, va, vends tout ce que tu possèdes et donne-le aux pauvres. » L'ordre franciscain, à ses débuts, ne fut qu'une confrérie de pénitents, voués à la pauvreté et au service des misérables. Pour y entrer, il n'était besoin d'être ni clerc ni moine : la première règle des « Mineurs, » approuvée en 1210 par Innocent III, ne comprenait que quelques versets de l'Évangile.

Comme aujourd'hui les mendiants de l'Ombrie, les Franciscains, allant au gré de leur fantaisie, couchaient dans les greniers à foin, dans les hospices de lépreux, ou sous le porche des églises : « Bien des gens, dit la légende primitive, prenaient les frères pour des coquins ou des fous, et refusaient de les recevoir dans leurs maisons de peur d'être volés... ; on les attaquait, on les injuriait, allant parfois jusqu'à leur arracher leurs vêtements. Il y avait des personnes qui leur jetaient de la boue, d'autres leur mettaient des dés dans la main et les invitaient à jouer ; d'autres, se suspendant à leur capuchon, se faisaient traîner. » La règle de 1221, beaucoup plus développée que celle de 1210, n'est pas encore, à proprement parler, une règle monastique, c'est plutôt une série de prières et d'exhortations spirituelles. L'ordre franciscain n'est vraiment organisé que par la règle de 1223, après des conférences que François d'Assise et ses disciples eurent avec le cardinal Hugolin, premier ministre du pape Honorius III.

LES PREMIERS FRANCISCAINS.

A cette date, le nombre des Franciscains d'Italie était devenu assez considérable pour que saint François pût instituer de grandes missions dans les pays d'Europe et même d'Orient, et les confier à des ministres provinciaux. Il voulait se réserver la France. Il avait une prédilection pour notre pays. Son père, le marchand Bernadone, y venait pour affaires ; c'est en souvenir de la France qu'il avait donné à son fils le nom de François. L'enfant apprit le français, alors langue littéraire presque universelle, langue de la poésie surtout ; et il conserva toujours un goût très vif pour notre littérature, comme le

SAINT FRANÇOIS ET LA FRANCE.

1. OUVRAGES A CONSULTER. Wadding, *Annales Ordinis Minorum*, 1731-1860. Paul Sabatier, *Vie de saint François d'Assise*, 1894. Beaudoin, *Saint François d'Assise*, 1894, dans les Annales de Grenoble. K. Muller, *Die Anfänge des Minoriter-Ordens*, 1885. Thode, *Franz von Assisi und die Anfänge der Kunst der Renaissance in Italien*, 1885. Gapp, *Der heilige Franciscus von Assisi und die soziale Frage*, 1898. Ratzinger, *Die soziale Bedeutung des heiligen Franziskus*, dans les Forschungen zur bayr. Gesch., 1897.

prouvent, dans ses écrits, les allusions aux chansons de geste. Peut-on dire, avec son dernier biographe [1], que François d'Assise dut à la terre de France « les songes chevaleresques de son adolescence, et tout ce qui, dans sa vie, était poésie, chant, musique, rêve délicieux? » Mais il n'y a pas dans tout le cycle des chansons de geste ni dans toute l'école des troubadours une seule page qui décèle, au même degré, cet amour profond de la nature où François puisait son inspiration. Il doit bien plutôt le charme de son génie à l'harmonieuse terre ensoleillée où il est né et qu'il aimait tant. S'il voulut aller en France, c'est surtout parce que c'était là que florissait l'amour de la très sainte Eucharistie : *quod magna tunc ibidem vigeret reverentia sanctissime Eucharistie.* La France était, par ses églises, ses reliques, ses monastères et son innombrable clergé, le pays chrétien par excellence.

Il ne put donner suite à son projet. « Je ne veux pas, mon frère, lui dit le cardinal Hugolin, que tu ailles au delà des monts. Il y a beaucoup de prélats qui ne demandent qu'à te créer des difficultés en cour de Rome. Mais moi et les autres cardinaux qui aimons ton ordre, nous désirons te protéger et t'aider, à la condition cependant que tu ne t'éloignes pas de cette province. » — « Monseigneur, répondit François, c'est une grande confusion pour moi d'envoyer mes frères au loin et de rester paresseusement ici, sans partager toutes les tribulations qu'ils vont subir. » — « Pourquoi aussi, reprend le cardinal, as-tu envoyé tes frères si loin et les as-tu exposés ainsi à mourir de faim, et à toutes sortes de périls? » — « Pensez-vous, réplique François, que ce soit seulement pour ces pays-ci que Dieu ait suscités les frères? En vérité, je vous le dis, Dieu les a suscités pour le réveil et le salut de tous les hommes, et ils gagneront des âmes non seulement dans le pays des croyants, mais jusqu'au milieu des infidèles. »

LA MISSION FRANÇAISE D'AQUITAINE.

François cependant resta en Italie, mais il constitua la mission française (1219). Un poète converti, Pacifique, et frère Agnello de Pise, allèrent s'établir près de Paris d'où ils devaient rayonner sur toute la France capétienne, sur l'Angleterre et les pays belges. Frère Christophe de la Romagne, Jean Bonello et Monildo de Florence, et plusieurs autres disciples formèrent la mission de Provence et de Gascogne.

Ces premiers apôtres du territoire français vivaient encore sous la règle de 1210 et restèrent fidèles, pendant quelques années au moins (c'est-à-dire peut-être pendant toute la fin du règne de Philippe-Auguste), à la pensée, aux préceptes et à l'exemple du maître.

1. M. Paul Sabatier.

Avant même que la mission du Midi fût partie, le Ciel lui avait marqué sa protection, dit la légende. Le jour même où elle devait se mettre en route, saint François l'ayant réunie pour lui donner ses instructions, il ne se trouva que trois pains pour nourrir l'assistance, mais Dieu y pourvut : les missionnaires, qui étaient plus de trente, furent largement rassasiés, et ils laissèrent même des restes. Arrivés en Aquitaine, les frères vécurent en mendiants. « Pendant nombre de jours, ils souffrirent de la faim et du froid. Comme ils étaient étrangers et qu'on ne savait à quoi s'en tenir sur eux, on les repoussa d'abord brutalement de partout. Par les nuits les plus mauvaises, ils allaient faire leurs prières dans les églises, si on leur permettait d'entrer, ou dans les chapelles abandonnées, dans les ermitages. Ils allaient avec ceux qui les invitaient à dîner : si on ne les invitait pas, ils mendiaient de porte en porte. Après dîner, ils allaient offrir leurs services dans les hôpitaux, se donnant plus particulièrement pour les serviteurs des lépreux, dont ils faisaient les lits et soignaient les ulcères. Frère Christophe lui-même, le chef de la mission, travaillait de ses mains et couchait dans une étroite cabane faite de branchages et de terre glaise. »

C'est en 1219 ou 1220 que la mission du frère Pacifique paraît s'être établie près de Paris, à Saint-Denis. Mais ces franciscains, bien qu'ils portassent une bulle du pape Honorius III qui les recommandait à tous les archevêques et évêques de France, furent pris pour des hérétiques et mal reçus par le clergé. Il fallut que le Pape écrivît à l'archevêque de Sens et à l'évêque de Paris (mai 1220) pour les convaincre de la catholicité des mendiants de Saint-François ; bientôt ces défiances tombèrent, et l'ordre s'installa.

LA MISSION DE PARIS.

Avant 1224, la mission de Saint-Denis n'avait pas de logement particulier : elle entendait la messe dans les églises paroissiales. En 1224, elle commença à construire à Vauvert (Seine-et-Oise) « une grande et haute maison, ce qui parut à beaucoup de frères une dérogation à la règle de la pauvreté imposée à l'ordre. » Le frère Agnello de Pise demanda à saint François de la faire détruire, et elle fut démolie en effet en 1229, mais alors les « Mineurs » se transportèrent à Paris, sur le territoire de Saint-Germain des Prés, puis bientôt ils construisirent leur couvent des Cordeliers. Malgré l'initiale volonté des fondateurs, par la force des choses, ces mendiants devenaient propriétaires et bâtissaient. Leur nombre s'accroissant, leurs maisons se multiplièrent : « Cet ordre, dit Jacques de Vitri dans une lettre de 1219, se répand beaucoup de tous côtés, parce qu'il imite la primitive église, et suit en tout la vie des apôtres. »

A entendre les historiens de l'ordre, il y aurait eu dès 1216 un couvent de Franciscains à Angers, en 1217 à Villefranche-sur-Saône, en 1220 à Mirepoix, en 1221 à Valenciennes, en 1222 à Bayeux, à Toulouse et à Orthez, en 1223 à Arras et à Seez. On ne saurait admettre de confiance toutes ces assertions ni toutes ces dates. Les couvents des Frères Mineurs, transformés plus tard par la richesse et la puissance acquises contrairement à la pensée du fondateur, ont suivi la tendance commune aux ordres religieux du Moyen âge. Ils ont cherché à reculer aussi loin que possible la date de leur premier établissement.

Le succès du franciscanisme, en France comme en Italie, est dû principalement au caractère populaire de la prédication, à l'extrême simplicité de la règle, et à la facilité d'accession à l'ordre, ouvert aux laïques comme aux clercs. L'ordre de Saint-Dominique, société de prédicateurs et de professeurs, vivant suivant la règle des chanoines réguliers, exigeait de ses membres une instruction qui les rendît capables d'enseigner et de prêcher. Pour être un franciscain, il suffisait d'observer la pureté chrétienne et de se vouer au service des malades et des malheureux.

On a voulu faire du saint d'Assise je ne sais quel anarchiste chrétien, qui aurait absolument proscrit la propriété et la famille. Il ne les a pas plus condamnées que le Christ lui-même : il les a seulement considérées comme des liens dont l'apôtre, le missionnaire (et non pas le simple fidèle), doit être dégagé. En organisant un ordre religieux qui vivait de quêtes et d'aumônes, il n'a pas méconnu la nécessité et la sainteté du travail. Sans doute, il n'aimait pas le travail intellectuel, parce que la science engendre l'orgueil, mais il ordonnait à ses frères le travail manuel. Ils ne devaient mendier que pour se procurer les objets de première nécessité que le travail des mains ne fournissait pas.

Une autre raison du développement extraordinaire de l'ordre des Mineurs est l'institution du « tiers ordre », qui permettait aux laïques, tout en continuant à mener la vie de famille et celle du citoyen, de s'affilier aux religieux et de participer aux avantages spirituels de la congrégation. Cette affiliation des laïques, hommes et femmes, aux ordres monastiques, était pratiquée depuis longtemps. Il était peu de grandes abbayes qui n'eussent pris soin de se rattacher, par les liens de la confraternité et de l'association de prières, un certain nombre de laïques des deux sexes : mais c'étaient des personnages riches et haut placés que les moines s'associaient par intérêt, dans l'espoir de libéralités futures. Le tiers ordre franciscain est aussi démocratique que l'ordre lui-même. C'est en 1221 que le tiers ordre a reçu sa règle

en Italie : il s'est répandu aussi en France, où il contribua beaucoup
à l'extension de l'institut franciscain.

S'il faut en croire certains historiens modernes, le tiers ordre
aurait été une création révolutionnaire, offrant une revanche aux
classes inférieures contre les classes dominantes. Saint François,
d'après eux, fut le bienfaiteur et le réformateur de la société civile
autant que de la société religieuse. Mais certainement, en écrivant la
règle des tertiaires, il n'a pas songé aux conséquences politiques, ni
voulu ébranler l'ordre social. S'il entendait corriger les iniquités
d'ici-bas, c'était par la charité et le dévouement. En fait, les tertiaires
italiens du XIII° siècle, très nombreux dans certaines régions, se sont
parfois insurgés contre les pouvoirs seigneuriaux, mais, ni en Italie
ni en France le tiers ordre n'a changé la face du monde. L'organisation féodale subsista, avec l'exploitation de la masse humaine par
un petit nombre de privilégiés. Ce n'est pas dans la société civile, mais
dans l'Église que l'apostolat du saint a produit ses effets sensibles.
Pendant quelque temps les ordres mendiants, et le sien en particulier,
ont amélioré la vie ecclésiastique et le personnel des prélatures :
mais bientôt, devenus trop riches, ils tomberont, eux aussi, en décadence, et il faudra les réformer à leur tour.

IV. — LA DIFFUSION DES ORDRES MENDIANTS

DOMINIQUE est mort le 6 août 1221, François d'Assise le
3 octobre 1226, et déjà, au milieu du XIII° siècle, la France était
couverte de maisons de Franciscains et de Dominicains [1]. Pas un
testament de noble ou de riche bourgeois qui ne contienne un legs
en faveur des Mineurs ou des Prêcheurs; une foule d'hommes et de
femmes étaient affiliés aux nouveaux ordres, le roi de France lui-
même, saint Louis, en tête. De nombreux sièges épiscopaux étaient
occupés par des moines mendiants. Enfin la grande école du monde,
l'Université de Paris, conquise par les disciples de saint Dominique
et de saint François, arrivait au plus haut degré de sa gloire.

SUCCÈS DES ORDRES MENDIANTS.

Le nouveau monachisme, né de la nécessité de combattre l'hérésie et de réformer l'Église par la pratique de la pauvreté et de la
charité, trouvait dans les conditions nouvelles de la société des raisons d'être et de réussir La bourgeoisie, par les voies pacifiques ou

CARACTÈRE DU NOUVEAU MONACHISME.

1. En 1233, le rouleau mortuaire de Guillaume des Barres constate l'existence de couvents de Mineurs à Meaux, à Paris, à Etampes, à Senlis, à Compiègne, à Amiens, à
Beauvais, à Vernon, à Rouen, à Evreux, à Chartres, à Vendôme, à Orléans, à Senlis, à Noyon,
à Soissons, à Provins, à Châtillon, à Troyes. Et il ne s'agit ici que des provinces de la
France du Nord où ce rouleau mortuaire circula : la Champagne, l'Ile-de-France, l'Orléanais et la Normandie.

violentes, s'était émancipée. Les villes, enrichies et plus ou moins libérées, étaient devenues des puissances. Aux conditions nouvelles de l'existence populaire et surtout de la vie urbaine, il fallait un clergé nouveau.

Les réformateurs monastiques de l'âge précédent avaient eu pour principe de rompre avec le siècle, de fuir les agglomérations humaines et les spectacles profanes ; c'est pourquoi ils plaçaient leurs monastères loin des villes, dans les endroits les plus déserts et les plus sauvages de la campagne. Pour un saint Bernard ou un Robert d'Arbrissel, le moine ne peut arriver à la perfection spirituelle, par le travail, les mortifications et la prière, que dans la paix des solitudes. Dominique, prêcheur et professeur, François, apôtre de la charité chrétienne, de l'amour du prochain, de la pitié envers les misérables, avaient besoin du contact de l'humanité. Renonçant à la propriété et à l'exploitation d'un domaine agricole, demandant leur subsistance au travail quotidien et à l'aumône, les Prêcheurs et les Mineurs ne pouvaient vivre que dans les villes ; d'où cette nouveauté : le monachisme urbain.

LE MONACHISME URBAIN.

Or, à une époque où les villes étaient encore le théâtre d'une lutte très vive entre les bourgeois et les gens d'Église, l'établissement des moines mendiants fut très bien accueilli. Ce clergé tout moderne, qui ne possédait ni domaine territorial ni seigneurie, qui n'inspirait aucune crainte et contre qui n'existaient pas de rancunes, plut à la multitude et aux gouvernements municipaux. La prédication était son principal office, mais il obtint peu à peu des papes le droit de confesser et d'administrer les sacrements. Il entra donc en concurrence avec le sacerdoce officiel, plus ou moins discrédité et suspect. L'Église séculière s'en inquiéta dès l'abord, mais ne put empêcher la faveur populaire d'aller aux nouveaux venus.

LES CONGRÉGATIONS D'UTILITÉ SOCIALE.

On aimait alors les ordres religieux qui avaient une fonction sociale autre que le travail de la prière : le Templier et l'Hospitalier, qui se battaient en Terre Sainte, les frères de Saint-Augustin, de Saint-Lazare et de Saint-Antoine, voués au service des malades et des pèlerins. C'est au déclin du règne de Louis VII ou au début de celui de Philippe-Auguste que s'étaient fondés : à Béthune, la confrérie des Charitables de Saint-Éloi ; à Nîmes, la confrérie hospitalière de Saint-Jacques ; à Avignon, celle des Frères constructeurs de ponts ; à Rome et en France, l'ordre des Trinitaires, infirmiers militaires et qui rachetaient les chrétiens faits prisonniers par les musulmans. Un peu plus tard était apparu l'ordre de la Merci affecté à la même mission ; enfin, à Montpellier et à Rome, l'ordre du Saint-Esprit, voué au service des hôpitaux. Toutes ces créations se ressemblaient par leur destination, qui était de rendre des services aux hommes. La plupart ont précédé de peu les ordres mendiants. L'institution de ceux-ci n'est donc pas un fait isolé. Les deux congrégations réalisaient admirablement le type du moine actif, tel que les nouvelles générations l'avaient conçu et désiré.

A la même époque se fondaient les universités; par elles, la science se répandait et devenait presque populaire, et nous avons vu les écoles échapper aux pouvoirs ecclésiastiques locaux pour se mettre sous la protection et la direction des papes. L'ancien clergé luttant presque partout alors contre les universités naissantes, un ordre comme celui des Dominicains, constitué pour l'enseignement et la science, était une nécessité du temps. François d'Assise avait, il est vrai, d'autres visées; cet amant de la nature voulait agir sur les cœurs plus que sur les esprits. Mais le courant intellectuel était alors tellement puissant que ses premiers disciples, les continuateurs de son œuvre, furent bien obligés de le suivre. Au milieu du xiiie siècle, l'ordre des Franciscains était devenu, comme celui de Dominique, un ordre savant; Bonaventure fut le contemporain et le concurrent de Thomas d'Aquin.

ORDRES SAVANTS.

La Papauté traitait les ordres nouveaux en fils privilégiés. Elle ne pouvait être servie, à sa convenance, par les clergés régionaux plus ou moins soumis aux rois, ni même par les anciennes congrégations que leurs richesses et leurs propriétés rendaient trop indépendantes. Il lui fallait des agents de transmission et d'exécution, dévoués et obéissants, un clergé international et facile à mobiliser, qu'on pût opposer même, s'il était nécessaire, à celui de l'ancienne hiérarchie. Les ordres mendiants fournirent à Rome cet instrument indispensable de domination.

Enfin il va de soi que la masse des pauvres gens accueillit avec faveur ces religieux d'un nouveau genre, les Franciscains surtout, qui travaillaient pour vivre et rapportaient ce qui n'avait pas été consommé au capital commun, appelé par saint François « la Table du Seigneur, » parce qu'il servait à nourrir les pauvres et les malades. Cette sorte de communisme chrétien, inspiré par l'esprit évangélique de charité et de fraternité, fut bienfaisant, dans la dureté du temps féodal, à la foule des misérables.

POPULARITÉ DES ORDRES MENDIANTS.

CHAPITRE IV

LA NOBLESSE

I. BARONS ET CHATELAINS. LES TOURNOIS. LES BUDGETS SEIGNEURIAUX.
— II. LA LITTÉRATURE GUERRIÈRE. LA FÉODALITÉ D'APRÈS LES CHANSONS DE GESTE. —
III. LA COURTOISIE. LA NOBLESSE ET LA LITTÉRATURE COURTOISES. — IV. LES NOBLES
FRANÇAIS EN ORIENT. LA CROISADE DE CONSTANTINOPLE ET LA FONDATION DE L'EMPIRE
LATIN.

I. — BARONS ET CHATELAINS. LES TOURNOIS. LES BUDGETS SEIGNEURIAUX [1]

A considérer la Féodalité dans son ensemble, et exception faite d'une élite dont nous parlerons plus loin, les habitudes et les mœurs de la classe noble n'ont pas changé. Presque partout, le châtelain est resté le soudard brutal et pillard que l'on connaît; il fait la guerre, se bat aux tournois, passe le temps de paix à la chasse, se ruine en prodigalités, pressure ses paysans, rançonne ceux du voisin et saccage la terre d'Église.

UN CHATELAIN. Au commencement du XIIIᵉ siècle, les moines de l'abbaye de Saint-Martin-du-Canigou ont dressé la liste interminable des méfaits commis par un châtelain du Roussillon, Pons du Vernet. Ce noble est un vrai brigand. « Il a fracturé notre enclos et s'est emparé de onze vaches. Une nuit, il a pénétré dans notre propriété du Vernet et a coupé nos arbres fruitiers. Le lendemain, il a saisi et attaché dans un bois deux de nos serviteurs, et leur a enlevé trois sous et deux

---

1. SOURCES. Lire surtout la *Chronique de Lambert d'Ardres*, édit. Heller, dans les *Monumenta Germaniae*, t. XXIV, la *Chronique de Hainaut*, de Gilbert de Mons, édit. Arndt, 1869, et l'*Histoire de Guillaume le Maréchal*, édit. P. Meyer, 1891-1894.
OUVRAGES A CONSULTER. E. Petit, *Histoire des ducs de Bourgogne de la race capétienne*, t. II et III, 1888-1890. D'Arbois de Jubainville, *Histoire des ducs et comtes de Champagne*, 1859-1865, surtout le t. IV. Bourquelot, *Fragments de comptes du XIIIᵉ siècle*, dans la Bibliothèque de l'Ecole des Chartes, t. XXIV. H. Malo, *Un grand feudataire, Renaud de Dammartin et la coalition de Bouvines*, 1898.

deniers. Le même jour, dans notre ferme d'Égat, il a pris une tunique, des chausses et les souliers de Bernard de Mosset. Une autre fois, il a tué deux vaches et en a blessé quatre dans la ferme du Col-de-Jou, et il en a enlevé tous les fromages qu'il a trouvés. Un autre jour, il a obligé les hommes de Rial à se racheter pour quinze sous, et leur terreur était telle qu'ils se sont mis sous la protection de Pierre Demalait moyennant quinze sous une fois payés et une rente annuelle d'une livre de cire. A Églies, il a pris 150 moutons, un âne et trois enfants qu'il n'a voulu lâcher que moyennant une rançon de cent sous. Il a saisi ensuite deux hommes d'Odilon qu'il a rançonnés pour quinze sous et l'un d'eux est encore captif, » etc.

Les grands seigneurs ne valaient pas mieux que les petits. Dans son testament, le comte de Roussillon, Guinard (1172), avoue avoir été associé aux bénéfices d'une bande de voleurs : « Pour la part des vols de Pons de Navaga, que j'ai touchée (*pro parte latrocinii Pontii de Navaga quam ego habui*), je restitue mille sous melgoriens, et veux qu'on donne, sur cette somme, cent tuniques neuves aux pauvres. »

BRIGANDAGES SEIGNEURIAUX.

Le troubadour Guiraud de Borneil s'indigne « que l'honneur soit maintenant de voler bœufs, moutons et brebis. Ah ! honni soit-il, s'il paraît devant une dame, tout chevalier qui, de sa main, pousse des troupeaux de moutons bêlants ou pille les églises et les passants. » L'histoire prouve que le poète n'exagère pas. Nous avons vu Philippe-Auguste poursuivre les seigneurs de Déols et de Sulli, convaincus d'avoir volé des marchands. Le vicomte de Limoges, Gui V, faisait enlever par ses soldats des objets exposés dans les marchés. Le duc de Bourgogne, Hugue III, fidèle aux traditions de sa race [1], n'est qu'un routier de haute naissance. Il détrousse les commerçants français et flamands qui traversent ses États : c'est une des raisons qui décidèrent Philippe-Auguste, en 1186, à faire son expédition de Bourgogne.

Renaud de Dammartin, l'ennemi personnel du roi de France, l'incarnation des haines féodales coalisées contre la Monarchie, pratique aussi le vol à main armée. Enlever les troupeaux des moines, s'emparer de leur grain, s'approprier leurs bois et leurs terres, forcer les habitants de Calais à cacher leur argent dans l'abbaye d'Andres, péchés véniels pour ce grand seigneur ! Il se signalait par d'autres exploits, plus retentissants. Un ancien chancelier de Richard Cœur-de-Lion, l'évêque Guillaume de Longchamps, exilé d'Angleterre, était venu, en 1190, chercher un refuge en France. A peine entre-t-il dans

RENAUD DE DAMMARTIN.

1. Voir *Histoire de France*, t. II, seconde partie, p. 68.

le comté de Boulogne que Renaud tombe sur lui, lui prend ses chevaux, ses bagages, les vases sacrés de sa chapelle, et le dépouille même de sa chape d'évêque. Malgré les réclamations de l'archevêque de Reims, malgré l'excommunication, il ne rendit jamais rien de ce qu'il avait pris.

UN SEIGNEUR DU PÉRIGORD.

On rencontre enfin de véritables bêtes de proie, comme ce petit seigneur du Périgord, Bernard de Cahuzac, dont nous parle l'historien Pierre des Vaux-de-Cernai. « Il passe son existence à dépouiller et à détruire les églises, à attaquer les pèlerins, à opprimer la veuve et le pauvre. Il se plaît surtout à mutiler les innocents. Dans un seul monastère, celui des moines noirs de Sarlat, on trouva cent cinquante hommes et femmes à qui il avait fait couper les mains ou les pieds, ou crever les yeux. La femme de ce châtelain, aussi cruelle que lui, l'aidait dans ses exécutions ; elle prenait plaisir elle-même à martyriser de pauvres femmes, elle leur faisait couper les seins ou arracher les ongles de manière à les rendre incapables de travailler. »

EXACTIONS FÉODALES.

Partout les seigneurs continuent à mettre en coupe réglée le contribuable et le corvéable. « Tout ce que le paysan, dit le prédicateur Jacques de Vitri, amasse en une année par un travail opiniâtre, le chevalier le dévore en une heure. Il dépouille ses sujets par des tailles illicites et de lourdes exactions. User du droit de main-morte, c'est voler l'héritage des morts, condamner l'orphelin à mourir de faim, et faire comme la vermine qui se nourrit de cadavres. De même qu'on voit les corbeaux croasser autour du corps que les loups et les chacals viennent de dépecer, attendant leur part du festin ; de même lorsque les barons et les chevaliers ont spolié leurs hommes, les agents de la seigneurie, prévôts, percepteurs et autres corbeaux d'enfer se réjouissent à la perspective d'avoir les restes. Ces officiers, aussi rapaces que leurs maîtres, pressurent et sont pressurés à leur tour. Ces sangsues, qui ont sucé le sang des misérables, sont obligés de le dégorger au profit de l'homme plus puissant qu'eux. »

L'argent extorqué aux sujets permet au noble de se livrer à son occupation principale et préférée, la guerre : guerre des seigneurs contre les gens d'Église, guerre des seigneurs entre eux, par la rupture des liens de famille et des liens de vasselage. A défaut de la guerre, sévit alors plus que jamais la fureur des tournois.

LES TOURNOIS.

Dans le poème historique sur Guillaume le Maréchal, les récits de tournois occupent à peu près 3 000 vers sur 20 000. L'auteur décrit quinze tournois qui se sont succédé, en quelques années, dans la région de la Normandie, de Chartres et du Perche. Encore n'a-t-il parlé que des plus célèbres et de ceux-là seuls auxquels son héros a pris part. « Je ne suis pas, dit-il, au courant de tous les tournois qui se font. On les saurait avec bien grand'peine, car, près de *chaque quin-zaine* on tournoyait de place en place. » Le tournoi est la « lutte à la française », *conflictus gallicus*, et les étrangers accourent en France pour y prendre part. Exercices meurtriers, où la Noblesse se ruine et se décime. Lorsqu'en 1209, Philippe-Auguste donna la chevalerie à son fils Louis, il lui fit signer l'engagement de ne jamais prendre part à un tournoi.

Tout bon chevalier fréquente les tournois, parce qu'ils sont la meilleure école de guerre. « Il faut, dit le chroniqueur Roger de Howden, qu'il ait vu son sang couler, que ses dents aient craqué sous les coups de poings, qu'il ait été jeté à terre de façon à sentir le poids du corps de son ennemi, et que, vingt fois désarçonné, il se soit vingt fois relevé de ses chutes, plus acharné que jamais au combat. C'est ainsi qu'il pourra affronter les guerres sérieuses avec l'espoir d'être victorieux. » Mais le tournoi a une autre utilité. On y va pour gagner de l'argent. Guillaume le Maréchal court les tournois pour s'approvi-sionner de chevaux, de harnais, et rançonner les prisonniers. Dans une certaine joute, « il gagna au moins douze chevaux. » Il s'était associé un hardi compagnon, et, à eux deux, ils firent d'innom-brables captures, dont leurs clercs tenaient registre. « Les clercs, dit son biographe, prouvèrent exactement, par écrit, qu'entre le carême et la Pentecôte, ils firent prisonniers cent trois chevaliers, sans compter les chevaux et les harnais. »

Il faut lire, dans ce poème si vivant, le récit du tournoi de Lagni-sur-Marne, où combattirent trois mille chevaliers français, anglais, flamands, normands, angevins, bourguignons. « La plaine était remplie de bannières au point que le sol disparaissait. Là vous eussiez vu un tel fracas de lances que la terre était jonchée de tronçons et que les chevaux n'avançaient plus. Moult fut grande la presse en la plaine. Chaque corps de bataille pousse son cri de guerre. » Bientôt le jeune roi d'Angleterre, le fils aîné d'Henri II, donne le signal de la grande mêlée. « Lors eut-on vu la terre trembler, quand le jeune Roi dit : « Cela m'ennuie, en avant ! je n'attendrai pas plus longtemps aujour-« d'hui. » Alors commence la poursuite acharnée dans les vignobles, les fossés, à travers la forêt des ceps; on voit les chevaux s'abattre et les hommes qui tombent, foulés aux pieds, blessés, assommés. » Et que d'épisodes curieux ! les visites que se font les chevaliers, la veille du tournoi, dans les hôtels où l'on devise gaiement entre deux brocs de vin; le Maréchal courant la nuit dans les rues encombrées d'une petite ville, après un voleur qui lui a pris son cheval. Le même Maré-chal avait eu, dans le tournoi, son heaume tellement bosselé qu'il n'avait pu le retirer après la bataille et qu'il fut obligé d'aller chez

LE TOURNOI DE LAGNI-SUR-MARNE.

un forgeron mettre la tête sur l'enclume pour se faire dégager à coups de marteau de ce casque malencontreux. A ces joutes sanglantes, dont raffolait la Noblesse, tout le monde trouvait son compte, les « folles femmes » qui y affluaient, le menu peuple qui aimait ces spectacles, et les marchands qui faisaient des alentours de la lice un champ de foire.

DÉPENSES DES NOBLES.

Cette noblesse est toujours à court d'argent. A moins d'être Henri Plantagenêt, ou Philippe-Auguste, d'opérer en grand et de faire de vastes conquêtes, le noble a presque nécessairement un budget en déficit, car la guerre est une occupation très chère et la paix n'est pas moins coûteuse. Elle entraîne, outre les tournois, les réceptions, les fêtes religieuses et militaires, les mariages et les adoubements. Pas de fête sans la table ouverte, les ripailles prolongées, les distributions de vêtements, de fourrures, de chevaux et de monnaie. Plus on est de haut parage, plus il faut donner aux amis, aux vassaux, aux histrions, à tous venants. La prodigalité est un signe de noblesse, une élégance et une vertu.

FÊTES DE CHEVALERIE.

En 1181, le curé Lambert d'Ardres nous montre le fils de son seigneur, le jeune Arnoul II, nouveau chevalier, distribuant à pleines mains l'or et les objets précieux à la foule des domestiques, des moines, des bouffons qui l'entourent. « Il donne à tous ceux qui lui demandent. Il donne tout ce qu'il pouvait posséder et acquérir; il donne jusqu'à la folie, *quasi desipiendo*, et même ce qui ne lui appartient pas, l'argent emprunté d'autrui. » Dans la grande cour plénière de Mayence (1184), occasion d'une fournée nombreuse d'investitures chevaleresques, les chevaliers, leurs parents, leurs amis, tous les seigneurs rivalisent de largesses et « non seulement, dit Gilbert de Mons, pour faire honneur à l'Empereur et à ses fils, mais pour la gloire de leur propre nom. » Cinq ans plus tard, le comte Baudouin de Hainaut célébrait la chevalerie de son fils à Spire. Les chevaliers, les clercs, les domestiques, les jongleurs et jongleuses quittèrent la fête, comblés de présents. La chevalerie de Louis de France eut lieu en 1209 « avec une telle solennité, dit l'historien Guillaume le Breton, parmi un tel concours de grands du royaume et une si énorme affluence d'hommes, au milieu d'une si copieuse abondance de victuailles et de cadeaux que jamais, jusqu'à ce jour, on n'avait vu chose pareille. »

Les hauts suzerains et les rois pouvaient remettre leur budget en équilibre; il leur suffisait de presser un peu l'éponge, c'est-à-dire le paysan ou le bourgeois. « A l'époque de Pâques 1186, raconte Gilbert de Mons, le comte de Hainaut, Baudouin, réunit, dans son château de Mons, le conseil de ses secrétaires et de ses familiers. On y

exposa l'état de ses finances, assez inquiétant. Les dépenses personnelles, les frais d'entretien et de paye des chevaliers et des sergents,
montaient à un chiffre considérable. Le déficit était de 40 000 livres
de Valenciennes. Le comte se décida alors, bien malgré lui et en
gémissant, à user d'une ressource extrême : il greva de tailles extraordinaires les habitants de son comté et, en sept mois, il recueillit de
quoi payer presque toute sa dette. »

    Le procédé n'était pas à la portée de tous. Même de grands sei- *DETTES*
gneurs succombaient sous l'usure. Le duc de Bourgogne, Hugue III, *DES GRANDS*
qui devait des sommes considérables aux barons, aux églises, et à ses *SEIGNEURS.*
Juifs, mourut insolvable, et son fils, Eude III, ne parvint pas à payer
toutes ses dettes. Les comtes de Champagne, qui possédaient en
leurs foires champenoises une mine d'or, ne faisaient pas honneur
à leurs affaires. Quand le comte Henri II arriva en Terre Sainte, il
se trouva dans un tel dénûment « que maintes fois il dut se lever le
matin sans savoir comment les gens de sa maison et lui-même man-
geraient dans la journée. » A plusieurs reprises, il fut obligé de
donner son mobilier en gage à ses fournisseurs. En Champagne même,
ceux-ci refusaient de lui rien livrer à crédit. Amauri de Montfort,
le fils du vainqueur des Albigeois, se trouva tellement obéré qu'il
mit en gages ses propres parents : son oncle Gui de Montfort et plusieurs autres nobles étaient retenus prisonniers à Amiens, en garantie
d'une somme de 4 000 livres due aux marchands de cette ville par les
conquérants du Languedoc.

    Henri le Jeune, l'héritier du puissant Henri II Plantagenêt, était *MISÈRE D'HENRI*
contraint, par la misère, de se conduire en chef de brigands. Pour *LE JEUNE.*
payer ses soldats, il prélève, en 1183, sur les bourgeois de Limoges,
un emprunt forcé de 20 000 sous. Puis il se présente à l'abbaye de
Saint-Martial et demande à emprunter le trésor des moines. Il pénètre
dans le cloître, expulse la majeure partie des religieux et se fait
ouvrir le sanctuaire. Il ne rendit jamais rien du trésor qu'il avait
enlevé. Quelques mois après, il mourait de maladie, dans le plus
complet dénûment : l'abbé d'Uzerches fut obligé de payer les frais
de son service funèbre. Les gens de sa maison mouraient de faim ; ils
mirent en gage, pour se nourrir, jusqu'au cheval de leur maître. Ceux
qui portaient le corps tombaient d'inanition, si bien que les moines
d'Uzerches eurent de la peine à les rassasier. L'un des familiers du
jeune Roi avoua qu'il avait vendu jusqu'à ses chausses, *braccas suas*,
pour avoir du pain.

    Comment vivaient les grands seigneurs de ce temps? Leur comp-
tabilité seule pourrait nous l'apprendre, mais elle n'est que rarement
parvenue jusqu'à nous et en fragments, par exemple quelques feuil-

lets, débris des archives privées de la comtesse de Champagne, Blanche de Navarre, pour la période de 1217 à 1219.

Comme tous les fiefs, le comté de Champagne est en état de guerre perpétuelle; la comtesse, au nom de son fils mineur Thibaut IV, se défendait alors contre un compétiteur, Érard de Brienne. Les dépenses militaires figurent donc en première ligne dans les comptes : travaux pour mettre les places fortes en état de défense, curage des fossés, réparation des murailles des villes, achats de bœufs et de chevaux. On cherche de l'argent pour payer la solde des chevaliers, pour envoyer des vivres aux troupes; on assigne certaines sommes pour mettre des prisonniers en lieu sûr; on paye des espions. Puis il faut négocier, entretenir des procureurs, des ambassadeurs, soutenir de nombreux procès à Rome ou à Paris. Et alors ce sont des frais de voyage alloués à des avocats, à des légistes, à de simples messagers qui vont en Italie, en Espagne, auprès de Philippe-Auguste, pour défendre les intérêts de la comtesse et de son fils.

Vient ensuite le chapitre des cadeaux, des dons, des aumônes, toutes les dépenses de largesse. Cadeaux politiques : deux cents fromages de Brie expédiés à Philippe-Auguste; un lot d'armures envoyées à l'empereur d'Allemagne Frédéric II; des ballots d'étoffes et de vêtements dirigés sur Rome, pour amadouer le Pape ou ses cardinaux; en Champagne même, les dons continuels d'argenterie, de fourrures et de robes à des clercs, à des femmes, à des nobles; enfin les charités faites à des veuves, à des serviteurs malades, aux monastères et aux lépreux. Aussi la noble dame est-elle souvent obligée d'emprunter. De nombreuses mentions de ses comptes sont relatives au paiement des intérêts. Les banquiers lui prêtaient à des délais assez courts, pour deux mois en général, pour six mois au maximum et au taux de 25 pour 100, taux de chrétien, car les Juifs prenaient alors, en Champagne, 43 pour 100 et au delà.

Il arrivait donc souvent que le noble mourait dans la détresse. A peine avait-il fermé les yeux que ses officiers et ses serviteurs faisaient main basse sur ce qui restait. On a vu plus haut, par l'exemple d'Henri II [1], que les rois eux-mêmes n'échappaient pas à l'usage du pillage mortuaire. Un contemporain, Thomas de Cantimpré, raconte que la comtesse de Champagne, Marie, fille de Louis VII, se voyant sur le point de mourir, fit appeler le célèbre théologien Adam de Perseigne. Elle avait rendu le dernier soupir quand il arriva, et on le fit attendre longtemps avant de l'introduire : les domestiques de la maison étaient occupés à se partager les vêtements et le mobilier de

1. Page 101.

la défunte. Quand il put enfin pénétrer dans la chambre, il trouva le cadavre presque nu et abandonné sur une litière de paille. Il prit texte de cet étrange spectacle pour prononcer un beau sermon sur la vanité des grandeurs humaines.

II. — LA LITTÉRATURE GUERRIÈRE. LA FÉODA-LITÉ D'APRÈS LES CHANSONS DE GESTE [1]

LES nobles de Louis VII et de Philippe-Auguste demandaient à leurs jongleurs de les amuser par des récits de batailles, de fêtes et de banquets encadrés dans une action imaginaire. La fin du xiie siècle et le commencement du xiiie sont la grande époque des chansons de geste, vastes compositions épiques, où la vie, les mœurs, les passions, les vices de la société féodale sont glorifiés et même exagérés à plaisir. Elle aime à se regarder dans ce miroir grossissant, mais fidèle, qui reflète sa psychologie rudimentaire, sa conception simpliste et enfantine du monde présent et futur, son mépris du vilain, son dédain du Roi et du prêtre, ses joies sensuelles et ses violences sauvages. Ni l'absence de composition et de style, ni l'interminable longueur des développements, ni la monotonie des épisodes ne la rebutent. Le public des châteaux rit ou s'émeut à entendre ces énormes litanies de décasyllabes, sans se plaindre de l'éternelle redite des lieux communs.

LES CHANSONS DE GESTE.

Une partie importante de ces poèmes forme ce qu'on a appelé « l'épopée royale, » à laquelle appartenaient déjà la *Chanson de Roland* et le *Roi Louis* [2]. C'est Charlemagne qui presque toujours en est le centre, avec sa famille, ses pairs et ses vassaux. *Berte aux grands pieds*, *Mainet*, les *Enfances Roland*, *Aspremont*, mettent en scène le grand Empereur lui-même, sa mère ou son neveu. *Gui de Bourgogne* a pour thème la conquête de l'Espagne, *Aiquin*, celle de la Bretagne, *Fierabras*, celle de l'Italie, les *Saisnes*, celle de la Saxe. Dans *Girart de Viane* on voit Charlemagne en lutte contre ses feudataires. Ces chants prouvent l'impression profonde, d'une intensité et d'une durée extraordinaire, que l'œuvre carolingienne a laissée dans les esprits.

L'ÉPOPÉE ROYALE.

Un autre cycle de poèmes guerriers, « l'épopée féodale, » a pour principal héros Guillaume d'Orange ou de Toulouse, le haut baron,

L'ÉPOPÉE FÉODALE.

---

1. Ouvrages a consulter. L. Gautier, *La Chevalerie*, 3e édit., 1895. *Les Épopées françaises*, 2e édit., 1892. Gaston Paris, *La Littérature française au Moyen âge*, 2e édit., 1890, et *la Poésie française au Moyen âge*, 1885-1895. Schultz, *Das hoefische Leben zur Zeit der Minnesinger*, 1889. F. Lot, *L'Elément historique de Garin le Lorrain*, 1896. Pour les citations de la chanson des Lorrains, nous employons la traduction de Paulin Paris, bien qu'elle ne soit pas littérale.
2. Voir *Histoire de France*, t. II, seconde partie, p. 389.

vainqueur des Sarrasins et vassal peu commode du roi de France. Nos jongleurs le suivent du berceau à la tombe, à travers toutes les vicissitudes de son existence romanesque. Lui, ses parents ou ses amis sont glorifiés dans *Aimeri de Narbonne*, les *Enfances Guillaume*, les *Enfances Vivien*, *Aliscans*, *Foulque de Candie*, le *Moniage Guillaume*, etc. D'autres incarnations de la Féodalité, peintes avec le même réalisme brutal, apparaissent dans *Ogier de Danemark* et *Parise la Duchesse*, dans la quintuple chanson des Lorrains, dans les remaniements de *Raoul de Cambrai* et de *Girart de Roussillon*, dans *Jourdain de Blaives*, *Aiol* et *Elie de Saint-Gilles*. Ainsi, à défaut de Charlemagne, ce sont les grands barons du IXe et du Xe siècle, fondateurs du régime féodal, qui intéressent les ménestrels. Les événements contemporains ou plus rapprochés ne les attirent pas : c'est une exception si un Graindor de Douai célèbre la croisade dans ses poèmes d'*Antioche* et de *Jérusalem*. On aime encore mieux remonter jusqu'à l'antiquité gréco-latine, et affubler de l'armure des chevaliers, comme l'ont fait Benoît de Sainte-Maure et son école, les héros classiques du roman d'*Enéas* ou d'*Alexandre*, de celui de *Thèbes* ou de celui de *Troie*.

LIEUX COMMUNS DE L'ÉPOPÉE. L'auditoire trouve son plaisir surtout dans ce qui nous fatigue : la mosaïque des descriptions et des aventures banales. Ces grands enfants ne se lassent pas d'entendre les mêmes histoires : le Roi qui tient sa cour plénière et y reçoit les défis de vassaux insolents, les récits de batailles où d'innombrables chevaliers s'entrechoquent, les sièges de villes et de châteaux, le combat du héros chrétien contre le géant sarrasin et l'amour qu'il inspire à la fille de l'émir, le fils du Roi abandonné par une marâtre ou par un traître au fond d'un bois, les fêtes de chevalerie et les tournois meurtriers, la réception du chevalier par les jeunes châtelaines trop hospitalières. L'ouvrier en chansons confectionne son édifice poétique avec des matériaux qui ont déjà servi. Ce temps, amoureux de la tradition, ne tient pas à l'originalité et ne se pique pas d'invention. Il a laissé impersonnelles et anonymes, dans la littérature comme dans l'art, beaucoup d'œuvres dont on aimerait à connaître les auteurs. De cette énorme production épique, à peine cinq ou six noms de poètes ont surnagé : Raimbert de Paris, Jean Bodel, Jendeu de Brie, Herbert le Duc, Bertrand de Bar-sur-Aube et Jean de Flagi.

LA GESTE DES LORRAINS. Entre ces poèmes, la geste des *Lorrains*[1], bien que la donnée essentielle du sujet soit la moins historique de toutes, offre, de l'exis-

---

1. La chanson de Garin le Lorrain a été composée, probablement d'un seul jet, dans les premières années du règne de Philippe-Auguste. La démonstration de M. Ferdinand Lot nous paraît avoir mis ce point hors de doute. Ajoutons que, dans un épisode de l'épopée

tence, des mœurs et des passions des nobles, le tableau le plus vivant et le plus complet. La couleur en est âpre et crue, et les objets s'y détachent avec un relief saisissant.

Tout d'abord apparaît la férocité de l'homme de guerre. Un des *LE SOLDAT.* héros de la chanson, le duc Bégon, arrache les entrailles d'un ennemi qu'il vient de tuer et les jette au visage de Guillaume de Montclin : « Tiens, vassal, lui dit-il, prends le cœur de ton ami : tu pourras le saler et le rôtir. » Garin ouvre le corps de Guillaume de Blanca-fort : « il en tire le cœur, le poumon et le foie; Hernaut, son compagnon, s'empare du cœur qu'il coupe en quatre morceaux, et tous deux parsèment le chemin de ces lambeaux de chair palpitante »

Voici maintenant les boucheries de paysans et les effroyables *LA GUERRE.* ravages sur la terre ennemie. « On se met en marche. Les coureurs et boutefeux prennent les devants, à leur suite les fourrageurs qui devaient recueillir les proies et les conduire au grand charroi. Le tumulte commence. Les paysans, à peine arrivés dans la campagne, retournent sur leurs pas en jetant de grands cris : les bergers recueil-lent leurs bêtes et les chassent vers le bois voisin, dans l'espoir de les garantir. Les boutefeux embrasent les villages que les fourrageurs visitent et pillent; les habitants éperdus sont brûlés ou ramenés les mains liées pour être remis au butin. La cloche d'alarme sonne de tous côtés, l'épouvante se communique de proche en proche et devient générale. Ici l'on fait main basse sur l'argent; là on emmène les bœufs, les ânes, les troupeaux. La fumée se répand, les flammes s'élèvent, les paysans, les bergers fuient, affolés, de tous côtés. » Où les chevaliers ont passé, il n'y a plus rien. « Dans les villes, dans les bourgs, dans les métairies, on ne voyait plus de moulins tourner, les cheminées ne fumaient plus, les coqs avaient cessé leurs chants et les grands chiens leurs abois. L'herbe croissait dans les maisons et entre les pavés des églises, car les prêtres avaient abandonné le ser-vice de Dieu et les crucifix brisés gisaient sur la terre. Le pèlerin eût fait six journées sans trouver qui lui donnât un tronçon de pain ou une goutte de vin. »

Ailleurs, c'est le sac de Lyon et, au lendemain du pillage, l'in- *SAC DES VILLES.* cendie. « Le duc Bégon, en se levant, demande le feu, qui fut préparé et mis en cent endroits. On ne saura jamais le nombre de ceux qui périrent dans ce grand embrasement. L'armée, en s'éloignant, put voir, de la campagne, les tours s'écrouler et les moutiers se fendre,

lorraine, celui du roi Charles Martel cherchant à imposer le clergé de France, on retrouve évidemment l'écho des résistances passionnées dont Pierre de Blois s'est fait l'organe, quand il s'est agi pour Philippe-Auguste, en 1185 et en 1188, de lever la dîme de croisade et d'imposer l'épiscopat.

entendre les cris de désespoir des femmes et de toute la menue gent. »
Mêmes scènes à Verdun, à Bordeaux, où « quatre-vingts bourgeois,
sans compter les femmes et les petits enfants, sont réduits en charbons. » Voir brûler des maisons et des vilains, c'est une joie pour les
féodaux.

L'ÉGLISE ET LES CLERCS.

L'Église a, dans ces poèmes, un rôle effacé ou secondaire. Clercs
et moines ne sont bons qu'à servir de chapelains ou de secrétaires
au baron dont ils lisent et écrivent les lettres, à ramasser les morts
sur les champs de bataille, à mettre des emplâtres aux blessés, à dire
des messes pour ceux qui les paient. Dans une des chansons du cycle
lorrain, *Hervis de Metz*, un chevalier s'écrie : « Ils devraient être
soldats, tous ces moines gras, tous ces chanoines, tous ces prêtres et
tous ces abbés. Ah! si le Roi me les donnait! » Il n'est pas rare que
le poète montre le moine en posture fâcheuse. Un des barons de
Garin fait venir deux moines à la Cour du Roi : il les a soudoyés pour
leur faire prêter un faux serment, et l'un de ces malheureux est à
moitié assommé par un chevalier du parti contraire. Les jongleurs
traitent mieux les archevêques et les évêques, qui sont grands seigneurs, et font partie de la Féodalité. Encore, dans la chanson d'*Hervis*,
nous présentent-ils l'épiscopat comme égoïste, avide, avare et se
refusant à contribuer aux frais de la défense du royaume. Quand le
Roi demande à l'archevêque de Reims d'aider de son argent à la
guerre contre les Sarrasins, le prélat déclare qu'il ne donnera pas un
denier. Alors un des barons s'écrie : « Il nous faut d'autres paroles.
En Gaule, il y a vingt mille chevaliers dont les clercs détiennent les
fours et les moulins. Qu'ils y pensent, ou, par le Seigneur Dieu, les
choses prendront un autre tour. »

LE PAPE

Il est curieux que, dans ces poèmes, le Pape qui, à cette époque,
dirigeait le monde, figure à l'arrière-plan. Il s'efforce de calmer les
passions féodales en rappelant aux barons que leur premier devoir
est de se réconcilier pour marcher contre l'ennemi de la foi, mais il
n'y réussit pas. Ce trait est conforme à la vérité historique, mais dans
l'ensemble, l'épopée guerrière rapetisse et efface la grande figure du
chef de la Chrétienté. Il apparaît comme un acteur secondaire, à la
suite de l'Empereur ou du roi de France, dont il semble n'être que
le chapelain.

L'esprit féodal, en somme, méprise le prêtre, pacifique et fai-
néant; il en veut à l'Église de prêcher les vertus contraires aux
siennes. Puis le noble lui envie ses richesses. Il se considère comme
dépouillé de tout ce qui est donné aux clercs : « Quand un prudhomme,
aujourd'hui, dit le poète d'*Hervis*, tombe malade et se couche avec la
pensée de la mort, il ne songe ni à ses fils, ni à ses neveux, ni à ses

cousins; il fait venir les moines noirs de Saint-Benoît et leur donne tout ce qu'il possède en terres, en rentes, en fours et en moulins. Les gens du siècle en sont appauvris, et les clercs en deviennent toujours plus riches. »

Autre caractère de la chanson féodale; pour elle, le roi de France, même l'empereur Carolingien, n'est que le premier des barons; encore n'est-il pas le plus puissant ni le plus riche; il est un simple distributeur des bénéfices vacants. Son pouvoir est limité par le conseil des ducs et des comtes qui forment sa cour. Il est presque leur prisonnier et ne peut rien sans leur consentement. Le gouvernement appartient à l'oligarchie des barons, et quel gouvernement! une pure anarchie. Les vieux à la barbe fleurie ont rarement les mêmes opinions que les jeunes, toujours portés aux violences extrêmes. Les partis ennemis se querellent dans le conseil royal, s'injurient et se battent, et le Roi, impuissant à les maîtriser, prend une attitude piteuse et comique. Dans *Garin*, un courtisan conseille au roi Pépin de mander à sa cour Fromont de Bordeaux et tous ses pareils pour les juger et leur faire payer l'amende, s'ils ont commis quelque forfaiture. « Voilà, dit Pépin, paroles merveilleuses : vous oubliez que Fromont ne fait pas de moi plus de cas que d'un parisis; si je le mande, il ne viendra pas, et niera toujours qu'il tienne de moi ses honneurs. » Garin lui-même, le plus loyal et le plus modéré des vassaux, est insolent à ses heures : « Dites au Roi que s'il s'est allié à Fromont, il n'a qu'à se mettre en garde; nous pourrons troubler ses veilles et lui causer bien des ennuis. » Ce roi de France est d'ailleurs un triste personnage, cupide, peu loyal, brutal même avec les femmes. La reine Blanchefleur lui ayant reproché son manque de parole, « le Roi l'entend et frémit de rage. Il lève le gant, le laisse retomber sur le nez de Blanchefleur, en fait jaillir quatre gouttes de sang. « Sire,   dit la reine, « je vous remercie : vous pouvez redoubler, vous êtes le « maître et moi votre servante, hélas! pour mon malheur! »

La Féodalité des âges précédents, bien qu'ayant progressé en ce point sur la civilisation antique, n'avait guère le respect de la femme [1]. Au temps de Philippe-Auguste, en dépit des habitudes courtoises qui commençaient à paraître dans certaines maisons, la femme est encore jugée d'essence inférieure par les poètes. Les barons de Garin injurient la Reine elle-même comme la dernière des servantes : « Silence, lui crie Bernard de Naisil, folle et impudique femme. Le Roi n'avait pas sa raison quand il s'embarrassa de toi. La male mort à qui fit ton mariage! Il n'en viendra que blâme et déshonneur. »

---

1. Voir *Histoire de France*, t. II, seconde partie, p. 22.

Le mariage féodal se présente partout avec le même caractère. L'héritière reçoit passivement de son père ou de son suzerain le chevalier ou le baron qu'on lui destine. On ne consulte ni sa volonté ni son cœur. Elle est comme une dépendance de la seigneurie et fait partie de l'immeuble. Rois et seigneurs distribuent à leurs fidèles, avec les fiefs, les femmes qui les représentent. « Le roi Thierri dit au duc Garin : « Franc et noble damoiseau, je ne saurai « trop vous aimer, car vous m'avez conservé cette terre. Avant de « mourir, je veux m'acquitter envers vous. Voici ma fillette, Blanche-« fleur au clair visage. Je vous la donne. » La demoiselle n'avait que huit ans et demi : elle était déjà la plus belle qu'on pût rencontrer en cent pays. « Prenez-la, seigneur Garin, et avec elle, vous aurez mon fief. » Dans la même chanson, le comte Dreu se rend auprès de Baudouin de Flandre et lui demande pour Fromont la main de sa sœur, une veuve. « Si l'Empereur savait que la terre du Ponthieu « est vacante, il donnerait votre sœur au premier mâtin de sa cuisine « qui lui aurait fait rôtir un paon. — Vous dites la vérité, » répond Baudouin. Et celui-ci fait appeler sa sœur, et la prenant par la main : « Ma belle et chère sœur, parlons un peu à l'écart. Comment allez-« vous ? — Très bien, grâce à Dieu. — Eh ! bien, demain vous aurez « un mari. — Que dites-vous là, mon frère ? Je viens de perdre mon « seigneur : il n'y a pas un mois qu'on l'a mis en cercueil ; j'ai de lui « un beau petit enfant, qui doit un jour être riche homme ; avec la « grâce de Dieu, je dois penser à le garder, à bien accroître son héri-« tage. Et que dira le monde si je prends si vite un autre baron ? — « Vous le ferez pourtant, ma sœur. Celui que je vous donne est plus « riche que n'était votre premier mari ; il est jeune et beau ; c'est le « vaillant Fromont. » Le mariage des nobles est resté l'union de deux richesses et de deux puissances terriennes.

Dans la description des batailles, tournois et fêtes de chevalerie, la réalité contemporaine est prise sur le vif, et pourtant elle est étrangement mêlée de fantaisie. Tandis que, dans les chroniques, on voit les armées peu nombreuses, les batailles rangées très rares, des escarmouches, des ravages, mais pas d'engagements par grandes masses, la poésie nous montre les armées des rois ou des grands barons se heurtant en chocs formidables, où des masses d'hommes, par centaines de mille, s'entr'égorgent. En outre, les jongleurs veulent que tout chevalier soit un Hercule, qui, d'un seul coup d'épée, fait voler bras, jambes et têtes, et coupe l'ennemi en deux, en lui fendant le casque, le cou et la poitrine. Transpercés, mutilés, le crâne ouvert, leurs blessés se remettent en selle et continuent à se battre comme si de rien n'était.

Dans ces œuvres énormes, l'histoire politique n'a presque rien à prendre. L'histoire des institutions y trouve toujours les mêmes scènes : adoubements de chevaliers, combats judiciaires, procédure appliquée aux querelles des barons, défis précédant l'ouverture des hostilités, inféodations et hommages; mais encore ne faut-il puiser à cette source qu'avec d'extrêmes précautions. L'histoire des mœurs, du costume et des usages matériels peut y faire une abondante moisson, à condition pourtant de ne pas oublier que l'imagination du poète est souveraine. Le jongleur se plaît toujours à grandir et à embellir la réalité. Les palais de *Girart de Roussillon*, avec leurs riches mosaïques, leurs perrons de marbre, leurs chambres tendues de soie et jonchées de fleurs ou de fourrures, leurs piliers et leurs voûtes incrustés d'or et de pierres précieuses, leurs meubles en or massif, leurs salles illuminées comme en plein midi par des escarboucles, n'appartiennent pas à la France de Philippe-Auguste, mais au pays des contes de fées ou des Mille et une nuits. La chanson de geste n'exalte pas seulement la Féodalité aux dépens de tout ce qui n'est pas elle : elle sait encore, par moment, l'entraîner hors du monde réel, par l'attrait du grandiose et du merveilleux.

III. — *LA COURTOISIE. LA NOBLESSE ET LA LITTÉRATURE COURTOISES* [1]

S'IL est vrai qu'au temps de Louis VII et de Philippe-Auguste la plus grande partie de la noblesse française s'offre à nous sous les mêmes traits qu'à l'époque de la première croisade, une élite s'est laissée pénétrer par des idées et des sentiments nouveaux. La « courtoisie » est apparue. La courtoisie, c'est le goût des choses de l'esprit, le respect de la femme et de l'amour.

La courtoisie est née dans la France du Midi. Les troubadours de ce pays ont appris à une noblesse occupée de guerres et de pillage le raffinement de l'amour chevaleresque et le culte de la femme. L'épopée de la France du Nord ne connaissait que trois puissants mobiles aux actions humaines : le sentiment religieux, avec la haine de tout ce qui n'est pas chrétien, le loyalisme féodal ou le dévouement au suzerain et au chef de bande, enfin l'amour de la bataille et du butin. La poésie lyrique des premiers troubadours chantait surtout la guerre, avec les accents sauvages qu'on trouve encore

---

1. OUVRAGES A CONSULTER. Gaston Paris, *Les romans de la Table ronde*, dans l'Histoire littéraire de la France, t. XXXI, 1888. Jeanroy, *Les Origines de la poésie lyrique en France au Moyen âge*, 1889. Wallensköld, *Conon de Béthune*, 1891. Brinkmaier, *Die provenzalischen Troubadours*, 1882.

chez Bertran de Born. Au déclin du XIIᵉ siècle apparaît, dans les poèmes du Midi, le seigneur courtois, dont l'essentiel désir est de plaire à la dame qu'il a choisie pour être l'inspiratrice unique de sa pensée et de ses actes. Il doit mériter son amour en s'illustrant à la guerre ou à la croisade, et en montrant toutes les qualités et vertus de noblesse. Cet amour « courtois » est incompatible avec le mariage féodal, affaire d'intérêt et de politique. La dame choisie est la suzeraine du chevalier, qui, à genoux et les mains jointes dans les siennes, lui a juré de se dévouer à elle, de la protéger et de la servir fidèlement jusqu'à la mort. Elle lui a donné, en symbole d'investiture, un anneau et un baiser. Il semble que ce mariage idéalisé ait été quelquefois béni par un prêtre. L'histoire prouve que, dans les cours seigneuriales du Midi, au moins les plus polies et les plus lettrées, le mariage courtois fut pratiqué en fait et que l'opinion l'encourageait.

POÉSIE LYRIQUE
DES
TROUBADOURS.
    L'époque de Louis VII et de Philippe-Auguste est marquée justement par l'efflorescence magnifique de cette poésie lyrique des troubadours, si intéressante par la variété de ses formes, son inspiration un peu courte, mais très vive, et l'analyse délicate et subtile des sentiments moraux. Le contraste est grand entre l'héroïsme brutal de la chanson de *Garin* et la poésie toute psychologique d'un Bernard de Ventadour. « Chanter ne peut guère valoir, » a dit ce poète, « si le chant ne part du cœur même. Et chant ne peut du cœur partir, s'il n'y est fine amour profonde. Point n'est merveille si je chante mieux que tous autres chanteurs. Car plus va mon cœur vers amour; corps et âme, et savoir et sens, et force et pouvoir j'y ai mis. De bonne foi, sans tromperie, j'aime la meilleure, la plus belle. Du cœur soupire et des yeux pleure, car trop l'aime et j'en ai dommage. Qu'y puis-je, alors qu'amour me prend ? En telle prison l'amour m'a mis que n'ouvre autre clef que merci. Et de merci point je ne trouve. Quand je la vois, de peur je tremble, comme la feuille sous le vent. N'ai de sens pas plus qu'un enfant, tant je suis d'amour entrepris. Et d'homme qui est ainsi conquis, peut avoir dame grand pitié. »

NOBLESSE
LETTRÉE
DU MIDI.
    Cette poésie enchantait la cour du comte de Toulouse, Raimond V, du seigneur de Montpellier, Guillaume VIII, de la comtesse Ermengarde et du vicomte Aimeri à Narbonne, des comtes de Rodez et des seigneurs des Baux en Provence. Les poètes n'étaient pas tous des fils de vilain, comme Bernard de Ventadour, ou de simples jongleurs de profession, comme Peyre Vidal; c'étaient aussi de nobles châtelains, comme Bertran de Born, de hauts barons, comme Raimbaud d'Orange, des fils de rois, comme Alphonse d'Aragon et

Richard d'Aquitaine. Sur cinq cents troubadours dont nous connaissons les noms, la moitié au moins, paraît-il, appartenait à la classe noble.

Les usages courtois se répandirent assez vite dans l'Espagne du Nord et l'Italie du Nord, pays qui ne formaient qu'une même patrie morale avec le Languedoc, la Provence et l'Aquitaine. Ils gagnèrent peu à peu les régions françaises au nord de la Loire, la France proprement dite, séjour des Capétiens, la Normandie et les îles anglaises, domaine des Plantagenêts, enfin la Champagne et la Flandre.

L'épopée elle-même se laisse gagner à la douceur des sentiments nouveaux. Au début d'une chanson belliqueuse comme celle de *Girart de Roussillon*, un mariage mystique est célébré entre Girart et la jeune princesse destinée au roi Charles Martel. Le poème de *Guillaume de Dole* remplace les récits de bataille par la description des chasses, des tournois, des plaisirs de cour, et met au premier plan l'amour d'un empereur d'Allemagne pour une belle Française. Les romans d'aventure du cycle *arthurien*, ou cycle de la *Table ronde*, supplantent, dans la faveur des Plantagenêts, des Capétiens et des cours de Flandre et de Champagne, la chanson guerrière du type de *Garin*. Chrétien de Troyes, sous Louis VII, Raoul de Houdenc, sous Philippe-Auguste, mettent à la mode l'épopée amoureuse, où des chevaliers d'élite réalisent l'idéal de la prouesse et de la galanterie. Dans *Tristan et Iseult*, *Érec*, *Cligès*, *Lancelot*, *Ivain*, *Perceval*, *Méraugis*, le héros recherche la main d'une jeune fille avec une constance exaltée qui triomphe de tous les obstacles. L'analyse des sentiments est parfois aussi raffinée que dans les pièces des troubadours les plus subtils. Les nobles auditeurs de ces romans (aussi interminables d'ailleurs que les chansons de geste) avaient donc l'esprit plus aiguisé et le sentiment plus délicat que leurs pères. Ils comprenaient l'amour idéal, et s'intéressaient aux conflits intimes du cœur.

L'ÉPOPÉE ET LE ROMAN COURTOIS.

L'imitation des troubadours produit alors un lyrisme français; les ménestrels du Nord adoptent la plupart des formes de la poésie du Midi, la *chanson* proprement dite, la *tençon* ou débat contradictoire, le *jeu parti*, autre forme de contestation poétique. Cette littérature d'emprunt, où se signalèrent tant de contemporains de Philippe-Auguste, le châtelain de Couci, Audefroi d'Arras, Conon de Béthune, Gâce-Brûlé, Hugue de Berzé, Hugue d'Oisi, Jean de Brienne, remplaçait un genre lyrique plus original, plus savoureux et issu du terroir même de la France du Nord : les motets, rondeaux, lais et pastourelles du xii⁰ siècle. Beaucoup de ces imitateurs de la poésie provençale appartiennent à la Noblesse. Dans cette société seigneu-

LE LYRISME FRANÇAIS.

riale qui commence à se polir et à s'affiner l'histoire découvre des éléments nouveaux.

D'abord la femme, protectrice des lettrés et lettrée elle-même, n'est plus une exception dans les châteaux. Les grandes dames du Nord semblent vouloir rivaliser avec la fameuse comtesse de Die (Béatrix de Valentinois), la poétesse de Provence, hardie et passionnée. La reine Aliénor d'Aquitaine, sa fille, Marie de France, comtesse de Champagne, l'inspiratrice de Chrétien de Troyes, Blanche de Navarre, la mère de Thibaut le Chansonnier, Yolande de Flandre, à qui est dédié le roman de *Guillaume de Palerne*, attiraient et pensionnaient les poètes. A Troyes, à Provins, à Bar, se réunissent de brillants cénacles de chevaliers et de dames, où l'on discute des questions de galanterie et de casuistique amoureuse. Il en sortit, vers 1220, un code de l'amour courtois, rédigé en latin par André le Chapelain. Les jugements des *cours d'amour*, qu'il rapporte au nombre d'une vingtaine, bien que n'ayant jamais porté sur des faits réels, ne sont pas purement imaginaires. Ils dénotent un état d'esprit singulier, par le mélange qu'on y trouve de théories immorales et de préceptes propres à l'adoucissement des mœurs et des rapports sociaux.

PRINCES LETTRÉS. Les hommes eux-mêmes, dans les hautes régions de la Féodalité, prennent goût aux plaisirs de l'intelligence, apprécient les livres et ceux qui les font, et se mettent à écrire en prose et en vers. Les comtes de Flandre, Philippe d'Alsace, Baudouin VIII et Baudouin IX, le premier empereur latin, forment une dynastie de princes lettrés. Philippe d'Alsace communique à Chrétien de Troyes un poème anglo-normand d'où celui-ci tirera son fameux conte de *Perceval*. Baudouin VIII fait traduire en français, par Nicolas de Senlis, un beau manuscrit latin qu'il possède, la *Chronique de Turpin*. Baudouin IX montre un goût particulier pour l'histoire et les historiens. Il fait recueillir des abrégés de toutes les chroniques latines relatives à l'Occident, sorte de *corpus* historique, et les fait mettre en langue française. Entouré de jongleurs et de jongleresses qu'il paye largement, il cultive lui-même la poésie, même la poésie provençale. En Auvergne, le dauphin Robert Ier collectionne les livres et se forme une bibliothèque composée surtout d'écrits relatifs aux sectes hérétiques, ce qui fit douter de son orthodoxie.

CONON DE BÉTHUNE. Les petits seigneurs imitent les grands. Un des premiers trouvères qui aient introduit au Nord la poésie lyrique du Midi est un noble Cambrésien, Hugue d'Oisi. L'Artésien Conon de Béthune, dans le chant qu'il a consacré à la troisième croisade, mêle singulièrement ses regrets amoureux au sentiment religieux qui le pousse en

Terre Sainte. Et même ce croisé songe moins à Dieu qu'à sa dame :
« Hélas, amour, combien cruel congé il me faudra prendre de la
meilleure qui onques fût aimée et servie ! Puisse Dieu bon me
ramener à elle aussi sûrement qu'avec douleur je la quitte. Las !
qu'ai-je dit, je ne la quitte mie. Si le corps va servir Notre-Seigneur,
le cœur entier demeure en son pouvoir. Vais en Syrie en soupirant
pour elle. » La chanson de Roland est loin, et l'enthousiasme farouche
des barons de la première croisade bien apaisé.

Les guerriers nobles du XIᵉ et du XIIᵉ siècle laissaient à leurs *L'HISTOIRE.*
chapelains ou aux moines qui suivaient l'armée le soin de raconter
les exploits de la chevalerie chrétienne, et voilà que des croisés du
temps de Philippe-Auguste écrivent en bonne prose, en langue brève
et pittoresque, le récit des grands événements auxquels ils ont été
mêlés. Un baron champenois, le seigneur Geoffroi de Villehardouin,
un petit chevalier picard, Robert de Clari, un prince de Flandre,
qui devint empereur de Constantinople, Henri de Valenciennes, nous
ont raconté la quatrième croisade.

Dans sa chronique pittoresque, Lambert d'Ardres nous fait con- *UN SEIGNEUR*
naître le type d'un noble français, de puissance moyenne, de carac- *LETTRÉ.*
tère pacifique, policé et comme adouci par un commencement de *BAUDOUIN*
culture littéraire. Baudouin II, comte de Guines, paraît avoir satisfait *DE GUINES.*
son humeur guerrière en construisant des châteaux. L'histoire ne dit
pas qu'il ait quitté son fief pour faire le pèlerinage de Terre Sainte.
Resté au milieu de ses sujets et de ses vassaux, il leur rend bonne
justice. Le curé d'Ardres ne lui reproche qu'un amour immodéré
pour la chasse et des mœurs peu régulières « qui rappelaient celles
de Jupiter et de Salomon. » Trente-trois enfants, tant naturels que
légitimes, assistèrent à son enterrement.

Mais ce baron ne s'occupait pas seulement de ses chiens, de ses
faucons et de ses concubines; comme ses suzerains, les comtes de
Flandre, il avait des goûts intellectuels. Il vivait entouré de clercs,
de savants et de théologiens qu'il aimait beaucoup et avec lesquels
il ne cessait de discuter. « Les clercs, dit le chroniqueur, lui avaient
appris plus de choses qu'il n'était nécessaire, et il passait son temps
à les questionner, à les faire parler, à les embarrasser de ses objec-
tions. Il tenait tête aux maîtres ès arts ainsi qu'aux docteurs en théologie, si bien que ses interlocuteurs l'écoutaient avec admiration,
s'écriant : « Quel homme ! nous ne pouvons que le combler d'éloges,
« car il dit des choses merveilleuses. Mais comment peut-il connaître à
« ce point la littérature, lui qui n'est ni clerc ni lettré? » Il fait venir
auprès de lui un des grands érudits de la région, Landri de Waben,

lui fait traduire en langue vulgaire le *Cantique des Cantiques* et s'en fait lire fréquemment des passages « pour en comprendre la vertu mystique. » Un autre lettré, Anfroi, lui avait traduit des fragments de l'Évangile et la vie de saint Antoine ; on lui expliquait ces textes, et il les apprenait. Maître Godefroi mit en français pour lui un ouvrage latin qui traitait de la physique. Le grammairien latin, Solin, l'auteur du *Polyhistor,* sorte de pot-pourri de sciences, d'histoire et de géographie, fut traduit et lu en sa présence par une des célébrités de la Flandre, le clerc Simon de Boulogne, un des auteurs du roman d'*Alexandre.*

Le biographe de Baudouin de Guines est émerveillé du nombre des manuscrits que le comte avait rassemblés dans sa bibliothèque. « Il en avait tant, et il les connaissait si bien qu'il aurait pu lutter avec Augustin pour la théologie, avec Denis l'Aréopagite pour la philosophie, avec Thalès de Milet (*Thalès* pour Aristide — une erreur du bon curé d'Ardres) pour l'art de réciter des contes drôlatiques. Il aurait pu en remontrer aux plus célèbres jongleurs pour sa connaissance des chansons de geste et des fabliaux. Il avait pour bibliothécaire un laïque, Hasard d'Audrehem, qu'il forma lui-même. » Enfin, un ouvrage sur la nature duquel le chroniqueur oublie de s'expliquer fut composé au château d'Ardres, à l'instigation et sous les yeux mêmes du comte, par un clerc, maître Gautier Silens. « Ce livre fut appelé de son nom le *Livre du Silence*, et il valut à son auteur la reconnaissance du maître qui le combla de chevaux et de vêtements. »

LES DEUX
NOBLESSES. Même hyperbolique, cet éloge n'est pas indifférent à l'histoire. La Féodalité apparaît ici sous un aspect nouveau. Nous n'en conclurons pas que tous les nobles de ce temps allaient devenir des Mécènes. Pendant que l'élite, partie par conviction, partie par snobisme, protégeait les lettres, se faisait lettrée elle-même, et témoignait à la femme (au moins en littérature) un respect auquel elle n'était pas habituée, la foule des châtelains continuait à n'aimer que la guerre et le pillage. Élite cultivée, masse brutale et violente, vivront côte à côte longtemps encore. Mais c'est déjà un spectacle curieux que de voir une partie du monde féodal essayant de rompre avec ses traditions de barbarie et faisant effort pour se transformer.

IV. — *LES NOBLES FRANÇAIS EN ORIENT. LA CROISADE DE CONSTANTINOPLE ET LA FONDATION DE L'EMPIRE LATIN* [1]

SUR cette noblesse, brutale ou courtoise, ignorante ou lettrée, la croisade exerce toujours son attrait. Elle se croisa en 1202, pour les mêmes raisons principales qui avaient déterminé les grandes expéditions précédentes : conviction religieuse, amour du mouvement et des aventures, espoir du gain et des conquêtes fructueuses, nécessité de faire pénitence, appât des indulgences promises. Mais la quatrième guerre sainte fut originale. D'abord, ce qui est un trait de mœurs nouvelles, elle fut décidée le 28 novembre 1199, dans un tournoi, au château d'Écri-sur-Aisne, par les barons de Champagne, qui étaient les plus civilisés, on l'a vu, du pays de France. Ceux de la Picardie et de la Flandre, rivaux des Champenois pour la courtoisie, s'empressèrent de s'adjoindre à eux. Les moyens employés aussi furent nouveaux. Au lieu de se diriger sur Jérusalem, nos barons attaquèrent l'empire byzantin. Au lieu de combattre le musulman, ils s'en prirent à une nation chrétienne et renversèrent un État grec pour lui substituer un empire latin.

CAUSES DE LA QUATRIEME CROISADE.

Cependant, avec le curé de Neuilli, Foulque, prédicateur de la quatrième croisade, on se croirait revenu au temps de Pierre l'Ermite ou de saint Bernard. Nous l'avons déjà montré, semant sur sa route les conversions et les miracles. Jacques de Vitri, qui n'est pas tendre aux mauvais prêtres et aux faux prophètes, admire sans réserve le curé de Neuilli. « Il prêchait souvent, dit-il, sur une place de Paris appelée Champeaux. Là, les usuriers, les femmes de mauvaise vie, les plus grands pécheurs, dépouillant leurs vêtements, portant des verges à la main, se prosternaient à ses pieds et confessaient leurs fautes. Les malades se faisaient porter devant lui. La foule se précipitait sur ses pas, déchirait sa robe pour s'en partager les lambeaux. En vain il écartait les plus impatients avec un bâton : il ne pouvait dérober ses vêtements à l'avidité pieuse des spectateurs; aussi se montrait-il presque tous les jours avec une soutane neuve. » Les

PRÉDICATION DE FOULQUE DE NEUILLI.

1. SOURCES. Villehardouin et Henri de Valenciennes, édition de Wailly, 1872. Robert de Clari, édition Riant, 1868, et K. Hopf, dans les Chroniques gréco-romanes, 1873. Buchon, *Recherches et matériaux pour servir à une histoire de la domination française aux XIII*, *XIV*° *et XV*° *siècles dans l'empire grec*, 1840.

OUVRAGES A CONSULTER. Streit, *Venedig und die Wendung des vierten Kreuzzugs gegen Constantinople*, 1877. Riant, *Le changement de direction de la quatrième croisade*, 1878. Tessier, *La diversion sur Zara et Constantinople*, 1884. Cerone, *Il Papa e i Venetiani nella quarte Crociata*, dans l'Archivio veneto, t. XXXVI, 1887. W. Norden, *Der vierte Kreuzzug im Rahmen der Beziehungen des Abendlandes zu Byzanz*, 1898. Paparrigopoulo, *Histoire de la civilisation hellénique*, 1899. H. Moeser, *Gottfried von Villehardouin und der Lateinerzug gegen Byzanz*, 1899.

scènes d'entraînement populaire, qui avaient signalé la première croisade, se renouvelaient un peu partout. En Bretagne, un des associés de Foulque, le moine de Saint-Denis, Hellouin, ramassa des bandes désordonnées, qui partirent pour Saint-Jean-d'Acre sans attendre l'armée régulière, et périrent misérablement, comme avaient péri, un siècle plus tôt, les hordes de Gautier-sans-Avoir. Pourtant le succès extraordinaire du curé de Neuilli diminua et l'enthousiasme se refroidit, lorsque Foulque se fut mis à recueillir les aumônes destinées à entretenir les croisés pauvres. Les gens méfiants se demandèrent si cet argent était réellement consacré à la Terre Sainte; ce soupçon ne serait jamais venu à l'esprit des contemporains de Pierre l'Ermite et d'Urbain II.

LE PAPE
ET LA CROISADE.
Cette croisade fut surtout une entreprise féodale. Philippe-Auguste, tout à sa lutte avec Jean-sans-Terre, y est à peine intervenu, en recommandant aux croisés de prendre pour chef le marquis de Montferrat, Boniface, son parent et son ami, qui remplaça le comte Thibaut de Champagne, mort avant le départ (1201). Ce ne fut pas non plus Innocent III qui dirigea l'expédition. Ce sont les grands seigneurs de France et d'Italie, cette oligarchie de barons dont Villehardouin nous révèle les intentions, les discours et les actes, Baudouin et Henri de Flandre, Louis de Blois, Hugue de Saint-Pol, l'évêque de Soissons, Nivelon, Boniface de Montferrat, et le doge de Venise, Henri Dandolo, qui ont tout conduit.

RÉUNION
A VENISE.
La masse des chevaliers croisés voulait suivre la tradition, obéir au Pape, débarquer en Syrie et reprendre la Terre Sainte aux musulmans. Les hauts barons eurent, au début, l'idée d'aller attaquer l'islamisme en Égypte; ce qui était très sage, car, en Syrie, il ne fallait pas compter sur le concours des princes chrétiens devenus hostiles aux Occidentaux, et, d'autre part, l'Égypte était la clef de la Syrie et de tout le bassin oriental de la Méditerranée. Ils conclurent donc un marché avec les Vénitiens pour se procurer les transports nécessaires. Mais déjà beaucoup de pèlerins, au lieu de se rendre à Venise où devait se faire la concentration, avaient fait voile vers la Terre Sainte. Ceux qui allèrent à Venise se trouvèrent dans l'impossibilité de payer les frais du passage et de faire honneur à leur signature. L'armée chrétienne tomba ainsi sous la dépendance des Vénitiens.

LES CROISÉS
A ZARA.
Ceux-ci profitèrent des circonstances en marchands qui pensent à leurs affaires. Le sentiment religieux a toujours passé pour eux après les intérêts de leur commerce. Leur bonne fortune mettant une armée à leur discrétion, ils employèrent d'abord les croisés à conquérir Zara, propriété d'un chrétien, d'un croisé même, le roi de Hongrie. Zara, ville dalmate, enrichie par la piraterie, était depuis

longtemps l'ennemie de Venise. Dandolo et Boniface, au mépris des prohibitions d'Innocent III, s'en emparèrent (novembre 1202). Les habitants ne furent pas massacrés, mais on leur prit tout ce qu'ils avaient.

Le 1ᵉʳ janvier 1203, les chefs croisés virent arriver le fils d'un empereur dépossédé, le jeune prince byzantin Alexis, fils d'Isaac l'Ange, qui leur demandait aide et protection, et leur promit l'entrée facile dans la capitale de l'empire grec. Ils se laissèrent tenter. Les Vénitiens, intéressés à prendre pied dans les ports impériaux, les engagèrent à saisir une occasion inespérée et, le 7 avril, nos barons, après avoir pris Durazzo, partaient pour Corfou, décidés à se diriger sur Constantinople, et différant ainsi sans l'oublier — du moins Villehardouin l'affirme — leur projet primitif, l'attaque de l'Égypte et la reprise de Jérusalem [1]. Les troubles de Constantinople, où Alexis III avait usurpé le trône d'Isaac l'Ange, son frère, l'attrait de la grande ville du Bosphore sur l'imagination latine, la perspective du pillage et de la conquête, la vieille haine du chrétien d'Occident contre le schismastique grec, le souvenir des perfidies byzantines pendant les première croisades, contribuèrent à déterminer les Français, dociles aux suggestions vénitiennes. Innocent III protestait toujours et l'on eut alors un étrange spectacle, qui eût paru incompréhensible au temps de Godefroi de Bouillon : le Pape excommuniant une partie des croisés, les Vénitiens, et menaçant les autres d'un châtiment pareil.

Les barons arrivèrent devant Constantinople le 23 juin 1203. « Or, dit Villehardouin, vous pouvez savoir qu'ils regardèrent beaucoup Constantinople, ceux qui jamais ne l'avaient vue, car ils n'auraient jamais pensé qu'il pût être en tout le monde une si riche ville, quand ils virent ces hauts murs et ces riches tours, dont elle était close tout entour à la ronde, et ces riches palais, et ces hautes églises, dont il y avait tant que nul ne le pût croire s'il ne l'avait vu de ses yeux, et la longueur et la largeur de la ville qui, entre toutes les autres, était souveraine. Et sachez qu'il n'y eut homme si hardi à qui la chair ne frémît ; et ce ne fut pas merveille, car jamais si grande affaire ne fut entreprise par nulles gens, depuis que le monde fut créé. »

MARCHE
SUR
CONSTANTINOPLE.

ARRIVÉE
SUR LE
BOSPHORE.

1. Des historiens ont prétendu que les barons de France avaient été dupes d'une intrigue préméditée de longue date, en vue de les obliger à se détourner de leur route, à laisser en paix les musulmans, et à se jeter sur l'empire grec, pour la grande satisfaction soit des Vénitiens, liés par des traités au Soudan d'Égypte, soit de l'empereur allemand Philippe de Souabe, beau-frère du jeune Alexis. D'autres soutiennent que la déviation était due à des causes fortuites. La thèse de la non préméditation nous paraît la plus conforme aux textes interprétés naturellement et à l'ensemble des faits ; mais peut-être l'a-t-on aussi exagérée. Si les Vénitiens n'ont pas été coupables d'une entente secrète avec l'islamisme, le détournement de la croisade est en grande partie leur œuvre, et c'est leur intérêt propre qui a triomphé.

Le 17 juillet, le jeune Alexis et ses protecteurs entrèrent dans la ville, bien accueillis par les Grecs. L'usurpateur Alexis III s'était enfui avec ses trésors, n'osant livrer bataille. Le jeune Alexis fut couronné. Alors se posa pour les Latins la question pressante : ne devait-on pas enfin s'acquitter du vœu de croisade et reprendre le projet interrompu d'une marche sur Jérusalem ou sur l'Égypte? Beaucoup réclamaient le départ immédiat. Les chefs ne furent pas de cet avis. « Partir maintenant, » dirent-ils et non sans raison, « c'est n'arriver en Syrie qu'à l'entrée de l'hiver; impossible de rien tenter avant le printemps de l'année prochaine; autant passer la mauvaise saison à Constantinople; et, d'autre part, notre présence est encore nécessaire pour consolider la domination du jeune Empereur que nous venons d'installer. L'abandonner tout de suite serait le livrer à ses ennemis. » La majorité se laissa persuader, sur l'insistance des Vénitiens.

Or, le jeune Alexis, une fois couronné, essaya d'éluder ses engagements. Le parti national byzantin, qui voulait la guerre avec l'étranger, se donna pour chef un homme déterminé, Murzuphle, et Alexis fut étranglé. Murzuphle organisa la défense contre les Latins. La situation serait devenue critique pour les croisés, si les Grecs avaient été unanimes, mais ils étaient divisés. De tout temps il y avait eu à Constantinople un parti favorable aux Occidentaux, et d'ailleurs des Latins en grand nombre résidaient dans la ville. Les croisés battirent Murzuphle le 2 février 1204, et le 12 avril, après un assaut général, se rendirent maîtres d'une grande partie de l'enceinte. Murzuphle s'enfuit au moment où un immense incendie s'allumait dans Constantinople. « Ce fut, dit Villehardouin, le troisième feu qu'il y eut en Constantinople depuis que les Francs vinrent au pays, et il y eut plus de maisons brûlées qu'il n'y en a dans les trois plus grandes cités du royaume de France. » Le lendemain, les croisés occupaient la ville entière.

Nos chevaliers ne pensèrent d'abord qu'aux trésors dont la ville regorgeait, au partage du butin, à l'immense pillage. « Le butin fut si grand, dit Villehardouin, que nul ne vous en saurait dire le compte d'or et d'argent, de vaisselle et de pierres précieuses, de satins et de draps de soie, d'habillement de vair, de gris et d'hermine, et de tous les riches biens qui jamais furent trouvés sur terre. Et bien témoigne Geoffroi de Villehardouin, le maréchal de Champagne, à son escient et en vérité, que jamais, depuis que le monde fut créé, il n'en fut autant gagné en une ville. »

L'historien grec Nicétas a décrit les scènes inouïes de violences et de rapines dont Constantinople fut le théâtre pendant le mois d'avril 1204. « Ces barbares, dit-il, n'ont usé d'humanité pour personne, ils ont tout saisi, tout enlevé. » Il les montre entrant dans les églises avec des chevaux et des mulets, pour emporter les vases sacrés, arrachant des chaires, des pupitres et des portes les ornements de métal précieux qui les couvraient. Il s'indigne surtout de voir avec quel mépris les Latins traitent les objets d'art, les chefs d'œuvre de la sculpture antique, entassés dans Constantinople et surtout dans la grande église de Sainte-Sophie, qui était un musée incomparable. Les statues de bronze les plus précieuses sont fondues par ces Vandales qui en font des pièces de monnaie : tout ce qui n'a pas de valeur vénale est détruit ou jeté au feu. Et le Grec énumère les pertes immenses que l'art a subies dans la catastrophe.

Comme on s'était partagé les richesses, on divisa en lots le territoire de l'Empire, et les barons français, imitant leurs ancêtres de la première croisade, organisèrent leur conquête à l'image de la mère-patrie. *PARTAGE DU TERRITOIRE.*

L'empereur latin, le chef de la hiérarchie des seigneurs dans le nouvel État, fut le comte de Flandre, Baudouin IX. Élu par six Français et par six Vénitiens, il fut couronné à Sainte-Sophie par un légat d'Innocent III. Le Pape, acceptant le fait accompli, comptait réaliser le grand rêve de la réunion des deux Églises. Baudouin, le jour du sacre, avait revêtu les ornements impériaux et chaussé les brodequins de pourpre. On lui donna pour domaine la terre qui s'étend à l'est et à l'ouest de la mer de Marmara, depuis Philippopolis (la Finepople de nos croisés) jusqu'au voisinage de Nicée, devenue la capitale des Grecs réfugiés en Asie Mineure. Les Vénitiens eurent leur grosse part, bien choisie en vue de leurs intérêts commerciaux : une partie de Constantinople, les côtes, les ports et les îles, Coron et Modon, dans le Péloponèse, avec un morceau de l'Albanie et de l'Épire. Le doge Dandolo obtint une haute situation et de grands biens avec le titre de *despotès*. Un autre Vénitien, Thomas Morosini, fut élu patriarche. Pour dédommager Boniface de Montferrat, qui avait aspiré à l'empire, on le nomma roi de Thessalonique.

Au-dessous de ces grands personnages s'échelonnèrent, hiérarchiquement, les seigneurs d'ordre inférieur : les princes de Morée ou d'Achaïe, puis les ducs d'Athènes et de l'Archipel, les marquis de Bodonitza (chargés de la garde des Thermopyles) et les comtes de Céphalonie. Ces seigneuries se subdivisèrent à leur tour en petits fiefs presque tous occupés par des Français ou des Vénitiens.

La Morée et la Grèce propre, qui devaient longtemps survivre à la ruine de l'empire latin, devinrent, selon l'expression d'un pape, « une seconde France. » C'est là que s'établirent et firent souche de lignées féodales les seigneurs de la Roche-sur-l'Ognon, les Villehar- *LA MORÉE. SECONDE FRANCE.*

douin, les Brienne et les Champlitte. L'Achaïe française, surtout, avec sa hiérarchie de barons laïques et ecclésiastiques, ses douze pairs, ses cours féodales et ses tribunaux d'Église, offrit le curieux spectacle d'une féodalité latine régulièrement organisée en territoire grec. Un siècle après la conquête, un chroniqueur catalan, Ramon Muntaner, disait : « Les princes de Morée prennent leurs femmes dans les meilleures maisons françaises. Ainsi font leurs vassaux, barons et chevaliers, qui ne sont jamais mariés qu'à des femmes descendues de chevaliers de France. Aussi disait-on que la plus noble chevalerie du monde était la chevalerie française de Morée. On y parlait aussi bon français qu'à Paris. »

RÉSULTAT DURABLE DE LA CONQUÊTE. Ce fut le résultat le plus durable de la grande aventure de 1204. La race française se trouva ainsi établie aux portes de l'Orient. Nos barons implantèrent pour des siècles, dans cette contrée lointaine, notre langue, nos mœurs, notre législation, nos habitudes religieuses et notre culture. La Grèce se couvrit de châteaux forts, construits comme ceux de la mère-patrie, portant les noms bien français de Montesquieu, Châtelneuf, Beaufort, Beauregard, tandis que l'art ogival, prenant aussi possession de cette terre nouvelle, y bâtissait la cathédrale d'Andravida et le palais ducal de Thèbes, et que les romanciers grecs adaptaient nos chansons de geste et nos poèmes de la Table ronde.

L'ŒUVRE POLITIQUE DES CROISÉS. Quant à l'œuvre politique des croisés, elle ne dura guère plus d'un demi-siècle. L'empire latin était caduc dès sa naissance. L'intelligence de la situation faisait défaut à ses fondateurs, et les difficultés qu'ils rencontrèrent dépassaient la mesure habituelle. Il aurait fallu aux Latins un État fortement centralisé, une monarchie vigoureuse. Ils firent une mosaïque incohérente de seigneuries, soumises de nom à un vague pouvoir d'empire. L'indocilité des grands vassaux, les révoltes incessantes, l'insuffisance du lien féodal produisirent leurs effets habituels. Boniface de Montferrat regarda, dès le début, son fief de Salonique comme un royaume indépendant et refusa l'hommage à l'Empereur. La guerre éclata; Baudouin prit Salonique et Boniface marcha sur Andrinople. On eut de la peine à les réconcilier. Et, dans les rangs inférieurs de la hiérarchie, les obligations féodales n'étaient pas mieux respectées.

CLERGÉ LATIN ET CLERGÉ GREC. Au lieu de se concilier la population grecque, le clergé latin montra une rigueur maladroite. Le légat du Pape, Pélage, ferma les églises, mit des prêtres et des moines grecs en prison. L'union des deux Églises ne se fit pas. Les Latins eux-mêmes étaient divisés; au patriarche vénitien de Constantinople, qui ne voulait recruter le personnel ecclésiastique qu'avec des hommes de son pays, les Français

La Noblesse.

opposèrent un autre chef spirituel. En Grèce, comme en France, les princes laïques étaient en lutte ouverte avec leur clergé. Le roi de Salonique et le prince de Morée voulaient disposer des biens d'église, et s'appropriaient les dîmes. A Patras, les barons s'étant pris de querelle avec leur archevêque, le firent emprisonner, maltraitèrent son légat, et finirent par lui couper le nez.

Enfin le Grec conquis n'avait pas été soumis : il resta l'ennemi intérieur, allié aux ennemis du dehors, les rois de Valachie et de Bulgarie, que les Latins ne surent pas mettre dans leurs intérêts. Des hommes d'un talent et d'une énergie exceptionnelle auraient difficilement lutté contre tant d'obstacles. Or les deux premiers chefs de l'empire latin, Baudouin Ier (1204-1205) et Henri Ier (1205-1216) furent les seuls qui se montrèrent à peu près à la hauteur de leur tâche. Baudouin, qui ne manquait pas d'énergie et de bravoure, disparut après la défaite que les Valaques lui infligèrent à Andrinople (14 avril 1205). Henri lutta vaillamment contre ces envahisseurs, contre ses vassaux révoltés, et il essaya de réparer les maladresses du clergé latin. Lui aussi succomba à la peine, mais ses successeurs, Pierre de Courtenai, Robert de Namur, Jean de Brienne, Baudouin II, ne luttèrent même pas. En 1261, l'empire latin avait disparu.

DÉCADENCE DE L'EMPIRE LATIN.

CHAPITRE V

LES PAYSANS ET LES BOURGEOIS

I. LA POPULATION RURALE. — II. DÉVELOPPEMENT DES VILLES ET DES BOURGEOISIES. MARCHANDS ET ARTISANS. — III. LES FRANCHISES URBAINES. LA VIE COMMUNALE. ÉTABLISSEMENT ET PROPAGATION DES CONSULATS. — IV. LE VILAIN DANS LES POÈMES FÉODAUX. LA LITTÉRATURE BOURGEOISE.

I. — LA POPULATION RURALE [1]

L'ÉVOLUTION des classes populaires, dont nous avons décrit les premières phases [2], se poursuit dans ses voies diverses. Mais les progrès du peuple rural sont, comme il est naturel, moins rapides que ceux des bourgeoisies.

PROGRÈS DE LA CLASSE SERVILE.

On constate, il est vrai, qu'au début du XIIIe siècle les affranchissements, individuels ou collectifs, ont diminué beaucoup le nombre des serfs. Les terres qui ont la malheureuse propriété de rendre serfs ceux qui les habitent ont été graduellement absorbées par les terres libres. L'hérédité même du servage est atteinte par la force croissante du principe de droit romain, en vertu duquel l'enfant de la femme libre, même mariée à un serf, naît libre. Enfin le paysan n'a plus le même intérêt qu'autrefois à se faire le serf d'une église : au lieu de donner sa personne aux monastères, il se contente de leur offrir de la terre ou de l'argent. Des provinces entières, la Touraine, la Normandie, la Bretagne, le Roussillon, plusieurs régions du Midi, semblent ne plus connaître le servage, ou être en très grande partie libérées. Dans les pays où il subsiste, par exemple le domaine royal et la Champagne,

---

1. OUVRAGES A CONSULTER. Henri Sée, *Les Classes rurales et le Régime domanial en France au Moyen âge*, 1901. E. Bonvalot, *Le Tiers Etat d'après la charte de Beaumont et ses filiales*, 1884. M. Prou, *Les Coutumes de Lorris*, 1884. P. Thirion, *Les Échevinages ruraux aux XIIe et XIIIe siècles dans les possessions des églises de Reims*, 1896, dans les Etudes d'histoire du Moyen âge dédiées à M. Gabriel Monod.
2. *Histoire de France*, t. II, seconde partie, p. 334 et suiv.

(390)

même quand les propriétaires (Philippe-Auguste, on l'a vu, tout le premier) ne se relâchent pas facilement de leurs droits, la condition servile est devenue moins intolérable. La taille arbitraire n'existe plus en beaucoup d'endroits; le formariage, la main-morte, sont souvent supprimés. Nombre de paysans ne sont plus soumis qu'à la capitation, impôt de trois ou quatre deniers, plus humiliant qu'onéreux.

Pour les hôtes et les cultivateurs libres, les concessions de privilèges et d'exemptions qui commençaient déjà à se multiplier au temps de Louis le Gros sont vraiment prodiguées par les seigneurs du temps de Louis VII et de Philippe-Auguste. C'est l'époque de la plus grande diffusion de la charte de Lorris. A l'exemple de Louis VII et de son fils, les seigneurs de Courtenai et de Sancerre, et les comtes de Champagne, la distribuent assez libéralement aux villages de leurs fiefs. Même quand cette charte n'est pas octroyée intégralement et d'une manière explicite, son influence se fait sentir, surtout par l'abaissement du taux des amendes judiciaires, dans la plupart des contrats qui intervenaient alors, de plus en plus nombreux, entre les seigneurs et leurs paysans. *FRANCHISES ACCORDÉES AUX PAYSANS LIBRES.*

En 1182, l'archevêque de Reims, Guillaume de Champagne, concéda à la petite localité de Beaumont en Argonne une charte qui allait servir de modèle à la plupart des chartes d'affranchissement accordées aux localités rurales des comtés de Luxembourg, de Chiny, de Bar, de Réthel, et du duché de Lorraine. En Champagne, elle fit concurrence à la charte de Soissons et à la loi de Verviers. Elle ne donnait pas seulement aux villageois des franchises étendues; elle leur concédait une apparence d'autonomie, des représentants librement élus, les échevins, un maire, et le libre usage des bois et des eaux. Mais les seigneurs qui ont adopté et propagé la loi de Beaumont ne se sont pas montrés aussi généreux que le fondateur. Tantôt ils se sont réservé de nommer le maire, tantôt ils ont voulu exercer ce droit concurremment avec les habitants. Partout, si, au jour fixé par l'élection, les villageois ne s'étaient pas entendus pour choisir leurs magistrats, le seigneur les nommait. *LA CHARTE DE BEAUMONT EN ARGONNE.*

D'autres constitutions, moins répandues que celles de Lorris et de Beaumont, transformaient peu à peu l'état civil et économique des campagnes. Des « échevinages ruraux » furent créés dans les domaines des comtes de Champagne et dans ceux des églises de Reims. Le village ne formait pas une personne morale, mais il était représenté par un maire. Les échevins, qui exerçaient toutes les fonctions locales d'administration et de justice (par exemple, à Attigni, dont la charte est de 1208) n'étaient pas élus. Les paysans restaient assujettis; mais *ÉCHEVINAGES RURAUX.*

ils étaient mieux garantis, en matière d'impôts et de corvées, contre le caprice du maître.

Enfin les « fédérations rurales », c'est-à-dire les associations de villages constituées en communes, avec une charte modelée sur celles des grandes communes urbaines, telles qu'on en trouve déjà au temps de Louis le Gros [1], continuent à se répandre dans certaines régions. On a vu que Louis VII et son fils avaient contribué à la formation de celle des serfs du Laonnais. A l'exemple de Philippe-Auguste qui avait toléré une autre agglomération, celle de Cerni-en-Laonnais (1184), l'abbé de Saint-Jean de Laon autorisa celle de Crandelain (1196). A la fin du XIIᵉ siècle, les comtes de Ponthieu laissèrent s'établir ou fondèrent spontanément celles de Créci, du Crotoi et du Marquenterre. Mais cette forme de l'émancipation des villageois fut toute locale et ne prévalut que par exception.

Cette abondance des actes d'affranchissement achetés par les individus ou les familles, et des chartes de privilèges vendues à des villages, ne doit pas nous faire illusion. Les localités affranchies et privilégiées n'étaient, dans l'ensemble du peuple rural, qu'une minorité. D'ailleurs ces contrats entre seigneurs et vilains n'étaient pas plus respectés, dans la pratique, que la plupart des contrats qui liaient entre eux les possesseurs de fiefs. La nécessité et la force brutale avaient trop souvent raison des conventions les plus précises et les plus formelles. A considérer non les parchemins, mais la réalité, l'existence du paysan, serf ou libre, restait, à tout prendre, misérable et précaire. Nous l'avons vu sans défense contre les calamités naturelles, victime du brigandage et des guerres féodales, succombant sous l'exploitation des nobles et des seigneurs d'Église. Les prédicateurs dénoncent la cruauté des féodaux et la lâcheté des clercs qui laissent écraser les faibles. Jacques de Vitri les menace du châtiment, même en ce monde : « Prenez garde de vous attirer la haine des humbles, car ils peuvent vous faire du mal autant que du bien. C'est une chose dangereuse que le désespoir. On voit des serfs tuer leurs seigneurs et mettre le feu aux châteaux. »

Avant de recourir à la révolte ouverte, la population rurale résiste au paiement de l'impôt. La rentrée des dîmes, surtout, s'opère difficilement. Le concile de Rouen, en 1189, rappelle aux fidèles leurs obligations : « Comme on trouve beaucoup de gens qui refusent de payer la dîme, on leur fera trois sommations pour les avertir de solder intégralement ce qu'ils doivent sur le blé, le vin, les fruits, le

---

1. *Histoire de France*, t. II, seconde partie, p. 338.

foin, le lin, le chanvre, le fromage et les portées des animaux. Si la troisième sommation reste vaine, ils seront excommuniés ». « Il faut que tout le monde paye la dîme, » dit le concile d'Avignon (1209), « et qu'elle soit payée avant tout autre impôt, » ajoute le concile de Latran (1215). Une lettre du pape Célestin III à l'évêque de Béziers dénonce les prétentions de certains paysans qui, tenus de transporter les produits constituant la dîme au domicile du curé, s'étaient mis en tête d'en déduire les frais de transports. Le Pape ordonne à l'évêque, s'ils persistent, de les excommunier. Honorius III, en 1217, permet au chapitre de Maguelone de frapper de censure canonique ceux de leurs justiciables qui ne leur paient pas en entier les dîmes habituelles, ou en retiennent une portion sous prétexte de se couvrir des frais de semailles, de culture ou de moisson.

Les prédicateurs ajoutent leurs objurgations aux ordres des conciles et des Papes. « Vous n'êtes pas seulement des voleurs, s'écrie Jacques de Vitri, mais des sacrilèges! car la dîme est le cens que vous devez à Dieu et le signe de son domaine universel. Ceux qui la retiennent compromettent le salut de leur âme, et Dieu leur envoie la sécheresse et la famine, tandis que les années d'abondance ne manquent jamais à ceux qui les payent. » D'ailleurs, les percepteurs seigneuriaux se plaignent, comme ceux de l'Église, que les recettes diminuent, et l'évêque Maurice de Sulli recommande à ses diocésains leurs devoirs envers tous les seigneurs : « Bonnes gens, rendez à votre seigneur terrien ce que vous lui devez. Il faut croire et entendre qu'à votre seigneur terrien vous devez cens, tailles, forfaits, services, charrois et chevauchées. Rendez le tout, au lieu et au temps voulus, intégralement. »

OBJURGATIONS DES PRÉDICATEURS.

Pour échapper à la rapacité du seigneur et de ses agents, il arrive que le paysan s'enfuit, abandonnant le fief. En 1199, les habitants de l'île de Ré, exaspérés de la rigueur avec laquelle le seigneur de Mauléon pratiquait son droit de chasse, troublés par les fauves dans leurs moissons et vendanges, s'apprêtent à émigrer en masse. Pour les retenir, Raoul de Mauléon s'engage « gracieusement, » moyennant un paiement de dix sous par quartier de vignes et setier de terre, à ne plus souffrir dans l'île d'autre gibier que les lièvres et les lapins. Quand le seigneur restait inflexible, on désertait sa terre. Il a été question plus haut [1] de l'exode des serfs de l'évêché de Laon, qui se transportèrent en grand nombre dans une seigneurie voisine (1204).

LE PAYSAN DÉSERTE LE FIEF.

En même temps que la désertion, l'émeute. Entre 1207 et 1221, dans un archidiaconé du diocèse d'Orléans, les paysans refusent

ÉMEUTES RURALES.

1. Page 221.

de payer la dîme de la laine. L'évêque d'Orléans, Manassès de Sei-gnelai, veut les y contraindre par l'excommunication. Les paysans, furieux, se lèvent une nuit, comme un seul homme, *quasi vir unus*, et vont l'assiéger dans son château. Il s'échappe et bientôt leur fait expier leur rébellion.

A la fin du règne de Philippe-Auguste, le village de Maisnières, situé près de Gamaches et dépendant de l'abbaye de Corbie, s'at-tribua une constitution communale sans avoir demandé à l'abbé une autorisation qui, vraisemblablement, lui eût été refusée. L'abbé, averti, se rendit dans la nouvelle commune, où on refusa de le rece-voir; on le chassa même violemment. Les paysans émancipés annexèrent à leur commune un hameau voisin, le soumirent à la taille, puis saisirent un prêtre qui se trouvait sur leur territoire et le maltraitèrent. L'abbé de Corbie les assigna devant un tribunal d'arbitrage, composé de gens d'Église qui donnèrent tort aux villa-geois; on prononça la dissolution de la commune, et les révoltés furent condamnés à une amende de cent marcs (1219).

La même année, les habitants de Chablis, sujets du chapitre de Saint-Martin de Tours, tentèrent aussi de fonder une commune rurale. Ils s'étaient confédérés sous serment et avaient levé des impôts. Les chanoines de Tours firent intervenir promptement les baillis de Philippe-Auguste et ceux du comte de Champagne. La commune de Chablis disparut.

LES VILAINS DE VERSON.

Le *Conte des vilains de Verson* est le récit en vers d'une émeute dans un hameau du Calvados qui, au commencement du XIIIᵉ siècle, avait voulu s'affranchir des corvées et des redevances auxquelles il était assujetti envers l'abbaye du Mont-Saint-Michel. L'auteur de ce petit poème, hostile à la cause populaire, ne donne sur la révolte même que des détails obscurs et insuffisants, mais il fournit la liste interminable des servitudes dont les vilains sont grevés. D'ailleurs, l'énumération de ces iniquités et de ces souffrances, au lieu d'émou-voir le poète, excite son indignation contre les paysans rebelles. « Allez, et faites-les payer. Ils se doivent bien acquitter. Allez et prenez leurs chevaux. Prenez et vaches et veaux. Car les vilains sont trop félons. Sire, sachez que, sous le firmament, je ne sais plus odieuse gent que sont les vilains de Verson. »

II. — *DÉVELOPPEMENT DES VILLES ET DES BOURGEOISIES. MARCHANDS ET ARTISANS* [1]

LES chroniques de ce temps, et en particulier, la *Philippide* de Guillaume le Breton, montrent quelle place considérable les villes et la bourgeoisie occupent dans la société et dans l'histoire. L'œuvre du Breton abonde en descriptions de villes. En Flandre, c'est Gand, « fière de ses maisons ornées de tours, de ses trésors et de sa population nombreuse ; Ipres, renommée pour la teinture des laines ; Arras, l'antique ville remplie de richesses et avide de gain ; Lille, qui se pare de ses marchands élégants, fait briller dans les royaumes étrangers les draps qu'elle a teints et en rapporte les fortunes dont elle s'enorgueillit. » En Normandie, c'est Rouen, c'est Caen, la cité opulente « tellement pleine d'églises, de maisons et d'habitants qu'elle se reconnaît à peine inférieure à Paris ; » dans la vallée de la Loire, Tours « assise entre deux fleuves, agréable par les eaux qui l'avoisinent, riche en arbres fruitiers et en grains, fière de ses citoyens, puissante par son clergé et décorée par la présence du corps très saint de l'illustre prélat Martin ; Angers, ville riche, autour de laquelle s'étendent des champs chargés de vignes, qui fournissent à boire aux Normands et aux Bretons ; Nantes, qu'enrichit la Loire poissonneuse et qui fait, avec les pays lointains, un commerce de saumons et de lamproies. »

Le moine de Marmoutier, qui écrivait, vers 1209, un abrégé de l'histoire ecclésiastique de la Touraine, dépeint avec complaisance la ville de Tours, qui regorge de richesses. Il s'extasie sur les beaux vêtements fourrés des habitants, sur leurs maisons crénelées et à tourelles, sur la somptuosité de leur table, le luxe de leur vaisselle d'or et d'argent. Généreux envers les saints et les églises, prodigues pour les pauvres, ils ont toutes les vertus : modestie, loyauté, instruction, courage guerrier. Quant aux Tourangelles, « il y en a tant de belles et de charmantes que la vérité ici passe toute croyance, et que les femmes des autres pays sont laides en comparaison. L'élégance et la richesse de leur toilette relèvent encore leur beauté, périlleuse à

(marginalia right:) LES VILLES DANS GUILLAUME LE BRETON.

(marginalia right:) ÉLOGE DE TOURS.

---

1. OUVRAGES A CONSULTER. Pardessus, *Collection des lois maritimes antérieures au XII⁰ siècle*, 1828-1845. Bourquelot, *Etudes sur les foires de Champagne*, 1865. W. Heyd, *Geschichte des Levanthandels im Mittelalter*, 1879, trad. Furcy-Reynaud, 1886. Pigeonneau, *Histoire du commerce de la France*, 1886-1889, t. I. Goldschmidt, *Universalgeschichte des Handelsrechts*, 1891. Imbart de la Tour, *La liberté commerciale en France aux XII⁰ et XIII⁰ siècles*, 1890. Eberstadt, *Magisterium und Fraternitas*, 1897. Fagniez, *Documents relatifs à l'histoire de l'industrie et du commerce en France*, introd., 1898. Levasseur, *Histoire des classes ouvrières en France avant 1789*, t. I, 1900. Boissonnade, *Essai sur l'organisation du travail en Poitou*, 2 vol., 1900.

tous ceux qui les voient; mais leur solide vertu les protège et ces roses « sont immaculées comme des lys. »

Rigord et le Breton mentionnent souvent Paris, ses rues, ses ponts, ses églises, ses marchés et ses halles. Ils parlent de son enceinte de murailles, de sa tour du Louvre et de ses deux Châtelets. — « Je suis à Paris, » écrit Gui de Bazoches entre 1175 et 1190, « dans cette ville royale, où l'abondance des biens naturels ne retient pas seulement ceux qui l'habitent, mais invite et attire ceux qui sont loin. De même que la lune dépasse en clarté les étoiles, de même cette ville, siège de la Royauté, élève sa tête altière au-dessus de toutes les autres. Elle est assise au sein d'un vallon délicieux, au centre d'une couronne de coteaux qu'enrichissent à l'envi Cérès et Bacchus. La Seine, ce fleuve superbe qui vient de l'Orient, y coule à pleins bords et entoure de ses deux bras une île qui est la tête, le cœur, la moelle de la ville entière. Deux faubourgs s'étendent à droite et à gauche, dont le moins grand ferait encore l'envie de bien des cités. Chacun de ces faubourgs communique avec l'île, par deux ponts de pierre : le Grand Pont tourné au nord, du côté de la mer anglaise, et le Petit Pont qui regarde la Loire. Le premier, large, riche, commerçant, est le théâtre d'une activité bouillonnante ; d'innombrables bateaux l'entourent, remplis de marchandises et de richesses. Le Petit Pont appartient aux dialecticiens qui s'y promènent en discutant. Dans l'île, à côté du palais des rois qui domine toute la ville, on voit le palais de la philosophie où l'étude règne seule en souveraine, citadelle de lumière et d'immortalité. »

Même dans les chansons de geste, d'inspiration toute féodale, les villes commencent à être l'objet de descriptions détaillées et précises. Dans *Aubri le Bourguignon* apparaissent les riches cités flamandes d'Arras, de Courtrai et de Lille; dans *Aiol*, Poitiers et Orléans, avec leurs tavernes et leur populace gouailleuse; dans les *Narbonnais*, Narbonne, avec son port plein de vaisseaux, et Paris, « l'admirable cité, où mainte église et maint clocher se dressent, traversée par la Seine aux gués profonds, que couvrent les nefs pleines de vin, de sel et de grandes richesses. » Les allusions à l'opulence de Limoges, de Poitiers, d'Amiens, de Nantes, de Lyon, aux opérations lointaines des marchands de France, à l'habileté de nos artisans, se multiplient à mesure qu'on se rapproche du XIIIᵉ siècle. Le *Moniage Guillaume* et *Aiol* prennent sur le vif de curieuses scènes de marché, et le poème d'*Hervis de Metz*, bien qu'il appartienne à la terrible geste des Lorrains, raconte l'histoire d'un noble de Metz qui envoie son fils faire fortune aux foires de Champagne. Mais le jeune chevalier s'entend mieux à conduire chevaux, chiens et faucons qu'à trafiquer de la draperie, de la fourrure ou des métaux précieux, et il se contente de dépenser, en joyeuse compagnie l'argent que son père lui a donné. Le poète profite de ce sujet à demi bourgeois pour décrire, sous une forme animée, ce qui se passe sur les marchés de Troyes ou de Provins

Dans ces éloges de villes, il faut faire la part des exagérations de l'écrivain qui, se proposant de décrire, veut décrire des merveilles. Le Moyen âge n'était pas difficile pour ce qu'il appelle « la beauté » de Paris et des autres grands centres. Elle consistait, aux yeux des hommes de ce temps, dans l'abondance des vivres, les marchés et les boutiques bien achalandés, l'activité de l'industrie et du commerce. Leur idéal était alors d'entourer une ville de solides remparts, et d'entasser maisons et églises dans des rues étroites. Le reste, aération et propreté, leur importait peu. Ces cités tant célébrées ne nous sembleraient pas habitables. Mais au reste, dans la période précédente, nul écrivain ne se serait avisé d'adresser des éloges à une population de vilains. C'est que ces vilains se sont singulièrement élevés au-dessus de leur condition d'autrefois.

LA « BEAUTÉ » DES VILLES.

L'histoire de Philippe-Auguste a prouvé que les bourgeois, et surtout ceux de Paris, ont pris une certaine part au gouvernement. De son règne date, en réalité, l'avènement de la classe urbaine à la vie politique. Le même fait se retrouve dans toutes les seigneuries. Aux dynasties de « grands bourgeois » qui commencent à dominer Paris, les Arrode et les Popin, les Piz d'Oie et les Passi, correspondent les Colomb à Bordeaux, les Auffrei à la Rochelle, les Dardir à Bayonne, les Manduel à Marseille, les Fergant à Rouen. En possession des magistratures urbaines, ils sont investis de fiefs nobles, exercent les fonctions de conseillers, détiennent de hautes charges dans les cours féodales. Un Lambert Bouchut, de Bar-sur-Aube, est chambrier du comte de Champagne (1195-1225). On l'emploie de toutes façons, comme juge, arbitre, expert, chargé de missions diplomatiques. Et en 1224, quand le comte de Champagne part avec le roi Louis VIII pour l'expédition de Saintonge, ce bourgeois exerce, en l'absence du maître, la fonction d'administrateur en chef de la Champagne. Déjà s'ouvre le règne de l'aristocratie bourgeoise (car l'heure de la démocratie n'est pas encore venue); elle s'impose aux puissances du monde seigneurial, prend place à côté d'elles pour les servir ou les contenir, élargit et rajeunit le cadre social. C'est une grande nouveauté, due en partie au développement du commerce et de l'industrie. Le pouvoir, peu sensible jusque-là, de l'épargne et des

LES BOURGEOIS AUX AFFAIRES.

capitaux se révèle pleinement. La révolution économique qui commençait à la fin du XIᵉ siècle et dont nous avons montré l'influence sur l'établissement des communes [1] produit maintenant tous ses effets.

Partout les marchands affranchis par les libertés des villes achèvent de s'organiser en associations puissantes ou « hanses », auxquelles appartient le monopole du commerce dans une région déterminée. On a vu combien la hanse de Paris s'était développée sous le règne de Philippe-Auguste. Tantôt ces sociétés constituent, comme à Paris, la municipalité même ; tantôt elles n'ont qu'un caractère commercial et ne prennent aucune part à l'administration des villes ; exemple, celles des marchands de la Loire, qui, au XIVᵉ siècle, se réuniront en une seule. En 1213, existe à Bayonne une société de navigation dont les membres se devaient l'assistance mutuelle et se partageaient les bénéfices du fret.

C'est le temps de la grande prospérité des foires de Champagne, créées dans les villes de Troyes, de Provins, de Bar-sur-Aube et de Lagni. Vers la Champagne convergeaient les routes du commerce du Nord et de celui du Midi ; les marchands s'y réunissaient de toutes les régions de la France et de l'Europe. Les comtes de Champagne les attiraient par la modération de leurs taxes, et aussi par les garanties sérieuses qu'ils donnaient à la sécurité des personnes et des marchandises, et à la loyauté des transactions. Un acte de 1175 montre des marchands de Paris, de Limoges, de Rouen, de Reims, et d'Etampes installés à Troyes. En 1205, des Auvergnats vont vendre leurs vins à Provins, où les marchands d'Aurillac possédaient d'ailleurs une maison de pierre. En 1220 apparaissent les marchands de Cahors, en 1222 ceux de Montpellier, placés sous la sauvegarde spéciale des comtes. Les commerçants étrangers affluent, surtout les Italiens, qui, en 1222, ont un chargé d'affaires pour la protection de leurs intérêts en Champagne, Anselmo Selvaggio de Crémone.

La Flandre, avec ses villes populeuses, son port de Damme et sa foire de Bruges [2], était un autre lieu d'attraction pour le commerce français et international. En rapports directs avec l'Angleterre et avec l'Allemagne, elle travaillait à se créer des débouchés jusque dans la péninsule ibérique. Tandis que ses soldats allaient au secours des Portugais et des Castillans aux prises avec les Arabes (notamment en 1189), ses marchands se rendaient en Espagne soit par mer, en s'arrêtant à la Rochelle et à Bayonne, soit par terre, en suivant les anciennes voies romaines. Partis de Bruges, ils passaient par Douai, Arras, Bapaume, Roye, Compiègne, Paris, Orléans, Poitiers,

1. *Histoire de France*, t. II, seconde partie, p. 345.
2. Voir plus haut, p. 168-169.

Bordeaux, Bayonne et Pampelune, d'où ils se dirigeaient sur Burgos et Lisbonne, ou bien sur Barcelone et Valence.

Les progrès du commerce intérieur sont attestés par la multiplication des foires et marchés, par la fixation des tarifs de péages, et par l'amélioration des voies de transport. Les seigneurs comprenaient enfin qu'il était de leur intérêt de faciliter les allées et venues des marchands. Partout les ponts sont réparés ou construits. En 1178, un des Manduel, marchands marseillais, était chargé comme ingénieur de construire le pont de Crau pour le compte de la ville d'Arles. En 1203, la comtesse Blanche de Navarre, voulant rétablir ou créer une chaussée pavée et deux ponts sur la route de Troyes à Meaux, passait contrat avec trois entrepreneurs : pendant sept ans, les concessionnaires devaient garder la jouissance du péage et de la *chaîne*, c'est-à-dire des droits payés par les piétons, les chevaux et les voitures, mais, à la fin de leur bail, la chaussée serait pavée tout entière et les ponts construits, sans autre dépense pour la comtesse que la fourniture des gros bois. D'ordinaire c'étaient des confréries spéciales de « frères pontifes » qui se chargeaient d'édifier les ponts. Alors fut bâti celui d'Avignon, qui demanda onze ans de travail (1177-1189). En 1190, le pont de bois de Lyon s'étant écroulé après le passage des croisés de Philippe-Auguste et de Richard, on fit des quêtes dans toute la France pour lui substituer un pont de pierre, et une compagnie religieuse se forma qui ne put d'ailleurs construire qu'une seule arche.

Les premières croisades avaient donné au commerce maritime, notamment à celui des ports français de la Méditerranée, une impulsion que soutinrent et accrurent les grandes expéditions de 1190 et de 1204. Narbonne, Montpellier, Arles, Marseille, rivalisaient alors avec Gênes, Venise, Pise et Amalfi. S'efforçant d'attirer chez elles les bénéfices du transport des marchandises et des pèlerins, elles établissaient des comptoirs et des consulats au Levant. Dans la seconde moitié du XIIᵉ siècle et au début du XIIIᵉ, nos ports méditerranéens sont devenus les entrepôts du monde connu. Le Juif Benjamin de Tudèle écrit vers 1170 : « Montpellier est un lieu très favorable au commerce, où viennent trafiquer en foule chrétiens et sarrasins, où affluent des Arabes du Garb, des marchands de Lombardie, de Rome, de toutes les parties de l'Égypte, de la terre d'Israël, de la Grèce, de la Gaule, de l'Espagne, de l'Angleterre, de Gênes, de Pise, et qui y parlent toutes les langues. » Il y avait alors près de trois cents maisons juives à Narbonne, dont les marchands fondaient des comptoirs à Gênes (1168) et à Pise (1174). Marseille avait des *consuls de mer* sur toutes les côtes d'Orient.

Les seigneurs des villes maritimes et les cités autonomes concluent des traités de commerce avec les ports des pays voisins. Montpellier et son seigneur Guillaume VIII signent des conventions avec Gênes et Pise; le comte de Toulouse et la ville de Narbonne négocient, de leur côté, avec les Génois.

Le type de ces traités de commerce et de navigation est l'accord conclu, le 24 juillet 1219, entre Marseille et Ampurias. Les parties contractantes se garantissent une protection réciproque : les marchands des deux villes jouiront, les uns chez les autres, de certains droits civils, notamment de la liberté de tester et de l'égalité des taxes. Cet affranchissement partiel du négoce étranger, ces concessions d'avantages mutuels ébranlaient le vieux système féodal du monopole et préparaient une transformation économique dont le Moyen âge ne verra pas la fin.

Autre signe des temps : le 15 février 1200 est signée la première lettre de change connue; elle est tirée de Messine sur Marseille. Barthélemi Mazellier et Pierre Vital promettent de payer à Marseille une somme de cent quarante six livres à Étienne de Manduel et à Guillaume Benlivenga. Enfin apparaît le premier recueil de lois et de coutumes maritimes, vrai code international de la navigation. C'est à la fin du XIIᵉ siècle, selon toute apparence, que les *Lois* ou *Rôles d'Oléron* ont été écrits en Aquitaine, pour passer de là en Bretagne, en Normandie, en Angleterre et dans l'Europe du Nord. On sentait la nécessité de régler les droits et les devoirs des patrons, des pilotes et des matelots, l'exercice des droits de bris et de naufrage, de « marque » ou de représailles, les contrats de nolis et d'association, d'établissement des tribunaux maritimes, etc.

A la même époque, l'ouvrier et le petit boutiquier parvenaient aussi à s'affranchir. Sans doute le mouvement d'émancipation du travailleur industriel avait commencé bien antérieurement, surtout dans les villes [1]. Mais il semble bien qu'au temps de Philippe-Auguste un nombre considérable d'artisans sont devenus maîtres d'eux-mêmes et travaillent pour leur compte. Le *métier*, atelier ou comptoir, échappe de plus en plus à la domesticité du seigneur laïque et ecclésiastique. Cette transformation, si féconde en conséquences, ne pouvait s'accomplir tout d'un coup. Il existe encore partout beaucoup d'ouvriers domestiques attachés au service d'une seigneurie, château, couvent ou évêché. En 1188, par exemple, l'évêque de Châlons, Gui de Joinville, règle l'organisation des ouvriers en métaux obligés de

---

1. Voir *Histoire de France*, t. II, seconde partie, p. 332 et suivantes.

travailler gratuitement aux réparations du palais épiscopal, et c'est un fait choisi entre beaucoup d'autres. Même quand les métiers sont libérés, ils restent assujettis au seigneur par des redevances, des fournitures ou des corvées, survivances de l'état primitif de l'industrie. Mais le progrès, dans la condition des travailleurs, est réel. L'ouvrier qui continue à travailler spécialement pour le compte de la seigneurie est traité non plus en serf, mais en vassal de catégorie inférieure, avec lequel le seigneur signe une sorte de contrat de fief. Tel fut l'acte de 1215 par lequel l'évêque de Chartres, réglant les conditions du fief de son charpentier-tonnelier, fixa les droits et les devoirs de cet artisan.

Le « métier libre » de caractère individualiste apparaît surtout dans les villages et dans les bourgs, où il durera. Dans les villes s'est répandue et affranchie « la corporation, » c'est-à-dire ce groupement d'artisans ou de marchands de même profession, dont chacun sacrifie de sa liberté individuelle pour se soumettre à des règles communes, et profite en échange des avantages que donnent à la collectivité certains privilèges et surtout le monopole du métier. *LE MÉTIER LIBRE ET LA CORPORATION.*

Les origines des corporations sont diverses. Il est possible que le groupement des artisans d'une même industrie ait pu se faire déjà dans les ateliers serviles d'une seigneurie. Ailleurs, le corps de métier s'est constitué sous forme d'association volontaire dans les villes assujetties ou, dans les villes libres, comme un des effets de l'insurrection. Sur d'autres points enfin, le seigneur, de sa propre initiative, a donné à des artisans le monopole de leur métier, en échange d'une redevance fixe ; il les a placés sous la direction et la juridiction d'un « maître » (*magister*), et leur a imposé des statuts. Ce dernier cas se présente souvent dans la seconde moitié du XIIe siècle. Un acte de 1162 semble bien prouver qu'à Pontoise, avant cette date, la boulangerie n'était pas le monopole d'un métier, car Louis VII le constitue alors, et promet de donner aux boulangers un maître chargé de les surveiller et de juger leurs causes professionnelles ; il exige en retour de chaque boulanger une rente d'un muids de vin, et oblige seulement chaque nouveau membre du corps à offrir un repas à ses collègues. Le duc de Normandie, Henri II, en confirmant la gilde des tanneurs de Rouen déjà existante (1170-1189), lui accorde aussi le monopole de son industrie à Rouen et dans la banlieue, et le droit de n'être jugée que par lui-même. On peut supposer que, dans ces deux cas, c'est la concession du monopole par l'autorité seigneuriale qui a formé le véritable lien corporatif, en limitant le nombre des associés. *ORIGINE ET FORMATION DES CORPORATIONS.*

Mais tous les seigneurs, il s'en faut, ne se montraient pas favorables à la suppression des droits fiscaux qui frappaient l'artisan et à la formation des corps de métiers. En 1210, par exemple, l'abbaye de Saint-Maixent était en conflit avec les tanneurs de la ville, et des démêlés analogues se produisaient ailleurs fréquemment. Les rois étaient plus libéraux. Nous avons nommé plus haut[1] les corporations qui, dans les villes du domaine royal ont reçu de Louis VII et de Philippe-Auguste la consécration de leurs plus anciens statuts.

RÉDACTION DES STATUTS CORPORATIFS.

En somme c'est dans cette période que les corporations « jurées » commencent à rédiger leurs règlements et à demander la consécration écrite de leur existence, de leurs droits et de leurs devoirs à l'autorité publique. Elles sont puissantes et prospères dans certaines villes, comme à Amiens et à Abbeville, où elles forment une des bases de l'organisation communale, et dans les grandes cités libres du Midi, à Carcassonne, par exemple, où, en 1226, sur une liste de 828 prudhommes, 150 appartiennent à la petite industrie, bouchers, forgerons, cordonniers, revendeurs, etc. Inférieurs à l'aristocratie marchande qui domine dans la plupart des villes, les gens de métiers ont déjà pourtant leur part d'influence et de richesse. Elle grandira avec le temps; à la fin du XIIIᵉ siècle, ils seront en état de lutter contre la haute bourgeoisie.

CONFRÉRIES.

Dès l'époque la plus reculée, les travailleurs des ateliers et des comptoirs étaient groupés dans les villes en *confréries*, ou associations religieuses, qui avaient pour but à la fois l'accomplissement en commun de certains devoirs de piété et de charité, et le plaisir de festoyer dans des banquets annuels. A l'époque de Philippe-Auguste, ces sociétés se multiplient, commencent à écrire leurs statuts, et viennent en aide à l'évêque pour subventionner les grandes entreprises de constructions religieuses. Elles fondent des chapelles, donnent des vitraux et se font représenter par les peintres et les sculpteurs dans l'exercice de leur profession. La corporation des fourreurs de Bourges apparaît sur une fenêtre de la cathédrale, et sur les vitraux de Notre-Dame de Chartres est dessinée l'image des donateurs : changeurs vérifiant des monnaies, pelletiers vendant leurs fourrures, bouchers abattant des bœufs, sculpteurs taillant des chapiteaux.

1. P. 79 et p. 229.

III. — *LES FRANCHISES DES VILLES. LA VIE COMMUNALE. ÉTABLISSEMENT ET PROPAGATION DES CONSULATS* [1]

L'ÉMANCIPATION pacifique de la bourgeoisie, dont nous avons montré les origines et les premiers développements [2], continua dans la période de Louis VII et de Philippe-Auguste, avec une activité toujours plus grande. Il faut la suivre, d'une part, dans les villes demeurées sujettes, et, d'autre part, dans celles qui ont conquis, à des degrés divers, l'autonomie.

FRANCHISES DES VILLES ASSUJETTIES.

Aux bourgeois des villes administrées par leurs agents, les seigneurs, imitant les rois de France, concèdent, dans toutes les provinces, les chartes de privilèges ou de franchise dans la France du Nord, les « coutumes » ou les statuts municipaux dans le Midi.

Dans la masse des faits qu'apportent à l'histoire ces innombrables privilèges, quelques détails sont d'un intérêt particulier. La pluie des libéralités seigneuriales tombe pour la première fois sur les régions de la France centrale, qui étaient restées en dehors du mouvement d'émancipation. En 1196, Blois et Romorantin ; en 1197, Châteaudun obtiennent leurs franchises, avec un rudiment d'organisation municipale, un conseil de prudhommes (*boni viri*). Pierre de Courtenai, comte d'Auxerre et de Tonnerre, essaie évidemment de se concilier les bourgeoisies pour lutter avec avantage contre ses ennemis, les seigneurs d'Église : en 1188, il abolit la main-morte à Auxerre ; en 1192, 1200, 1211, 1215, il comble de libertés les habitants de Tonnerre. En 1216, il permet même aux bourgeois d'Auxerre et de Tonnerre d'élire leurs administrateurs. Les seigneurs de Bourbon agissent de même dans leur fief, bien qu'ils y soient maîtres absolus, pour y créer des centres d'industrie et de commerce. Ils multiplient spontanément les villes franches : Breuil (1145), Franchesse (1151), Bourbon (1195), Souvigni (1196 et 1214), Mauzé (1205), Saint-Bonnet (1206). Moulins aura son tour en 1232 et Gannat en 1236. De mieux en mieux les seigneurs comprennent que leur fisc est intéressé à la prospérité des bourgeois.

LES VILLES DU CENTRE.

---

1. OUVRAGES A CONSULTER. Soyer, *Etude sur la communauté des habitants de Blois*, 1895. Giry, *Les Etablissements de Rouen*, 1883, et article COMMUNES dans la Grande Encyclopédie, 1891. Lambert, *Essai sur le régime municipal et l'affranchissement des communes au Moyen âge*, 1882. Dognon, *Les Institutions politiques et administratives du pays de Languedoc*, 1895. A. Tardif, *Le droit privé au XIIIᵉ siècle d'après les coutumes de Toulouse et de Montpellier*, 1886. Luchaire, *Manuel des Institutions françaises*, 3ᵉ partie, 1892. Fritz Kiener, *Verfassungsgeschichte der Provence seit der Ostgothenherrschaft bis zur Errichtung der Konsulate* (510-1200), 1900.
2. *Histoire de France*, t. II, seconde partie, p. 341.

En Roussillon, sous la domination intelligente des rois d'Aragon, d'importantes franchises sont accordées aux villes nonautonomes. Le privilège de Collioure, octroyé par Pierre Ier, entre 1197 et 1207, abolit les impôts indirects et les corvées, concède des bois et des pacages, supprime le jugement par l'eau et le feu, établit un marché général, chaque mardi, et une foire de sept jours à la mi-carême. Dans cette région pyrénéenne où s'était perpétuée l'existence immémoriale de nombreux hommes libres, l'élément populaire exerce une action de plus en plus marquée sur la vie politique des seigneuries. C'est le moment où l'on rédige sous leur forme définitive les « fors » de Morlaas (1220) et d'Ossau (1221). Déjà, en 1154 et 1170, des représentants des communes figuraient à côté des évêques et des barons de la cour de Béarn. En 1184, plusieurs bourgeois de Morlaas souscrivent un acte de Gaston VII. En 1215, une donation du seigneur à l'église d'Oloron se fait en présence de plusieurs bourgeois d'Oloron, de Monein et de Lescar. Dès la fin du XIe siècle, les bourgeois et les représentants des communautés de paysans libres sont convoqués par le vicomte de Béarn, appelés à lui donner leur avis, et font partie de la *cour plénière*, qui est une sorte de Parlement.

Ainsi, sur les points les plus divers de la France, les bourgeoisies développent et complètent les libertés acquises. Leur progrès se manifeste sous une triple forme. D'abord, elles achèvent de se débarrasser de la taille, abolie ou à peu près dans beaucoup de centres urbains. Ensuite, les redevances en nature, les prestations, les corvées, les services personnels, tendent à se convertir en taxes pécuniaires, et les impositions plus ou moins irrégulières et tyranniques, prennent la forme de l'abonnement. Enfin l'autorité seigneuriale commence à permettre aux bourgeois d'élire des notables chargés de répartir et de recueillir les taxes; concession importante; elle a été le point de départ, très humble, très modeste, de l'administration municipale dans les villes auxquelles le seigneur refusait l'autonomie.

Pour les villes vraiment libres, communes jurées du Nord, de l'Ouest et du Nord-Est, ou cités autonomes de la vallée de la Garonne et des pays riverains de la Méditerranée, deux ordres de faits sont à noter.

Les grandes communes de la Flandre, de l'Artois, de la Picardie, du Soissonnais, du Beauvaisis n'ont plus qu'à s'organiser et à compléter leurs libertés. Les gouvernements municipaux qu'elles ont créés s'y consolident; ils étendent leurs propriétés, leur autorité administrative, leur compétence judiciaire. Leurs organes deviennent

plus nombreux, leur constitution plus complexe [1] Mais ces progrès
ne s'obtiennent pas sans luttes Des querelles et des procès mettent
aux prises les bourgeois avec les seigneurs. Quelquefois l'intervention
du Roi ou du Pape rétablit la paix; souvent les partis en viennent à
la guerre ouverte.

Entre bourgeois et seigneurs d'Église, la mésintelligence n'a pas
cessé. Les évêques de Cambrai, Jean III et Godefroi, excommunient
la commune et la soumettent par force (1206-1209), les bourgeois de
Soissons attaquent l'abbaye de Saint-Médard (1185); l'official de Sens
jette cinq fois l'anathème sur les chefs de la ville de Sens (1213); la
commune de Beauvais détruit la maison d'un homme de l'évêché et
comparaît, pour ce fait, devant les juges de l'évêque (1119); l'évêque de
Tournai mène une guerre très vive contre ses bourgeois (1190-1196);
le chapitre de Laon excommunie la commune (1213). Séditions,
anathèmes, coups de force, batailles en justice ou dans la rue, tels
sont les incidents quotidiens de la vie communale. A Saint-Omer, les
bourgeois sont tellement acharnés contre l'abbé de Saint-Bertin, que
le pape Innocent III est forcé de les excommunier et de mettre leur
ville en interdit, mais les nobles de l'Artois soutiennent la commune
et saccagent l'abbaye. A Rouen, en 1194, le jour de Pâques, toutes
les maisons des chanoines de Rouen sont pillées par les bourgeois et
leurs propriétés ravagées. En 1207, deuxième émeute : l'interdit est
jeté sur la cité, et Philippe-Auguste est obligé d'intervenir.

LUTTE
DES COMMUNES
CONTRE L'ÉGLISE.

Cette turbulence des communes n'empêchait pas certains seigneurs
d'en fonder de nouvelles, par intérêt pécuniaire ou politique. Il y eut,
à l'époque de Philippe-Auguste, comme une seconde formation de
villes libres. On a vu que les Plantagenêts, Henri II, Richard et Jean-
sans-Terre avaient propagé en Normandie, dans le Poitou, en Saintonge, en Guyenne et jusqu'aux confins de la Gascogne et de l'Espagne
la charte communale dite *Établissements de Rouen*, et que Philippe
institua des communes dans le Vexin, le Vermandois, le Valois et
l'Artois. Plantagenêts et Capétiens voulaient créer ainsi des postes
militaires ou s'assurer les sympathies des villes dans la lutte à outrance
qu'ils se livraient. Le duc de Bourgogne, à court d'argent et de soldats, battait monnaie avec les privilèges communaux. Après avoir
doté Dijon d'une constitution communale dérivée de celle de Soissons (1182), il la répand sur toute sa province. Les comtes de Champagne
laissent quelques communes s'établir dans leur fief. Enfin, les seigneurs d'un petit pays, le comté de Ponthieu, après avoir libéré leur
capitale, Abbeville, ont mis une complaisance particulière à répandre

SECONDE
FORMATION
DE VILLES LIBRES.

1. Citons un fait caractéristique. La commune de Beauvais, fondée au temps de la première croisade, n'a obtenu sa *mairie* que peu d'années après l'avènement de Philippe-Auguste.

les mêmes institutions communales sur toute l'étendue de leur seigneurie, les prodiguant même à de simples villages. C'est qu'ils voulaient opposer des villes libres aux seigneurs d'Église.

Au reste, ces rois et ces seigneurs règlent le mouvement communal de manière à le rendre aussi inoffensif que possible pour leur propre autorité. Ils n'accordent pas en général aux nouvelles communes l'indépendance presque complète qu'avaient conquise leurs sœurs aînées; ils conservent les droits essentiels du souverain. Ainsi, le maire de Rouen n'est pas élu directement par les « cent pairs » de la ville, c'est-à-dire par les magistrats municipaux; ceux-ci désignent parmi les notables trois candidats entre lesquels le duc de Normandie, roi d'Angleterre, choisissait. Les officiers royaux restent investis, dans la commune, des droits de haute justice. Le Roi et ses agents peuvent seuls convoquer la milice communale : le maire n'a que le droit de la réunir et de la commander.

Pendant que les anciennes communes travaillent à se grandir, d'autres cités, qui les envient, essayent de se donner, par des moyens révolutionnaires, le même régime et, d'ordinaire, sans succès. Nous avons parlé des trois tentatives infructueuses des bourgeois de Châteauneuf-de-Tours [1]. A Valence, deux révoltes contre l'évêque, deux essais d'association jurée (1178, 1204) sont réprimés par le seigneur laïque : le troisième aboutit, en 1226, à la formation d'un gouvernement révolutionnaire composé de deux recteurs et conseillers élus. A Lyon, les citoyens se résignent, en 1208, à transiger avec leur archevêque, ils font l'aveu de leur défaite. Ils jurent « qu'à l'avenir ils n'essaieront plus jamais de conspirer contre leur seigneur, et ne constitueront ni commune ni consulat. »

Dans les pays où se parle la langue d'oc, le même spectacle s'offre à nous : d'une part, les chartes de coutumes répandues à profusion, par les seigneurs, dans les bourgs et les petites localités : d'autre part, le pouvoir féodal ou ecclésiastique violemment attaqué par les habitants des grands centres, l'agitation et l'émeute dans les villes, avec cette différence que la petite noblesse fait le plus souvent cause commune avec les bourgeois. Au Pui, le peuple et les châtelains livrent à leur évêque (1210-1219) des combats meurtriers. A Aurillac, contre une première révolte (1180), l'abbé recourt à la protection du comte de Toulouse; en 1230, les bourgeois ravagent les terres abbatiales et détruisent le château Saint-Étienne. A Limoges, les bourgeois sont excommuniés par leur évêque (1203); ceux de Mende

---

1. Voir plus haut, p. 228.

chassent le leur de sa ville épiscopale (1194). En 1189, guerre civile à Toulouse ; en 1207-1209, à Nimes, Marseille, après avoir lutté contre son évêque (1217-1218), achète ses franchises à la féodalité laïque. Avignon s'affranchit de tous ses seigneurs laïques et ecclésiastiques, y compris le comte de Toulouse et l'Empereur. Cette nouvelle république, dans un traité avec le comte de Toulouse (1208), déclare « ne relever que de Dieu. » Elle s'attribue l'autonomie complète, le droit de paix et de guerre. Ayant surpris dans une embuscade leur ennemi, Guillaume des Baux, un haut baron, les Avignonnais l'écorchent tout vif et coupent son corps en morceaux.

DIFFUSION DES CONSULATS.

C'est au temps de Philippe-Auguste que se multiplient les *consulats*, la forme la plus répandue du gouvernement libre, surtout en Provence et en Languedoc. Dans beaucoup de villes de ces provinces, le peuple n'est arrivé que par une évolution lente à exclure ou à limiter la domination seigneuriale. Peu à peu, à l'officier du maître, administrateur et juge, se sont substitués les « notables, prudhommes, capitouls ou consuls, » qui d'abord n'étaient que les assesseurs et les conseillers de la seigneurie. Toulouse offre l'exemple de ces conquêtes graduelles et souvent pacifiques des bourgeois. En 1152, le comte y exerçait lui-même le pouvoir législatif ; parmi les conseillers appelés à contresigner ses actes, se trouvaient seulement quelques notables de la ville, les « capitouls. » En 1181, les capitouls composent le conseil seigneurial et collaborent aux statuts avec le comte, qui est présent. En 1192, le comte et ses agents semblent avoir disparu : les capitouls font seuls les statuts avec l'assemblée générale des citoyens.

POUVOIRS SEIGNEURIAUX DANS LES VILLES CONSULAIRES.

Pourtant, en nombre de localités, petites et grandes, l'administration urbaine est restée entre les mains du seigneur et de ses agents ; ailleurs, elle est partagée entre le seigneur et les consuls. La charte constitutionnelle de Montpellier (1205) laisse une partie des pouvoirs municipaux aux représentants du seigneur, nommés et institués par lui. En 1210, l'archevêque de Narbonne, le vicomte de Narbonne et l'abbé de Saint-Paul rédigent avec les consuls et les prudhommes narbonnais le statut qui régira la communauté bourgeoise. A Arles, l'archevêque exerce avec les consuls le droit de nommer aux fonctions municipales, de faire des statuts et de juger. Il faut noter qu'à Toulouse, à Narbonne et à Montpellier, les assemblées municipales se tinrent longtemps dans le palais seigneurial ou dans les églises : la *maison commune* n'apparaît à Montpellier qu'en 1210 et à Toulouse en 1226. C'est là le trait original de beaucoup de ces municipalités libres du Midi : la coexistence et la coopération de l'élément féodal et de l'élément bourgeois dans le gouvernement urbain.

Ces consulats sont, du reste, comme les gouvernements des communes jurées, de véritables oligarchies, où les fonctions municipales, rarement payées, sont entre les mains d'un petit nombre de familles riches, qui se les transmettent de père en fils. L'assemblée générale ne comprend pas la totalité des bourgeois ; ce n'est le plus souvent qu'une assemblée de notables, la réunion des chefs de familles nobles et des grands marchands de la cité. Les consuls sortants élisent presque partout leurs successeurs, à qui ils sont tenus de rendre leurs comptes. La fonction est annuelle ; l'élu ne peut la refuser, et elle comporte l'exercice de tous les pouvoirs, sauf dans certaines villes (surtout les républiques de Provence) où la justice, fait qui dénote la supériorité de la civilisation du Midi, est entre les mains de fonctionnaires spéciaux. C'est seulement par exception que les gouvernements consulaires prennent l'avis des bourgeois composant l'assemblée générale. Les gens de métiers n'étaient pas appelés d'ordinaire à faire partie des conseils municipaux, des consulats. Aussi sévèrement que la Féodalité et l'Église, les consuls prohibaient les coalitions d'artisans et les confréries illicites. Ils s'étaient presque partout réservé le droit de nommer les chefs ou les syndics des métiers, de faire les statuts des corporations, de les surveiller et de juger leurs démêlés professionnels.

Les *statuts municipaux* ou *coutumes*, qui sont la loi de ces aristocraties consulaires, ont un caractère assez différent des chartes communales du Nord. Presque tous sont des codes plutôt que des chartes. Le législateur n'y traite pas seulement de l'organisation des pouvoirs urbains, des attributions et de la juridiction propres à chacun des organes de la ville, de leurs relations avec le seigneur ; il introduit, dans sa compilation désordonnée, de nombreuses clauses de droit féodal, pénal et civil, et des règlements de police. De plus, mention y est faite du droit que possédaient les bourgeoisies de reviser et compléter le statut primitif. D'après la loi d'Arles, la rédaction des nouveaux établissements et la correction des anciens est une œuvre d'utilité publique qui s'accomplit tous les ans, à époque fixe, par des *statuteurs*, citoyens que l'assemblée générale ou la municipalité délèguent à cette besogne. Les douze statuteurs d'Arles s'enfermaient dans le palais de l'archevêque, d'où ils ne pouvaient sortir avant d'avoir achevé leur tâche. Ils recevaient une rétribution quotidienne, et il leur était interdit de s'entretenir avec qui que ce fût au sujet de la revision. Le travail fini, l'archevêque confirmait et promulguait, en leur présence, les corrections ou additions adoptées.

Dans le premier tiers du xiiie siècle, un phénomène politique, d'un ordre tout particulier, se produisit à Nice (1215), à Arles (1221), à Marseille (1223), à Avignon (1225), à Tarascon (1233). Ces villes, à

l'exemple des villes italiennes, introduisirent chez elles l'usage des
« podestats » étrangers — d'ordinaire italiens, — magistrats auxquels
elles conféraient une sorte de dictature. Les raisons de ce fait sont
diverses. Nice se donne un podestat pour se défendre contre les attaques
de Gênes, et Arles, pour s'assurer contre les désordres causés par les
discordes du corps consulaire. Un podestat appelé du dehors, étranger
et supérieur aux partis, était seul capable d'imposer la paix. Il arriva
aussi que les démocraties urbaines poussèrent à l'établissement de
podestats par rancune contre les aristocraties qui les excluaient des
charges municipales. La podestatie apparaît à Avignon après la guerre
civile de 1225 ; c'est une sorte de victoire de la population ouvrière,
réunie en confrérie, sur la noblesse locale et sur l'évêque. Au reste,
ce régime ne fut pas un mode de gouvernement établi en permanence,
au lieu et place du régime consulaire. Il y eut alternance entre les
deux, selon que l'un ou l'autre des deux partis qui se disputaient
l'autorité venait à prévaloir.

A la fin du règne de Philippe-Auguste, la décadence des consulats
est commencée. La guerre des Albigeois introduisit à Toulouse la
domination des rois de Paris et celle des princes de leur famille. Le
nouveau gouvernement ne pouvait tolérer les trop grandes libertés
des villes. Simon de Montfort avait remplacé le consulat toulousain
par une commission de prudhommes nommés par lui et révocables à
volonté. Louis VIII, après avoir soumis Beaucaire, en changea la
constitution au profit du pouvoir royal. La tradition sera continuée par son fils Alphonse de Poitiers. D'ailleurs, le vieil esprit
municipal et la liberté politique ne sont pas seulement menacés par
le travail de centralisation accompli, dans le Languedoc et la Provence, par les rois et les hauts suzerains féodaux. Au midi comme
au nord de la France, les villes libres, consulats et communes,
devaient périr par les excès mêmes de la liberté, les abus de pouvoir
et les dissensions des aristocraties bourgeoises, et aussi par l'hostilité de la population inférieure, qui détestait un état politique où elle
n'avait pas trouvé place.

DÉCADENCE
DES LIBERTÉS
CONSULAIRES.

IV. — LE « *VILAIN* » DANS LES POÈMES FÉODAUX. LA LITTÉRATURE BOURGEOISE [1]

LES progrès accomplis par la bourgeoisie sont attestés indirectement par la littérature contemporaine. Les poètes féodaux,
auteurs des chansons de gestes, tout en continuant à exprimer l'uni-

1. OUVRAGES A CONSULTER. Hünerhoff, *Über die komischen « Vilain » Figuren der altfranzö-
sischen Chansons de geste*, 1894. Monmerqué, *Théâtre français au Moyen âge*, 1839, et *Notice*

versel mépris des nobles pour le vilain, ne peuvent s'empêcher de faire aux bourgeois, aux marchands, aux villes, une place qu'on leur avait refusée jusqu'ici. L'auteur de la *Chanson de Roland* ne s'occupe nulle part des personnes et des choses du monde populaire; il ne pense pas que cette humanité des bas-fonds vaille la peine d'être considérée. Dans les poèmes guerriers et les romans d'aventure du temps de Louis VII et de Philippe-Auguste, on sent que le vilain existe et agit, qu'il possède l'argent et qu'il compte dans la société.

LES BOURGEOIS DANS LA CHANSON DE GESTE.

    Nous avons vu qu'il y est souvent question des villes et des bourgeois. Même les communes et leurs milices, bien qu'on se moque souvent de leur couardise, y tiennent leur place. Certains textes de *Girart de Roussillon*, de *Garin* et des *Enfances Guillaume* ne sont pas trop défavorables aux troupes de ville, à la « piétaille des archers. » Le maire de Bordeaux parle, commande, est un personnage dans *Anseis, fils de Girbert. Parise la Duchesse* nous montre des bourgeois en rébellion ouverte et forçant la grande tour du seigneur. *Renaud de Montauban* encadre de détails romanesques un fait historique qui avait fait sensation, au milieu du XIIᵉ siècle, dans le monde bourgeois : la fondation de la grande ville neuve de Montauban [1]. Mais la chanson l'attribue aux quatre fils Aimon.

    Si les jongleurs continuent à tourner le bourgeois en ridicule et le présentent en général comme un ivrogne, un voleur et un usurier, c'est que la classe noble convoite ses richesses et lui garde rancune des emprunts qu'elle est obligée de faire à sa caisse. Ce sentiment apparaît, en traits vifs, dans *Aiol*. Le poète fait du boucher orléanais Hagenel et de sa femme Hersent deux caricatures : « La dame Hersent au large ventre et son mari sont tous deux natifs de Bourgogne. Quand ils vinrent à Orléans, la grande ville, ils n'avaient pas cinq sous vaillant. Ils étaient chétifs, mendiants, dolents, morts de faim. Mais ils firent tant par l'usure, qu'en cinq ans ils ont amassé une fortune. Ils tiennent en gage les deux tiers de la ville : partout ils achètent fours et moulins, et déshéritent tous les francs hommes. »

LE « VILAIN » PARVENU.

    L'avènement du vilain aux fonctions administratives, son entrée dans la politique et les affaires comme prévôt, juge ou conseiller du seigneur, ou même dans le monde militaire comme chevalier, lui vaut les imprécations et les cris de colère des poètes de la Féodalité. On ne lui pardonne pas de sortir de sa caste : tous ces parvenus

---

sur Jean Bodel, 1838. Ch.-V. Langlois, *La Société au Moyen âge d'après les Fabliaux*, dans la Revue Bleue, 1891. Raynaud, *Les Congés de Jean Bodel*, dans la Romania, t. IX. Bédier, *Les Fabliaux*, 1893.
  1. Voir *Histoire de France*, t. II, seconde partie, p. 306.

ne peuvent que trahir; malheur à qui les emploie. « Ah! Dieu, qu'il est mal récompensé, » lit-on dans Girart de Roussillon, « le bon guerrier qui, de fils de vilain a fait chevalier, et puis son sénéchal et son conseiller, comme fit le comte Girart de ce Richier à qui il donna femme et grande terre; puis celui-ci vendit Roussillon à Charles le Fier. » Le comte Richard, héros de la chanson de *l'Escoufle* (un roman d'aventures écrit avant 1204), reçoit, au sujet des vilains, les confidences de l'Empereur. Celui-ci avoue qu'il n'est plus le maître de son empire, et n'ose pas aller sans escorte d'une ville à l'autre. Il a eu le tort de se fier à ses serfs et de les faire monter en dignité : maintenant, ce sont eux qui tiennent ses châteaux, ses cités, ses forêts. Finalement, il supplie Richard d'accepter la charge de connétable et de lui venir en aide. Le comte fait chercher en France les plus vaillants chevaliers, et, au bout d'un an et demi, il a débarrassé la terre impériale de tous les vilains qui occupaient les châteaux. Moralité : « Que jamais à votre cour ne vienne nul serf, pour être votre bailli. Car noble homme est honni et vaincu qui fait d'un vilain son maître. Comment pourrait-il être que vilain fût gentil ni franc? »

Mais en vain les féodaux essayent de s'opposer à cette marée montante; ils sont débordés, et les jongleurs, bon gré mal gré, introduisent, dans le cadre de leurs chansons, des vilains qui ne paraissent pas tous antipathiques et ridicules. Il est de ces vilains qui arrivent à la chevalerie, comme le Rigaut de *Garin*, un des héros de l'épopée, qui se bat comme un lion et tient tête même au roi de France. Encore Rigaut reste-t-il grotesque par certains côtés. Chez d'autres, tels Simon, dans *Berthe aux grands pieds*, ou David, dans les *Enfances Charlemagne*, le comique a presque disparu. Enfin, il arrive aux poètes d'attribuer le beau rôle à des gens de condition infime. La chanson de *Daurel et Béton* glorifie un simple jongleur, et, dans celle d'*Amis et d'Amiles*, deux serfs font preuve envers leur maître d'un dévouement admirable.

Un symptôme encore plus caractéristique est l'apparition d'une littérature bourgeoise, celle des fabliaux. Au dire des érudits les plus compétents, ces contes appartiennent, pour la plupart, à la fin du XIIᵉ siècle et au commencement du XIIIᵉ. L'historien de Louis VII et de Philippe-Auguste a donc le droit d'y rechercher les détails de mœurs et les éléments de vie réelle, qui forment le cadre où se joue la fantaisie du narrateur. Sans doute, les conteurs de fabliaux ne s'adressaient pas seulement à des bourgeois réunis au repas de corporation ou dans les foires; ils paraissaient dans les cénacles de chevaliers et de nobles dames et ils se moquent du vilain et du citadin

LITTÉRATURE BOURGEOISE DES FABLIAUX.

comme des autres classes sociales, mais les bourgeois étaient leurs meilleurs patrons, et cette littérature est populaire par la nature des sujets et la description des mœurs.

RICHEUT.   Le plus ancien fabliau, *Richeut* (1159), est l'histoire très réaliste d'une fille de mauvaise vie et le tableau du monde interlope qui l'entoure. On y trouve l'esprit d'observation cynique et railleuse, des descriptions de villes et de scènes populaires, les gueux et les goliards, les tripots et les tavernes, les écoliers turbulents, les petits commerçants de la rue, les bourgeois et les bourgeoises, tous peints au naturel, avec leurs ridicules et leurs vices.

« Les auteurs des fabliaux sont d'excellents historiographes, soit qu'ils nous conduisent à la grande foire de Troyes, où sont amoncelées tant de richesses, hanaps d'or et d'argent, étoffes d'écarlate et de soie, laines de St-Omer et de Bruges, et vers laquelle chevauchent d'opulents bourgeois portant comme des chevaliers écu et lance, suivis d'un long charroi, soit qu'ils nous dépeignent la petite ville haut perchée, endormie aux étoiles [1]. » Ils nous introduisent dans les communes de Picardie et de Flandre, à Arras, notamment, le type de la cité vivante et riche, où les corps de métiers, tapissiers, ouvriers en métaux et en pierreries, donnaient des banquets pantagruéliques. « Quand un de ces marchands revient la bourse lourde, par les routes les plus sûres, d'une des grandes foires champenoises ou flamandes, et qu'il rentre dans sa ville bien fermée, il se sent mis en gaieté, comme un bourgeois d'Aristophane, par le son des écus et l'odeur des bonnes cuisines. La prospérité engendre le loisir et la paresse, mère de l'art. Comme il s'est plu à orner sa confortable maison familiale, il faut qu'il décore et pare aussi son esprit. Il lui faut ses jongleurs qui viennent chanter sa gloire et déclamer devant lui les dits des « fèvres, » des « boulengiers, » des « peintres, » qui sont pour lui ce qu'étaient les odes de Pindare pour les bourgeois de Mycènes ou de Mégare. En contraste avec la littérature des châteaux, naît la littérature du tiers [2]. »

JEAN BODEL.   Parmi les plus anciens représentants de cette littérature nouvelle, il faut citer Jean Bodel, qui mourut vers 1210. Il avait été longtemps attaché au service de la commune d'Arras comme ménestrel ou héraut d'armes. Il allait partir pour la croisade de 1204, lorsqu'il fut atteint de la lèpre. Mais avant de s'enfermer dans une léproserie pour y vivre d'une rente que lui firent les échevins, il adresse à ses amis d'Arras un *Congé*, poème où sont nommés, avec quelques châtelains de l'Artois, les principaux bourgeois de la ville.

1. Bédier, *Les Fabliaux*, p. 306.
2. *Ibid.*, p. 332.

Les paysans et les bourgeois.

Il y dit adieu à ceux qui « doucement l'ont nourri, » et sa reconnaissance se répand en expressions touchantes. « Bodel avoue que Pierre Wasquet lui fut bien utile et que Simon Durant l'aida maintes fois. Raoul Reuvin le considérait comme un fils. Le trésor de Waubert Leclerc s'ouvrait à sa volonté. Quant à Nicolas le Charpentier, un vrai banquier pour lui, il suffisait de frapper à sa caisse [1]. »

Ce trouvère bourgeois ne négligeait pas cependant la clientèle des chevaliers et des barons. Il écrivit pour elle une chanson de geste, les *Saisnes* ou les *Saxons*, remaniement d'un vieux poème du cycle carolingien aujourd'hui perdu, où il a mis des sentiments et des scènes d'amour, pour se conformer aux récentes habitudes de la courtoisie. Mais la tendance bourgeoise décidément l'emportait en lui. Il composa, en même temps que des fabliaux (neuf de ces contes peuvent lui être attribués), des pastourelles, et surtout le *Jeu de Saint Nicolas*, une des plus anciennes et des plus curieuses pièces de théâtre écrites en français.

Drame presque shakespearien, guerrier, religieux et populaire à la fois, le *Jeu de Saint Nicolas* met en scène des personnages d'épopée, un roi sarrasin, son sénéchal, ses amiraux et ses feudataires, à côté des habitants d'une commune, aubergistes, valets, crieurs de vin, piliers de cabaret, joueurs et voleurs de la pire espèce. Aux descriptions de combat entre païens et chrétiens succèdent brusquement des tableaux de taverne et des rixes d'ivrognes qui occupent la plus grande partie du poème. Il faut entendre le tavernier appeler les passants à son auberge : « Céans il fait bon dîner; céans il y a pain chaud et harengs chauds, et vin d'Auxerre à plein tonnel, » et le crieur de vin, Raoulet, faire par les rues son office : « Le vin nouvellement en perce, à plein pot et à pleine tonne, vin discret, buvant, plein et corsé, coulant comme écureuil en bois, sans nul goût de pourri ni d'aigre; il court sur lie, sec et vif, clair comme larme de pêcheur : vin inséparable de la langue. Voyez comme il mange sa mousse, comme on le voit sauter, étinceler et frire : tenez-le un peu sur la langue et vous en sentirez le goût passer au cœur. » Et ce singulier mélange de dialogues sérieux et bouffons, de poésie chevaleresque et bachique, où la langue, d'une verdeur populacière, descend parfois jusqu'à l'argot, se termine par l'intervention miraculeuse de saint Nicolas, la conversion des Sarrasins et un *Te Deum* chanté par tous les acteurs.

Un tel poème était fait pour plaire à une bourgeoisie belli-

LE JEU DE SAINT NICOLAS.

1. Guy, *Adam de le Hale*, p. XXII.

queuse, aimant à boire et à rire, encore dévote, mais qui ne croit pas commettre une irrévérence en mêlant le sacré au profane. Dans le *Jeu de Saint Nicolas* apparaît en synthèse le Moyen âge tout entier, l'ancien et le nouveau, le monde héroïque des chevaliers et des croisades, et le peuple turbulent des villes, les petites gens des ateliers et des boutiques, à qui l'avenir appartenait.

TABLE DES MATIÈRES

Table des matières.

Achevé d'imprimer
sur Roto-Page
par l'Imprimerie Floch à Mayenne
en décembre 2009.
Dépôt légal : décembre 2009.
Numéro d'éditeur : 108.
Numéro d'imprimeur : 75257.

ISBN 978-2-84990-136-6 / *Imprimé en France.*